Reihe Hanser 220/1
Heinrich Heine
Sämtliche Schriften

Heinrich Heine
Sämtliche Schriften in zwölf Bänden
Herausgegeben von Klaus Briegleb

HEINRICH HEINE

Sämtliche Schriften

Band 1
Schriften 1817–1840
Hanser Verlag

Herausgegeben von Klaus Briegleb
Die Ausgabe der »Sämtlichen Schriften in zwölf Bän-
den« folgt seitengleich der siebenbändigen Dünndruckausgabe der »Sämtlichen Schriften« Heinrich
Heines (Band 1, 2. Auflage 1975; Band 2–6/II, 1. Auflage 1969 ff.) im Carl Hanser Verlag. Die Bände 1/2,
3/4, 5/6, 7/8, 9/10 der vorliegenden Ausgabe entspre-
chen jeweils einem Band der Dünndruckausgabe
(Band 1–5); Band 11 der vorliegenden Ausgabe entspricht Band 6/I, Band 12 entspricht Band 6/II der
Dünndruckausgabe.

Reihe Hanser 220/1
ISBN 3-446-12241-9
© 1976 Carl Hanser Verlag
München Wien
Ausstattung Heinz Edelmann
Gesamtherstellung Ebner, Ulm
Printed in Germany

INHALTSÜBERSICHT

BUCH DER LIEDER

Diese neue Ausgabe des Buchs der Lieder kann ich dem über-
rheinischen Publikum nicht zuschicken, ohne sie mit freund-
lichen Grüßen in ehrlichster Prosa zu begleiten. Ich weiß nicht,
welches wunderliche Gefühl mich davon abhält, dergleichen
Vorworte, wie es bei Gedichtesammlungen üblich ist, in schönen Rhythmen zu versifizieren. Seit einiger Zeit sträubt sich
etwas in mir gegen alle gebundene Rede, und wie ich höre,
regt sich bei manchen Zeitgenossen eine ähnliche Abneigung.
Es will mich bedünken, als sei in schönen Versen allzuviel gelogen worden, und die Wahrheit scheue sich in metrischen Ge-
wanden zu erscheinen.

Nicht ohne Befangenheit übergebe ich der Lesewelt den er-
neuten Abdruck dieses Buches. Es hat mir die größte Über-
windung gekostet, ich habe fast ein ganzes Jahr gezaudert, ehe ich
mich zur flüchtigen Durchsicht desselben entschließen konnte.
Bei seinem Anblick erwachte in mir all jenes Unbehagen, das
mir einst vor zehn Jahren, bei der ersten Publikation, die Seele
beklemmte. Verstehen wird diese Empfindung nur der Dichter
oder Dichterling, der seine ersten Gedichte gedruckt sah. Erste
Gedichte! Sie müssen auf nachlässigen, verblichenen Blättern
geschrieben sein, dazwischen, hie und da, müssen welke Blumen liegen, oder eine blonde Locke, oder ein verfärbtes Stückchen Band, und an mancher Stelle muß noch die Spur einer
Träne sichtbar sein... Erste Gedichte aber, die gedruckt sind,
grell schwarz gedruckt auf entsetzlich glattem Papier, diese haben ihren süßesten, jungfräulichsten Reiz verloren und erregen
bei dem Verfasser einen schauerlichen Mißmut.

Ja, es sind nun zehn Jahr, seitdem diese Gedichte zuerst erschienen, und ich gebe sie wie damals in chronologischer Folge,
und ganz voran ziehen wieder Lieder, die in jenen früheren
Jahren gedichtet worden, als die ersten Küsse der deutschen
Muse in meiner Seele brannten. Ach! die Küsse dieser guten
Dirne verloren seitdem sehr viel von ihrer Glut und Frische! Bei
so langjährigem Verhältnis mußte die Inbrunst der Flitterwochen
allmählig verrauchen; aber die Zärtlichkeit wurde manchmal

um so herzlicher, besonders in schlechten Tagen, und da bewährte sie mir ihre ganze Liebe und Treue, die deutsche Muse! Sie tröstete mich in heimischen Drangsalen, folgte mir ins Exil, erheiterte mich in bösen Stunden des Verzagens, ließ mich nie im Stich, sogar in Geldnot wußte sie mir zu helfen, die deutsche Muse, die gute Dirne!

Ebenso wenig wie an der Zeitfolge änderte ich an den Gedichten selbst. Nur hie und da, in der ersten Abteilung, wurden einige Verse verbessert. Der Raumersparnis wegen habe ich die Dedikationen der ersten Auflage weggelassen. Doch kann ich nicht umhin zu erwähnen, daß das Lyrische Intermezzo einem Buche entlehnt ist, welches unter dem Titel »Tragödien« im Jahr 1823 erschien und meinem Oheim Salomon Heine zugeeignet worden. Die hohe Achtung, die ich diesem großartigen Manne zollte, so wie auch meine Dankbarkeit für die Liebe, die er mir damals bewiesen, wollte ich durch jene Widmung beurkunden. »Die Heimkehr«, welche zuerst in den Reisebildern erschien, ist der seligen Friederike Varnhagen von Ense gewidmet, und ich darf mich rühmen, der erste gewesen zu sein, der diese große Frau mit öffentlicher Huldigung verehrte. Es war eine große Tat von August Varnhagen, daß er, alles kleinliche Bedenken abweisend, jene Briefe veröffentlichte, worin sich Rahel mit ihrer ganzen Persönlichkeit offenbart. Dieses Buch kam zur rechten Zeit, wo es eben am besten wirken, stärken und trösten konnte. Das Buch kam zur trostbedürftig rechten Zeit. Es ist als ob die Rahel wußte, welche posthume Sendung ihr beschieden war. Sie glaubte freilich, es würde besser werden, und wartete; doch als des Wartens kein Ende nahm, schüttelte sie ungeduldig den Kopf, sah Varnhagen an, und starb schnell – um desto schneller auferstehen zu können. Sie mahnt mich an die Sage jener anderen Rahel, die aus dem Grabe hervorstieg und an der Landstraße stand und weinte, als ihre Kinder in die Gefangenschaft zogen.

Ich kann ihrer nicht ohne Wehmut gedenken, der liebreichen Freundin, die mir immer die unermüdlichste Teilnahme widmete, und sich oft nicht wenig für mich ängstigte, in jener Zeit meiner jugendlichen Übermüten, in jener Zeit als die Flamme der Wahrheit mich mehr erhitzte als erleuchtete...

Diese Zeit ist vorbei! Ich bin jetzt mehr erleuchtet als erhitzt. Solche kühle Erleuchtung kommt aber immer zu spät bei den Menschen. Ich sehe jetzt im klarsten Lichte die Steine, über welche ich gestolpert. Ich hätte ihnen so leicht ausweichen können, ohne darum einen unrechten Weg zu wandeln. Jetzt weiß ich auch, daß man in der Welt sich mit Allem befassen kann, wenn man nur die dazu nötigen Handschuhe anzieht. Und dann sollten wir nur das tun, was tunlich ist und wozu wir am meisten Geschick haben, im Leben wie in der Kunst. Ach! zu den unseligsten Mißgriffen des Menschen gehört, daß er den Wert der Geschenke, die ihm die Natur am bequemsten entgegen trägt, kindisch verkennt, und dagegen die Güter, die ihm am schwersten zugänglich sind, für die kostbarsten ansieht. Den Edelstein, der im Schoße der Erde festgewachsen, die Perle, die in den Untiefen des Meeres verborgen, hält der Mensch für die besten Schätze; er würde sie gering achten, wenn die Natur sie gleich Kieseln und Muscheln zu seinen Füßen legte. Gegen unsere Vorzüge sind wir gleichgültig; über unsere Gebrechen suchen wir uns so lange zu täuschen, bis wir sie endlich für Vortrefflichkeiten halten. Als ich einst, nach einem Konzerte von Paganini, diesem Meister mit leidenschaftlichen Lobsprüchen über sein Violinspiel entgegentrat, unterbrach er mich mit den Worten: Aber wie gefielen Ihnen heut meine Komplimente, meine Verbeugungen?

Bescheidenen Sinnes und um Nachsicht bittend, übergebe ich dem Publikum das Buch der Lieder; für die Schwäche dieser Gedichte mögen vielleicht meine politischen, theologischen und philosophischen Schriften einigen Ersatz bieten.

Bemerken muß ich jedoch, daß meine poetischen, ebenso gut wie meine politischen, theologischen und philosophischen Schriften, einem und demselben Gedanken entsprossen sind, und daß man die einen nicht verdammen darf, ohne den andern allen Beifall zu entziehen. Zugleich erlaube ich mir auch die Bemerkung, daß das Gerücht, als hätte jener Gedanken eine bedenkliche Umwandlung in meiner Seele erlitten, auf Angaben beruht, die ich ebenso verachte wie bedauern muß. Nur gewissen borniertern Geistern konnte die Milderung meiner Rede, oder gar mein erzwungenes Schweigen, als ein Abfall von mir selber erscheinen. Sie mißdeuteten meine Mäßigung, und das war um so liebloser, da ich doch nie ihre Überwut mißdeutet habe. Höchstens dürfte man mich einer Ermüdung beschuldigen. Aber ich habe ein Recht müde zu sein... Und dann muß jeder dem Gesetze der Zeit gehorchen, er mag wollen oder nicht...

>>Und scheint die Sonne noch so schön,
Am Ende muß sie untergehn!<<

Die Melodie dieser Verse summt mir schon den ganzen Morgen im Kopfe und klingt vielleicht wider aus allem was ich soeben geschrieben. In einem Stücke von Raimund, dem wackeren Komiker, der sich unlängst aus Melancholie totgeschossen, erscheinen Jugend und Alter als allegorische Personen, und das Lied welches die Jugend singt, wenn sie von dem Helden Abschied nimmt, beginnt mit den erwähnten Versen. Vor vielen Jahren, in München, sah ich dieses Stück, ich glaube es heißt >>Der Bauer als Millionär<<. Sobald die Jugend abgeht, sieht man, wie die Person des Helden, der allein auf der Szene zurückbleibt, eine sonderbare Veränderung erleidet. Sein braunes Haar wird allmählig grau und endlich schneeweiß; sein Rücken krümmt sich, seine Kniee schlottern; an die Stelle des vorigen Ungestüms tritt eine weinerliche Weichheit... das Alter erscheint.

Naht diese winterliche Gestalt auch schon dem Verfasser dieser Blätter? Gewahrst du schon, teurer Leser, eine ähnliche Umwandlung an dem Schriftsteller, der immer jugendlich, fast allzu jugendlich in der Literatur sich bewegte? Es ist ein betrübender Anblick, wenn ein Schriftsteller vor unseren Augen, angesichts des ganzen Publikums, allmählig alt wird. Wir habens gesehen, nicht bei Wolfgang Goethe, dem ewigen Jüngling, aber bei August Wilhelm von Schlegel, dem bejahrten Gecken; wir habens gesehen, nicht bei Adalbert Chamisso, der mit jedem Jahre sich blütenreicher verjüngt, aber wir sahen es bei Herrn Ludwig Tieck, dem ehemaligen romantischen Strohmian, der jetzt ein alter räudiger Muntsche geworden... O, Ihr Götter! ich bitte Euch nicht mir die Jugend zu lassen, aber laßt mir die Tugenden der Jugend, den uneigennützigen Groll, die uneigennützige Träne! Laßt mich nicht ein alter Polterer werden, der aus Neid die jüngeren Geister ankläfft, oder ein matter Jammermensch, der über die gute alte Zeit beständig flennt... Laßt mich ein Greis werden, der die Jugend liebt, und trotz der Alterschwäche noch immer Teil nimmt an ihren Spielen und Gefahren! Mag immerhin meine Stimme zittern und beben, wenn nur der Sinn meiner Worte unerschrocken und frisch bleibt!

Sie lächelte gestern so sonderbar, halb mitleidig halb boshaft, die schöne Freundin, als sie mit ihren rosigen Fingern meine Locken glättete... Nicht wahr, du hast auf meinem Haupte einige weiße Haare bemerkt?

>>Und scheint die Sonne noch so schön,
Am Ende muß sie untergehn.<<

Geschrieben zu *Paris* im Frühjahr 1837.

Heinrich Heine.

Das ist der alte Märchenwald!
Es duftet die Lindenblüte!
Der wunderbare Mondenglanz
Bezaubert mein Gemüte.

Ich ging fürbaß, und wie ich ging,
Erklang es in der Höhe.
Das ist die Nachtigall, sie singt
Von Lieb und Liebeswehe.

Sie singt von Lieb und Liebesweh,
Von Tränen und von Lachen,
Sie jubelt so traurig, sie schluchzet so froh,
Vergessene Träume erwachen. –

Ich ging fürbaß, und wie ich ging,
Da sah ich vor mir liegen,
Auf freiem Platz, ein großes Schloß,
Die Giebel hoch aufstiegen.

Verschlossene Fenster, überall
Ein Schweigen und ein Trauern;
Es schien, als wohne der stille Tod
In diesen öden Mauern.

Dort vor dem Tor lag eine Sphinx,
Ein Zwitter von Schrecken und Lüsten,
Der Leib und die Tatzen wie ein Löw,
Ein Weib an Haupt und Brüsten.

Ein schönes Weib! Der weiße Blick,
Er sprach von wildem Begehren;
Die stummen Lippen wölbten sich
Und lächelten stilles Gewähren.

Die Nachtigall, sie sang so süß –
Ich konnt nicht widerstehen –

Und als ich küßte das holde Gesicht,
Da wars um mich geschehen.

Lebendig ward das Marmorbild,
Der Stein begann zu ächzen –
Sie trank meiner Küsse lodernde Glut
Mit Dürsten und mit Lechzen.

Sie trank mir fast den Odem aus –
Und endlich, wollustheischend,
Umschlang sie mich, meinen armen Leib
Mit den Löwentatzen zerfleischend.

Entzückende Marter und wonniges Weh!
Der Schmerz wie die Lust unermeßlich!
Derweilen des Mundes Kuß mich beglückt,
Verwunden die Tatzen mich gräßlich.

Die Nachtigall sang: »O schöne Sphinx!
O Liebe! was soll es bedeuten,
Daß du vermischest mit Todesqual
All deine Seligkeiten?

O schöne Sphinx! O löse mir
Das Rätsel, das wunderbare!
Ich hab darüber nachgedacht
Schon manche tausend Jahre.«

Das hätte ich alles sehr gut in guter Prosa sagen können...
Wenn man aber die alten Gedichte wieder durchliest, um ihnen,
behufs eines erneueten Abdrucks, einige Nachfeile zu erteilen,
dann überschleicht einen unversehens die klingelnde Gewohnheit des Reims und Silbenfalls, und siehe! es sind Verse, womit
ich die dritte Auflage des Buchs der Lieder eröffne. O Phöbus
Apollo! sind diese Verse schlecht, so wirst du mir gern verzeihen... Denn du bist ein allwissender Gott, und du weißt sehr
gut, warum ich mich seit so vielen Jahren nicht mehr vorzugsweise mit Maß und Gleichklang der Wörter beschäftigen

konnte... Du weißt, warum die Flamme, die einst in brillanten
Feuerwerkspielen die Welt ergötzte, plötzlich zu weit ernsteren
Bränden verwendet werden mußte... Du weißt, warum sie
jetzt in schweigender Glut mein Herz verzehrt... Du verstehst
mich, großer schöner Gott, der du ebenfalls die goldene Leier
zuweilen vertauschtest mit dem starken Bogen und den töd-
lichen Pfeilen... Erinnerst du dich auch noch des Marsyas, den
du lebendig geschunden? Es ist schon lange her, und ein ähnliches Beispiel tät wieder not... Du lächelst, o mein ewiger
Vater!

Geschrieben zu Paris den 20. Februar 1839.

Heinrich Heine.

Vorrede zur fünften Auflage

Der vierten Auflage dieses Buches konnte ich leider keine besondere Sorgfalt widmen, und sie wurde ohne vorhergehende Durchsicht abgedruckt. Eine Versäumnis solcher Art wiederholte sich glücklicherweise nicht bei dieser fünften Auflage, indem ich zufällig in dem Druckorte verweilte und die Korrektur selber besorgen konnte. Hier, in demselben Druckorte, bei Hoffmann und Campe in Hamburg, publiziere ich gleichzeitig, unter dem Titel »Neue Gedichte« eine Sammlung poetischer Erzeugnisse, die wohl als der zweite Teil des »Buchs der Lieder« zu betrachten ist. – Den Freunden im Vaterlande meine heitersten Scheidegrüße!

Geschrieben zu Hamburg den 21. August 1844.

Heinrich Heine.

JUNGE LEIDEN

1817–1821

I

Mir träumte einst von wildem Liebesglühn,
Von hübschen Locken, Myrten und Resede,
Von süßen Lippen und von bittrer Rede,
Von düstrer Lieder düstern Melodien.

Verblichen und verweht sind längst die Träume,
Verweht ist gar mein liebstes Traumgebild!
Geblieben ist mir nur, was glutenwild
Ich einst gegossen hab in weiche Reime.

Du bliebst, verwaistes Lied! Verweh jetzt auch,
Und such das Traumbild, das mir längst entschwunden,   10
Und grüß es mir, wenn du es aufgefunden –
Dem luftgen Schatten send ich luftgen Hauch.

II

Ein Traum, gar seltsam schauerlich,
Ergötzte und erschreckte mich.
Noch schwebt mir vor manch grausig Bild,
Und in dem Herzen wogt es wild.

Das war ein Garten, wunderschön,
Da wollt ich lustig mich ergehn;
Viel schöne Blumen sahn mich an,
Ich hatte meine Freude dran.

Es zwitscherten die Vögelein
Viel muntre Liebesmelodein;   10
Die Sonne rot, von Gold umstrahlt,
Die Blumen lustig bunt bemalt.

Viel Balsamduft aus Kräutern rinnt,
Die Lüfte wehen lieb und lind;
Und alles schimmert, alles lacht,
Und zeigt mir freundlich seine Pracht.

Inmitten in dem Blumenland
Ein klarer Marmorbrunnen stand;
Da schaut ich eine schöne Maid,
Die emsig wusch ein weißes Kleid.

Die Wänglein süß, die Äuglein mild,
Ein blondgelocktes Heilgenbild;
Und wie ich schau, die Maid ich fand
So fremd und doch so wohlbekannt.

Die schöne Maid, die sputet sich,
Sie summt ein Lied gar wunderlich:
»Rinne, rinne, Wässerlein,
Wasche mir das Linnen rein.«

Ich ging und nahete mich ihr,
Und flüsterte: O sage mir,
Du wunderschöne, süße Maid,
Für wen ist dieses weiße Kleid?

Da sprach sie schnell: Sei bald bereit,
Ich wasche dir dein Totenkleid!
Und als sie dies gesprochen kaum,
Zerfloß das ganze Bild, wie Schaum. –

Und fortgezaubert stand ich bald
In einem düstern, wilden Wald.
Die Bäume ragten himmelan;
Ich stand erstaunt und sann und sann.

Und horch! welch dumpfer Widerhall!
Wie ferner Äxtenschläge Schall;
Ich eil durch Busch und Wildnis fort,
Und komm an einen freien Ort.

Inmitten in dem grünen Raum,
Da stand ein großer Eichenbaum;
Und sieh! mein Mägdlein wundersam
Haut mit dem Beil den Eichenstamm.

Und Schlag auf Schlag, und sonder Weil,
Summt sie ein Lied und schwingt das Beil: 50
»Eisen blink, Eisen blank,
Zimmre hurtig Eichenschrank.«

Ich ging und nahete mich ihr,
Und flüsterte: O sage mir,
Du wundersüßes Mägdelein,
Wem zimmerst du den Eichenschrein?

Da sprach sie schnell: Die Zeit ist karg,
Ich zimmre deinen Totensarg!
Und als sie dies gesprochen kaum,
Zerfloß das ganze Bild, wie Schaum. –   60

Es lag so bleich, es lag so weit
Ringsum nur kahle, kahle Heid;
Ich wußte nicht, wie mir geschah,
Und heimlich schaudernd stand ich da.

Und nun ich eben fürder schweif,
Gewahr ich einen weißen Streif;
Ich eilt drauf zu, und eilt und stand,
Und sieh! die schöne Maid ich fand.

Auf weiter Heid stand weiße Maid,
Grub tief die Erd mit Grabescheit.   70
Kaum wagt ich noch sie anzuschaun,
Sie war so schön und doch ein Graun.

Die schöne Maid, die sputet sich,
Sie summt ein Lied gar wunderlich:
»Spaten, Spaten, scharf und breit,
Schaufle Grube tief und weit.«

Ich ging und nahete mich ihr,
Und flüsterte: O sage mir,
Du wunderschöne, süße Maid,
80 Was diese Grube hier bedeut't?

Da sprach sie schnell: »Sei still, ich hab
Geschaufelt dir ein kühles Grab.«
Und als so sprach die schöne Maid,
Da öffnet sich die Grube weit;

Und als ich in die Grube schaut,
Ein kalter Schauer mich durchgraut;
Und in die dunkle Grabesnacht
Stürzt ich hinein – und bin erwacht.

III

Im nächtgen Traum hab ich mich selbst geschaut,
In schwarzem Galafrack und seidner Weste,
Manschetten an der Hand, als gings zum Feste,
Und vor mir stand mein Liebchen, süß und traut.

Ich beugte mich und sagte: »Sind Sie Braut?
Ei! ei! so gratulier ich, meine Beste!«
Doch fast die Kehle mir zusammenpreßte
Der langgezogne, vornehm kalte Laut.

Und bittre Tränen plötzlich sich ergossen
10 Aus Liebchens Augen, und in Tränenwogen
Ist mir das holde Bildnis fast zerflossen.

O süße Augen, fromme Liebessterne,
Obschon ihr mir im Wachen oft gelogen,
Und auch im Traum, glaub ich euch dennoch gerne!

IV

Im Traum sah ich ein Männchen klein und putzig,
Das ging auf Stelzen, Schritte ellenweit,
Trug weiße Wäsche und ein feines Kleid,
Inwendig aber war es grob und schmutzig.

Inwendig war es jämmerlich, nichtsnutzig,
Jedoch von außen voller Würdigkeit;
Von der Courage sprach es lang und breit,
Und tat sogar recht trutzig und recht stutzig.

»Und weißt du, wer das ist? Komm her und schau!«
So sprach der Traumgott, und er zeigt' mir schlau   10
Die Bilderflut in eines Spiegels Rahmen.

Vor einem Altar stand das Männchen da,
Mein Lieb daneben, beide sprachen: Ja!
Und tausend Teufel riefen lachend: Amen!

V

Was treibt und tobt mein tolles Blut?
Was flammt mein Herz in wilder Glut?
Es kocht mein Blut und schäumt und gärt,
Und grimme Glut mein Herz verzehrt.

Das Blut ist toll, und gärt und schäumt,
Weil ich den bösen Traum geträumt;
Es kam der finstre Sohn der Nacht,
Und hat mich keuchend fortgebracht.

Er bracht mich in ein helles Haus,
Wo Harfenklang und Saus und Braus   10
Und Fackelglanz und Kerzenschein;
Ich kam zum Saal, ich trat hinein.

Das war ein lustig Hochzeitfest;
Zu Tafel saßen froh die Gäst.
Und wie ich nach dem Brautpaar schaut –
O weh! mein Liebchen war die Braut.

Das war mein Liebchen wunnesam,
Ein fremder Mann war Bräutigam;
Dicht hinterm Ehrenstuhl der Braut,
Da blieb ich stehn, gab keinen Laut.

Es rauscht Musik – gar still stand ich;
Der Freudenlärm betrübte mich.
Die Braut, sie blickt so hochbeglückt,
Der Bräutgam ihre Hände drückt.

Der Bräutgam füllt den Becher sein,
Und trinkt daraus, und reicht gar fein
Der Braut ihn hin; sie lächelt Dank –
O weh! mein rotes Blut sie trank.

Die Braut ein hübsches Äpflein nahm,
Und reicht es hin dem Bräutigam.
Der nahm sein Messer, schnitt hinein, –
O weh! das war das Herze mein.

Sie äugeln süß, sie äugeln lang,
Der Bräutgam kühn die Braut umschlang,
Und küßt sie auf die Wangen rot, –
O weh! mich küßt der kalte Tod.

Wie Blei lag meine Zung im Mund,
Daß ich kein Wörtlein sprechen kunt.
Da rauscht es auf, der Tanz begann;
Das schmucke Brautpaar tanzt voran.

Und wie ich stand so leichenstumm,
Die Tänzer schweben flink herum; –
Ein leises Wort der Bräutgam spricht,
Die Braut wird rot, doch zürnt sie nicht. – –

VI

Im süßen Traum, bei stiller Nacht,
Da kam zu mir, mit Zaubermacht,
Mit Zaubermacht, die Liebste mein,
Sie kam zu mir ins Kämmerlein.

Ich schau sie an, das holde Bild!
Ich schau sie an, sie lächelt mild,
Und lächelt, bis das Herz mir schwoll,
Und stürmisch kühn das Wort entquoll:

»Nimm hin, nimm alles was ich hab,
Mein Liebstes tret ich gern dir ab,   10
Dürft ich dafür dein Buhle sein,
Von Mitternacht bis Hahnenschrein.«

Da staunt' mich an gar seltsamlich,
So lieb, so weh und inniglich,
Und sprach zu mir die schöne Maid:
O, gib mir deine Seligkeit!

»Mein Leben süß, mein junges Blut,
Gäb ich, mit Freud und wohlgemut,
Für dich, o Mädchen engelgleich –
Doch nimmermehr das Himmelreich.«   20

Wohl braust hervor mein rasches Wort,
Doch blühet schöner immerfort,
Und immer spricht die schöne Maid:
O, gib mir deine Seligkeit!

Dumpf dröhnt dies Wort mir ins Gehör,
Und schleudert mir ein Glutenmeer
Wohl in der Seele tiefsten Raum;
Ich atme schwer, ich atme kaum. –

Das waren weiße Engelein,
Umglänzt von goldnem Glorienschein;   3
Nun aber stürmte wild herauf
Ein greulich schwarzer Koboldhauf.

Die rangen mit den Engelein,
Und drängten fort die Engelein;
Und endlich auch die schwarze Schar
In Nebelduft zerronnen war. –

Ich aber wollt in Lust vergehn,
Ich hielt im Arm mein Liebchen schön;
Sie schmiegt sich an mich wie ein Reh,
Doch weint sie auch mit bitterm Weh.

Feins Liebchen weint; ich weiß warum,
Und küß ihr Rosenmündlein stumm. –
»O still', feins Lieb, die Tränenflut,
Ergib dich meiner Liebesglut!«

»Ergib dich meiner Liebesglut –«
Da plötzlich starrt zu Eis mein Blut;
Laut bebet auf der Erde Grund,
Und öffnet gähnend sich ein Schlund.

Und aus dem schwarzen Schlunde steigt
Die schwarze Schar; – feins Lieb erbleicht!
Aus meinen Armen schwand feins Lieb;
Ich ganz alleine stehen blieb.

Da tanzt im Kreise wunderbar,
Um mich herum, die schwarze Schar,
Und drängt heran, erfaßt mich bald,
Und gellend Hohngelächter schallt.

Und immer enger wird der Kreis,
Und immer summt die Schauerweis:
Du gabest hin die Seligkeit,
Gehörst uns nun in Ewigkeit!

VII

Nun hast du das Kaufgeld, nun zögerst du doch?
Blutfinstrer Gesell, was zögerst du noch?

Schon sitze ich harrend im Kämmerlein traut,
Und Mitternacht naht schon – es fehlt nur die Braut.

Viel schauernde Lüftchen vom Kirchhofe wehn; –
Ihr Lüftchen! habt ihr mein Bräutchen gesehn?
Viel blasse Larven gestalten sich da,
Umknixen mich grinsend und nicken: O ja!

Pack aus, was bringst du für Botschafterei,
Du schwarzer Schlingel in Feuerlivrei?
»Die gnädige Herrschaft meldet sich an,   10
Gleich kommt sie gefahren im Drachengespann.«

Du lieb grau Männchen, was ist dein Begehr?
Mein toter Magister, was treibt dich her?
Er schaut mich mit schweigend trübseligem Blick,
Und schüttelt das Haupt, und wandelt zurück.

Was winselt und wedelt der zottge Gesell?
Was glimmert schwarz Katers Auge so hell?
Was heulen die Weiber mit fliegendem Haar?
Was lullt mir Frau Amme mein Wiegenlied gar?   20

Frau Amme, bleib heut mit dem Singsang zu Haus,
Das Eiapopeia ist lange schon aus;
Ich feire ja heute mein Hochzeitfest –
Da schau mal, dort kommen schon zierliche Gäst.

Da schau mal! Ihr Herren, das nenn ich galant!
Ihr tragt, statt der Hüte, die Köpf in der Hand!
Ihr Zappelbeinleutchen im Galgenornat,
Der Wind ist still, was kommt ihr so spat?

Da kommt auch alt Besenstielmütterchen schon.
Ach segne mich, Mütterchen, bin ja dein Sohn.   30
Da zittert der Mund im weißen Gesicht:
»In Ewigkeit Amen!« das Mütterchen spricht.

Zwölf winddürre Musiker schlendern herein;
Blind Fiedelweib holpert wohl hintendrein.

Da schleppt der Hanswurst, in buntscheckiger Jack,
Den Totengräber huckepack.

Es tanzen zwölf Klosterjungfrauen herein;
Die schielende Kupplerin führet den Reihn.
Es folgen zwölf lüsterne Pfäffelein schon,
Und pfeifen ein Schandlied im Kirchenton.

Herr Trödler, o schrei dir nicht blau das Gesicht,
Im Fegfeuer nützt mir dein Pelzröckel nicht;
Dort heizet man gratis jahraus, jahrein,
Statt mit Holz, mit Fürsten- und Bettlergebein.

Die Blumenmädchen sind bucklicht und krumm,
Und purzeln kopfüber im Zimmer herum.
Ihr Eulengesichter mit Heuschreckenbein,
Hei! laßt mir das Rippengeklapper nur sein!

Die sämtliche Höll ist los fürwahr,
Und lärmet und schwärmet in wachsender Schar.
Sogar der Verdammniswalzer erschallt –
Still, still! nun kommt mein feins Liebchen auch bald.

Gesindel, sei still, oder trolle dich fort!
Ich höre kaum selber mein leibliches Wort –
Ei, rasselt nicht eben ein Wagen vor?
Frau Köchin! wo bist du? Schnell öffne das Tor!

Willkommen, feins Liebchen, wie gehts dir, mein Schatz?
Willkommen, Herr Pastor, ach nehmen Sie Platz!
Herr Pastor mit Pferdefuß und Schwanz,
Ich bin Eur Ehrwürden Diensteigener ganz!

Lieb Bräutchen, was stehst du so stumm und bleich?
Der Herr Pastor schreitet zur Trauung sogleich;
Wohl zahl ich ihm teure, blutteure Gebühr,
Doch dich zu besitzen gilts Kinderspiel mir.

Knie nieder, süß Bräutchen, knie hin mir zur Seit! –
Da kniet sie, da sinkt sie – o selige Freud! –

Sie sinkt mir ans Herz, an die schwellende Brust,
Ich halt sie umschlungen mit schauernder Lust.

Die Goldlockenwellen umspielen uns beid:
An mein Herze pocht das Herze der Maid.   70
Sie pochen wohl beide vor Lust und vor Weh,
Und schweben hinauf in die Himmelshöh.

Die Herzlein schwimmen im Freudensee,
Dort oben in Gottes heilger Höh;
Doch auf den Häuptern, wie Grausen und Brand,
Da hat die Hölle gelegt die Hand.

Das ist der finstre Sohn der Nacht,
Der hier den segnenden Priester macht;
Er murmelt die Formel aus blutigem Buch,
Sein Beten ist Lästern, sein Segnen ist Fluch.   80

Und es krächzet und zischet und heulet toll,
Wie Wogengebrause, wie Donnergeroll; –
Da blitzet auf einmal ein bläuliches Licht –
»In Ewigkeit, Amen!« das Mütterchen spricht.

VIII

Ich kam von meiner Herrin Haus
Und wandelt in Wahnsinn und Mitternachtgraus.
Und wie ich am Kirchhof vorübergehn will,
Da winken die Gräber ernst und still.

Da winkts von des Spielmanns Leichenstein;
Das war der flimmernde Mondesschein.
Da lispelts: Lieb Bruder, ich komme gleich!
Da steigts aus dem Grabe nebelbleich.

Der Spielmann wars, der entstiegen jetzt,
Und hoch auf den Leichenstein sich setzt.   10
In die Saiten der Zither greift er schnell,
Und singt dabei recht hohl und grell:

Ei! kennt ihr noch das alte Lied,
Das einst so wild die Brust durchglüht,
Ihr Saiten dumpf und trübe?
Die Engel, die nennen es Himmelsfreud,
Die Teufel, die nennen es Höllenleid,
Die Menschen, die nennen es: Liebe!

Kaum tönte des letzten Wortes Schall,
Da taten sich auf die Gräber all;
Viel Luftgestalten dringen hervor,
Umschweben den Spielmann und schrillen im Chor:

Liebe! Liebe! deine Macht
Hat uns hier zu Bett gebracht
Und die Augen zugemacht –
Ei, was rufst du in der Nacht?

So heult es verworren, und ächzet und girrt,
Und brauset und sauset, und krächzet und klirrt;
Und der tolle Schwarm den Spielmann umschweift,
Und der Spielmann wild in die Saiten greift:

Bravo! bravo! immer toll!
Seid willkommen!
Habt vernommen,
Daß mein Zauberwort erscholl!
Liegt man doch jahraus, jahrein,
Mäuschenstill im Kämmerlein;
Laßt uns heute lustig sein!
Mit Vergunst –
Seht erst zu, sind wir allein? –
Narren waren wir im Leben
Und mit toller Wut ergeben
Einer tollen Liebesbrunst.
Kurzweil kann uns heut nicht fehlen,
Jeder soll hier treu erzählen,
Was ihn weiland hergebracht,
Wie gehetzt,
Wie zerfetzt
Ihn die tolle Liebesjagd.

Da hüpft aus dem Kreise, so leicht wie der Wind,
Ein mageres Wesen, das summend beginnt: 50

Ich war ein Schneidergeselle
Mit Nadel und mit Scher;
Ich war so flink und schnelle
Mit Nadel und mit Scher;
Da kam die Meisterstochter
Mit Nadel und mit Scher;
Und hat mir ins Herz gestochen
Mit Nadel und mit Scher.

Da lachten die Geister im lustigen Chor;
Ein Zweiter trat still und ernst hervor: 60

Den Rinaldo Rinaldini,
Schinderhanno, Orlandini,
Und besonders Carlo Moor
Nahm ich mir als Muster vor.

Auch verliebt – mit Ehr zu melden –
Hab ich mich, wie jene Helden,
Und das schönste Frauenbild
Spukte mir im Kopfe wild.

Und ich seufzte auch und girrte;
Und wenn Liebe mich verwirrte,   70
Steckt ich meine Finger rasch
In des Herren Nachbars Tasch.

Doch der Gassenvogt mir grollte,
Daß ich Sehnsuchtstränen wollte
Trocknen mit dem Taschentuch,
Das mein Nachbar bei sich trug.

Und nach frommer Häschersitte
Nahm man still mich in die Mitte,
Und das Zuchthaus, heilig groß,
Schloß mir auf den Mutterschoß.   80

Schwelgend süß in Liebessinnen,
Saß ich dort beim Wollespinnen,
Bis Rinaldos Schatten kam
Und die Seele mit sich nahm.

Da lachten die Geister im lustigen Chor;
Geschminkt und geputzt trat ein Dritter hervor:

Ich war ein König der Bretter
Und spielte das Liebhaberfach,
Ich brüllte manch wildes: Ihr Götter!
Ich seufzte manch zärtliches: Ach!

Den Mortimer spielt ich am besten,
Maria war immer so schön!
Doch trotz der natürlichsten Gesten,
Sie wollte mich nimmer verstehn. –

Einst, als ich verzweifelnd am Ende:
»Maria, du Heilige!« rief,
Da nahm ich den Dolch behende –
Und stach mich ein bißchen zu tief.

Da lachten die Geister im lustigen Chor;
Im weißen Flausch trat ein Vierter hervor:

Vom Katheder schwatzte herab der Professor,
Er schwatzte, und ich schlief gut dabei ein;
Doch hätt mirs behagt noch tausendmal besser
Bei seinem holdseligen Töchterlein.

Sie hatt mir oft zärtlich am Fenster genicket,
Die Blume der Blumen, mein Lebenslicht!
Doch die Blume der Blumen ward endlich gepflücket
Vom dürren Philister, dem reichen Wicht.

Da flucht ich den Weibern und reichen Halunken,
Und mischte mir Teufelskraut in den Wein,
Und hab mit dem Tode Smollis getrunken, –
Der sprach: Fiduzit, ich heiße Freund Hein!

Da lachten die Geister im lustigen Chor;
Einen Strick um den Hals, trat ein Fünfter hervor:

Es prunkte und prahlte der Graf beim Wein
Mit dem Töchterchen sein und dem Edelgestein.
Was schert mich, du Gräflein, dein Edelgestein?
Mir mundet weit besser dein Töchterlein.

Sie lagen wohl beid unter Riegel und Schloß,
Und der Graf besold'te viel Dienertroß.   12c
Was scheren mich Diener und Riegel und Schloß? –
Ich stieg getrost auf die Leitersproß.

An Liebchens Fensterlein klettr ich getrost,
Da hör ich es unten fluchen erbost:
»Fein sachte, mein Bübchen, muß auch dabei sein,
Ich liebe ja auch das Edelgestein.«

So spöttelt der Graf und erfaßt mich gar,
Und jauchzend umringt mich die Dienerschar.
»Zum Teufel, Gesindel! ich bin ja kein Dieb;
Ich wollte nur stehlen mein trautes Lieb!«   13(

Da half kein Gerede, da half kein Rat,
Da machte man hurtig die Stricke parat;
Wie die Sonne kam, da wundert sie sich,
Am hellen Galgen fand sie mich.

Da lachten die Geister im lustigen Chor;
Den Kopf in der Hand, trat ein Sechster hervor:

Zum Weidwerk trieb mich Liebesharm;
Ich schlich umher, die Büchs im Arm.
Da schnarrets hohl vom Baum herab,
Der Rabe rief: Kopf – ab! Kopf – ab!   150

O, spürt ich doch ein Täubchen aus,
Ich brächt es meinem Lieb nach Haus!
So dacht ich, und in Busch und Strauch
Späht ringsumher mein Jägeraug.

Was koset dort? was schnäbelt fein?
Zwei Turteltäubchen mögens sein.
Ich schleich herbei, – den Hahn gespannt, –
Sieh da! mein eignes Lieb ich fand.

Das war mein Täubchen, meine Braut,
Ein fremder Mann umarmt sie traut –
Nun, alter Schütze, treffe gut!
Da lag der fremde Mann im Blut.

Bald drauf ein Zug mit Henkersfron –
Ich selbst dabei als Hauptperson –
Den Wald durchzog. Vom Baum herab
Der Rabe rief: Kopf – ab! Kopf – ab!

Da lachten die Geister im lustigen Chor;
Da trat der Spielmann selber hervor:

Ich hab mal ein Liedchen gesungen,
Das schöne Lied ist aus;
Wenn das Herz im Leibe zersprungen,
Dann gehen die Lieder nach Haus!

Und das tolle Gelächter sich doppelt erhebt,
Und die bleiche Schar im Kreise schwebt.
Da scholl vom Kirchturm »Eins« herab,
Da stürzten die Geister sich heulend ins Grab.

IX

Ich lag und schlief, und schlief recht mild,
Verscheucht war Gram und Leid;
Da kam zu mir ein Traumgebild,
Die allerschönste Maid.

Sie war wie Marmelstein so bleich,
Und heimlich wunderbar;
Im Auge schwamm es perlengleich,
Gar seltsam wallt' ihr Haar.

Und leise, leise sich bewegt
Die marmorblasse Maid,   10
Und an mein Herz sich niederlegt
Die marmorblasse Maid.

Wie bebt und pocht vor Weh und Lust
Mein Herz, und brennet heiß!
Nicht bebt, nicht pocht der Schönen Brust,
Die ist so kalt wie Eis.

»Nicht bebt, nicht pocht wohl meine Brust,
Die ist wie Eis so kalt;
Doch kenn auch ich der Liebe Lust,
Der Liebe Allgewalt.   20

Mir blüht kein Rot auf Mund und Wang,
Mein Herz durchströmt kein Blut;
Doch sträube dich nicht schaudernd bang,
Ich bin dir hold und gut.«

Und wilder noch umschlang sie mich,
Und tat mir fast ein Leid;
Da kräht der Hahn – und stumm entwich
Die marmorblasse Maid.

X

Da hab ich viel blasse Leichen
Beschworen mit Wortesmacht;
Die wollen nun nicht mehr weichen
Zurück in die alte Nacht.

Das zähmende Sprüchlein vom Meister
Vergaß ich vor Schauer und Graus;
Nun ziehn die eignen Geister
Mich selber ins neblichte Haus.

Laßt ab, ihr finstern Dämonen!
Laßt ab, und drängt mich nicht!
Noch manche Freude mag wohnen
Hier oben im Rosenlicht.

Ich muß ja immer streben
Nach der Blume wunderhold;
Was bedeutet' mein ganzes Leben,
Wenn ich sie nicht lieben sollt?

Ich möcht sie nur einmal umfangen
Und pressen ans glühende Herz!
Nur einmal auf Lippen und Wangen
Küssen den seligsten Schmerz!

Nur einmal aus ihrem Munde
Möcht ich hören ein liebendes Wort –
Alsdann wollt ich folgen zur Stunde
Euch, Geister, zum finsteren Ort.

Die Geister habens vernommen,
Und nicken schauerlich.
Feins Liebchen, nun bin ich gekommen;
Feins Liebchen, liebst du mich?

I

Morgens steh ich auf und frage:
Kommt feins Liebchen heut?
Abends sink ich hin und klage:
Ausblieb sie auch heut.

In der Nacht mit meinem Kummer
Lieg ich schlaflos, wach;
Träumend, wie im halben Schlummer,
Wandle ich bei Tag.

II

Es treibt mich hin, es treibt mich her!
Noch wenige Stunden, dann soll ich sie schauen,
Sie selber, die Schönste der schönen Jungfrauen; –
Du treues Herz, was pochst du so schwer!

Die Stunden sind aber ein faules Volk!
Schleppen sich behaglich träge,
Schleichen gähnend ihre Wege; –
Tummle dich, du faules Volk!

Tobende Eile mich treibend erfaßt!
Aber wohl niemals liebten die Horen; –
Heimlich im grausamen Bunde verschworen,
Spotten sie tückisch der Liebenden Hast.

10

III

Ich wandelte unter den Bäumen
Mit meinem Gram allein;

Da kam das alte Träumen,
Und schlich mir ins Herz hinein.

Wer hat euch dies Wörtlein gelehret,
Ihr Vöglein in luftiger Höh?
Schweigt still! wenn mein Herz es höret,
Dann tut es noch einmal so weh.

»Es kam ein Jungfräulein gegangen,
Die sang es immerfort,
Da haben wir Vöglein gefangen
Das hübsche, goldne Wort.«

Das sollt ihr mir nicht mehr erzählen,
Ihr Vöglein wunderschlau;
Ihr wollt meinen Kummer mir stehlen,
Ich aber niemanden trau.

IV

Lieb Liebchen, legs Händchen aufs Herze mein; –
Ach, hörst du, wies pochet im Kämmerlein?
Da hauset ein Zimmermann schlimm und arg,
Der zimmert mir einen Totensarg.

Es hämmert und klopfet bei Tag und bei Nacht;
Es hat mich schon längst um den Schlaf gebracht.
Ach! sputet Euch, Meister Zimmermann,
Damit ich balde schlafen kann.

V

Schöne Wiege meiner Leiden,
Schönes Grabmal meiner Ruh,
Schöne Stadt, wir müssen scheiden, –
Lebe wohl! ruf ich dir zu.

Lebe wohl, du heilge Schwelle,
Wo da wandelt Liebchen traut;
Lebe wohl! du heilge Stelle,
Wo ich sie zuerst geschaut.

Hätt ich dich doch nie gesehen,
Schöne Herzenskönigin!   10
Nimmer war es dann geschehen,
Daß ich jetzt so elend bin.

Nie wollt ich dein Herze rühren,
Liebe hab ich nie erfleht;
Nur ein stilles Leben führen
Wollt ich, wo dein Odem weht.

Doch du drängst mich selbst von hinnen,
Bittre Worte spricht dein Mund;
Wahnsinn wühlt in meinen Sinnen,
Und mein Herz ist krank und wund.   20

Und die Glieder matt und träge
Schlepp ich fort am Wanderstab,
Bis mein müdes Haupt ich lege
Ferne in ein kühles Grab.

VI

Warte, warte, wilder Schiffsmann,
Gleich folg ich zum Hafen dir;
Von zwei Jungfraun nehm ich Abschied,
Von Europa und von Ihr.

Blutquell, rinn aus meinen Augen,
Blutquell, brich aus meinem Leib,
Daß ich mit dem heißen Blute
Meine Schmerzen niederschreib.

Ei, mein Lieb, warum just heute
Schauderst du, mein Blut zu sehn?
Sahst mich bleich und herzeblutend
Lange Jahre vor dir stehn!

Kennst du noch das alte Liedchen
Von der Schlang im Paradies,
Die durch schlimme Apfelgabe
Unsern Ahn ins Elend stieß?

Alles Unheil brachten Äpfel!
Eva bracht damit den Tod,
Eris brachte Trojas Flammen,
Du brachtst beides, Flamm und Tod.

VII

Berg und Burgen schaun herunter
In den spiegelhellen Rhein,
Und mein Schiffchen segelt munter,
Rings umglänzt von Sonnenschein.

Ruhig seh ich zu dem Spiele
Goldner Wellen, kraus bewegt;
Still erwachen die Gefühle,
Die ich tief im Busen hegt.

Freundlich grüßend und verheißend
Lockt hinab des Stromes Pracht;
Doch ich kenn ihn, oben gleißend,
Birgt sein Innres Tod und Nacht.

Oben Lust, im Busen Tücken,
Strom, du bist der Liebsten Bild!
Die kann auch so freundlich nicken,
Lächelt auch so fromm und mild.

VIII

Anfangs wollt ich fast verzagen,
Und ich glaubt, ich trüg es nie;
Und ich hab es doch getragen –
Aber fragt mich nur nicht, wie?

IX

Mit Rosen, Zypressen und Flittergold
Möcht ich verzieren, lieblich und hold,
Dies Buch wie einen Totenschrein,
Und sargen meine Lieder hinein.

O könnt ich die Liebe sargen hinzu!
Am Grabe der Liebe wächst Blümlein der Ruh,
Da blüht es hervor, da pflückt man es ab –
Doch mir blühts nur, wenn ich selber im Grab.

Hier sind nun die Lieder, die einst so wild,
Wie ein Lavastrom, der dem Ätna entquillt,   10
Hervorgestürzt aus dem tiefsten Gemüt,
Und rings viel blitzende Funken versprüht!

Nun liegen sie stumm und Toten gleich,
Nun starren sie kalt und nebelbleich.
Doch aufs neu die alte Glut sie belebt,
Wenn der Liebe Geist einst über sie schwebt.

Und es wird mir im Herzen viel Ahnung laut:
Der Liebe Geist einst über sie taut;
Einst kommt dies Buch in deine Hand,
Du süßes Lieb im fernen Land.   20

Dann löst sich des Liedes Zauberbann,
Die blassen Buchstaben schaun dich an,
Sie schauen dir flehend ins schöne Aug,
Und flüstern mit Wehmut und Liebeshauch.

I

Der Traurige

Allen tut es weh im Herzen,
Die den bleichen Knaben sehn,
Dem die Leiden, dem die Schmerzen
Aufs Gesicht geschrieben stehn.

Mitleidvolle Lüfte fächeln
Kühlung seiner heißen Stirn;
Labung möcht ins Herz ihm lächeln
Manche sonst so spröde Dirn.

Aus dem wilden Lärm der Städter
Flüchtet er sich nach dem Wald.
Lustig rauschen dort die Blätter,
Lustger Vogelsang erschallt.

Doch der Sang verstummet balde,
Traurig rauschet Baum und Blatt,
Wenn der Traurige dem Walde
Langsam sich genähert hat.

II

Die Bergstimme

Ein Reiter durch das Bergtal zieht,
Im traurig stillen Trab:
Ach! zieh ich jetzt wohl in Liebchens Arm,
Oder zieh ich ins dunkle Grab?
Die Bergstimm Antwort gab:
Ins dunkle Grab!

Und weiter reitet der Reitersmann,
Und seufzet schwer dazu:
So zieh ich denn hin ins Grab so früh –
Wohlan, im Grab ist Ruh!   10
Die Stimme sprach dazu:
Im Grab ist Ruh!

Dem Reitersmann eine Träne rollt
Von der Wange kummervoll:
Und ist nur im Grabe die Ruhe für mich –
So ist mir im Grabe wohl.
Die Stimm erwidert hohl:
Im Grabe wohl!

III

Zwei Brüder

Oben auf der Bergesspitze
Liegt das Schloß in Nacht gehüllt;
Doch im Tale leuchten Blitze,
Helle Schwerter klirren wild.

Das sind Brüder, die dort fechten
Grimmen Zweikampf, wutentbrannt.
Sprich, warum die Brüder rechten
Mit dem Schwerte in der Hand?

Gräfin Lauras Augenfunken
Zündeten den Brüderstreit.   10
Beide glühen liebestrunken
Für die adlig holde Maid.

Welchem aber von den beiden
Wendet sich ihr Herze zu?
Kein Ergrübeln kanns entscheiden –
Schwert heraus, entscheide du!

Und sie fechten kühn verwegen,
Hieb auf Hiebe niederkrachts.
Hütet euch, ihr wilden Degen,
Böses Blendwerk schleicht des Nachts.

Wehe! Wehe! blutge Brüder!
Wehe! Wehe! blutges Tal!
Beide Kämpfer stürzen nieder,
Einer in des andern Stahl. –

Viel Jahrhunderte verwehen,
Viel Geschlechter deckt das Grab;
Traurig von des Berges Höhen
Schaut das öde Schloß herab.

Aber nachts, im Talesgrunde,
Wandelts heimlich, wunderbar;
Wenn da kommt die zwölfte Stunde,
Kämpfet dort das Brüderpaar.

IV

Der arme Peter

I

Der Hans und die Grete tanzen herum,
Und jauchzen vor lauter Freude.
Der Peter steht so still und stumm,
Und ist so blaß wie Kreide.

Der Hans und die Grete sind Bräutgam und Braut,
Und blitzen im Hochzeitsgeschmeide.
Der arme Peter die Nägel kaut
Und geht im Werkeltagskleide.

Der Peter spricht leise vor sich her,
Und schaut betrübet auf beide:
Ach! wenn ich nicht gar zu vernünftig wär,
Ich täte mir was zuleide.

2

»In meiner Brust, da sitzt ein Weh,
Das will die Brust zersprengen;
Und wo ich steh und wo ich geh,
Wills mich von hinnen drängen.

Es treibt mich nach der Liebsten Näh,
Als könnts die Grete heilen;
Doch wenn ich der ins Auge seh,
Muß ich von hinnen eilen.   20

Ich steig hinauf des Berges Höh,
Dort ist man doch alleine;
Und wenn ich still dort oben steh,
Dann steh ich still und weine.«

3

Der arme Peter wankt vorbei,
Gar langsam, leichenblaß und scheu.
Es bleiben fast, wenn sie ihn sehn,
Die Leute auf der Straße stehn.

Die Mädchen flüstern sich ins Ohr:
»Der stieg wohl aus dem Grab hervor.«   30
Ach nein, ihr lieben Jungfräulein,
Der legt sich erst ins Grab hinein.

Er hat verloren seinen Schatz,
Drum ist das Grab der beste Platz,
Wo er am besten liegen mag,
Und schlafen bis zum jüngsten Tag.

V

Lied des Gefangenen

Als meine Großmutter die Lise behext,
Da wollten die Leut sie verbrennen.

Schon hatte der Amtmann viel Dinte verklext,
Doch wollte sie nicht bekennen.

Und als man sie in den Kessel schob,
Da schrie sie Mord und Wehe;
Und als sich der schwarze Qualm erhob,
Da flog sie als Rab in die Höhe.

Mein schwarzes, gefiedertes Großmütterlein!
O komm mich im Turme besuchen!
Komm, fliege geschwind durchs Gitter herein,
Und bringe mir Käse und Kuchen.

Mein schwarzes, gefiedertes Großmütterlein!
O möchtest du nur sorgen,
Daß die Muhme nicht auspickt die Augen mein,
Wenn ich luftig schwebe morgen.

VI

Die Grenadiere

Nach Frankreich zogen zwei Grenadier,
Die waren in Rußland gefangen.
Und als sie kamen ins deutsche Quartier,
Sie ließen die Köpfe hangen.

Da hörten sie beide die traurige Mär:
Daß Frankreich verloren gegangen,
Besiegt und zerschlagen das große Heer –
Und der Kaiser, der Kaiser gefangen.

Da weinten zusammen die Grenadier
Wohl ob der kläglichen Kunde.
Der eine sprach: Wie weh wird mir,
Wie brennt meine alte Wunde!

Der andre sprach: Das Lied ist aus,
Auch ich möcht mit dir sterben,
Doch hab ich Weib und Kind zu Haus,
Die ohne mich verderben.

Was schert mich Weib, was schert mich Kind,
Ich trage weit beßres Verlangen;
Laß sie betteln gehn, wenn sie hungrig sind –
Mein Kaiser, mein Kaiser gefangen!   20

Gewähr mir, Bruder, eine Bitt:
Wenn ich jetzt sterben werde,
So nimm meine Leiche nach Frankreich mit,
Begrab mich in Frankreichs Erde.

Das Ehrenkreuz am roten Band
Sollst du aufs Herz mir legen;
Die Flinte gib mir in die Hand,
Und gürt mir um den Degen.

So will ich liegen und horchen still,
Wie eine Schildwach, im Grabe,   30
Bis einst ich höre Kanonengebrüll
Und wiehernder Rosse Getrabe.

Dann reitet mein Kaiser wohl über mein Grab,
Viel Schwerter klirren und blitzen;
Dann steig ich gewaffnet hervor aus dem Grab –
Den Kaiser, den Kaiser zu schützen.

VII

Die Botschaft

Mein Knecht! steh auf und sattle schnell,
Und wirf dich auf dein Roß,
Und jage rasch durch Wald und Feld
Nach König Dunkans Schloß.

Dort schleiche in den Stall, und wart,
Bis dich der Stallbub schaut.
Den forsch mir aus: Sprich, welche ist
Von Dunkans Töchtern Braut?

Und spricht der Bub: »Die Braune ists«,
So bring mir schnell die Mär.
Doch spricht der Bub: »Die Blonde ists«,
So eilt das nicht so sehr.

Dann geh zum Meister Seiler hin,
Und kauf mir einen Strick,
Und reite langsam, sprich kein Wort,
Und bring mir den zurück.

VIII

Die Heimführung

Ich geh nicht allein, mein feines Lieb,
Du mußt mit mir wandern
Nach der lieben, alten, schaurigen Klause,
In dem trüben, kalten, traurigen Hause,
Wo meine Mutter am Eingang kaurt
Und auf des Sohnes Heimkehr laurt.

»Laß ab von mir, du finstrer Mann!
Wer hat dich gerufen?
Dein Odem glüht, deine Hand ist Eis,
Dein Auge sprüht, deine Wang ist weiß; –
Ich aber will mich lustig freun
An Rosenduft und Sonnenschein.«

Laß duften die Rosen, laß scheinen die Sonn,
Mein süßes Liebchen!
Wirf um den weiten, weißwallenden Schleier,
Und greif in die Saiten der schallenden Leier,
Und singe ein Hochzeitlied dabei;
Der Nachtwind pfeift die Melodei.

IX

Don Ramiro

»Donna Clara! Donna Clara!
Heißgeliebte langer Jahre!
Hast beschlossen mein Verderben,
Und beschlossen ohn Erbarmen.

Donna Clara! Donna Clara!
Ist doch süß die Lebensgabe!
Aber unten ist es grausig,
In dem dunkeln, kalten Grabe.

Donna Clara! Freu dich, morgen
Wird Fernando, am Altare,   10
Dich als Ehgemal begrüßen –
Wirst du mich zur Hochzeit laden?«

»Don Ramiro! Don Ramiro!
Deine Worte treffen bitter,
Bittrer als der Spruch der Sterne,
Die da spotten meines Willens.

Don Ramiro! Don Ramiro!
Rüttle ab den dumpfen Trübsinn;
Mädchen gibt es viel auf Erden,
Aber uns hat Gott geschieden.   20

Don Ramiro, der du mutig
So viel Mohren überwunden,
Überwinde nun dich selber –
Komm auf meine Hochzeit morgen.«

»Donna Clara! Donna Clara!
Ja, ich schwör es, ja, ich komme!
Will mit dir den Reihen tanzen; –
Gute Nacht, ich komme morgen.«

»Gute Nacht!« – Das Fenster klirrte.
Seufzend stand Ramiro unten,   30

Stand noch lange wie versteinert;
Endlich schwand er fort im Dunkeln. –

Endlich auch, nach langem Ringen,
Muß die Nacht dem Tage weichen;
Wie ein bunter Blumengarten
Liegt Toledo ausgebreitet.

Prachtgebäude und Paläste
Schimmern hell im Glanz der Sonne;
Und der Kirchen hohe Kuppeln
40   Leuchten stattlich wie vergoldet.

Summend, wie ein Schwarm von Bienen,
Klingt der Glocken Festgeläute,
Lieblich steigen Betgesänge
Aus den frommen Gotteshäusern.

Aber dorten, siehe! siehe!
Dorten aus der Marktkapelle,
Im Gewimmel und Gewoge,
Strömt des Volkes bunte Menge.

Blanke Ritter, schmucke Frauen,
50   Hofgesinde, festlich blinkend,
Und die hellen Glocken läuten,
Und die Orgel rauscht dazwischen.

Doch, mit Ehrfurcht ausgewichen,
In des Volkes Mitte wandelt
Das geschmückte junge Ehpaar,
Donna Clara, Don Fernando.

Bis an Bräutigams Palasttor
Wälzet sich das Volksgewühle;
Dort beginnt die Hochzeitfeier,
60   Prunkhaft und nach alter Sitte.

Ritterspiel und frohe Tafel
Wechseln unter lautem Jubel;

Rauschend schnell entfliehn die Stunden,
Bis die Nacht herabgesunken.

Und zum Tanze sich versammeln
In dem Saal die Hochzeitgäste;
In dem Glanz der Lichter funkeln
Ihre bunten Prachtgewänder.

Auf erhobne Stühle ließen
Braut und Bräutigam sich nieder,   70
Donna Clara, Don Fernando,
Und sie tauschen süße Reden.

Und im Saale wogen heiter
Die geschmückten Menschenwellen,
Und die lauten Pauken wirbeln,
Und es schmettern die Trommeten.

»Doch warum, o schöne Herrin,
Sind gerichtet deine Blicke
Dorthin nach der Saalesecke?«
So verwundert sprach der Ritter.   80

»Siehst du denn nicht, Don Fernando,
Dort den Mann im schwarzen Mantel?«
Und der Ritter lächelt freundlich:
»Ach! das ist ja nur ein Schatten.«

Doch es nähert sich der Schatten,
Und es war ein Mann im Mantel;
Und Ramiro schnell erkennend,
Grüßt ihn Clara, glutbefangen.

Und der Tanz hat schon begonnen,
Munter drehen sich die Tänzer   90
In des Walzers wilden Kreisen,
Und der Boden dröhnt und bebet.

»Wahrlich gerne, Don Ramiro,
Will ich dir zum Tanze folgen,

Doch im nächtlich schwarzen Mantel
Hättest du nicht kommen sollen.«

Mit durchbohrend stieren Augen
Schaut Ramiro auf die Holde,
Sie umschlingend spricht er düster:
»Sprachest ja, ich sollte kommen!«

Und ins wirre Tanzgetümmel
Drängen sich die beiden Tänzer;
Und die lauten Pauken wirbeln,
Und es schmettern die Trommeten.

»Sind ja schneeweiß deine Wangen!«
Flüstert Clara, heimlich zitternd.
»Sprachest ja, ich sollte kommen!«
Schallet dumpf Ramiros Stimme.

Und im Saal die Kerzen blinzeln
Durch das flutende Gedränge;
Und die lauten Pauken wirbeln,
Und es schmettern die Trommeten.

»Sind ja eiskalt deine Hände!«
Flüstert Clara, schauerzuckend.
»Sprachest ja, ich sollte kommen!«
Und sie treiben fort im Strudel.

»Laß mich, laß mich! Don Ramiro!
Leichenduft ist ja dein Odem!«
Wiederum die dunklen Worte:
»Sprachest ja, ich sollte kommen!«

Und der Boden raucht und glühet,
Lustig tönet Geig und Bratsche;
Wie ein tolles Zauberweben,
Schwindelt alles in dem Saale.

»Laß mich, laß mich! Don Ramiro!«
Wimmerts immer im Gewoge.

Don Ramiro stets erwidert:
»Sprachest ja, ich sollte kommen!«

»Nun, so geh in Gottes Namen!«
Clara riefs mit fester Stimme;   130
Und dies Wort war kaum gesprochen,
Und verschwunden war Ramiro.

Clara starret, Tod im Antlitz,
Kaltumflirret, nachtumwoben;
Ohnmacht hat das lichte Bildnis
In ihr dunkles Reich gezogen.

Endlich weicht der Nebelschlummer,
Endlich schlägt sie auf die Wimper;
Aber Staunen will aufs neue
Ihre holden Augen schließen.   140

Denn derweil der Tanz begonnen,
War sie nicht vom Sitz gewichen,
Und sie sitzt noch bei dem Bräutgam,
Und der Ritter sorgsam bittet:

»Sprich, was bleichet deine Wangen?
Warum wird dein Aug so dunkel? –«
»Und Ramiro? – – –« stottert Clara,
Und Entsetzen lähmt die Zunge.

Doch mit tiefen, ernsten Falten
Furcht sich jetzt des Bräutgams Stirne: 150
»Herrin, forsch nicht blutge Kunde –
Heute Mittag starb Ramiro.«

X

Belsatzar

Die Mitternacht zog näher schon;
In stummer Ruh lag Babylon.

Nur oben in des Königs Schloß,
Da flackerts, da lärmt des Königs Troß.

Dort oben in dem Königssaal
Belsatzar hielt sein Königsmahl.

Die Knechte saßen in schimmernden Reihn,
Und leerten die Becher mit funkelndem Wein.

Es klirrten die Becher, es jauchzten die Knecht;
So klang es dem störrigen Könige recht.

Des Königs Wangen leuchten Glut;
Im Wein erwuchs ihm kecker Mut.

Und blindlings reißt der Mut ihn fort;
Und er lästert die Gottheit mit sündigem Wort.

Und er brüstet sich frech, und lästert wild;
Der Knechtenschar ihm Beifall brüllt.

Der König rief mit stolzem Blick;
Der Diener eilt und kehrt zurück.

Er trug viel gülden Gerät auf dem Haupt;
Das war aus dem Tempel Jehovahs geraubt.

Und der König ergriff mit frevler Hand
Einen heiligen Becher, gefüllt bis am Rand.

Und er leert ihn hastig bis auf den Grund,
Und rufet laut mit schäumendem Mund:

Jehovah! dir künd ich auf ewig Hohn –
Ich bin der König von Babylon!

Doch kaum das grause Wort verklang,
Dem König wards heimlich im Busen bang.

Das gellende Lachen verstummte zumal;
Es wurde leichenstill im Saal.

Und sieh! und sieh! an weißer Wand
Da kams hervor wie Menschenhand;

Und schrieb, und schrieb an weißer Wand
Buchstaben von Feuer, und schrieb und schwand.

Der König stieren Blicks da saß,
Mit schlotternden Knien und totenblaß.

Die Knechtenschar saß kalt durchgraut,
Und saß gar still, gab keinen Laut.

Die Magier kamen, doch keiner verstand
Zu deuten die Flammenschrift an der Wand. 40

Belsatzar ward aber in selbiger Nacht
Von seinen Knechten umgebracht.

XI

Die Minnesänger

Zu dem Wettgesange schreiten
Minnesänger jetzt herbei;
Ei, das gibt ein seltsam Streiten,
Ein gar seltsames Turnei!

Phantasie, die schäumend wilde,
Ist des Minnesängers Pferd,
Und die Kunst dient ihm zum Schilde,
Und das Wort, das ist sein Schwert.

Hübsche Damen schauen munter
Vom beteppichten Balkon,
Doch die rechte ist nicht drunter 10
Mit der rechten Lorbeerkron.

Andre Leute, wenn sie springen
In die Schranken, sind gesund;
Doch wir Minnesänger bringen
Dort schon mit die Todeswund.

Und wem dort am besten dringet
Liederblut aus Herzensgrund,
Der ist Sieger, der erringet
Bestes Lob aus schönstem Mund.

XII

Die Fensterschau

Der bleiche Heinrich ging vorbei,
Schön Hedwig lag am Fenster.
Sie sprach halblaut: Gott steh mir bei,
Der unten schaut bleich wie Gespenster!

Der unten erhub sein Aug in die Höh,
Hinschmachtend nach Hedewigs Fenster.
Schön Hedwig ergriff es wie Liebesweh,
Auch sie ward bleich wie Gespenster.

Schön Hedwig stand nun mit Liebesharm
Tagtäglich lauernd am Fenster.
Bald aber lag sie in Heinrichs Arm,
Allnächtlich zur Zeit der Gespenster.

XIII

Der wunde Ritter

Ich weiß eine alte Kunde,
Die hallet dumpf und trüb:
Ein Ritter liegt liebeswunde,
Doch treulos ist sein Lieb.

Als treulos muß er verachten
Die eigne Herzliebste sein,
Als schimpflich muß er betrachten
Die eigne Liebespein.

Er möcht in die Schranken reiten
Und rufen die Ritter zum Streit: 10
Der mag sich zum Kampfe bereiten,
Wer mein Lieb eines Makels zeiht!

Da würden wohl alle schweigen,
Nur nicht sein eigener Schmerz;
Da müßt er die Lanze neigen
Wider 's eigne klagende Herz.

XIV

Wasserfahrt

Ich stand gelehnet an den Mast,
Und zählte jede Welle.
Ade! mein schönes Vaterland!
Mein Schiff, das segelt schnelle!

Ich kam schön Liebchens Haus vorbei,
Die Fensterscheiben blinken;
Ich guck mir fast die Augen aus,
Doch will mir niemand winken.

Ihr Tränen, bleibt mir aus dem Aug,
Daß ich nicht dunkel sehe.
Mein krankes Herze, brich mir nicht   10
Vor allzugroßem Wehe.

XV

Das Liedchen von der Reue

Herr Ulrich reitet im grünen Wald,
Die Blätter lustig rauschen.
Er sieht eine holde Mädchengestalt
Durch Baumeszweige lauschen.

Der Junker spricht: Wohl kenne ich
Dies blühende, glühende Bildnis,

Verlockend stets umschwebt es mich
In Volksgewühl und Wildnis.

Zwei Röslein sind die Lippen dort,
Die lieblichen, die frischen;
Doch manches häßlich bittre Wort
Schleicht tückisch oft dazwischen.

Drum gleicht dies Mündlein gar genau
Den hübschen Rosenbüschen,
Wo giftge Schlangen wunderschlau
Im dunkeln Laube zischen.

Dort jenes Grübchen wunderlieb
In wunderlieben Wangen,
Das ist die Grube, worein mich trieb
Wahnsinniges Verlangen.

Dort seh ich ein schönes Lockenhaar
Vom schönsten Köpfchen hangen;
Das sind die Netze wunderbar,
Womit mich der Böse gefangen.

Und jenes blaue Auge dort,
So klar wie stille Welle,
Das hielt ich für des Himmels Pfort,
Doch wars die Pforte der Hölle. –

Herr Ulrich reitet weiter im Wald,
Die Blätter rauschen schaurig.
Da sieht er von fern eine zweite Gestalt,
Die ist so bleich, so traurig.

Der Junker spricht: O Mutter dort,
Die mich so mütterlich liebte,
Der ich mit bösem Tun und Wort
Das Leben bitterlich trübte!

O, könnt ich dir trocknen die Augen naß
Mit der Glut von meinen Schmerzen!
O, könnt ich dir röten die Wangen blaß
Mit dem Blut aus meinem Herzen!

Und weiter reitet Herr Ulerich,
Im Wald beginnt es zu düstern,
Viel seltsame Stimmen regen sich,
Die Abendwinde flüstern.

Der Junker hört die Worte sein
Gar vielfach widerklingen.
Das taten die spöttischen Waldvöglein,
Die zwitschern laut und singen:

Herr Ulrich singt ein hübsches Lied,
Das Liedchen von der Reue,   50
Und hat er zu Ende gesungen das Lied,
So singt er es wieder aufs neue.

XVI

An eine Sängerin
Als sie eine alte Romanze sang

Ich denke noch der Zaubervollen,
Wie sie zuerst mein Auge sah!
Wie ihre Töne lieblich klangen
Und heimlich süß ins Herze drangen,
Entrollten Tränen meinen Wangen –
Ich wußte nicht, wie mir geschah.

Ein Traum war über mich gekommen:
Mir war, als sei ich noch ein Kind,
Und säße still, beim Lämpchenscheine,
In Mutters frommem Kämmerleine,   10
Und läse Märchen wunderfeine,
Derweilen draußen Nacht und Wind.

Die Märchen fangen an zu leben,
Die Ritter steigen aus der Gruft;
Bei Ronzisvall da gibts ein Streiten,
Da kommt Herr Roland herzureiten,
Viel kühne Degen ihn begleiten,
Auch leider Ganelon, der Schuft.

Durch den wird Roland schlimm gebettet,
20 Er schwimmt in Blut, und atmet kaum;
Kaum mochte fern sein Jagdhornzeichen
Das Ohr des großen Karls erreichen,
Da muß der Ritter schon erbleichen –
Und mit ihm stirbt zugleich mein Traum.

Das war ein laut verworrnes Schallen,
Das mich aus meinen Träumen rief.
Verklungen war jetzt die Legende,
Die Leute schlugen in die Hände,
Und riefen »Bravo!« ohne Ende;
30 Die Sängerin verneigt sich tief.

XVII

Das Lied von den Dukaten

Meine güldenen Dukaten,
Sagt, wo seid ihr hingeraten?

Seid ihr bei den güldnen Fischlein,
Die im Bache froh und munter
Tauchen auf und tauchen unter?

Seid ihr bei den güldnen Blümlein,
Die auf lieblich grüner Aue
Funkeln hell im Morgentaue?

Seid ihr bei den güldnen Vöglein,
10 Die da schweifen glanzumwoben
In den blauen Lüften oben?

Seid ihr bei den güldnen Sternlein,
Die im leuchtenden Gewimmel
Lächeln jede Nacht am Himmel?

Ach! Ihr güldenen Dukaten,
Schwimmt nicht in des Baches Well,

Funkelt nicht auf grüner Au,
Schwebet nicht in Lüften blau,
Lächelt nicht am Himmel hell –
Meine Manichäer, traun!   20
Halten euch in ihren Klaun.

XVIII

Gespräch auf der Paderborner Heide

Hörst du nicht die fernen Töne,
Wie von Brummbaß und von Geigen?
Dorten tanzt wohl manche Schöne
Den geflügelt leichten Reigen.

»Ei, mein Freund, das nenn ich irren,
Von den Geigen hör ich keine,
Nur die Ferklein hör ich quirren,
Grunzen nur hör ich die Schweine.«

Hörst du nicht das Waldhorn blasen?
Jäger sich des Weidwerks freuen,   10
Fromme Lämmer seh ich grasen,
Schäfer spielen auf Schalmeien.

»Ei, mein Freund, was du vernommen,
Ist kein Waldhorn, noch Schalmeie;
Nur den Sauhirt seh ich kommen,
Heimwärts treibt er seine Säue.«

Hörst du nicht das ferne Singen,
Wie von süßen Wettgesängen?
Englein schlagen mit den Schwingen
Lauten Beifall solchen Klängen.   20

»Ei, was dort so hübsch geklungen,
Ist kein Wettgesang, mein Lieber!
Singend treiben Gänsejungen
Ihre Gänselein vorüber.«

Hörst du nicht die Glocken läuten,
Wunderlieblich, wunderhelle?
Fromme Kirchengänger schreiten
Andachtsvoll zur Dorfkapelle.

»Ei, mein Freund, das sind die Schellen
Von den Ochsen, von den Kühen,
Die nach ihren dunkeln Ställen
Mit gesenktem Kopfe ziehen.«

Siehst du nicht den Schleier wehen?
Siehst du nicht das leise Nicken?
Dort seh ich die Liebste stehen,
Feuchte Wehmut in den Blicken.

»Ei, mein Freund, dort seh ich nicken
Nur das Waldweib, nur die Lise;
Blaß und hager an den Krücken
Hinkt sie weiter nach der Wiese.«

Nun, mein Freund, so magst du lachen
Über des Phantasten Frage!
Wirst du auch zur Täuschung machen,
Was ich fest im Busen trage?

XIX

Lebensgruß

(Stammbuchblatt)

Eine große Landstraß ist unsere Erd,
Wir Menschen sind Passagiere;
Man rennet und jaget, zu Fuß und zu Pferd,
Wie Läufer oder Kuriere.

Man fährt sich vorüber, man nicket, man grüßt
Mit dem Taschentuch aus der Karosse;
Man hätte sich gerne geherzt und geküßt,
Doch jagen von hinnen die Rosse.

Kaum trafen wir uns auf derselben Station,
Herzliebster Prinz Alexander,   10
Da bläst schon zur Abfahrt der Postillon,
Und bläst uns schon auseinander.

XX

Wahrhaftig

Wenn der Frühling kommt mit dem Sonnenschein,
Dann knospen und blühen die Blümlein auf;
Wenn der Mond beginnt seinen Strahlenlauf,
Dann schwimmen die Sternlein hintendrein;
Wenn der Sänger zwei süße Äuglein sieht,
Dann quellen ihm Lieder aus tiefem Gemüt; –
Doch Lieder und Sterne und Blümelein,
Und Äuglein und Mondglanz und Sonnenschein,
Wie sehr das Zeug auch gefällt,
So machts doch noch lang keine Welt.   10

[I]

An A.W. v. Schlegel

Im Reifrockputz mit Blumen reich verzieret,
Schönpflästerchen auf den geschminkten Wangen,
Mit Schnabelschuhn, mit Stickerein behangen,
Mit Turmfrisur, und wespengleich geschnüret:

So war die Aftermuse ausstaffieret,
Als sie einst kam, dich liebend zu umfangen.
Du bist ihr aber aus dem Weg gegangen,
Und irrtest fort, von dunkelm Trieb geführet.

Da fandest du ein Schloß in alter Wildnis,
Und drinnen lag, wie 'n holdes Marmorbildnis,
Die schönste Maid in Zauberschlaf versunken.

Doch wich der Zauber bald, bei deinem Gruße
Aufwachte lächelnd Deutschlands echte Muse,
Und sank in deine Arme liebestrunken.

[II]

An meine Mutter B. Heine,
geborne v. Geldern

I

Ich bins gewohnt, den Kopf recht hoch zu tragen,
Mein Sinn ist auch ein bißchen starr und zähe;
Wenn selbst der König mir ins Antlitz sähe,
Ich würde nicht die Augen niederschlagen.

Doch, liebe Mutter, offen will ichs sagen:
Wie mächtig auch mein stolzer Mut sich blähe,

In deiner selig süßen, trauten Nähe
Ergreift mich oft ein demutvolles Zagen.

Ist es dein Geist, der heimlich mich bezwinget,
Dein hoher Geist, der alles kühn durchdringet,   10
Und blitzend sich zum Himmelslichte schwinget?

Quält mich Erinnerung, daß ich verübet
So manche Tat, die dir das Herz betrübet?
Das schöne Herz, das mich so sehr geliebet?·

2

Im tollen Wahn hatt ich dich einst verlassen,
Ich wollte gehn die ganze Welt zu Ende,
Und wollte sehn, ob ich die Liebe fände,
Um liebevoll die Liebe zu umfassen.

Die Liebe suchte ich auf allen Gassen,
Vor jeder Türe streckt ich aus die Hände,   20
Und bettelte um gringe Liebesspende –
Doch lachend gab man mir nur kaltes Hassen.

Und immer irrte ich nach Liebe, immer
Nach Liebe, doch die Liebe fand ich nimmer,
Und kehrte um nach Hause, krank und trübe.

Doch da bist du entgegen mir gekommen,
Und ach! was da in deinem Aug geschwommen,
Das war die süße, langgesuchte Liebe.

[III]

An H. S.

Wie ich dein Büchlein hastig aufgeschlagen,
Da grüßen mir entgegen viel vertraute,
Viel goldne Bilder, die ich weiland schaute
Im Knabentraum und in den Kindertagen.

Ich sehe wieder stolz gen Himmel ragen
Den frommen Dom, den deutscher Glaube baute,
Ich hör der Glocken und der Orgel Laute,
Dazwischen klingts wie süße Liebesklagen.

Wohl seh ich auch, wie sie den Dom umklettern,
Die flinken Zwerglein, die sich dort erfrechen
Das hübsche Blum- und Schnitzwerk abzubrechen.

Doch mag man immerhin die Eich entblättern
Und sie des grünen Schmuckes rings berauben –
Kommt neuer Lenz, wird sie sich neu belauben.

[IV]

Fresko-Sonette an Christian S.

I

Ich tanz nicht mit, ich räuchre nicht den Klötzen,
Die außen goldig sind, inwendig Sand;
Ich schlag nicht ein, reicht mir ein Bub die Hand,
Der heimlich mir den Namen will zerfetzen.

Ich beug mich nicht vor jenen hübschen Metzen,
Die schamlos prunken mit der eignen Schand;
Ich zieh nicht mit, wenn sich der Pöbel spannt
Vor Siegeswagen seiner eiteln Götzen.

Ich weiß es wohl, die Eiche muß erliegen,
Derweil das Rohr am Bach, durch schwankes Biegen,
In Wind und Wetter stehn bleibt, nach wie vor.

Doch sprich, wie weit bringts wohl am End solch Rohr?
Welch Glück! als ein Spazierstock dients dem Stutzer,
Als Kleiderklopfer dients dem Stiefelputzer.

2

Gib her die Larv, ich will mich jetzt maskieren
In einen Lumpenkerl, damit Halunken,
Die prächtig in Charaktermasken prunken,
Nicht wähnen, Ich sei einer von den Ihren.

Gib her gemeine Worte und Manieren,
Ich zeige mich in Pöbelart versunken,
Verleugne all die schönen Geistesfunken,
Womit jetzt fade Schlingel kokettieren.

So tanz ich auf dem großen Maskenballe,
Umschwärmt von deutschen Rittern, Mönchen,   10
                      Köngen,
Von Harlekin gegrüßt, erkannt von wengen.

Mit ihrem Holzschwert prügeln sie mich alle.
Das ist der Spaß. Denn wollt ich mich entmummen,
So müßte all das Galgenpack verstummen.

3

Ich lache ob den abgeschmackten Laffen,
Die mich anglotzen mit den Bocksgesichtern;
Ich lache ob den Füchsen, die so nüchtern
Und hämisch mich beschnüffeln und begaffen.

Ich lache ob den hochgelahrten Affen,
Die sich aufblähn zu stolzen Geistesrichtern;
Ich lache ob den feigen Bösewichtern,
Die mich bedrohn mit giftgetränkten Waffen.

Denn wenn des Glückes hübsche Siebensachen
Uns von des Schicksals Händen sind zerbrochen,   10
Und so zu unsern Füßen hingeschmissen;

Und wenn das Herz im Leibe ist zerrissen,
Zerrissen, und zerschnitten, und zerstochen –
Dann bleibt uns doch das schöne gelle Lachen.

4

Im Hirn spukt mir ein Märchen wunderfein,
Und in dem Märchen klingt ein feines Lied,
Und in dem Liede lebt und webt und blüht
Ein wunderschönes, zartes Mägdelein.

Und in dem Mägdlein wohnt ein Herzchen klein,
Doch in dem Herzchen keine Liebe glüht;
In dieses lieblos frostige Gemüt
Kam Hochmut nur und Übermut hinein.

Hörst du, wie mir im Kopf das Märchen klinget?
Und wie das Liedchen summet ernst und schaurig?
Und wie das Mägdlein kichert, leise, leise?

Ich fürchte nur, daß mir der Kopf zerspringet –
Und, ach! da wärs doch gar entsetzlich traurig,
Käm der Verstand mir aus dem alten Gleise.

5

In stiller, wehmutweicher Abendstunde
Umklingen mich die längst verschollnen Lieder,
Und Tränen fließen von der Wange nieder,
Und Blut entquillt der alten Herzenswunde.

Und wie in eines Zauberspiegels Grunde
Seh ich das Bildnis meiner Liebsten wieder;
Sie sitzt am Arbeitstisch, im roten Mieder,
Und Stille herrscht in ihrer selgen Runde.

Doch plötzlich springt sie auf vom Stuhl und schneidet
Von ihrem Haupt die schönste aller Locken,
Und gibt sie mir – vor Freud bin ich erschrocken!

Mephisto hat die Freude mir verleidet.
Er spann ein festes Seil von jenen Haaren,
Und schleift mich dran herum seit vielen Jahren.

6

»Als ich vor einem Jahr dich wiederblickte,
Küßtest du mich nicht in der Willkommstund.«
So sprach ich, und der Liebsten roter Mund
Den schönsten Kuß auf meine Lippen drückte.

Und lächelnd süß ein Myrtenreis sie pflückte
Vom Myrtenstrauche, der am Fenster stund:
»Nimm hin, und pflanz dies Reis in frischen Grund,
Und stell ein Glas darauf«, sprach sie und nickte. –

Schon lang ists her. Es starb das Reis im Topf.
Sie selbst hab ich seit Jahren nicht gesehn;   10
Doch brennt der Kuß mir immer noch im Kopf.

Und aus der Ferne triebs mich jüngst zum Ort,
Wo Liebchen wohnt. Vorm Hause blieb ich stehn
Die ganze Nacht, ging erst am Morgen fort.

7

Hüt dich, mein Freund, vor grimmen Teufelsfratzen,
Doch schlimmer sind die sanften Engelsfrätzchen.
Ein solches bot mir einst ein süßes Schmätzchen,
Doch wie ich kam, da fühlt ich scharfe Tatzen.

Hüt dich, mein Freund, vor schwarzen, alten Katzen,
Doch schlimmer sind die weißen, jungen Kätzchen.
Ein solches macht ich einst zu meinem Schätzchen,
Doch tät mein Schätzchen mir das Herz zerkratzen.

O süßes Frätzchen, wundersüßes Mädchen!
Wie konnte mich dein klares Äuglein täuschen?   10
Wie konnt dein Pfötchen mir das Herz zerfleischen?

O meines Kätzchens wunderzartes Pfötchen!
Könnt ich dich an die glühnden Lippen pressen,
Und könnt mein Herz verbluten unterdessen!

8

Du sahst mich oft im Kampf mit jenen Schlingeln,
Geschminkten Katzen und bebrillten Pudeln,
Die mir den blanken Namen gern besudeln,
Und mich so gerne ins Verderben züngeln.

Du sahest oft, wie mich Pedanten hudeln,
Wie Schellenkappenträger mich umklingeln,
Wie giftge Schlangen um mein Herz sich ringeln;
Du sahst mein Blut aus tausend Wunden sprudeln.

Du aber standest fest gleich einem Turme;
Ein Leuchtturm war dein Kopf mir in dem Sturme,
Dein treues Herz war mir ein guter Hafen.

Wohl wogt um jenen Hafen wilde Brandung,
Nur wenge Schiff erringen dort die Landung,
Doch ist man dort, so kann man sicher schlafen.

9

Ich möchte weinen, doch ich kann es nicht;
Ich möcht mich rüstig in die Höhe heben,
Doch kann ichs nicht; am Boden muß ich kleben,
Umkrächzt, umzischt von eklem Wurmgezücht.

Ich möchte gern mein heitres Lebenslicht,
Mein schönes Lieb, allüberall umschweben,
In ihrem selig süßen Hauche leben –
Doch kann ichs nicht, mein krankes Herze bricht.

Aus dem gebrochnen Herzen fühl ich fließen
Mein heißes Blut, ich fühle mich ermatten,
Und vor den Augen wirds mir trüb und trüber.

Und heimlich schauernd sehn ich mich hinüber
Nach jenem Nebelreich, wo stille Schatten
Mit weichen Armen liebend mich umschließen.

LYRISCHES INTERMEZZO

1822–1823

Es war mal ein Ritter trübselig und stumm,
Mit hohlen, schneeweißen Wangen;
Er schwankte und schlenderte schlotternd herum,
In dumpfen Träumen befangen.
Er war so hölzern, so täppisch, so links,
Die Blümlein und Mägdlein die kicherten rings,
Wenn er stolpernd vorbeigegangen.

Oft saß er im finstersten Winkel zu Haus;
Er hatt sich vor Menschen verkrochen.
Da streckte er sehnend die Arme aus,   10
Doch hat er kein Wörtlein gesprochen.
Kam aber die Mitternachtstunde heran,
Ein seltsames Singen und Klingen begann –
An die Türe da hört er es pochen.

Da kommt seine Liebste geschlichen herein,
Im rauschenden Wellenschaumkleide.
Sie blüht und glüht wie ein Röselein,
Ihr Schleier ist eitel Geschmeide.
Goldlocken umspielen die schlanke Gestalt,
Die Äuglein grüßen mit süßer Gewalt –   20
In die Arme sinken sich beide.

Der Ritter umschlingt sie mit Liebesmacht,
Der Hölzerne steht jetzt in Feuer,
Der Blasse errötet, der Träumer erwacht,
Der Blöde wird freier und freier.
Sie aber, sie hat ihn gar schalkhaft geneckt,
Sie hat ihm ganz leise den Kopf bedeckt
Mit dem weißen, demantenen Schleier.

In einen kristallenen Wasserpalast
Ist plötzlich gezaubert der Ritter.   30
Er staunt, und die Augen erblinden ihm fast

Vor alle dem Glanz und Geflitter.
Doch hält ihn die Nixe umarmet gar traut,
Der Ritter ist Bräutgam, die Nixe ist Braut;
Ihre Jungfraun spielen die Zither.

Sie spielen und singen, und singen so schön,
Und heben zum Tanze die Füße;
Dem Ritter dem wollen die Sinne vergehn,
Und fester umschließt er die Süße –
Da löschen auf einmal die Lichter aus,
Der Ritter sitzt wieder ganz einsam zu Haus,
In dem düstern Poetenstübchen.

I

Im wunderschönen Monat Mai,
Als alle Knospen sprangen,
Da ist in meinem Herzen
Die Liebe aufgegangen.

Im wunderschönen Monat Mai,
Als alle Vögel sangen,
Da hab ich ihr gestanden
Mein Sehnen und Verlangen.

II

Aus meinen Tränen sprießen
Viel blühende Blumen hervor,
Und meine Seufzer werden
Ein Nachtigallenchor.

Und wenn du mich lieb hast, Kindchen,
Schenk ich dir die Blumen all,
Und vor deinem Fenster soll klingen
Das Lied der Nachtigall.

III

Die Rose, die Lilje, die Taube, die Sonne,
Die liebt ich einst alle in Liebeswonne.
Ich lieb sie nicht mehr, ich liebe alleine
Die Kleine, die Feine, die Reine, die Eine;
Sie selber, aller Liebe Bronne,
Ist Rose und Lilje und Taube und Sonne.

IV

Wenn ich in deine Augen seh,
So schwindet all mein Leid und Weh;
Doch wenn ich küsse deinen Mund,
So werd ich ganz und gar gesund.

Wenn ich mich lehn an deine Brust,
Kommts über mich wie Himmelslust;
Doch wenn du sprichst: Ich liebe dich!
So muß ich weinen bitterlich.

V

Dein Angesicht so lieb und schön,
Das hab ich jüngst im Traum gesehn,
Es ist so mild und engelgleich,
Und doch so bleich, so schmerzenbleich.

Und nur die Lippen, die sind rot;
Bald aber küßt sie bleich der Tod.
Erlöschen wird das Himmelslicht,
Das aus den frommen Augen bricht.

VI

Lehn deine Wang an meine Wang,
Dann fließen die Tränen zusammen;

Und an mein Herz drück fest dein Herz,
Dann schlagen zusammen die Flammen!

Und wenn in die große Flamme fließt
Der Strom von unsern Tränen,
Und wenn dich mein Arm gewaltig umschließt –
Sterb ich vor Liebessehnen!

VII

Ich will meine Seele tauchen
In den Kelch der Lilje hinein;
Die Lilje soll klingend hauchen
Ein Lied von der Liebsten mein.

Das Lied soll schauern und beben
Wie der Kuß von ihrem Mund,
Den sie mir einst gegeben
In wunderbar süßer Stund.

VIII

Es stehen unbeweglich
Die Sterne in der Höh,
Viel tausend Jahr, und schauen
Sich an mit Liebesweh.

Sie sprechen eine Sprache,
Die ist so reich, so schön;
Doch keiner der Philologen
Kann diese Sprache verstehn.

Ich aber hab sie gelernet,
Und ich vergesse sie nicht;
Mir diente als Grammatik
Der Herzallerliebsten Gesicht.

IX

Auf Flügeln des Gesanges,
Herzliebchen, trag ich dich fort,
Fort nach den Fluren des Ganges,
Dort weiß ich den schönsten Ort.

Dort liegt ein rotblühender Garten
Im stillen Mondenschein;
Die Lotosblumen erwarten
Ihr trautes Schwesterlein.

Die Veilchen kichern und kosen,
Und schaun nach den Sternen empor;   10
Heimlich erzählen die Rosen
Sich duftende Märchen ins Ohr.

Es hüpfen herbei und lauschen
Die frommen, klugen Gazelln;
Und in der Ferne rauschen
Des heiligen Stromes Welln.

Dort wollen wir niedersinken
Unter dem Palmenbaum,
Und Liebe und Ruhe trinken,
Und träumen seligen Traum.   20

X

Die Lotosblume ängstigt
Sich vor der Sonne Pracht,
Und mit gesenktem Haupte
Erwartet sie träumend die Nacht.

Der Mond, der ist ihr Buhle,
Er weckt sie mit seinem Licht,
Und ihm entschleiert sie freundlich
Ihr frommes Blumengesicht.

Sie blüht und glüht und leuchtet,
Und starret stumm in die Höh;
Sie duftet und weinet und zittert
Vor Liebe und Liebesweh.

XI

Im Rhein, im schönen Strome,
Da spiegelt sich in den Welln,
Mit seinem großen Dome,
Das große, heilige Köln.

Im Dom da steht ein Bildnis,
Auf goldenem Leder gemalt;
In meines Lebens Wildnis
Hats freundlich hineingestrahlt.

Es schweben Blumen und Englein
Um unsre liebe Frau;
Die Augen, die Lippen, die Wänglein,
Die gleichen der Liebsten genau.

XII

Du liebst mich nicht, du liebst mich nicht,
Das kümmert mich gar wenig;
Schau ich dir nur ins Angesicht,
So bin ich froh wie 'n König.

Du hassest, hassest mich sogar,
So spricht dein rotes Mündchen;
Reich mir es nur zum Küssen dar,
So tröst ich mich, mein Kindchen.

XIII

O schwöre nicht und küsse nur,
Ich glaube keinem Weiberschwur!
Dein Wort ist süß, doch süßer ist
Der Kuß, den ich dir abgeküßt!
Den hab ich, und dran glaub ich auch,
Das Wort ist eitel Dunst und Hauch.

*

O schwöre, Liebchen, immerfort,
Ich glaube dir aufs bloße Wort!
An deinen Busen sink ich hin,
Und glaube, daß ich selig bin;
Ich glaube, Liebchen, ewiglich,
Und noch viel länger, liebst du mich.

XIV

Auf meiner Herzliebsten Äugelein
Mach ich die schönsten Kanzonen.
Auf meiner Herzliebsten Mündchen klein
Mach ich die besten Terzinen.
Auf meiner Herzliebsten Wängelein
Mach ich die herrlichsten Stanzen.
Und wenn meine Liebste ein Herzchen hätt,
Ich machte darauf ein hübsches Sonett.

XV

Die Welt ist dumm, die Welt ist blind,
Wird täglich abgeschmackter!
Sie spricht von dir, mein schönes Kind,
Du hast keinen guten Charakter.

Die Welt ist dumm, die Welt ist blind,
Und dich wird sie immer verkennen;
Sie weiß nicht, wie süß deine Küsse sind,
Und wie sie beseligend brennen.

XVI

Liebste, sollst mir heute sagen:
Bist du nicht ein Traumgebild,
Wies in schwülen Sommertagen
Aus dem Hirn des Dichters quillt?

Aber nein, ein solches Mündchen,
Solcher Augen Zauberlicht,
Solch ein liebes, süßes Kindchen,
Das erschafft der Dichter nicht.

Basilisken und Vampire,
Lindenwürm und Ungeheur,
Solche schlimme Fabeltiere,
Die erschafft des Dichters Feur.

Aber dich und deine Tücke,
Und dein holdes Angesicht,
Und die falschen frommen Blicke –
Das erschafft der Dichter nicht.

XVII

Wie die Wellenschaumgeborene
Strahlt mein Lieb im Schönheitsglanz,
Denn sie ist das auserkorene
Bräutchen eines fremden Manns.

Herz, mein Herz, du vielgeduldiges,
Grolle nicht ob dem Verrat;
Trag es, trag es, und entschuldig es,
Was die holde Törin tat.

XVIII

Ich grolle nicht, und wenn das Herz auch bricht,
Ewig verlornes Lieb! ich grolle nicht.

Wie du auch strahlst in Diamantenpracht,
Es fällt kein Strahl in deines Herzens Nacht.

Das weiß ich längst. Ich sah dich ja im Traum,
Und sah die Nacht in deines Herzens Raum,
Und sah die Schlang, die dir am Herzen frißt, –
Ich sah, mein Lieb, wie sehr du elend bist.

XIX

Ja, du bist elend, und ich grolle nicht; –
Mein Lieb, wir sollen beide elend sein!
Bis uns der Tod das kranke Herze bricht,
Mein Lieb, wir sollen beide elend sein!

Wohl seh ich Spott, der deinen Mund umschwebt,
Und seh dein Auge blitzen trotziglich,
Und seh den Stolz, der deinen Busen hebt, –
Und elend bist du doch, elend wie ich.

Unsichtbar zuckt auch Schmerz um deinen Mund,
Verborgne Träne trübt des Auges Schein,   10
Der stolze Busen hegt geheime Wund –
Mein Lieb, wir sollen beide elend sein.

XX

Das ist ein Flöten und Geigen,
Trompeten schmettern drein;
Da tanzt den Hochzeitreigen
Die Herzallerliebste mein.

Das ist ein Klingen und Dröhnen
Von Pauken und Schalmein;
Dazwischen schluchzen und stöhnen
Die guten Engelein.

XXI

So hast du ganz und gar vergessen,
Daß ich so lang dein Herz besessen,
Dein Herzchen so süß und so falsch und so klein,
Es kann nirgend was süßres und falscheres sein.

So hast du die Lieb und das Leid vergessen,
Die das Herz mir täten zusammenpressen.
Ich weiß nicht, war Liebe größer als Leid?
Ich weiß nur, sie waren groß alle beid!

XXII

Und wüßtens die Blumen, die kleinen,
Wie tief verwundet mein Herz,
Sie würden mit mir weinen,
Zu heilen meinen Schmerz.

Und wüßtens die Nachtigallen,
Wie ich so traurig und krank,
Sie ließen fröhlich erschallen
Erquickenden Gesang.

Und wüßten sie mein Wehe,
Die goldnen Sternelein,
Sie kämen aus ihrer Höhe,
Und sprächen Trost mir ein.

Die alle könnens nicht wissen,
Nur Eine kennt meinen Schmerz:
Sie hat ja selbst zerrissen,
Zerrissen mir das Herz.

XXIII

Warum sind denn die Rosen so blaß,
O sprich, mein Lieb, warum?

Warum sind denn im grünen Gras
Die blauen Veilchen so stumm?

Warum singt denn mit so kläglichem Laut
Die Lerche in der Luft?
Warum steigt denn aus dem Balsamkraut
Hervor ein Leichenduft?

Warum scheint denn die Sonn auf die Au
So kalt und verdrießlich herab?   10
Warum ist denn die Erde so grau
Und öde wie ein Grab?

Warum bin ich selbst so krank und so trüb,
Mein liebes Liebchen, sprich?
O sprich, mein herzallerliebstes Lieb,
Warum verließest du mich?

XXIV

Sie haben dir viel erzählet,
Und haben viel geklagt;
Doch was meine Seele gequälet,
Das haben sie nicht gesagt.

Sie machten ein großes Wesen
Und schüttelten kläglich das Haupt;
Sie nannten mich den Bösen,
Und du hast alles geglaubt.

Jedoch das Allerschlimmste,
Das haben sie nicht gewußt;   10
Das Schlimmste und das Dümmste,
Das trug ich geheim in der Brust.

XXV

Die Linde blühte, die Nachtigall sang,
Die Sonne lachte mit freundlicher Lust;
Da küßtest du mich, und dein Arm mich umschlang,
Da preßtest du mich an die schwellende Brust.

Die Blätter fielen, der Rabe schrie hohl,
Die Sonne grüßte verdrossenen Blicks;
Da sagten wir frostig einander: »Lebwohl!«
Da knickstest du höflich den höflichsten Knicks.

XXVI

Wir haben viel für einander gefühlt,
Und dennoch uns gar vortrefflich vertragen.
Wir haben oft »Mann und Frau« gespielt,
Und dennoch uns nicht gerauft und geschlagen.
Wir haben zusammen gejauchzt und gescherzt,
Und zärtlich uns geküßt und geherzt.
Wir haben am Ende, aus kindischer Lust,
»Verstecken« gespielt in Wäldern und Gründen,
Und haben uns so zu verstecken gewußt,
Daß wir uns nimmermehr wiederfinden.

XXVII

Du bliebest mir treu am längsten,
Und hast dich für mich verwendet,
Und hast mir Trost gespendet
In meinen Nöten und Ängsten.

Du gabest mir Trank und Speise,
Und hast mir Geld geborget,
Und hast mich mit Wäsche versorget,
Und mit dem Paß für die Reise.

Mein Liebchen! daß Gott dich behüte,
Noch lange, vor Hitz und vor Kälte,   10
Und daß er dir nimmer vergelte
Die mir erwiesene Güte!

XXVIII

Die Erde war so lange geizig,
Da kam der Mai, und sie ward spendabel,
Und alles lacht, und jauchzt, und freut sich,
Ich aber bin nicht zu lachen kapabel.

Die Blumen sprießen, die Glöcklein schallen,
Die Vögel sprechen wie in der Fabel;
Mir aber will das Gespräch nicht gefallen,
Ich finde alles miserabel.

Das Menschenvolk mich ennuyieret,
Sogar der Freund, der sonst passabel; –   10
Das kömmt, weil man Madame tituliert
Mein süßes Liebchen, so süß und aimabel.

XXIX

Und als ich so lange, so lange gesäumt,
In fremden Landen geschwärmt und geträumt;
Da ward meiner Liebsten zu lang die Zeit,
Und sie nähete sich ein Hochzeitkleid,
Und hat mit zärtlichen Armen umschlungen,
Als Bräutgam, den dümmsten der dummen Jungen.

Mein Liebchen ist so schön und mild,
Noch schwebt mir vor ihr süßes Bild;
Die Veilchenaugen, die Rosenwänglein,
Die glühen und blühen, jahraus, jahrein.   10
Daß ich von solchem Lieb konnt weichen,
War der dümmste von meinen dummen Streichen.

XXX

Die blauen Veilchen der Äugelein,
Die roten Rosen der Wängelein,
Die weißen Liljen der Händchen klein,
Die blühen und blühen noch immerfort,
Und nur das Herzchen ist verdorrt.

XXXI

Die Welt ist so schön und der Himmel so blau,
Und die Lüfte die wehen so lind und so lau,
Und die Blumen winken auf blühender Au,
Und funkeln und glitzern im Morgentau,
Und die Menschen jubeln, wohin ich schau, –
Und doch möcht ich im Grabe liegen,
Und mich an ein totes Liebchen schmiegen.

XXXII

Mein süßes Lieb, wenn du im Grab,
Im dunkeln Grab wirst liegen,
Dann will ich steigen zu dir hinab,
Und will mich an dich schmiegen.

Ich küsse, umschlinge und presse dich wild,
Du Stille, du Kalte, du Bleiche!
Ich jauchze, ich zittre, ich weine mild,
Ich werde selber zur Leiche.

Die Toten stehn auf, die Mitternacht ruft,
Sie tanzen im luftigen Schwarme;
Wir beide bleiben in der Gruft,
Ich liege in deinem Arme.

Die Toten stehn auf, der Tag des Gerichts
Ruft sie zu Qual und Vergnügen;
Wir beide bekümmern uns um nichts,
Und bleiben umschlungen liegen.

XXXIII

Ein Fichtenbaum steht einsam
Im Norden auf kahler Höh.
Ihn schläfert; mit weißer Decke
Umhüllen ihn Eis und Schnee.

Er träumt von einer Palme,
Die, fern im Morgenland,
Einsam und schweigend trauert
Auf brennender Felsenwand.

XXXIV

(Der Kopf spricht:)

Ach, wenn ich nur der Schemel wär,
Worauf der Liebsten Füße ruhn!
Und stampfte sie mich noch so sehr,
Ich wollte doch nicht klagen tun.

(Das Herz spricht:)

Ach, wenn ich nur das Kißchen wär,
Wo sie die Nadeln steckt hinein!
Und stäche sie mich noch so sehr,
Ich wollte mich der Stiche freun.

(Das Lied spricht:)

Ach, wär ich nur das Stück Papier,
Das sie als Papillote braucht!
Ich wollte heimlich flüstern ihr
Ins Ohr, was in mir lebt und haucht.

10

XXXV

Seit die Liebste war entfernt,
Hatt ichs Lachen ganz verlernt.
Schlechten Witz riß mancher Wicht,
Aber lachen konnt ich nicht.

Seit ich sie verloren hab,
Schafft ich auch das Weinen ab;
Fast vor Weh das Herz mir bricht,
Aber weinen kann ich nicht.

XXXVI

Aus meinen großen Schmerzen
Mach ich die kleinen Lieder;
Die heben ihr klingend Gefieder
Und flattern nach ihrem Herzen.

Sie fanden den Weg zur Trauten,
Doch kommen sie wieder und klagen,
Und klagen, und wollen nicht sagen,
Was sie im Herzen schauten.

XXXVII

Philister in Sonntagsröcklein
Spazieren durch Wald und Flur;
Sie jauchzen, sie hüpfen wie Böcklein,
Begrüßen die schöne Natur.

Betrachten mit blinzelnden Augen,
Wie alles romantisch blüht;
Mit langen Ohren saugen
Sie ein der Spatzen Lied.

Ich aber verhänge die Fenster
Des Zimmers mit schwarzem Tuch;
Es machen mir meine Gespenster
Sogar einen Tagesbesuch.

Die alte Liebe erscheinet,
Sie stieg aus dem Totenreich,
Sie setzt sich zu mir und weinet,
Und macht das Herz mir weich.

XXXVIII

Manch Bild vergessener Zeiten
Steigt auf aus seinem Grab,
Und zeigt, wie in deiner Nähe
Ich einst gelebet hab.

Am Tage schwankte ich träumend
Durch alle Straßen herum;
Die Leute verwundert mich ansahn,
Ich war so traurig und stumm.

Des Nachts da war es besser,
Da waren die Straßen leer;   10
Ich und mein Schatten selbander,
Wir wandelten schweigend einher.

Mit widerhallendem Fußtritt
Wandelt ich über die Brück;
Der Mond brach aus den Wolken,
Und grüßte mit ernstem Blick.

Stehn blieb ich vor deinem Hause,
Und starrte in die Höh,
Und starrte nach deinem Fenster –
Das Herz tat mir so weh.   20

Ich weiß, du hast aus dem Fenster
Gar oft herabgesehn,
Und sahst mich im Mondenlichte
Wie eine Säule stehn.

XXXIX

Ein Jüngling liebt ein Mädchen,
Die hat einen andern erwählt;
Der andre liebt eine andre,
Und hat sich mit dieser vermählt.

Das Mädchen heiratet aus Ärger
Den ersten besten Mann,
Der ihr in den Weg gelaufen;
Der Jüngling ist übel dran.

Es ist eine alte Geschichte,
Doch bleibt sie immer neu;
Und wem sie just passieret,
Dem bricht das Herz entzwei.

XL

Hör ich das Liedchen klingen,
Das einst die Liebste sang,
So will mir die Brust zerspringen
Vor wildem Schmerzendrang.

Es treibt mich ein dunkles Sehnen
Hinauf zur Waldeshöh,
Dort löst sich auf in Tränen
Mein übergroßes Weh.

XLI

Mir träumte von einem Königskind,
Mit nassen, blassen Wangen;
Wir saßen unter der grünen Lind,
Und hielten uns liebumfangen.

»Ich will nicht deines Vaters Thron,
Und nicht sein Zepter von Golde,
Ich will nicht seine demantene Kron,
Ich will dich selber, du Holde!«

Das kann nicht sein, sprach sie zu mir,
Ich liege ja im Grabe,
Und nur des Nachts komm ich zu dir,
Weil ich so lieb dich habe.

XLII

Mein Liebchen, wir saßen beisammen,
Traulich im leichten Kahn.
Die Nacht war still, und wir schwammen
Auf weiter Wasserbahn.

Die Geisterinsel, die schöne,
Lag dämmrig im Mondenglanz;
Dort klangen liebe Töne,
Und wogte der Nebeltanz.

Dort klang es lieb und lieber,
Und wogt' es hin und her;   10
Wir aber schwammen vorüber,
Trostlos auf weitem Meer.

XLIII

Aus alten Märchen winkt es
Hervor mit weißer Hand,
Da singt es und da klingt es
Von einem Zauberland:

Wo große Blumen schmachten
Im goldnen Abendlicht,
Und zärtlich sich betrachten
Mit bräutlichem Gesicht; –

Wo alle Bäume sprechen
Und singen, wie ein Chor,
Und laute Quellen brechen   10
Wie Tanzmusik hervor; –

Und Liebesweisen tönen,
Wie du sie nie gehört,
Bis wundersüßes Sehnen
Dich wundersüß betört!

Ach, könnt ich dorthin kommen,
Und dort mein Herz erfreun,
Und aller Qual entnommen,
Und frei und selig sein!

Ach! jenes Land der Wonne,
Das seh ich oft im Traum;
Doch kommt die Morgensonne,
Zerfließts wie eitel Schaum.

XLIV

Ich hab dich geliebet und liebe dich noch!
Und fiele die Welt zusammen,
Aus ihren Trümmern stiegen doch
Hervor meiner Liebe Flammen.

XLV

Am leuchtenden Sommermorgen
Geh ich im Garten herum.
Es flüstern und sprechen die Blumen,
Ich aber, ich wandle stumm.

Es flüstern und sprechen die Blumen,
Und schaun mitleidig mich an:
Sei unserer Schwester nicht böse,
Du trauriger, blasser Mann!

XLVI

Es leuchtet meine Liebe,
In ihrer dunkeln Pracht,
Wie 'n Märchen traurig und trübe,
Erzählt in der Sommernacht.

»Im Zaubergarten wallen
Zwei Buhlen, stumm und allein;
Es singen die Nachtigallen,
Es flimmert der Mondenschein.

Die Jungfrau steht still wie ein Bildnis,
Der Ritter vor ihr kniet.   10
Da kommt der Riese der Wildnis,
Die bange Jungfrau flieht.

Der Ritter sinkt blutend zur Erde,
Es stolpert der Riese nach Haus –«
Wenn ich begraben werde,
Dann ist das Märchen aus.

XLVII

Sie haben mich gequälet,
Geärgert blau und blaß.
Die Einen mit ihrer Liebe,
Die Andern mit ihrem Haß.

Sie haben das Brot mir vergiftet,
Sie gossen mir Gift ins Glas,
Die Einen mit ihrer Liebe,
Die Andern mit ihrem Haß.

Doch sie, die mich am meisten
Gequält, geärgert, betrübt,   10
Die hat mich nie gehasset,
Und hat mich nie geliebt.

XLVIII

Es liegt der heiße Sommer
Auf deinen Wängelein;
Es liegt der Winter, der kalte,
In deinem Herzchen klein.

Das wird sich bei dir ändern,
Du Vielgeliebte mein!
Der Winter wird auf den Wangen,
Der Sommer im Herzen sein.

XLIX

Wenn zwei von einander scheiden,
So geben sie sich die Händ,
Und fangen an zu weinen,
Und seufzen ohne End.

Wir haben nicht geweinet,
Wir seufzten nicht Weh und Ach!
Die Tränen und die Seufzer,
Die kamen hintennach.

L

Sie saßen und tranken am Teetisch,
Und sprachen von Liebe viel.
Die Herren die waren ästhetisch,
Die Damen von zartem Gefühl.

Die Liebe muß sein platonisch,
Der dürre Hofrat sprach.
Die Hofrätin lächelt ironisch,
Und dennoch seufzet sie: Ach!

Der Domherr öffnet den Mund weit:
Die Liebe sei nicht zu roh,
Sie schadet sonst der Gesundheit.
Das Fräulein lispelt: Wie so?

Die Gräfin spricht wehmütig:
Die Liebe ist eine Passion!
Und präsentieret gütig
Die Tasse dem Herren Baron.

Am Tische war noch ein Plätzchen;
Mein Liebchen, da hast du gefehlt.
Du hättest so hübsch, mein Schätzchen,
Von deiner Liebe erzählt.   20

LI

Vergiftet sind meine Lieder; –
Wie könnt es anders sein?
Du hast mir ja Gift gegossen
Ins blühende Leben hinein.

Vergiftet sind meine Lieder; –
Wie könnt es anders sein?
Ich trage im Herzen viel Schlangen,
Und dich, Geliebte mein.

LII

Mir träumte wieder der alte Traum:
Es war eine Nacht im Maie,
Wir saßen unter dem Lindenbaum,
Und schwuren uns ewige Treue.

Das war ein Schwören und Schwören aufs neu,
Ein Kichern, ein Kosen, ein Küssen;
Daß ich gedenk des Schwures sei,
Hast du in die Hand mich gebissen.

O Liebchen mit den Äuglein klar!
O Liebchen schön und bissig!   10
Das Schwören in der Ordnung war,
Das Beißen war überflüssig.

LIII

Ich steh auf des Berges Spitze,
Und werde sentimental.
»Wenn ich ein Vöglein wäre!«
Seufz ich viel tausendmal.

Wenn ich eine Schwalbe wäre,
So flög ich zu dir, mein Kind,
Und baute mir mein Nestchen,
Wo deine Fenster sind.

Wenn ich eine Nachtigall wäre,
So flög ich zu dir, mein Kind,
Und sänge dir Nachts meine Lieder
Herab von der grünen Lind.

Wenn ich ein Gimpel wäre,
So flög ich gleich an dein Herz;
Du bist ja hold den Gimpeln,
Und heilest Gimpelschmerz.

LIV

Mein Wagen rollet langsam
Durch lustiges Waldesgrün,
Durch blumige Täler, die zaubrisch
Im Sonnenglanze blühn.

Ich sitze und sinne und träume,
Und denk an die Liebste mein;
Da grüßen drei Schattengestalten
Kopfnickend zum Wagen herein.

Sie hüpfen und schneiden Gesichter,
So spöttisch und doch so scheu,
Und quirlen wie Nebel zusammen,
Und kichern und huschen vorbei.

LV

Ich hab im Traum geweinet,
Mir träumte, du lägest im Grab.
Ich wachte auf, und die Träne
Floß noch von der Wange herab.

Ich hab im Traum geweinet,
Mir träumt', du verließest mich.
Ich wachte auf, und ich weinte
Noch lange bitterlich.

Ich hab im Traum geweinet,
Mir träumte, du bliebest mir gut.
Ich wachte auf, und noch immer
Strömt meine Tränenflut.

LVI

Allnächtlich im Traume seh ich dich,
Und sehe dich freundlich grüßen,
Und lautaufweinend stürz ich mich
Zu deinen süßen Füßen.

Du siehst mich an wehmütiglich,
Und schüttelst das blonde Köpfchen;
Aus deinen Augen schleichen sich
Die Perlentränentröpfchen.

Du sagst mir heimlich ein leises Wort,
Und gibst mir den Strauß von Zypressen.
Ich wache auf, und der Strauß ist fort,
Und das Wort hab ich vergessen.

LVII

Das ist ein Brausen und Heulen,
Herbstnacht und Regen und Wind;

Wo mag wohl jetzo weilen
Mein armes, banges Kind?

Ich seh sie am Fenster lehnen
Im einsamen Kämmerlein;
Das Auge gefüllt mit Tränen,
Starrt sie in die Nacht hinein.

LVIII

Der Herbstwind rüttelt die Bäume,
Die Nacht ist feucht und kalt;
Gehüllt im grauen Mantel,
Reite ich einsam im Wald.

Und wie ich reite, so reiten
Mir die Gedanken voraus;
Sie tragen mich leicht und luftig
Nach meiner Liebsten Haus.

Die Hunde bellen, die Diener
Erscheinen mit Kerzengeflirr;
Die Wendeltreppe stürm ich
Hinauf mit Sporengeklirr.

Im leuchtenden Teppichgemache,
Da ist es so duftig und warm,
Da harret meiner die Holde –
Ich fliege in ihren Arm.

Es säuselt der Wind in den Blättern,
Es spricht der Eichenbaum:
Was willst du, törichter Reiter,
Mit deinem törichten Traum?

LIX

Es fällt ein Stern herunter
Aus seiner funkelnden Höh!
Das ist der Stern der Liebe,
Den ich dort fallen seh.

Es fallen vom Apfelbaume
Der Blüten und Blätter viel!
Es kommen die neckenden Lüfte,
Und treiben damit ihr Spiel.

Es singt der Schwan im Weiher,
Und rudert auf und ab,   10
Und immer leiser singend,
Taucht er ins Flutengrab.

Es ist so still und dunkel!
Verweht ist Blatt und Blüt,
Der Stern ist knisternd zerstoben,
Verklungen das Schwanenlied.

LX

Der Traumgott bracht mich in ein Riesenschloß,
Wo schwüler Zauberduft und Lichterschimmer,
Und bunte Menschenwoge sich ergoß
Durch labyrinthisch vielverschlungne Zimmer.
Die Ausgangspforte sucht der bleiche Troß,
Mit Händeringen und mit Angstgewimmer.
Jungfraun und Ritter ragen aus der Menge,
Ich selbst bin fortgezogen im Gedränge.

Doch plötzlich steh ich ganz allein, und seh,
Und staun, wie schnell die Menge konnt verschwinden,   10
Und wandre fort allein, und eil, und geh
Durch die Gemächer, die sich seltsam winden.
Mein Fuß wird Blei, im Herzen Angst und Weh,
Verzweifl ich fast den Ausgang je zu finden.

Da komm ich endlich an das letzte Tor;
Ich will hinaus – o Gott, wer steht davor!

Es war die Liebste, die am Tore stand,
Schmerz um die Lippen, Sorge auf der Stirne.
Ich soll zurückgehn, winkt sie mit der Hand;
Ich weiß nicht, ob sie warne oder zürne.
Doch aus den Augen bricht ein süßer Brand,
Der mir durchzuckt das Herz und das Gehirne.
Wie sie mich ansah, streng und wunderlich,
Und doch so liebevoll, erwachte ich.

LXI

Die Mitternacht war kalt und stumm;
Ich irrte klagend im Wald herum.
Ich habe die Bäum aus dem Schlaf gerüttelt;
Sie haben mitleidig die Köpfe geschüttelt.

LXII

Am Kreuzweg wird begraben
Wer selber sich brachte um;
Dort wächst eine blaue Blume,
Die Armesünderblum.

Am Kreuzweg stand ich und seufzte;
Die Nacht war kalt und stumm.
Im Mondschein bewegte sich langsam
Die Armesünderblum.

LXIII

Wo ich bin, mich rings umdunkelt
Finsternis, so dumpf und dicht,
Seit mir nicht mehr leuchtend funkelt,
Liebste, deiner Augen Licht.

Mir erloschen ist der süßen
Liebessterne goldne Pracht,
Abgrund gähnt zu meinen Füßen –
Nimm mich auf, uralte Nacht!

LXIV

Nacht lag auf meinen Augen,
Blei lag auf meinem Mund,
Mit starrem Hirn und Herzen
Lag ich im Grabesgrund.

Wie lang, kann ich nicht sagen,
Daß ich geschlafen hab;
Ich wachte auf und hörte,
Wies pochte an mein Grab.

»Willst du nicht aufstehn, Heinrich?
Der ewge Tag bricht an,   10
Die Toten sind erstanden,
Die ewge Lust begann.«

Mein Lieb, ich kann nicht aufstehn,
Bin ja noch immer blind;
Durch Weinen meine Augen
Gänzlich erloschen sind.

»Ich will dir küssen, Heinrich,
Vom Auge fort die Nacht;
Die Engel sollst du schauen,
Und auch des Himmels Pracht.«   20

Mein Lieb, ich kann nicht aufstehn,
Noch blutets immerfort,
Wo du ins Herz mich stachest
Mit einem spitzgen Wort.

»Ganz leise leg ich, Heinrich,
Dir meine Hand aufs Herz;

Dann wird es nicht mehr bluten,
Geheilt ist all sein Schmerz.«

Mein Lieb, ich kann nicht aufstehn,
Es blutet auch mein Haupt;
Hab ja hineingeschossen,
Als du mir wurdest geraubt.

»Mit meinen Locken, Heinrich,
Stopf ich des Hauptes Wund,
Und dräng zurück den Blutstrom,
Und mache dein Haupt gesund.«

Es bat so sanft, so lieblich,
Ich konnt nicht widerstehn;
Ich wollte mich erheben
Und zu der Liebsten gehn.

Da brachen auf die Wunden,
Da stürzt' mit wilder Macht
Aus Kopf und Brust der Blutstrom,
Und sieh! – ich bin erwacht.

LXV

Die alten, bösen Lieder,
Die Träume schlimm und arg,
Die laßt uns jetzt begraben,
Holt einen großen Sarg.

Hinein leg ich gar Manches,
Doch sag ich noch nicht was;
Der Sarg muß sein noch größer
Wies Heidelberger Faß.

Und holt eine Totenbahre,
Von Brettern fest und dick:
Auch muß sie sein noch länger
Als wie zu Mainz die Brück.

Und holt mir auch zwölf Riesen,
Die müssen noch stärker sein
Als wie der heilge Christoph
Im Dom zu Köln am Rhein.

Die sollen den Sarg forttragen
Und senken ins Meer hinab,
Denn solchem großen Sarge
Gebührt ein großes Grab.

Wißt ihr, warum der Sarg wohl
So groß und schwer mag sein?
Ich legt auch meine Liebe
Und meinen Schmerz hinein.

DIE HEIMKEHR

1823–1824

I

In mein gar zu dunkles Leben
Strahlte einst ein süßes Bild;
Nun das süße Bild erblichen,
Bin ich gänzlich nachtumhüllt.

Wenn die Kinder sind im Dunkeln,
Wird beklommen ihr Gemüt,
Und um ihre Angst zu bannen,
Singen sie ein lautes Lied.

Ich, ein tolles Kind, ich singe
Jetzo in der Dunkelheit;
Klingt das Lied auch nicht ergötzlich,
Hats mich doch von Angst befreit.

II

Ich weiß nicht was soll es bedeuten,
Daß ich so traurig bin;
Ein Märchen aus alten Zeiten,
Das kommt mir nicht aus dem Sinn.

Die Luft ist kühl und es dunkelt,
Und ruhig fließt der Rhein;
Der Gipfel des Berges funkelt
Im Abendsonnenschein.

Die schönste Jungfrau sitzet
Dort oben wunderbar;
Ihr goldnes Geschmeide blitzet,
Sie kämmt ihr goldenes Haar.

Sie kämmt es mit goldenem Kamme
Und singt ein Lied dabei;
Das hat eine wundersame,
Gewaltige Melodei.

Den Schiffer im kleinen Schiffe
Ergreift es mit wildem Weh;
Er schaut nicht die Felsenriffe,
Er schaut nur hinauf in die Höh.

Ich glaube, die Wellen verschlingen
Am Ende Schiffer und Kahn;
Und das hat mit ihrem Singen
Die Lore-Ley getan.

III

Mein Herz, mein Herz ist traurig,
Doch lustig leuchtet der Mai;
Ich stehe, gelehnt an der Linde,
Hoch auf der alten Bastei.

Da drunten fließt der blaue
Stadtgraben in stiller Ruh;
Ein Knabe fährt im Kahne,
Und angelt und pfeift dazu.

Jenseits erheben sich freundlich,
In winziger, bunter Gestalt,
Lusthäuser, und Gärten, und Menschen,
Und Ochsen, und Wiesen, und Wald.

Die Mägde bleichen Wäsche,
Und springen im Gras herum:
Das Mühlrad stäubt Diamanten,
Ich höre sein fernes Gesumm.

Am alten grauen Turme
Ein Schilderhäuschen steht;
Ein rotgeröckter Bursche
Dort auf und nieder geht.

Er spielt mit seiner Flinte,
Die funkelt im Sonnenrot,
Er präsentiert und schultert –
Ich wollt, er schösse mich tot.

IV

Im Walde wandl ich und weine,
Die Drossel sitzt in der Höh;
Sie springt und singt gar feine:
Warum ist dir so weh?

»Die Schwalben, deine Schwestern,
Die könnens dir sagen, mein Kind;
Sie wohnten in klugen Nestern,
Wo Liebchens Fenster sind.«

V

Die Nacht ist feucht und stürmisch,
Der Himmel sternenleer;
Im Wald, unter rauschenden Bäumen,
Wandle ich schweigend einher.

Es flimmert fern ein Lichtchen
Aus dem einsamen Jägerhaus;
Es soll mich nicht hin verlocken,
Dort sieht es verdrießlich aus.

Die blinde Großmutter sitzt ja
Im ledernen Lehnstuhl dort,
Unheimlich und starr, wie ein Steinbild,
Und spricht kein einziges Wort.

Fluchend geht auf und nieder
Des Försters rotköpfiger Sohn,
Und wirft an die Wand die Büchse,
Und lacht vor Wut und Hohn.

Die schöne Spinnerin weinet,
Und feuchtet mit Tränen den Flachs;
Wimmernd zu ihren Füßen
Schmiegt sich des Vaters Dachs.

VI

Als ich, auf der Reise, zufällig
Der Liebsten Familie fand,
Schwesterchen, Vater und Mutter,
Sie haben mich freudig erkannt.

Sie fragten nach meinem Befinden,
Und sagten selber sogleich:
Ich hätte mich gar nicht verändert,
Nur mein Gesicht sei bleich.

Ich fragte nach Muhmen und Basen,
Nach manchem langweilgen Geselln,   10
Und nach dem kleinen Hündchen
Mit seinem sanften Belln.

Auch nach der vermählten Geliebten
Fragte ich nebenbei;
Und freundlich gab man zur Antwort:
Daß sie in den Wochen sei.

Und freundlich gratuliert ich,
Und lispelte liebevoll:
Daß man sie von mir recht herzlich
Viel tausendmal grüßen soll.   20

Schwesterchen rief dazwischen:
Das Hündchen, sanft und klein,
Ist groß und toll geworden,
Und ward ertränkt, im Rhein.

Die Kleine gleicht der Geliebten,
Besonders wenn sie lacht;
Sie hat dieselben Augen,
Die mich so elend gemacht.

VII

Wir saßen am Fischerhause,
Und schauten nach der See;
Die Abendnebel kamen,
Und stiegen in die Höh.

Im Leuchtturm wurden die Lichter
Allmählig angesteckt,
Und in der weiten Ferne
Ward noch ein Schiff entdeckt.

Wir sprachen von Sturm und Schiffbruch,
Vom Seemann, und wie er lebt
Und zwischen Himmel und Wasser,
Und Angst und Freude schwebt.

Wir sprachen von fernen Küsten,
Vom Süden und vom Nord,
Und von den seltsamen Völkern
Und seltsamen Sitten dort.

Am Ganges duftets und leuchtets,
Und Riesenbäume blühn,
Und schöne, stille Menschen
Vor Lotosblumen knien.

In Lappland sind schmutzige Leute,
Plattköpfig, breitmäulig und klein;
Sie kauern ums Feuer, und backen
Sich Fische, und quäken und schrein.

Die Mädchen horchten ernsthaft,
Und endlich sprach niemand mehr;
Das Schiff war nicht mehr sichtbar,
Es dunkelte gar zu sehr.

VIII

Du schönes Fischermädchen,
Treibe den Kahn ans Land;
Komm zu mir und setze dich nieder,
Wir kosen Hand in Hand.

Leg an mein Herz dein Köpfchen,
Und fürchte dich nicht zu sehr,
Vertraust du dich doch sorglos
Täglich dem wilden Meer.

Mein Herz gleicht ganz dem Meere,
Hat Sturm und Ebb und Flut,
Und manche schöne Perle
In seiner Tiefe ruht.

IX

Der Mond ist aufgegangen
Und überstrahlt die Welln;
Ich halte mein Liebchen umfangen,
Und unsre Herzen schwelln.

Im Arm des holden Kindes
Ruh ich allein am Strand; –
Was horchst du beim Rauschen des Windes?
Was zuckt deine weiße Hand?

»Das ist kein Rauschen des Windes,
Das ist der Seejungfern Gesang,
Und meine Schwestern sind es,
Die einst das Meer verschlang.«

X

Der Wind zieht seine Hosen an,
Die weißen Wasserhosen!
Er peitscht die Wellen, so stark er kann,
Die heulen und brausen und tosen.

Aus dunkler Höh, mit wilder Macht,
Die Regengüsse träufen;
Es ist, als wollt die alte Nacht
Das alte Meer ersäufen.

An den Mastbaum klammert die Möwe sich
Mit heiserem Schrillen und Schreien;
Sie flattert und will gar ängstiglich
Ein Unglück prophezeien.

XI

Der Sturm spielt auf zum Tanze,
Er pfeift und saust und brüllt;
Heisa! wie springt das Schifflein!
Die Nacht ist lustig und wild.

Ein lebendes Wassergebirge
Bildet die tosende See;
Hier gähnt ein schwarzer Abgrund,
Dort türmt es sich weiß in die Höh.

Ein Fluchen, Erbrechen und Beten
Schallt aus der Kajüte heraus;
Ich halte mich fest am Mastbaum
Und wünsche: wär ich zu Haus.

XII

Der Abend kommt gezogen,
Der Nebel bedeckt die See;
Geheimnisvoll rauschen die Wogen,
Da steigt es weiß in die Höh.

Die Meerfrau steigt aus den Wellen,
Und setzt sich zu mir an den Strand;
Die weißen Brüste quellen
Hervor aus dem Schleiergewand.

Sie drückt mich und sie preßt mich,
Und tut mir fast ein Weh; –   10
Du drückst ja viel zu fest mich,
Du schöne Wasserfee!

»Ich preß dich, in meinen Armen,
Und drücke dich mit Gewalt;
Ich will bei dir erwarmen,
Der Abend ist gar zu kalt.«

Der Mond schaut immer blasser
Aus dämmriger Wolkenhöh; –
Dein Auge wird trüber und nasser,
Du schöne Wasserfee!   20

»Es wird nicht trüber und nasser,
Mein Aug ist naß und trüb,
Weil, als ich stieg aus dem Wasser,
Ein Tropfen im Auge blieb.«

Die Möwen schrillen kläglich,
Es grollt und brandet die See; –
Dein Herz pocht wild beweglich,
Du schöne Wasserfee!

»Mein Herz pocht wild beweglich,
Es pocht beweglich wild,   30
Weil ich dich liebe unsäglich,
Du liebes Menschenbild!«

XIII

Wenn ich an deinem Hause
Des Morgens vorüber geh,
So freuts mich, du liebe Kleine,
Wenn ich dich am Fenster seh.

Mit deinen schwarzbraunen Augen
Siehst du mich forschend an:

Wer bist du, und was fehlt dir,
Du fremder, kranker Mann?

»Ich bin ein deutscher Dichter,
Bekannt im deutschen Land;
Nennt man die besten Namen,
So wird auch der meine genannt.

Und was mir fehlt, du Kleine,
Fehlt manchem im deutschen Land;
Nennt man die schlimmsten Schmerzen,
So wird auch der meine genannt.«

XIV

Das Meer erglänzte weit hinaus,
Im letzten Abendscheine;
Wir saßen am einsamen Fischerhaus,
Wir saßen stumm und alleine.

Der Nebel stieg, das Wasser schwoll,
Die Möwe flog hin und wieder;
Aus deinen Augen, liebevoll,
Fielen die Tränen nieder.

Ich sah sie fallen auf deine Hand,
Und bin aufs Knie gesunken;
Ich hab von deiner weißen Hand
Die Tränen fortgetrunken.

Seit jener Stunde verzehrt sich mein Leib,
Die Seele stirbt vor Sehnen; –
Mich hat das unglückselge Weib
Vergiftet mit ihren Tränen.

XV

Da droben auf jenem Berge,
Da steht ein feines Schloß,
Da wohnen drei schöne Fräulein,
Von denen ich Liebe genoß.

Sonnabend küßte mich Jette,
Und Sonntag die Julia,
Und Montag die Kunigunde,
Die hat mich erdrückt beinah.

Doch Dienstag war eine Fete
Bei meinen drei Fräulein im Schloß;   10
Die Nachbarschafts-Herren und Damen,
Die kamen zu Wagen und Roß.

Ich aber war nicht geladen,
Und das habt ihr dumm gemacht!
Die zischelnden Muhmen und Basen,
Die merktens und haben gelacht.

XVI

Am fernen Horizonte
Erscheint, wie ein Nebelbild,
Die Stadt mit ihren Türmen,
In Abenddämmrung gehüllt.

Ein feuchter Windzug kräuselt
Die graue Wasserbahn;
Mit traurigem Takte rudert
Der Schiffer in meinem Kahn.

Die Sonne hebt sich noch einmal
Leuchtend vom Boden empor,   10
Und zeigt mir jene Stelle,
Wo ich das Liebste verlor.

XVII

Sei mir gegrüßt, du große,
Geheimnisvolle Stadt,
Die einst in ihrem Schoße
Mein Liebchen umschlossen hat.

Sagt an, ihr Türme und Tore,
Wo ist die Liebste mein?
Euch hab ich sie anvertrauet,
Ihr solltet mir Bürge sein.

Unschuldig sind die Türme,
Sie konnten nicht von der Stell,
Als Liebchen mit Koffern und Schachteln
Die Stadt verlassen so schnell.

Die Tore jedoch, die ließen
Mein Liebchen entwischen gar still;
Ein Tor ist immer willig,
Wenn eine Törin will.

XVIII

So wandl ich wieder den alten Weg,
Die wohlbekannten Gassen;
Ich komme von meiner Liebsten Haus,
Das steht so leer und verlassen.

Die Straßen sind doch gar zu eng!
Das Pflaster ist unerträglich!
Die Häuser fallen mir auf den Kopf!
Ich eile so viel als möglich!

XIX

Ich trat in jene Hallen,
Wo sie mir Treue versprochen;
Wo einst ihre Tränen gefallen,
Sind Schlangen hervorgekrochen.

XX

Still ist die Nacht, es ruhen die Gassen,
In diesem Hause wohnte mein Schatz;
Sie hat schon längst die Stadt verlassen,
Doch steht noch das Haus auf demselben Platz.

Da steht auch ein Mensch und starrt in die Höhe,
Und ringt die Hände, vor Schmerzensgewalt;
Mir graust es, wenn ich sein Antlitz sehe –
Der Mond zeigt mir meine eigne Gestalt.

Du Doppeltgänger! du bleicher Geselle!
Was äffst du nach mein Liebesleid,   10
Das mich gequält auf dieser Stelle,
So manche Nacht, in alter Zeit?

XXI

Wie kannst du ruhig schlafen,
Und weißt, ich lebe noch?
Der alte Zorn kommt wieder,
Und dann zerbrech ich mein Joch.

Kennst du das alte Liedchen:
Wie einst ein toter Knab
Um Mitternacht die Geliebte
Zu sich geholt ins Grab?

Glaub mir, du wunderschönes,
Du wunderholdes Kind,   10
Ich lebe und bin noch stärker
Als alle Toten sind!

XXII

»Die Jungfrau schläft in der Kammer,
Der Mond schaut zitternd hinein;

Da draußen singt es und klingt es,
Wie Walzermelodein.

Ich will mal schaun aus dem Fenster,
Wer drunten stört meine Ruh.
Da steht ein Totengerippe,
Und fiedelt und singt dazu:

Hast einst mir den Tanz versprochen,
Und hast gebrochen dein Wort,
Und heut ist Ball auf dem Kirchhof,
Komm mit, wir tanzen dort.

Die Jungfrau ergreift es gewaltig,
Es lockt sie hervor aus dem Haus;
Sie folgt dem Gerippe, das singend
Und fiedelnd schreitet voraus.

Es fiedelt und tänzelt und hüpfet,
Und klappert mit seinem Gebein,
Und nickt und nickt mit dem Schädel
Unheimlich im Mondenschein.«

XXIII

Ich stand in dunkeln Träumen
Und starrte ihr Bildnis an,
Und das geliebte Antlitz
Heimlich zu leben begann.

Um ihre Lippen zog sich
Ein Lächeln wunderbar,
Und wie von Wehmutstränen
Erglänzte ihr Augenpaar.

Auch meine Tränen flossen
Mir von den Wangen herab –
Und ach, ich kann es nicht glauben,
Daß ich dich verloren hab!

XXIV

Ich unglückselger Atlas! eine Welt,
Die ganze Welt der Schmerzen, muß ich tragen,
Ich trage Unerträgliches, und brechen
Will mir das Herz im Leibe.

Du stolzes Herz! du hast es ja gewollt!
Du wolltest glücklich sein, unendlich glücklich
Oder unendlich elend, stolzes Herz,
Und jetzo bist du elend.

XXV

Die Jahre kommen und gehen,
Geschlechter steigen ins Grab,
Doch nimmer vergeht die Liebe,
Die ich im Herzen hab.

Nur einmal noch möcht ich dich sehen,
Und sinken vor dir aufs Knie,
Und sterbend zu dir sprechen:
Madame, ich liebe Sie!

XXVI

Mir träumte: traurig schaute der Mond,
Und traurig schienen die Sterne;
Es trug mich zur Stadt, wo Liebchen wohnt,
Viel hundert Meilen ferne.

Es hat mich zu ihrem Hause geführt,
Ich küßte die Steine der Treppe,
Die oft ihr kleiner Fuß berührt
Und ihres Kleides Schleppe.

Die Nacht war lang, die Nacht war kalt,
Es waren so kalt die Steine;
Es lugt aus dem Fenster die blasse Gestalt,
Beleuchtet vom Mondenscheine.

XXVII

Was will die einsame Träne?
Sie trübt mir ja den Blick.
Sie blieb aus alten Zeiten
In meinem Auge zurück.

Sie hatte viel leuchtende Schwestern,
Die alle zerflossen sind,
Mit meinen Qualen und Freuden,
Zerflossen in Nacht und Wind.

Wie Nebel sind auch zerflossen
Die blauen Sternelein,
Die mir jene Freuden und Qualen
Gelächelt ins Herz hinein.

Ach, meine Liebe selber
Zerfloß wie eitel Hauch!
Du alte, einsame Träne,
Zerfließe jetzunder auch!

XXVIII

Der bleiche, herbstliche Halbmond
Lugt aus den Wolken heraus;
Ganz einsam liegt auf dem Kirchhof
Das stille Pfarrerhaus.

Die Mutter liest in der Bibel,
Der Sohn, der starret ins Licht,
Schlaftrunken dehnt sich die ältre,
Die jüngere Tochter spricht:

Ach Gott, wie einem die Tage
Langweilig hier vergehn!　　　　　10
Nur wenn sie einen begraben,
Bekommen wir etwas zu sehn.

Die Mutter spricht zwischen dem Lesen:
Du irrst, es starben nur Vier,
Seit man deinen Vater begraben
Dort an der Kirchhofstür.

Die ältre Tochter gähnet:
Ich will nicht verhungern bei Euch,
Ich gehe morgen zum Grafen,
Und der ist verliebt und reich.　　　　　20

Der Sohn bricht aus in Lachen:
Drei Jäger zechen im Stern,
Die machen Gold und lehren
Mir das Geheimnis gern.

Die Mutter wirft ihm die Bibel
Ins magre Gesicht hinein:
So willst du, Gottverfluchter,
Ein Straßenräuber sein!

Sie hören pochen ans Fenster,
Und sehn eine winkende Hand;　　　　　30
Der tote Vater steht draußen
Im schwarzen Predgergewand.

XXIX

Das ist ein schlechtes Wetter,
Es regnet und stürmt und schneit;
Ich sitze am Fenster und schaue
Hinaus in die Dunkelheit.

Da schimmert ein einsames Lichtchen,
Das wandelt langsam fort;
Ein Mütterchen mit dem Laternchen
Wankt über die Straße dort.

Ich glaube, Mehl und Eier
Und Butter kaufte sie ein;
Sie will einen Kuchen backen
Fürs große Töchterlein.

Die liegt zu Haus im Lehnstuhl,
Und blinzelt schläfrig ins Licht;
Die goldnen Locken wallen
Über das süße Gesicht.

XXX

Man glaubt, daß ich mich gräme
In bitterm Liebesleid,
Und endlich glaub ich es selber,
So gut wie andre Leut.

Du Kleine mit großen Augen,
Ich hab es dir immer gesagt,
Daß ich dich unsäglich liebe,
Daß Liebe mein Herz zernagt.

Doch nur in einsamer Kammer
Sprach ich auf solche Art,
Und ach! ich hab immer geschwiegen
In deiner Gegenwart.

Da gab es böse Engel,
Die hielten mir zu den Mund;
Und ach! durch böse Engel
Bin ich so elend jetzund.

XXXI

Deine weißen Liljenfinger,
Könnt ich sie noch einmal küssen,
Und sie drücken an mein Herz,
Und vergehn in stillem Weinen!

Deine klaren Veilchenaugen
Schweben vor mir Tag und Nacht,
Und mich quält es: was bedeuten
Diese süßen, blauen Rätsel?

XXXII

»Hat sie sich denn nie geäußert
Über dein verliebtes Wesen?
Konntest du in ihren Augen
Niemals Gegenliebe lesen?

Konntest du in ihren Augen
Niemals bis zur Seele dringen?
Und du bist ja sonst kein Esel,
Teurer Freund, in solchen Dingen.«

XXXIII

Sie liebten sich beide, doch keiner
Wollt es dem andern gestehn;
Sie sahen sich an so feindlich,
Und wollten vor Liebe vergehn.

Sie trennten sich endlich und sahn sich
Nur noch zuweilen im Traum;
Sie waren längst gestorben,
Und wußten es selber kaum.

XXXIV

Und als ich euch meine Schmerzen geklagt,
Da habt ihr gegähnt und nichts gesagt;
Doch als ich sie zierlich in Verse gebracht,
Da habt ihr mir große Elogen gemacht.

XXXV

Ich rief den Teufel und er kam,
Und ich sah ihn mit Verwundrung an.
Er ist nicht häßlich und ist nicht lahm,
Er ist ein lieber, scharmanter Mann,
Ein Mann in seinen besten Jahren,
Verbindlich und höflich und welterfahren.
Er ist ein gescheuter Diplomat,
Und spricht recht schön über Kirch und Staat.
Blaß ist er etwas, doch ist es kein Wunder,
Sanskrit und Hegel studiert er jetzunder.
Sein Lieblingspoet ist noch immer Fouqué.
Doch will er nicht mehr mit Kritik sich befassen,
Die hat er jetzt gänzlich überlassen
Der teuren Großmutter Hekate.
Er lobte mein juristisches Streben,
Hat früher sich auch damit abgegeben.
Er sagte, meine Freundschaft sei
Ihm nicht zu teuer, und nickte dabei,
Und frug: ob wir uns früher nicht
Schon einmal gesehn beim spanschen Gesandten?
Und als ich recht besah sein Gesicht,
Fand ich in ihm einen alten Bekannten.

XXXVI

Mensch, verspotte nicht den Teufel,
Kurz ist ja die Lebensbahn,
Und die ewige Verdammnis
Ist kein bloßer Pöbelwahn.

Mensch, bezahle deine Schulden,
Lang ist ja die Lebensbahn,
Und du mußt noch manchmal borgen,
Wie du es so oft getan.

XXXVII

Die heilgen drei Könige aus Morgenland,
Sie frugen in jedem Städtchen:
Wo geht der Weg nach Bethlehem,
Ihr lieben Buben und Mädchen?

Die Jungen und Alten, sie wußten es nicht,
Die Könige zogen weiter;
Sie folgten einem goldenen Stern,
Der leuchtete lieblich und heiter.

Der Stern blieb stehn über Josephs Haus,
Da sind sie hineingegangen;   10
Das Öchslein brüllte, das Kindlein schrie,
Die heilgen drei Könige sangen.

XXXVIII

Mein Kind, wir waren Kinder,
Zwei Kinder, klein und froh;
Wir krochen ins Hühnerhäuschen,
Versteckten uns unter das Stroh.

Wir krähten wie die Hähne,
Und kamen Leute vorbei –
Kikereküh! sie glaubten,
Es wäre Hahnengeschrei.

Die Kisten auf unserem Hofe
Die tapezierten wir aus,   10
Und wohnten drin beisammen,
Und machten ein vornehmes Haus.

Des Nachbars alte Katze
Kam öfters zum Besuch;
Wir machten ihr Bückling und Knickse
Und Komplimente genug.

Wir haben nach ihrem Befinden
Besorglich und freundlich gefragt;
Wir haben seitdem dasselbe
Mancher alten Katze gesagt.

Wir saßen auch oft und sprachen
Vernünftig, wie alte Leut,
Und klagten, wie alles besser
Gewesen zu unserer Zeit;

Wie Lieb und Treu und Glauben
Verschwunden aus der Welt,
Und wie so teuer der Kaffee,
Und wie so rar das Geld! – – –

Vorbei sind die Kinderspiele,
Und Alles rollt vorbei –
Das Geld und die Welt und die Zeiten,
Und Glauben und Lieb und Treu.

XXXIX

Das Herz ist mir bedrückt, und sehnlich
Gedenke ich der alten Zeit;
Die Welt war damals noch so wöhnlich,
Und ruhig lebten hin die Leut.

Doch jetzt ist alles wie verschoben,
Das ist ein Drängen! eine Not!
Gestorben ist der Herrgott oben,
Und unten ist der Teufel tot.

Und alles schaut so grämlich trübe,
So krausverwirrt und morsch und kalt,   10
Und wäre nicht das bißchen Liebe,
So gäb es nirgends einen Halt.

XL

Wie der Mond sich leuchtend dränget
Durch den dunkeln Wolkenflor,
Also taucht aus dunkeln Zeiten
Mir ein lichtes Bild hervor.

Saßen all auf dem Verdecke,
Fuhren stolz hinab den Rhein,
Und die sommergrünen Ufer
Glühn im Abendsonnenschein.

Sinnend saß ich zu den Füßen
Einer Dame, schön und hold;   10
In ihr liebes, bleiches Antlitz
Spielt' das rote Sonnengold.

Lauten klangen, Buben sangen,
Wunderbare Fröhlichkeit!
Und der Himmel wurde blauer,
Und die Seele wurde weit.

Märchenhaft vorüberzogen
Berg und Burgen, Wald und Au; –
Und das alles sah ich glänzen
In dem Aug der schönen Frau.   20

XLI

Im Traum sah ich die Geliebte,
Ein banges, bekümmertes Weib,
Verwelkt und abgefallen
Der sonst so blühende Leib.

Ein Kind trug sie auf dem Arme,
Ein andres führt sie an der Hand,
Und sichtbar ist Armut und Trübsal
Am Gang und Blick und Gewand.

Sie schwankte über den Marktplatz,
Und da begegnet sie mir,
Und sieht mich an, und ruhig
Und schmerzlich sag ich zu ihr:

Komm mit nach meinem Hause,
Denn du bist blaß und krank;
Ich will durch Fleiß und Arbeit
Dir schaffen Speis und Trank.

Ich will auch pflegen und warten
Die Kinder, die bei dir sind,
Vor allem aber dich selber,
Du armes, unglückliches Kind.

Ich will dir nie erzählen,
Daß ich dich geliebet hab,
Und wenn du stirbst, so will ich
Weinen auf deinem Grab.

XLII

»Teurer Freund! Was soll es nützen,
Stets das alte Lied zu leiern?
Willst du ewig brütend sitzen
Auf den alten Liebes-Eiern?

Ach! das ist ein ewig Gattern,
Aus den Schalen kriechen Küchlein,
Und sie piepsen und sie flattern,
Und du sperrst sie in ein Büchlein.«

XLIII

Werdet nur nicht ungeduldig,
Wenn von alten Leidensklängen
Manche noch vernehmlich tönen
In den neuesten Gesängen.

Wartet nur, es wird verhallen
Dieses Echo meiner Schmerzen,
Und ein neuer Liederfrühling
Sprießt aus dem geheilten Herzen.

XLIV

Nun ist es Zeit, daß ich mit Verstand
Mich aller Torheit entledge;
Ich hab so lang als ein Komödiant
Mit dir gespielt die Komödie.

Die prächtgen Kulissen, sie waren bemalt
Im hochromantischen Stile,
Mein Rittermantel hat goldig gestrahlt,
Ich fühlte die feinsten Gefühle.

Und nun ich mich gar säuberlich
Des tollen Tands entledge,
Noch immer elend fühl ich mich,
Als spielt ich noch immer Komödie.

Ach Gott! im Scherz und unbewußt
Sprach ich was ich gefühlet;
Ich hab mit dem Tod in der eignen Brust
Den sterbenden Fechter gespielet.

XLV

Den König Wiswamitra,
Den treibts ohne Rast und Ruh,
Er will durch Kampf und Büßung
Erwerben Wasischtas Kuh.

O, König Wiswamitra,
O, welch ein Ochs bist du,
Daß du so viel kämpfest und büßest,
Und alles für eine Kuh!

XLVI

Herz, mein Herz, sei nicht beklommen,
Und ertrage dein Geschick,
Neuer Frühling gibt zurück,
Was der Winter dir genommen.

Und wie viel ist dir geblieben!
Und wie schön ist noch die Welt!
Und, mein Herz, was dir gefällt,
Alles, alles darfst du lieben!

XLVII

Du bist wie eine Blume,
So hold und schön und rein;
Ich schau dich an, und Wehmut
Schleicht mir ins Herz hinein.

Mir ist, als ob ich die Hände
Aufs Haupt dir legen sollt,
Betend, daß Gott dich erhalte
So rein und schön und hold.

XLVIII

Kind! Es wäre dein Verderben,
Und ich geb mir selber Mühe,
Daß dein liebes Herz in Liebe
Nimmermehr für mich erglühe.

Nur daß mirs so leicht gelinget,
Will mich dennoch fast betrüben,
Und ich denke manchmal dennoch:
Möchtest du mich dennoch lieben!

XLIX

Wenn ich auf dem Lager liege,
In Nacht und Kissen gehüllt,
So schwebt mir vor ein süßes,
Anmutig liebes Bild.

Wenn mir der stille Schlummer
Geschlossen die Augen kaum,
So schleicht das Bild sich leise
Hinein in meinen Traum.

Doch mit dem Traum des Morgens
Zerrinnt es nimmermehr;   10
Dann trag ich es im Herzen
Den ganzen Tag umher.

L

Mädchen mit dem roten Mündchen,
Mit den Äuglein süß und klar,
Du mein liebes, kleines Mädchen,
Deiner denk ich immerdar.

Lang ist heut der Winterabend,
Und ich möchte bei dir sein,
Bei dir sitzen, mit dir schwatzen,
Im vertrauten Kämmerlein.

An die Lippen wollt ich pressen
Deine kleine, weiße Hand,   10
Und mit Tränen sie benetzen,
Deine kleine, weiße Hand.

LI

Mag da draußen Schnee sich türmen,
Mag es hageln, mag es stürmen,
Klirrend mir ans Fenster schlagen,
Nimmer will ich mich beklagen,
Denn ich trage in der Brust
Liebchens Bild und Frühlingslust.

LII

Andre beten zur Madonne,
Andre auch zu Paul und Peter;
Ich jedoch, ich will nur beten,
Nur zu dir, du schöne Sonne.

Gib mir Küsse, gib mir Wonne,
Sei mir gütig, sei mir gnädig,
Schönste Sonne unter den Mädchen,
Schönstes Mädchen unter der Sonne!

LIII

Verriet mein blasses Angesicht
Dir nicht mein Liebeswehe?
Und willst du, daß der stolze Mund
Das Bettelwort gestehe?

O, dieser Mund ist viel zu stolz,
Und kann nur küssen und scherzen;
Er spräche vielleicht ein höhnisches Wort,
Während ich sterbe vor Schmerzen.

LIV

Teurer Freund, du bist verliebt,
Und dich quälen neue Schmerzen;
Dunkler wird es dir im Kopf,
Heller wird es dir im Herzen.

Teurer Freund, du bist verliebt,
Und du willst es nicht bekennen,
Und ich seh des Herzens Glut
Schon durch deine Weste brennen.

LV

Ich wollte bei dir weilen
Und an deiner Seite ruhn;
Du mußtest von mir eilen;
Du hattest viel zu tun.

Ich sagte, daß meine Seele
Dir gänzlich ergeben sei;
Du lachtest aus voller Kehle,
Und machtest 'nen Knicks dabei.

Du hast noch mehr gesteigert
Mir meinen Liebesverdruß,
Und hast mir sogar verweigert
Am Ende den Abschiedskuß.

Glaub nicht, daß ich mich erschieße,
Wie schlimm auch die Sachen stehn!
Das alles, meine Süße,
Ist mir schon einmal geschehn.

LVI

Saphire sind die Augen dein,
Die lieblichen, die süßen.
O, dreimal glücklich ist der Mann,
Den sie mit Liebe grüßen.

Dein Herz, es ist ein Diamant,
Der edle Lichter sprühet.
O, dreimal glücklich ist der Mann,
Für den es liebend glühet.

Rubinen sind die Lippen dein,
Man kann nicht schönre sehen.
O, dreimal glücklich ist der Mann,
Dem sie die Liebe gestehen.

O, kennt ich nur den glücklichen Mann,
O, daß ich ihn nur fände,
So recht allein im grünen Wald,
Sein Glück hätt bald ein Ende.

LVII

Habe mich mit Liebesreden
Festgelogen an dein Herz,
Und, verstrickt in eignen Fäden,
Wird zum Ernste mir mein Scherz.

Wenn du dich, mit vollem Rechte,
Scherzend nun von mir entfernst,
Nahn sich mir die Höllenmächte,
Und ich schieß mich tot im Ernst.

LVIII

Zu fragmentarisch ist Welt und Leben!
Ich will mich zum deutschen Professor begeben.
Der weiß das Leben zusammenzusetzen,
Und er macht ein verständlich System daraus;
Mit seinen Nachtmützen und Schlafrockfetzen
Stopft er die Lücken des Weltenbaus.

LIX

Ich hab mir lang den Kopf zerbrochen,
Mit Denken und Sinnen, Tag und Nacht,
Doch deine liebenswürdigen Augen,
Sie haben mich zum Entschluß gebracht.

Jetzt bleib ich, wo deine Augen leuchten,
In ihrer süßen, klugen Pracht –
Daß ich noch einmal würde lieben,
Ich hätt es nimmermehr gedacht.

LX

Sie haben heut abend Gesellschaft,
Und das Haus ist lichterfüllt.
Dort oben am hellen Fenster
Bewegt sich ein Schattenbild.

Du schaust mich nicht, im Dunkeln
Steh ich hier unten allein;
Noch wenger kannst du schauen
In mein dunkles Herz hinein.

Mein dunkles Herze liebt dich,
Es liebt dich und es bricht,   10
Und bricht und zuckt und verblutet,
Aber du siehst es nicht.

LXI

Ich wollt, meine Schmerzen ergössen
Sich all in ein einziges Wort,
Das gäb ich den lustigen Winden,
Die trügen es lustig fort.

Sie tragen zu dir, Geliebte,
Das schmerzerfüllte Wort;
Du hörst es zu jeder Stunde,
Du hörst es an jedem Ort.

Und hast du zum nächtlichen Schlummer
Geschlossen die Augen kaum,
So wird dich mein Wort verfolgen
Bis in den tiefsten Traum.

LXII

Du hast Diamanten und Perlen,
Hast alles, was Menschenbegehr,
Und hast die schönsten Augen –
Mein Liebchen, was willst du mehr?

Auf deine schönen Augen
Hab ich ein ganzes Heer
Von ewigen Liedern gedichtet –
Mein Liebchen, was willst du mehr?

Mit deinen schönen Augen
Hast du mich gequält so sehr,
Und hast mich zu Grunde gerichtet –
Mein Liebchen, was willst du mehr?

LXIII

Wer zum ersten Male liebt,
Seis auch glücklos, ist ein Gott;
Aber wer zum zweiten Male
Glücklos liebt, der ist ein Narr.

Ich, ein solcher Narr, ich liebe
Wieder ohne Gegenliebe!
Sonne, Mond und Sterne lachen,
Und ich lache mit – und sterbe.

LXIV

Gaben mir Rat und gute Lehren,
Überschütteten mich mit Ehren,
Sagten, daß ich nur warten sollt,
Haben mich protegieren gewollt.

Aber bei all ihrem Protegieren,
Hätte ich können vor Hunger krepieren,
Wär nicht gekommen ein braver Mann,
Wacker nahm er sich meiner an.

Braver Mann! Er schafft mir zu essen!
Will es ihm nie und nimmer vergessen!   10
Schade, daß ich ihn nicht küssen kann!
Denn ich bin selbst dieser brave Mann.

LXV

Diesen liebenswürdgen Jüngling
Kann man nicht genug verehren;
Oft traktiert er mich mit Austern,
Und mit Rheinwein und Likören.

Zierlich sitzt ihm Rock und Höschen,
Doch noch zierlicher die Binde,
Und so kommt er jeden Morgen,
Fragt, ob ich mich wohlbefinde;

Spricht von meinem weiten Ruhme,
Meiner Anmut, meinen Witzen;   10
Eifrig und geschäftig ist er
Mir zu dienen, mir zu nützen.

Und des Abends, in Gesellschaft,
Mit begeistertem Gesichte,
Deklamiert er vor den Damen
Meine göttlichen Gedichte.

O, wie ist es hoch erfreulich,
Solchen Jüngling noch zu finden,
Jetzt in unsrer Zeit, wo täglich
Mehr und mehr die Bessern schwinden.

LXVI

Mir träumt': ich bin der liebe Gott,
Und sitz im Himmel droben,
Und Englein sitzen um mich her,
Die meine Verse loben.

Und Kuchen ess ich und Konfekt
Für manchen lieben Gulden,
Und Kardinal trink ich dabei,
Und habe keine Schulden.

Doch Langeweile plagt mich sehr,
Ich wollt, ich wär auf Erden,
Und wär ich nicht der liebe Gott,
Ich könnt des Teufels werden.

Du langer Engel Gabriel,
Geh, mach dich auf die Sohlen,
Und meinen teuren Freund Eugen
Sollst du herauf mir holen.

Such ihn nicht im Kollegium,
Such ihn beim Glas Tokayer;
Such ihn nicht in der Hedwigskirch,
Such ihn bei Mamsell Meyer.

Da breitet aus sein Flügelpaar
Und fliegt herab der Engel,
Und packt ihn auf, und bringt herauf
Den Freund, den lieben Bengel.

Ja, Jung, ich bin der liebe Gott,
Und ich regier die Erde!
Ich habs ja immer dir gesagt,
Daß ich was Rechts noch werde.

Und Wunder tu ich alle Tag,
Die sollen dich entzücken,   30
Und dir zum Spaße will ich heut
Die Stadt Berlin beglücken.

Die Pflastersteine auf der Straß,
Die sollen jetzt sich spalten,
Und eine Auster, frisch und klar,
Soll jeder Stein enthalten.

Ein Regen von Zitronensaft
Soll tauig sie begießen,
Und in den Straßengössen soll
Der beste Rheinwein fließen.   40

Wie freuen die Berliner sich,
Sie gehen schon ans Fressen;
Die Herren von dem Landgericht
Die saufen aus den Gössen.

Wie freuen die Poeten sich
Bei solchem Götterfraße!
Die Leutnants und die Fähnderichs,
Die lecken ab die Straße.

Die Leutnants und die Fähnderichs,
Das sind die klügsten Leute,   50
Sie denken, alle Tag geschieht
Kein Wunder so wie heute.

LXVII

Ich hab Euch im besten Juli verlassen,
Und finde Euch wieder im Januar;
Ihr saßet damals so recht in der Hitze,
Jetzt seid Ihr gekühlt und kalt sogar.

Bald scheid ich nochmals, und komm ich einst wieder,
Dann seid Ihr weder warm noch kalt,
Und über Eure Gräber schreit ich,
Und das eigene Herz ist arm und alt.

LXVIII

Von schönen Lippen fortgedrängt, getrieben
Aus schönen Armen, die uns fest umschlossen!
Ich wäre gern noch einen Tag geblieben,
Da kam der Schwager schon mit seinen Rossen.

Das ist das Leben, Kind! Ein ewig Jammern,
Ein ewig Abschiednehmen, ewges Trennen!
Konnt denn dein Herz das meine nicht umklammern?
Hat selbst dein Auge mich nicht halten können?

LXIX

Wir fuhren allein im dunkeln
Postwagen die ganze Nacht;
Wir ruhten einander am Herzen,
Wir haben gescherzt und gelacht.

Doch als es morgens tagte,
Mein Kind, wie staunten wir!
Denn zwischen uns saß Amor,
Der blinde Passagier.

LXX

Das weiß Gott, wo sich die tolle
Dirne einquartieret hat;
Fluchend, in dem Regenwetter,
Lauf ich durch die ganze Stadt.

Bin ich doch von einem Gasthof
Nach dem andern hingerannt,
Und an jeden groben Kellner
Hab ich mich umsonst gewandt.

Da erblick ich sie am Fenster,
Und sie winkt und kichert hell.   10
Konnt ich wissen, du bewohntest,
Mädchen, solches Prachthotel!

LXXI

Wie dunkle Träume stehen
Die Häuser in langer Reih;
Tief eingehüllt im Mantel,
Schreite ich schweigend vorbei.

Der Turm der Kathedrale
Verkündet die zwölfte Stund;
Mit ihren Reizen und Küssen
Erwartet mich Liebchen jetzund.

Der Mond ist mein Begleiter,
Er leuchtet mir freundlich vor;   10
Da bin ich an ihrem Hause,
Und freudig ruf ich empor:

Ich danke dir, alter Vertrauter,
Daß du meinen Weg erhellt;
Jetzt will ich dich entlassen,
Jetzt leuchte der übrigen Welt!

Und findest du einen Verliebten,
Der einsam klagt sein Leid,
So tröst ihn, wie du mich selber
Getröstet in alter Zeit.   20

LXXII

Und bist du erst mein ehlich Weib,
Dann bist du zu beneiden,
Dann lebst du in lauter Zeitvertreib,
In lauter Pläsier und Freuden.

Und wenn du schiltst und wenn du tobst,
Ich werd es geduldig leiden;
Doch wenn du meine Verse nicht lobst,
Laß ich mich von dir scheiden.

LXXIII

An deine schneeweiße Schulter
Hab ich mein Haupt gelehnt,
Und heimlich kann ich behorchen,
Wonach dein Herz sich sehnt.

Es blasen die blauen Husaren,
Und reiten zum Tor herein,
Und morgen will mich verlassen
Die Herzallerliebste mein.

Und willst du mich morgen verlassen,
So bist du doch heute noch mein,
Und in deinen schönen Armen
Will ich doppelt selig sein.

LXXIV

Es blasen die blauen Husaren,
Und reiten zum Tor hinaus;
Da komm ich, Geliebte, und bringe
Dir einen Rosenstrauß.

Das war eine wilde Wirtschaft!
Kriegsvolk und Landesplag!
Sogar in deinem Herzchen
Viel Einquartierung lag.

LXXV

Habe auch, in jungen Jahren,
Manches bittre Leid erfahren
Von der Liebe Glut.
Doch das Holz ist gar zu teuer,
Und erlöschen will das Feuer,
Ma foi! und das ist gut.

Das bedenke, junge Schöne,
Schicke fort die dumme Träne,
Und den dummen Liebesharm.
Ist das Leben dir geblieben,
So vergiß das alte Lieben,
Ma foi! in meinem Arm.

10

LXXVI

Bist du wirklich mir so feindlich,
Bist du wirklich ganz verwandelt?
Aller Welt will ich es klagen,
Daß du mich so schlecht behandelt.

O ihr undankbaren Lippen,
Sagt, wie könnt ihr Böses sagen
Von dem Manne, der so liebend
Euch geküßt, in schönen Tagen?

LXXVII

Ach, die Augen sind es wieder
Die mich einst so lieblich grüßten,
Und es sind die Lippen wieder,
Die das Leben mir versüßten!

Auch die Stimme ist es wieder,
Die ich einst so gern gehöret!
Nur ich selber bins nicht wieder,
Bin verändert heimgekehret.

Von den weißen, schönen Armen
Fest und liebevoll umschlossen,
Lieg ich jetzt an ihrem Herzen,
Dumpfen Sinnes und verdrossen.

LXXVIII

Selten habt Ihr mich verstanden,
Selten auch verstand ich Euch,
Nur wenn wir im Kot uns fanden,
So verstanden wir uns gleich.

LXXIX

Doch die Kastraten klagten,
Als ich meine Stimm erhob;
Sie klagten und sie sagten:
Ich sänge viel zu grob.

Und lieblich erhoben sie alle
Die kleinen Stimmelein;
Die Trillerchen, wie Kristalle,
Sie klangen so fein und rein.

Sie sangen von Liebessehnen,
Von Liebe und Liebeserguß;
Die Damen schwammen in Tränen
Bei solchem Kunstgenuß.

LXXX

Auf den Wällen Salamankas
Sind die Lüfte lind und labend;
Dort, mit meiner holden Donna,
Wandle ich am Sommerabend.

Um den schlanken Leib der Schönen
Hab ich meinen Arm gebogen,
Und mit selgem Finger fühl ich
Ihres Busens stolzes Wogen.

Doch ein ängstliches Geflüster
Zieht sich durch die Lindenbäume,   10
Und der dunkle Mühlbach unten
Murmelt böse, bange Träume.

»Ach Sennora, Ahnung sagt mir:
Einst wird man mich relegieren,
Und auf Salamankas Wällen
Gehn wir nimmermehr spazieren.«

LXXXI

Neben mir wohnt Don Henriques,
Den man auch den Schönen nennet;
Nachbarlich sind unsre Zimmer
Nur von dünner Wand getrennet.

Salamankas Damen glühen,
Wenn er durch die Straßen schreitet,
Sporenklirrend, schnurrbartkräuselnd,
Und von Hunden stets begleitet.

Doch in stiller Abendstunde
Sitzt er ganz allein daheime,   10
In den Händen die Gitarre,
In der Seele süße Träume.

In die Saiten greift er bebend
Und beginnt zu phantasieren, –
Ach! wie Katzenjammer quält mich
Sein Geschnarr und Quinquilieren.

LXXXII

Kaum sahen wir uns, und an Augen und Stimme
Merkt ich, daß du mir gewogen bist;
Stand nicht dabei die Mutter, die schlimme,
Ich glaube, wir hätten uns gleich geküßt.

Und morgen verlasse ich wieder das Städtchen,
Und eile fort im alten Lauf;
Dann lauert am Fenster mein blondes Mädchen,
Und freundliche Grüße werf ich hinauf.

LXXXIII

Über die Berge steigt schon die Sonne,
Die Lämmerherde läutet fern;
Mein Liebchen, mein Lamm, meine Sonne und Wonne,
Noch einmal säh ich dich gar zu gern!

Ich schaue hinauf, mit spähender Miene –
Leb wohl, mein Kind, ich wandre von hier!
Vergebens! Es regt sich keine Gardine;
Sie liegt noch und schläft – und träumt von mir?

LXXXIV

Zu Halle auf dem Markt,
Da stehn zwei große Löwen.
Ei, du hallischer Löwentrotz,
Wie hat man dich gezähmet!

Zu Halle auf dem Markt,
Da steht ein großer Riese.
Er hat ein Schwert und regt sich nicht,
Er ist vor Schreck versteinert.

Zu Halle auf dem Markt,
Da steht eine große Kirche.
Die Burschenschaft und die Landsmannschaft,
Die haben dort Platz zum Beten.

LXXXV

Dämmernd liegt der Sommerabend
Über Wald und grünen Wiesen;
Goldner Mond, im blauen Himmel,
Strahlt herunter, duftig labend.

An dem Bache zirpt die Grille,
Und es regt sich in dem Wasser,
Und der Wandrer hört ein Plätschern
Und ein Atmen in der Stille.

Dorten an dem Bach alleine,
Badet sich die schöne Elfe;
Arm und Nacken, weiß und lieblich,
Schimmern in dem Mondenscheine.

LXXXVI

Nacht liegt auf den fremden Wegen,
Krankes Herz und müde Glieder; –
Ach, da fließt, wie stiller Segen,
Süßer Mond, dein Licht hernieder.

Süßer Mond, mit deinen Strahlen
Scheuchest du das nächtge Grauen;
Es zerrinnen meine Qualen,
Und die Augen übertauen.

LXXXVII

Der Tod das ist die kühle Nacht,
Das Leben ist der schwüle Tag.
Es dunkelt schon, mich schläfert,
Der Tag hat mich müd gemacht.

Über mein Bett erhebt sich ein Baum,
Drin singt die junge Nachtigall;
Sie singt von lauter Liebe,
Ich hör es sogar im Traum.

LXXXVIII

»Sag, wo ist dein schönes Liebchen,
Das du einst so schön besungen,
Als die zaubermächtgen Flammen
Wunderbar dein Herz durchdrungen?«

Jene Flammen sind erloschen,
Und mein Herz ist kalt und trübe,
Und dies Büchlein ist die Urne
Mit der Asche meiner Liebe.

Götterdämmerung

Der Mai ist da mit seinen goldnen Lichtern
Und seidnen Lüften und gewürzten Düften,
Und freundlich lockt er mit den weißen Blüten,
Und grüßt aus tausend blauen Veilchenaugen,
Und breitet aus den blumreich grünen Teppich,
Durchwebt mit Sonnenschein und Morgentau,
Und ruft herbei die lieben Menschenkinder.
Das blöde Volk gehorcht dem ersten Ruf.
Die Männer ziehn die Nankinhosen an
Und Sonntagsröck mit goldnen Spiegelknöpfen;   10
Die Frauen kleiden sich in Unschuldweiß;
Jünglinge kräuseln sich den Frühlingsschnurrbart;
Jungfrauen lassen ihre Busen wallen;
Die Stadtpoeten stecken in die Tasche
Papier und Bleistift und Lorgnett; – und jubelnd
Zieht nach dem Tor die krausbewegte Schar,
Und lagert draußen sich auf grünem Rasen,
Bewundert, wie die Bäume fleißig wachsen,
Spielt mit den bunten, zarten Blümelein,
Horcht auf den Sang der lustgen Vögelein,   20
Und jauchzt hinauf zum blauen Himmelszelt.

Zu mir kam auch der Mai. Er klopfte dreimal
An meine Tür und rief: Ich bin der Mai,
Du bleicher Träumer, komm, ich will dich küssen!
Ich hielt verriegelt meine Tür, und rief:
Vergebens lockst du mich, du schlimmer Gast.
Ich habe dich durchschaut, ich hab durchschaut
Den Bau der Welt, und hab zu viel geschaut,
Und viel zu tief, und hin ist alle Freude,
Und ewge Qualen zogen in mein Herz.   30
Ich schaue durch die steinern harten Rinden
Der Menschenhäuser und der Menschenherzen,
Und schau in beiden Lug und Trug und Elend.
Auf den Gesichtern les ich die Gedanken,
Viel schlimme. In der Jungfrau Schamerröten

Seh ich geheime Lust begehrlich zittern;
Auf dem begeistert stolzen Jünglingshaupt
Seh ich die lachend bunte Schellenkappe;
Und Fratzenbilder nur und sieche Schatten
Seh ich auf dieser Erde, und ich weiß nicht,
Ist sie ein Tollhaus oder Krankenhaus.
Ich sehe durch den Grund der alten Erde,
Als sei sie von Kristall, und seh das Grausen,
Das mit dem freudgen Grüne zu bedecken
Der Mai vergeblich strebt. Ich seh die Toten;
Sie liegen unten in den schmalen Särgen,
Die Händ gefaltet und die Augen offen,
Weiß das Gewand und weiß das Angesicht,
Und durch die Lippen kriechen gelbe Würmer.
Ich seh, der Sohn setzt sich mit seiner Buhle
Zur Kurzweil nieder auf des Vaters Grab; –
Spottlieder singen rings die Nachtigallen; –
Die sanften Wiesenblümchen lachen hämisch; –
Der tote Vater regt sich in dem Grab; –
Und schmerzhaft zuckt die alte Mutter Erde.

Du arme Erde, deine Schmerzen kenn ich!
Ich seh die Glut in deinem Busen wühlen,
Und deine tausend Adern seh ich bluten,
Und seh, wie deine Wunde klaffend aufreißt,
Und wild hervorströmt Flamm und Rauch und Blut.
Ich sehe deine trotzgen Riesensöhne,
Uralte Brut, aus dunkeln Schlünden steigend,
Und rote Fackeln in den Händen schwingend; –
Sie legen ihre Eisenleiter an,
Und stürmen wild hinauf zur Himmelsfeste; –
Und schwarze Zwerge klettern nach; – und knisternd
Zerstieben droben alle goldnen Sterne.
Mit frecher Hand reißt man den goldnen Vorhang
Vom Zelte Gottes, heulend stürzen nieder,
Aufs Angesicht, die frommen Engelscharen.
Auf seinem Throne sitzt der bleiche Gott,
Reißt sich vom Haupt die Kron, zerrauft sein Haar –

Und näher drängt heran die wilde Rotte.
Die Riesen werfen ihre roten Fackeln
Ins weite Himmelreich, die Zwerge schlagen
Mit Flammengeißeln auf der Englein Rücken; –
Die winden sich und krümmen sich vor Qualen,
Und werden bei den Haaren fortgeschleudert; –
Und meinen eignen Engel seh ich dort,
Mit seinen blonden Locken, süßen Zügen,   80
Und mit der ewgen Liebe um den Mund,
Und mit der Seligkeit im blauen Auge –
Und ein entsetzlich häßlich schwarzer Kobold
Reißt ihn vom Boden, meinen bleichen Engel,
Beäugelt grinsend seine edlen Glieder,
Umschlingt ihn fest mit zärtlicher Umschlingung –
Und gellend dröhnt ein Schrei durchs ganze Weltall,
Die Säulen brechen, Erd und Himmel stürzen
Zusammen, und es herrscht die alte Nacht.

Ratcliff

Der Traumgott brachte mich in eine Landschaft,
Wo Trauerweiden mir »Willkommen« winkten
Mit ihren langen, grünen Armen, wo die Blumen
Mit klugen Schwesteraugen still mich ansahn,
Wo mir vertraulich klang der Vögel Zwitschern,
Wo gar der Hunde Bellen mir bekannt schien,
Und Stimmen und Gestalten mich begrüßten,
Wie einen alten Freund, und wo doch alles
So fremd mir schien, so wunderseltsam fremd.
Vor einem ländlich schmucken Hause stand ich,   10
In meiner Brust bewegte sichs, im Kopfe
Wars ruhig, ruhig schüttelte ich ab
Den Staub von meinen Reisekleidern,
Grell klang die Klingel, und die Tür ging auf.

Da waren Männer, Frauen, viel bekannte
Gesichter. Stiller Kummer lag auf allen

Und heimlich scheue Angst. Seltsam verstört,
Mit Beileidsmienen fast, sahn sie mich an,
Daß es mir selber durch die Seele schauert',
Wie Ahnung eines unbekannten Unheils.
Die alte Margret hab ich gleich erkannt;
Ich sah sie forschend an, jedoch sie sprach nicht.
»Wo ist Maria?« fragt ich, doch sie sprach nicht,
Griff leise meine Hand, und führte mich
Durch viele lange, leuchtende Gemächer,
Wo Prunk und Pracht und Totenstille herrschte,
Und führt' mich endlich in ein dämmernd Zimmer,
Und zeigt', mit abgewandtem Angesicht,
Nach der Gestalt, die auf dem Sofa saß.
»Sind Sie Maria?« fragt ich. Innerlich
Erstaunt ich selber ob der Festigkeit,
Womit ich sprach. Und steinern und metallos
Scholl eine Stimm: »So nennen mich die Leute.«
Ein schneidend Weh durchfröstelte mich da,
Denn jener hohle, kalte Ton war doch
Die einst so süße Stimme von Maria!
Und jenes Weib im fahlen Lilakleid,
Nachlässig angezogen, Busen schlotternd,
Die Augen gläsern starr, die Wangenmuskeln
Des weißen Angesichtes lederschlaff –
Ach, jenes Weib war doch die einst so schöne,
Die blühend holde liebliche Maria!
»Sie waren lang auf Reisen!« sprach sie laut,
Mit kalt unheimlicher Vertraulichkeit,
»Sie schaun nicht mehr so schmachtend, liebster Freund,
Sie sind gesund, und pralle Lend und Wade
Bezeugt Solidität.« Ein süßlich Lächeln
Umzitterte den gelblich blassen Mund.
In der Verwirrung sprachs aus mir hervor:
»Man sagte mir, Sie haben sich vermählt?«
»Ach ja!« sprach sie gleichgültig laut und lachend,
»Hab einen Stock von Holz, der überzogen
Mit Leder ist, Gemahl sich nennt; doch Holz
Ist Holz!« Und klanglos widrig lachte sie,

Daß kalte Angst durch meine Seele rann,
Und Zweifel mich ergriff: – sind das die keuschen,
Die blumenkeuschen Lippen von Maria?
Sie aber hob sich in die Höh, nahm rasch
Vom Stuhl den Kaschemir, warf ihn
Um ihren Hals, hing sich an meinen Arm,   60
Zog mich von hinnen, durch die offne Haustür,
Und zog mich fort durch Feld und Busch und Au.

Die glühend rote Sonnenscheibe schwebte
Schon niedrig, und ihr Purpur überstrahlte
Die Bäume und die Blumen und den Strom,
Der in der Ferne majestätisch floß.
»Sehn Sie das große goldne Auge schwimmen
Im blauen Wasser?« rief Maria hastig.
»Still, armes Wesen!« sprach ich, und ich schaute
Im Dämmerlicht ein märchenhaftes Weben.   70
Es stiegen Nebelbilder aus den Feldern,
Umschlangen sich mit weißen, weichen Armen;
Die Veilchen sahn sich zärtlich an, sehnsüchtig
Zusammenbeugten sich die Liljenkelche;
Aus allen Rosen glühten Wollustgluten;
Die Nelken wollten sich im Hauch entzünden;
In selgen Düften schwelgten alle Blumen,
Und alle weinten stille Wonnetränen,
Und alle jauchzten: Liebe! Liebe! Liebe!
Die Schmetterlinge flatterten, die hellen   80
Goldkäfer summten feine Elfenliedchen,
Die Abendwinde flüsterten, es rauschten
Die Eichen, schmelzend sang die Nachtigall –
Und zwischen all dem Flüstern, Rauschen, Singen
Schwatzte mit blechern klanglos kalter Stimme
Das welke Weib, das mir am Arme hing:
»Ich kenn ihr nächtlich Treiben auf dem Schloß;
Der lange Schatten ist ein guter Tropf,
Er nickt und winkt zu allem, was man will;
Der Blaurock ist ein Engel; doch der Rote,   90
Mit blankem Schwert, ist Ihnen spinnefeind.«

Und noch viel buntre, wunderliche Reden
Schwatzt' sie in einem fort, und setzte sich,
Ermüdet, mit mir nieder auf die Moosbank,
Die unterm alten Eichenbaume steht.

Da saßen wir beisammen, still und traurig,
Und sahn uns an, und wurden immer traurger.
Die Eiche säuselte wie Sterbeseufzer,
Tiefschmerzlich sang die Nachtigall herab.
Doch rote Lichter drangen durch die Blätter,
Umflimmerten Marias weißes Antlitz,
Und lockten Glut aus ihren starren Augen,
Und mit der alten, süßen Stimme sprach sie:
»Wie wußtest Du, daß ich so elend bin?
Ich las es jüngst in deinen wilden Liedern.«

Eiskalt durchzogs mir da die Brust, mir grauste
Ob meinem eignen Wahnsinn, der die Zukunft
Geschaut, es zuckte dunkel durch mein Hirn,
Und vor Entsetzen bin ich aufgewacht.

Donna Clara

In dem abendlichen Garten
Wandelt des Alkaden Tochter;
Pauken- und Trommetenjubel
Klingt herunter von dem Schlosse.

»Lästig werden mir die Tänze
Und die süßen Schmeichelworte,
Und die Ritter, die so zierlich
Mich vergleichen mit der Sonne.

Überlästig wird mir alles,
Seit ich sah, beim Strahl des Mondes,
Jenen Ritter, dessen Laute
Nächtens mich ans Fenster lockte.

Wie er stand so schlank und mutig,
Und die Augen leuchtend schossen
Aus dem edelblassen Antlitz,
Glich er wahrlich Sankt Georgen.«

Also dachte Donna Clara,
Und sie schaute auf den Boden;
Wie sie aufblickt, steht der schöne,
Unbekannte Ritter vor ihr.

Händedrückend, liebeflüsternd
Wandeln sie umher im Mondschein,
Und der Zephir schmeichelt freundlich,
Märchenartig grüßen Rosen.

Märchenartig grüßen Rosen,
Und sie glühn wie Liebesboten. –
Aber sage mir, Geliebte,
Warum du so plötzlich rot wirst?

»Mücken stachen mich, Geliebter,
Und die Mücken sind, im Sommer,
Mir so tief verhaßt, als wärens
Langenasge Judenrotten.«

Laß die Mücken und die Juden,
Spricht der Ritter, freundlich kosend.
Von den Mandelbäumen fallen
Tausend weiße Blütenflocken.

Tausend weiße Blütenflocken
Haben ihren Duft ergossen. –
Aber sage mir, Geliebte,
Ist dein Herz mir ganz gewogen?

»Ja, ich liebe dich, Geliebter,
Bei dem Heiland seis geschworen,
Den die gottverfluchten Juden
Boshaft tückisch einst ermordet.«

Laß den Heiland und die Juden,
Spricht der Ritter, freundlich kosend.
In der Ferne schwanken traumhaft
Weiße Liljen, lichtumflossen.

Weiße Liljen, lichtumflossen,
Blicken nach den Sternen droben. –
Aber sage mir, Geliebte,
Hast du auch nicht falsch geschworen?

»Falsch ist nicht in mir, Geliebter,
Wie in meiner Brust kein Tropfen
Blut ist von dem Blut der Mohren
Und des schmutzgen Judenvolkes.«

Laß die Mohren und die Juden,
Spricht der Ritter, freundlich kosend;
Und nach einer Myrtenlaube
Führt er die Alkadentochter.

Mit den weichen Liebesnetzen
Hat er heimlich sie umflochten;
Kurze Worte, lange Küsse,
Und die Herzen überflossen.

Wie ein schmelzend süßes Brautlied
Singt die Nachtigall, die holde;
Wie zum Fackeltanze hüpfen
Feuerwürmchen auf dem Boden.

In der Laube wird es stiller,
Und man hört nur, wie verstohlen,   70
Das Geflüster kluger Myrten
Und der Blumen Atemholen.

Aber Pauken und Trommeten
Schallen plötzlich aus dem Schlosse,
Und erwachend hat sich Clara
Aus des Ritters Arm gezogen.

»Horch! da ruft es mich, Geliebter;
Doch, bevor wir scheiden, sollst du
Nennen deinen lieben Namen,
Den du mir so lang verborgen.«   80

Und der Ritter, heiter lächelnd,
Küßt die Finger seiner Donna,
Küßt die Lippen und die Stirne,
Und er spricht zuletzt die Worte:

Ich, Sennora, Eur Geliebter,
Bin der Sohn des vielbelobten,
Großen, schriftgelehrten Rabbi
Israel von Saragossa.

Almansor

I

In dem Dome zu Corduva
Stehen Säulen, dreizehnhundert,
Dreizehnhundert Riesensäulen
Tragen die gewaltge Kuppel.

Und auf Säulen, Kuppel, Wänden
Ziehn von oben sich bis unten
Des Korans arabische Sprüche,
Klug und blumenhaft verschlungen.

Mohrenkönge bauten weiland
Dieses Haus zu Allahs Ruhme,
Doch hat vieles sich verwandelt
In der Zeiten dunkelm Strudel.

Auf dem Turme, wo der Türmer
Zum Gebete aufgerufen,
Tönet jetzt der Christenglocken
Melancholisches Gesumme.

Auf den Stufen, wo die Gläubgen
Das Prophetenwort gesungen,
Zeigen jetzt die Glatzenpfäfflein
Ihrer Messe fades Wunder.

Und das ist ein Drehn und Winden
Vor den buntbemalten Puppen,
Und das blökt und dampft und klingelt,
Und die dummen Kerzen funkeln.

In dem Dome zu Corduva
Steht Almansor ben Abdullah,
All die Säulen still betrachtend,
Und die stillen Worte murmelnd:

»O, ihr Säulen, stark und riesig,
Einst geschmückt zu Allahs Ruhme,
Jetzo müßt ihr dienend huldgen
Dem verhaßten Christentume!

Ihr bequemt euch in die Zeiten,
Und ihr tragt die Last geduldig; –
Ei, da muß ja wohl der Schwächre
Noch viel leichter sich beruhgen.«

Und sein Haupt, mit heiterm Antlitz,
Beugt Almansor ben Abdullah
Über den gezierten Taufstein,
In dem Dome zu Corduva.   40

2

Hastig schritt er aus dem Dome,
Jagte fort auf wildem Rappen,
Daß im Wind die feuchten Locken
Und des Hutes Federn wallen.

Auf dem Weg nach Alkolea,
Dem Guadalquivir entlange,
Wo die weißen Mandeln blühen,
Und die duftgen Goldorangen;

Dorten jagt der lustge Ritter,
Pfeift und singt, und lacht behaglich,   50
Und es stimmen ein die Vögel
Und des Stromes laute Wasser.

In dem Schloß zu Alkolea
Wohnet Clara de Alvares,
In Navarra kämpft ihr Vater,
Und sie freut sich mindern Zwanges.

Und Almansor hört schon ferne
Pauken und Trommeten schallen,
Und er sieht des Schlosses Lichter
Blitzen durch der Bäume Schatten.   60

In dem Schloß zu Alkolea
Tanzen zwölf geschmückte Damen,
Tanzen zwölf geschmückte Ritter,
Doch am schönsten tanzt Almansor.

Wie beschwingt von muntrer Laune,
Flattert er herum im Saale,
Und er weiß den Damen allen
Süße Schmeichelein zu sagen.

Isabellens schöne Hände
Küßt er rasch, und springt von dannen;
Und er setzt sich vor Elviren,
Und er schaut ihr froh ins Antlitz.

Lachend fragt er Leonoren:
Ob er heute ihr gefalle?
Und er zeigt die goldnen Kreuze
Eingestickt in seinen Mantel.

Er versichert jeder Dame:
Daß er sie im Herzen trage;
Und »so wahr ich Christ bin!« schwört er
Dreißigmal an jenem Abend.

3

In dem Schloß zu Alkolea
Ist verschollen Lust und Klingen,
Herrn und Damen sind verschwunden,
Und erloschen sind die Lichter.

Donna Clara und Almansor
Sind allein im Saal geblieben;
Einsam streut die letzte Lampe
Über beide ihren Schimmer.

Auf dem Sessel sitzt die Dame,
Auf dem Schemel sitzt der Ritter,
Und sein Haupt, das schlummermüde,
Ruht auf den geliebten Knieen.

Rosenöl, aus goldnem Fläschchen,
Gießt die Dame, sorgsam sinnend,
Auf Almansors braune Locken –
Und er seufzt aus Herzenstiefe.

Süßen Kuß, mit sanftem Munde,
Drückt die Dame, sorgsam sinnend,
Auf Almansors braune Locken –
Und es wölkt sich seine Stirne.   100

Tränenflut, aus lichten Augen,
Weint die Dame, sorgsam sinnend,
Auf Almansors braune Locken –
Und es zuckt um seine Lippen.

Und er träumt: er stehe wieder,
Tief das Haupt gebeugt und triefend,
In dem Dome zu Corduva,
Und er hört viel dunkle Stimmen.

All die hohen Riesensäulen
Hört er murmeln unmutgrimmig,   110
Länger wollen sies nicht tragen,
Und sie wanken und sie zittern; –

Und sie brechen wild zusammen,
Es erbleichen Volk und Priester,
Krachend stürzt herab die Kuppel,
Und die Christengötter wimmern.

Die Wallfahrt nach Kevlaar

1

Am Fenster stand die Mutter,
Im Bette lag der Sohn.
»Willst du nicht aufstehn, Wilhelm,
Zu schaun die Prozession?«

»Ich bin so krank, o Mutter,
Daß ich nicht hör und seh;
Ich denk an das tote Gretchen,
Da tut das Herz mir weh.« –

»Steh auf, wir wollen nach Kevlaar,
Nimm Buch und Rosenkranz;
Die Mutter Gottes heilt dir
Dein krankes Herze ganz.«

Es flattern die Kirchenfahnen,
Es singt im Kirchenton;
Das ist zu Köllen am Rheine,
Da geht die Prozession.

Die Mutter folgt der Menge,
Den Sohn, den führet sie,
Sie singen beide im Chore:
Gelobt seist du, Marie!

2

Die Mutter Gottes zu Kevlaar
Trägt heut ihr bestes Kleid;
Heut hat sie viel zu schaffen,
Es kommen viel kranke Leut.

Die kranken Leute bringen
Ihr dar, als Opferspend,
Aus Wachs gebildete Glieder,
Viel wächserne Füß und Händ.

Und wer eine Wachshand opfert,
Dem heilt an der Hand die Wund;   30
Und wer einen Wachsfuß opfert,
Dem wird der Fuß gesund.

Nach Kevlaar ging mancher auf Krücken,
Der jetzo tanzt auf dem Seil,
Gar mancher spielt jetzt die Bratsche,
Dem dort kein Finger war heil.

Die Mutter nahm ein Wachslicht,
Und bildete draus ein Herz.
»Bring das der Mutter Gottes,
Dann heilt sie deinen Schmerz.«   40

Der Sohn nahm seufzend das Wachsherz,
Ging seufzend zum Heiligenbild;
Die Träne quillt aus dem Auge,
Das Wort aus dem Herzen quillt:

»Du Hochgebenedeite,
Du reine Gottesmagd,
Du Königin des Himmels,
Dir sei mein Leid geklagt!

Ich wohnte mit meiner Mutter
Zu Köllen in der Stadt,   50
Der Stadt, die viele hundert
Kapellen und Kirchen hat.

Und neben uns wohnte Gretchen,
Doch die ist tot jetzund –
Marie, dir bring ich ein Wachsherz,
Heil du meine Herzenswund.

Heil du mein krankes Herze –
Ich will auch spät und früh
Inbrünstiglich beten und singen:
Gelobt seist du, Marie!«   60

3

Der kranke Sohn und die Mutter,
Die schliefen im Kämmerlein;
Da kam die Mutter Gottes
Ganz leise geschritten herein.

Sie beugte sich über den Kranken,
Und legte ihre Hand
Ganz leise auf sein Herze,
Und lächelte mild und schwand.

Die Mutter schaut alles im Traume,
Und hat noch mehr geschaut;
Sie erwachte aus dem Schlummer,
Die Hunde bellten so laut.

Da lag dahingestrecket
Ihr Sohn, und der war tot;
Es spielt auf den bleichen Wangen
Das lichte Morgenrot.

Die Mutter faltet die Hände,
Ihr war, sie wußte nicht wie;
Andächtig sang sie leise:
Gelobt seist du, Marie!

AUS DER HARZREISE

1824

Prolog

Schwarze Röcke, seidne Strümpfe,
Weiße, höfliche Manschetten,
Sanfte Reden, Embrassieren –
Ach, wenn sie nur Herzen hätten!

Herzen in der Brust, und Liebe,
Warme Liebe in dem Herzen –
Ach, mich tötet ihr Gesinge
Von erlognen Liebesschmerzen.

Auf die Berge will ich steigen,
Wo die frommen Hütten stehen,   10
Wo die Brust sich frei erschließet,
Und die freien Lüfte wehen.

Auf die Berge will ich steigen,
Wo die dunkeln Tannen ragen,
Bäche rauschen, Vögel singen,
Und die stolzen Wolken jagen.

Lebet wohl, ihr glatten Säle!
Glatte Herren, glatte Frauen!
Auf die Berge will ich steigen,
Lachend auf euch niederschauen.   20

Bergidylle

I

Auf dem Berge steht die Hütte,
Wo der alte Bergmann wohnt;
Dorten rauscht die grüne Tanne,
Und erglänzt der goldne Mond.

In der Hütte steht ein Lehnstuhl,
Ausgeschnitzelt wunderlich,
Der darauf sitzt, der ist glücklich,
Und der Glückliche bin Ich!

Auf dem Schemel sitzt die Kleine,
Stützt den Arm auf meinen Schoß;
Äuglein wie zwei blaue Sterne,
Mündlein wie die Purpurros.

Und die lieben, blauen Sterne
Schaun mich an so himmelgroß,
Und sie legt den Liljenfinger
Schalkhaft auf die Purpurros.

Nein, es sieht uns nicht die Mutter,
Denn sie spinnt mit großem Fleiß,
Und der Vater spielt die Zither,
Und er singt die alte Weis.

Und die Kleine flüstert leise,
Leise, mit gedämpftem Laut;
Manches wichtige Geheimnis
Hat sie mir schon anvertraut.

»Aber seit die Muhme tot ist,
Können wir ja nicht mehr gehn
Nach dem Schützenhof zu Goslar,
Dorten ist es gar zu schön.

Hier dagegen ist es einsam,
Auf der kalten Bergeshöh,
Und des Winters sind wir gänzlich
Wie begraben in dem Schnee.

Und ich bin ein banges Mädchen,
Und ich fürcht mich wie ein Kind
Vor den bösen Bergesgeistern,
Die des Nachts geschäftig sind.«

Plötzlich schweigt die liebe Kleine,
Wie vom eignen Wort erschreckt,
Und sie hat mit beiden Händchen
Ihre Äugelein bedeckt.

Lauter rauscht die Tanne draußen,
Und das Spinnrad schnurrt und brummt,
Und die Zither klingt dazwischen,
Und die alte Weise summt:

»Fürcht dich nicht, du liebes Kindchen,
Vor der bösen Geister Macht;
Tag und Nacht, du liebes Kindchen,
Halten Englein bei dir Wacht!«

2

Tannenbaum, mit grünen Fingern,
Pocht ans niedre Fensterlein,   50
Und der Mond, der stille Lauscher,
Wirft sein goldnes Licht herein.

Vater, Mutter schnarchen leise
In dem nahen Schlafgemach,
Doch wir beide, selig schwatzend,
Halten uns einander wach.

»Daß du gar zu oft gebetet,
Das zu glauben wird mir schwer,
Jenes Zucken deiner Lippen
Kommt wohl nicht vom Beten her.   60

Jenes böse, kalte Zucken,
Das erschreckt mich jedesmal,
Doch die dunkle Angst beschwichtigt
Deiner Augen frommer Strahl.

Auch bezweifl ich, daß du glaubest,
Was so rechter Glauben heißt –
Glaubst wohl nicht an Gott den Vater,
An den Sohn und heilgen Geist?«

Ach, mein Kindchen, schon als Knabe,
Als ich saß auf Mutters Schoß,   70
Glaubte ich an Gott den Vater,
Der da waltet gut und groß;

Der die schöne Erd erschaffen,
Und die schönen Menschen drauf,
Der den Sonnen, Monden, Sternen
Vorgezeichnet ihren Lauf.

Als ich größer wurde, Kindchen,
Noch viel mehr begriff ich schon,
Ich begriff, und ward vernünftig,
Und ich glaub auch an den Sohn;

An den lieben Sohn, der liebend
Uns die Liebe offenbart,
Und zum Lohne, wie gebräuchlich,
Von dem Volk gekreuzigt ward.

Jetzo, da ich ausgewachsen,
Viel gelesen, viel gereist,
Schwillt mein Herz, und ganz von Herzen
Glaub ich an den heilgen Geist.

Dieser tat die größten Wunder,
Und viel größre tut er noch;
Er zerbrach die Zwingherrnburgen,
Und zerbrach des Knechtes Joch.

Alte Todeswunden heilt er,
Und erneut das alte Recht:
Alle Menschen, gleichgeboren,
Sind ein adliges Geschlecht.

Er verscheucht die bösen Nebel
Und das dunkle Hirngespinst,
Das uns Lieb und Lust verleidet,
Tag und Nacht uns angegrinst.

Tausend Ritter, wohlgewappnet,
Hat der heilge Geist erwählt,
Seinen Willen zu erfüllen,
Und er hat sie mutbeseelt.

Ihre teuern Schwerter blitzen,
Ihre guten Banner wehn!
Ei, du möchtest wohl, mein Kindchen,
Solche stolze Ritter sehn?

Nun, so schau mich an, mein Kindchen,
Schau mich an, und küsse dreist;   110
Denn ich selber bin ein solcher
Ritter von dem heilgen Geist.

3

Still versteckt der Mond sich draußen
Hinterm grünen Tannenbaum,
Und im Zimmer unsre Lampe
Flackert matt und leuchtet kaum.

Aber meine blauen Sterne
Strahlen auf in hellerm Licht,
Und es glüht die Purpurrose,
Und das liebe Mädchen spricht: 120

»Kleines Völkchen, Wichtelmännchen,
Stehlen unser Brot und Speck,
Abends liegt es noch im Kasten,
Und des Morgens ist es weg.

Kleines Völkchen, unsre Sahne
Nascht es von der Milch, und läßt
Unbedeckt die Schüssel stehen,
Und die Katze säuft den Rest.

Und die Katz ist eine Hexe,
Denn sie schleicht, bei Nacht und Sturm,   130
Drüben nach dem Geisterberge,
Nach dem altverfallnen Turm.

Dort hat einst ein Schloß gestanden,
Voller Lust und Waffenglanz;
Blanke Ritter, Fraun und Knappen
Schwangen sich im Fackeltanz.

Da verwünschte Schloß und Leute
Eine böse Zauberin,
Nur die Trümmer blieben stehen,
Und die Eulen nisten drin.

Doch die selge Muhme sagte:
Wenn man spricht das rechte Wort,
Nächtlich zu der rechten Stunde,
Drüben an dem rechten Ort:

So verwandeln sich die Trümmer
Wieder in ein helles Schloß,
Und es tanzen wieder lustig
Ritter, Fraun und Knappentroß;

Und wer jenes Wort gesprochen,
Dem gehören Schloß und Leut,
Pauken und Trompeten huldgen
Seiner jungen Herrlichkeit.«

Also blühen Märchenbilder
Aus des Mundes Röselein,
Und die Augen gießen drüber
Ihren blauen Sternenschein.

Ihre goldnen Haare wickelt
Mir die Kleine um die Händ,
Gibt den Fingern hübsche Namen,
Lacht und küßt, und schweigt am End.

Und im stillen Zimmer alles
Blickt mich an so wohlvertraut;
Tisch und Schrank, mir ist als hätt ich
Sie schon früher mal geschaut.

Freundlich ernsthaft schwatzt die Wanduhr,
Und die Zither, hörbar kaum,
Fängt von selber an zu klingen,
Und ich sitze wie im Traum.

Jetzo ist die rechte Stunde,
Und es ist der rechte Ort;   170
Ja, ich glaube, von den Lippen
Gleitet mir das rechte Wort.

Siehst du, Kindchen, wie schon dämmert
Und erbebt die Mitternacht!
Bach und Tannen brausen lauter,
Und der alte Berg erwacht.

Zitherklang und Zwergenlieder
Tönen aus des Berges Spalt,
Und es sprießt, wie'n toller Frühling,
Draus hervor ein Blumenwald; —   180

Blumen, kühne Wunderblumen,
Blätter, breit und fabelhaft,
Duftig bunt und hastig regsam,
Wie gedrängt von Leidenschaft.

Rosen, wild wie rote Flammen,
Sprühn aus dem Gewühl hervor;
Liljen, wie kristallne Pfeiler,
Schießen himmelhoch empor.

Und die Sterne, groß wie Sonnen,
Schaun herab mit Sehnsuchtglut;   190
In der Liljen Riesenkelche
Strömet ihre Strahlenflut.

Doch wir selber, süßes Kindchen,
Sind verwandelt noch viel mehr;
Fackelglanz und Gold und Seide
Schimmern lustig um uns her.

Du, du wurdest zur Prinzessin,
Diese Hütte ward zum Schloß,
Und da jubeln und da tanzen
Ritter, Fraun und Knappentroß.   200

Aber Ich, ich hab erworben
Dich und Alles, Schloß und Leut;
Pauken und Trompeten huldgen
Meiner jungen Herrlichkeit!

Der Hirtenknabe

König ist der Hirtenknabe,
Grüner Hügel ist sein Thron;
Über seinem Haupt die Sonne
Ist die große, goldne Kron.

Ihm zu Füßen liegen Schafe,
Weiche Schmeichler, rotbekreuzt;
Kavaliere sind die Kälber,
Und sie wandeln stolzgespreizt.

Hofschauspieler sind die Böcklein;
Und die Vögel und die Küh,
Mit den Flöten, mit den Glöcklein,
Sind die Kammermusizi.

Und das klingt und singt so lieblich,
Und so lieblich rauschen drein
Wasserfall und Tannenbäume,
Und der König schlummert ein.

Unterdessen muß regieren
Der Minister, jener Hund,
Dessen knurriges Gebelle
Widerhallet in der Rund.

Schläfrig lallt der junge König:
»Das Regieren ist so schwer;
Ach, ich wollt, daß ich zu Hause
Schon bei meiner Köngin wär!

In den Armen meiner Köngin
Ruht mein Königshaupt so weich,
Und in ihren schönen Augen
Liegt mein unermeßlich Reich!«

Auf dem Brocken

Heller wird es schon im Osten
Durch der Sonne kleines Glimmen,
Weit und breit die Bergesgipfel
In dem Nebelmeere schwimmen.

Hätt ich Siebenmeilenstiefel,
Lief ich, mit der Hast des Windes,
Über jene Bergesgipfel,
Nach dem Haus des lieben Kindes.

Von dem Bettchen, wo sie schlummert,
Zög ich leise die Gardinen,   10
Leise küßt ich ihre Stirne,
Leise ihres Munds Rubinen.

Und noch leiser wollt ich flüstern
In die kleinen Liljenohren:
Denk im Traum, daß wir uns lieben,
Und daß wir uns nie verloren.

Die Ilse

Ich bin die Prinzessin Ilse,
Und wohne im Ilsenstein;
Komm mit nach meinem Schlosse,
Wir wollen selig sein.

Dein Haupt will ich benetzen
Mit meiner klaren Well,
Du sollst deine Schmerzen vergessen,
Du sorgenkranker Gesell!

In meinen weißen Armen,
An meiner weißen Brust,
Da sollst du liegen und träumen
Von alter Märchenlust.

Ich will dich küssen und herzen,
Wie ich geherzt und geküßt
Den lieben Kaiser Heinrich,
Der nun gestorben ist.

Es bleiben tot die Toten,
Und nur der Lebendige lebt;
Und ich bin schön und blühend,
Mein lachendes Herze bebt.

Komm in mein Schloß herunter,
In mein kristallenes Schloß.
Dort tanzen die Fräulein und Ritter,
Es jubelt der Knappentroß.

Es rauschen die seidenen Schleppen,
Es klirren die Eisensporn,
Die Zwerge trompeten und pauken,
Und fiedeln und blasen das Horn.

Doch dich soll mein Arm umschlingen,
Wie er Kaiser Heinrich umschlang; –
Ich hielt ihm zu die Ohren,
Wenn die Trompet erklang.

DIE NORDSEE

1825–1826

I

Krönung

Ihr Lieder! Ihr meine guten Lieder!
Auf, auf! und wappnet euch!
Laßt die Trompeten klingen,
Und hebt mir auf den Schild
Dies junge Mädchen,
Das jetzt mein ganzes Herz
Beherrschen soll, als Königin.

Heil dir! du junge Königin!

Von der Sonne droben
Reiß ich das strahlend rote Gold,   10
Und webe draus ein Diadem
Für dein geweihtes Haupt.
Von der flatternd blauseidnen Himmelsdecke,
Worin die Nachtdiamanten blitzen,
Schneid ich ein kostbar Stück,
Und häng es dir, als Krönungsmantel,
Um deine königliche Schulter.
Ich gebe dir einen Hofstaat
Von steifgeputzten Sonetten,
Stolzen Terzinen und höflichen Stanzen;   20
Als Läufer diene dir mein Witz,
Als Hofnarr meine Phantasie,
Als Herold, die lachende Träne im Wappen,
Diene dir mein Humor.
Aber ich selber, Königin,
Ich kniee vor dir nieder,
Und huldgend, auf rotem Sammetkissen,
Überreiche ich dir
Das bißchen Verstand,
Das mir, aus Mitleid, noch gelassen hat   30
Deine Vorgängerin im Reich.

II

Abenddämmerung

Am blassen Meeresstrande
Saß ich gedankenbekümmert und einsam.
Die Sonne neigte sich tiefer, und warf
Glührote Streifen auf das Wasser,
Und die weißen, weiten Wellen,
Von der Flut gedrängt,
Schäumten und rauschten näher und näher –
Ein seltsam Geräusch, ein Flüstern und Pfeifen,
Ein Lachen und Murmeln, Seufzen und Sausen,
Dazwischen ein wiegenliedheimliches Singen –
Mir war, als hört ich verschollne Sagen,
Uralte, liebliche Märchen,
Die ich einst, als Knabe,
Von Nachbarskindern vernahm,
Wenn wir am Sommerabend,
Auf den Treppensteinen der Haustür,
Zum stillen Erzählen niederkauerten,
Mit kleinen, horchenden Herzen
Und neugierklugen Augen; –
Während die großen Mädchen,
Neben duftenden Blumentöpfen,
Gegenüber am Fenster saßen,
Rosengesichter,
Lächelnd und mondbeglänzt.

III

Sonnenuntergang

Die glühend rote Sonne steigt
Hinab ins weitaufschauernde,
Silbergraue Weltenmeer;
Luftgebilde, rosig angehaucht,
Wallen ihr nach; und gegenüber,
Aus herbstlich dämmernden Wolkenschleiern,

Ein traurig todblasses Antlitz,
Bricht hervor der Mond,
Und hinter ihm, Lichtfünkchen,
Nebelweit, schimmern die Sterne.   10

Einst am Himmel glänzten,
Ehlich vereint,
Luna, die Göttin, und Sol, der Gott,
Und es wimmelten um sie her die Sterne,
Die kleinen, unschuldigen Kinder.

Doch böse Zungen zischelten Zwiespalt,
Und es trennte sich feindlich
Das hohe, leuchtende Ehpaar.

Jetzt am Tage, in einsamer Pracht,
Ergeht sich dort oben der Sonnengott,   20
Ob seiner Herrlichkeit
Angebetet und vielbesungen
Von stolzen, glückgehärteten Menschen.
Aber des Nachts,
Am Himmel, wandelt Luna,
Die arme Mutter
Mit ihren verwaisten Sternenkindern,
Und sie glänzt in stiller Wehmut,
Und liebende Mädchen und sanfte Dichter
Weihen ihr Tränen und Lieder.   30

Die weiche Luna! Weiblich gesinnt,
Liebt sie noch immer den schönen Gemahl.
Gegen Abend, zitternd und bleich,
Lauscht sie hervor aus leichtem Gewölk,
Und schaut nach dem Scheidenden, schmerzlich,
Und möchte ihm ängstlich rufen: »Komm!
Komm! die Kinder verlangen nach dir –«
Aber der trotzige Sonnengott,
Bei dem Anblick der Gattin erglüht er
In doppeltem Purpur,   40
Vor Zorn und Schmerz,

Und unerbittlich eilt er hinab
In sein flutenkaltes Witwerbett.

*

Böse, zischelnde Zungen
Brachten also Schmerz und Verderben
Selbst über ewige Götter.
Und die armen Götter, oben am Himmel
Wandeln sie, qualvoll,
Trostlos unendliche Bahnen,
Und können nicht sterben,
Und schleppen mit sich
Ihr strahlendes Elend.

Ich aber, der Mensch,
Der niedriggepflanzte, der Tod-beglückte,
Ich klage nicht länger.

IV

Die Nacht am Strande

Sternlos und kalt ist die Nacht,
Es gärt das Meer;
Und über dem Meer, platt auf dem Bauch,
Liegt der ungestaltete Nordwind,
Und heimlich, mit ächzend gedämpfter Stimme,
Wie 'n störriger Griesgram, der gutgelaunt wird,
Schwatzt er ins Wasser hinein,
Und erzählt viel tolle Geschichten,
Riesenmärchen, totschlaglaunig,
Uralte Sagen aus Norweg,
Und dazwischen, weitschallend, lacht er und heult er
Beschwörungslieder der Edda,
Auch Runensprüche,
So dunkeltrotzig und zaubergewaltig,
Daß die weißen Meerkinder

Hoch aufspringen und jauchzen,
Übermutberauscht.

Derweilen, am flachen Gestade,
Über den flutbefeuchteten Sand,
Schreitet ein Fremdling, mit einem Herzen,   20
Das wilder noch als Wind und Wellen.
Wo er hintritt,
Sprühen Funken und knistern die Muscheln;
Und er hüllt sich fest in den grauen Mantel,
Und schreitet rasch durch die wehende Nacht; –
Sicher geleitet vom kleinen Lichte,
Das lockend und lieblich schimmert
Aus einsamer Fischerhütte.

Vater und Bruder sind auf der See,
Und mutterseelallein blieb dort   30
In der Hütte die Fischertochter,
Die wunderschöne Fischertochter.
Am Herde sitzt sie,
Und horcht auf des Wasserkessels
Ahnungssüßes, heimliches Summen,
Und schüttet knisterndes Reisig ins Feuer,
Und bläst hinein,
Daß die flackernd roten Lichter
Zauberlieblich widerstrahlen
Auf das blühende Antlitz,   40
Auf die zarte, weiße Schulter,
Die rührend hervorlauscht
Aus dem groben, grauen Hemde,
Und auf die kleine, sorgsame Hand,
Die das Unterröckchen fester bindet
Um die feine Hüfte.

Aber plötzlich, die Tür springt auf,
Und es tritt herein der nächtige Fremdling;
Liebesicher ruht sein Auge
Auf dem weißen, schlanken Mädchen,   50
Das schauernd vor ihm steht,

Gleich einer erschrockenen Lilje;
Und er wirft den Mantel zur Erde,
Und lacht und spricht:

Siehst du, mein Kind, ich halte Wort,
Und ich komme, und mit mir kommt
Die alte Zeit, wo die Götter des Himmels
Niederstiegen zu Töchtern der Menschen,
Und die Töchter der Menschen umarmten,
60   Und mit ihnen zeugten
Zeptertragende Königsgeschlechter
Und Helden, Wunder der Welt.
Doch staune, mein Kind, nicht länger
Ob meiner Göttlichkeit,
Und, ich bitte dich, koche mir Tee mit Rum,
Denn draußen wars kalt,
Und bei solcher Nachtluft
Frieren auch wir, wir ewigen Götter,
Und kriegen wir leicht den göttlichsten Schnupfen,
70   Und einen unsterblichen Husten.

V

Poseidon

Die Sonnenlichter spielten
Über das weithinrollende Meer;
Fern auf der Reede glänzte das Schiff,
Das mich zur Heimat tragen sollte;
Aber es fehlte an gutem Fahrwind.
Und ich saß noch ruhig auf weißer Düne,
Am einsamen Strand,
Und ich las das Lied vom Odysseus,
Das alte, das ewig junge Lied,
10   Aus dessen meerdurchrauschten Blättern
Mir freudig entgegenstieg
Der Atem der Götter,
Und der leuchtende Menschenfrühling,
Und der blühende Himmel von Hellas.

Mein edles Herz begleitete treulich
Den Sohn des Laertes, in Irrfahrt und Drangsal,
Setzte sich mit ihm, seelenbekümmert,
An gastliche Herde,
Wo Königinnen Purpur spinnen,
Und half ihm lügen und glücklich entrinnen   20
Aus Riesenhöhlen und Nymphenarmen,
Folgte ihm nach in kimmerische Nacht,
Und in Sturm und Schiffbruch,
Und duldete mit ihm unsägliches Elend.

Seufzend sprach ich: Du böser Poseidon,
Dein Zorn ist furchtbar,
Und mir selber bangt
Ob der eignen Heimkehr.

Kaum sprach ich die Worte,
Da schäumte das Meer,   30
Und aus den weißen Wellen stieg
Das schilfbekränzte Haupt des Meergotts,
Und höhnisch rief er:

Fürchte dich nicht, Poetlein!
Ich will nicht im gringsten gefährden
Dein armes Schiffchen,
Und nicht dein liebes Leben beängstgen
Mit allzu bedenklichem Schaukeln.
Denn du, Poetlein, hast nie mich erzürnt,
Du hast kein einziges Türmchen verletzt   40
An Priamos' heiliger Feste,
Kein einziges Härchen hast du versengt
Am Aug meines Sohns Polyphemos,
Und dich hat niemals ratend beschützt
Die Göttin der Klugheit, Pallas Athene.

Also rief Poseidon
Und tauchte zurück ins Meer;
Und über den groben Seemannswitz

Lachten unter dem Wasser
50 Amphitrite, das plumpe Fischweib,
Und die dummen Töchter des Nereus.

VI

Erklärung

Herangedämmert kam der Abend,
Wilder toste die Flut,
Und ich saß am Strand, und schaute zu
Dem weißen Tanz der Wellen,
Und meine Brust schwoll auf wie das Meer,
Und sehnend ergriff mich ein tiefes Heimweh
Nach dir, du holdes Bild,
Das überall mich umschwebt,
Und überall mich ruft,
10 Überall, überall,
Im Sausen des Windes, im Brausen des Meers,
Und im Seufzen der eigenen Brust.

Mit leichtem Rohr schrieb ich in den Sand:
»Agnes, ich liebe Dich!«
Doch böse Wellen ergossen sich
Über das süße Bekenntnis,
Und löschten es aus.

Zerbrechliches Rohr, zerstiebender Sand,
Zerfließende Wellen, euch trau ich nicht mehr!
20 Der Himmel wird dunkler, mein Herz wird wilder,
Und mit starker Hand, aus Norwegs Wäldern,
Reiß ich die höchste Tanne,
Und tauche sie ein
In des Ätnas glühenden Schlund, und mit solcher
Feuergetränkten Riesenfeder
Schreib ich an die dunkle Himmelsdecke:
»Agnes, ich liebe Dich!«

Jedwede Nacht lodert alsdann
Dort oben die ewige Flammenschrift,
Und alle nachwachsende Enkelgeschlechter   30
Lesen jauchzend die Himmelsworte:
»Agnes, ich liebe Dich!«

VII

Nachts in der Kajüte

Das Meer hat seine Perlen,
Der Himmel hat seine Sterne,
Aber mein Herz, mein Herz,
Mein Herz hat seine Liebe.

Groß ist das Meer und der Himmel,
Doch größer ist mein Herz,
Und schöner als Perlen und Sterne
Leuchtet und strahlt meine Liebe.

Du kleines, junges Mädchen,
Komm an mein großes Herz;   10
Mein Herz und das Meer und der Himmel
Vergehn vor lauter Liebe.

*

An die blaue Himmelsdecke,
Wo die schönen Sterne blinken,
Möcht ich pressen meine Lippen,
Pressen wild und stürmisch weinen.

Jene Sterne sind die Augen
Meiner Liebsten, tausendfältig
Schimmern sie und grüßen freundlich
Aus der blauen Himmelsdecke.   20

Nach der blauen Himmelsdecke,
Nach den Augen der Geliebten,
Heb ich andachtsvoll die Arme,
Und ich bitte und ich flehe:

Holde Augen, Gnadenlichter,
O, beseligt meine Seele,
Laßt mich sterben und erwerben
Euch und euren ganzen Himmel!

*

Aus den Himmelsaugen droben
Fallen zitternd goldne Funken
Durch die Nacht, und meine Seele
Dehnt sich liebeweit und weiter.

O, ihr Himmelsaugen droben!
Weint euch aus in meine Seele,
Daß von lichten Sternentränen
Überfließet meine Seele.

*

Eingewiegt von Meereswellen,
Und von träumenden Gedanken,
Lieg ich still in der Kajüte,
In dem dunkeln Winkelbette.

Durch die offne Luke schau ich
Droben hoch die hellen Sterne,
Die geliebten, süßen Augen
Meiner süßen Vielgeliebten.

Die geliebten, süßen Augen
Wachen über meinem Haupte,
Und sie blinken und sie winken
Aus der blauen Himmelsdecke.

Nach der blauen Himmelsdecke
Schau ich selig lange Stunden,
Bis ein weißer Nebelschleier
Mir verhüllt die lieben Augen.

*

An die bretterne Schiffswand,
Wo mein träumendes Haupt liegt,

Branden die Wellen, die wilden Wellen.
Sie rauschen und murmeln
Mir heimlich ins Ohr:
»Betörter Geselle!
Dein Arm ist kurz, und der Himmel ist weit,
Und die Sterne droben sind festgenagelt,   60
Mit goldnen Nägeln, –
Vergebliches Sehnen, vergebliches Seufzen,
Das beste wäre, du schliefest ein.«

                              ★

Es träumte mir von einer weiten Heide,
Weit überdeckt von stillem, weißem Schnee,
Und unterm weißen Schnee lag ich begraben
Und schlief den einsam kalten Todesschlaf.
Doch droben aus dem dunkeln Himmel schauten
Herunter auf mein Grab die Sternenaugen,
Die süßen Augen! und sie glänzten sieghaft   70
Und ruhig heiter, aber voller Liebe.

                             VIII

                            Sturm

Es wütet der Sturm,
Und er peitscht die Wellen,
Und die Welln, wutschäumend und bäumend,
Türmen sich auf, und es wogen lebendig
Die weißen Wasserberge,
Und das Schifflein erklimmt sie,
Hastig mühsam,
Und plötzlich stürzt es hinab
In schwarze, weitgähnende Flutabgründe –

O Meer!   10
Mutter der Schönheit, der Schaumentstiegenen!
Großmutter der Liebe! schone meiner!
Schon flattert, leichenwitternd,

Die weiße, gespenstische Möwe,
Und wetzt an dem Mastbaum den Schnabel,
Und lechzt, voll Fraßbegier, nach dem Herzen,
Das vom Ruhm deiner Tochter ertönt,
Und das dein Enkel, der kleine Schalk,
Zum Spielzeug erwählt.

20 Vergebens mein Bitten und Flehn!
Mein Rufen verhallt im tosenden Sturm,
Im Schlachtlärm der Winde.
Es braust und pfeift und prasselt und heult,
Wie ein Tollhaus von Tönen!
Und zwischendurch hör ich vernehmbar
Lockende Harfenlaute,
Sehnsuchtwilden Gesang,
Seelenschmelzend und seelenzerreißend,
Und ich erkenne die Stimme.

30 Fern an schottischer Felsenküste,
Wo das graue Schlößlein hinausragt
Über die brandende See,
Dort, am hochgewölbten Fenster,
Steht eine schöne, kranke Frau,
Zartdurchsichtig und marmorblaß,
Und sie spielt die Harfe und singt,
Und der Wind durchwühlt ihre langen Locken,
Und trägt ihr dunkles Lied
Über das weite, stürmende Meer.

IX

Meeresstille

Meeresstille! Ihre Strahlen
Wirft die Sonne auf das Wasser,
Und im wogenden Geschmeide
Zieht das Schiff die grünen Furchen.

Bei dem Steuer liegt der Bootsmann
Auf dem Bauch, und schnarchet leise.
Bei dem Mastbaum, segelflickend,
Kauert der beteerte Schiffsjung.

Hinterm Schmutze seiner Wangen
Sprüht es rot, wehmütig zuckt es   10
Um das breite Maul, und schmerzlich
Schaun die großen, schönen Augen.

Denn der Kapitän steht vor ihm,
Tobt und flucht und schilt ihn: Spitzbub.
»Spitzbub! einen Hering hast du
Aus der Tonne mir gestohlen!«

Meeresstille! Aus den Wellen
Taucht hervor ein kluges Fischlein,
Wärmt das Köpfchen in der Sonne,
Plätschert lustig mit dem Schwänzchen.   20

Doch die Möwe, aus den Lüften,
Schießt herunter auf das Fischlein,
Und den raschen Raub im Schnabel,
Schwingt sie sich hinauf ins Blaue.

X

Seegespenst

Ich aber lag am Rande des Schiffes,
Und schaute, träumenden Auges,
Hinab in das spiegelklare Wasser,
Und schaute tiefer und tiefer –
Bis tief, im Meeresgrunde,
Anfangs wie dämmernde Nebel,
Jedoch allmählig farbenbestimmter,
Kirchenkuppel und Türme sich zeigten,
Und endlich, sonnenklar, eine ganze Stadt,
Altertümlich niederländisch,   10

Und menschenbelebt.
Bedächtige Männer, schwarzbemäntelt,
Mit weißen Halskrausen und Ehrenketten
Und langen Degen und langen Gesichtern,
Schreiten, über den wimmelnden Marktplatz,
Nach dem treppenhohen Rathaus,
Wo steinerne Kaiserbilder
Wacht halten mit Zepter und Schwert.
Unferne, vor langen Häuserreihn,
Wo spiegelblanke Fenster
Und pyramidisch beschnittene Linden,
Wandeln seidenrauschende Jungfern,
Schlanke Leibchen, die Blumengesichter
Sittsam umschlossen von schwarzen Mützchen
Und hervorquellendem Goldhaar.
Bunte Gesellen, in spanischer Tracht,
Stolzieren vorüber und nicken.
Bejahrte Frauen,
In braunen, verschollnen Gewändern,
Gesangbuch und Rosenkranz in der Hand,
Eilen, trippelnden Schritts,
Nach dem großen Dome,
Getrieben von Glockengeläute
Und rauschendem Orgelton.

Mich selbst ergreift des fernen Klangs
Geheimnisvoller Schauer!
Unendliches Sehnen, tiefe Wehmut
Beschleicht mein Herz,
Mein kaum geheiltes Herz; –
Mir ist, als würden seine Wunden
Von lieben Lippen aufgeküßt,
Und täten wieder bluten –
Heiße, rote Tropfen,
Die lang und langsam niederfalln
Auf ein altes Haus, dort unten
In der tiefen Meerstadt,
Auf ein altes, hochgegiebeltes Haus,

Wo melancholisch einsam
Unten am Fenster ein Mädchen sitzt,
Den Kopf auf den Arm gelehnt,   50
Wie ein armes, vergessenes Kind –
Und ich kenne dich armes, vergessenes Kind!

So tief, meertief also
Verstecktest du dich vor mir,
Aus kindischer Laune,
Und konntest nicht mehr herauf,
Und saßest fremd unter fremden Leuten,
Jahrhundertelang,
Derweilen ich, die Seele voll Gram,
Auf der ganzen Erde dich suchte,   60
Und immer dich suchte,
Du Immergeliebte,
Du Längstverlorene,
Du Endlichgefundene –
Ich hab dich gefunden und schaue wieder
Dein süßes Gesicht,
Die klugen, treuen Augen,
Das liebe Lächeln –
Und nimmer will ich dich wieder verlassen,
Und ich komme hinab zu dir,   70
Und mit ausgebreiteten Armen
Stürz ich hinab an dein Herz –

Aber zur rechten Zeit noch
Ergriff mich beim Fuß der Kapitän,
Und zog mich vom Schiffsrand,
Und rief, ärgerlich lachend:
Doktor, sind Sie des Teufels?

XI

Reinigung

Bleib du in deiner Meerestiefe,
Wahnsinniger Traum,
Der du einst so manche Nacht

Mein Herz mit falschem Glück gequält hast,
Und jetzt, als Seegespenst,
Sogar am hellen Tag mich bedrohest –
Bleib du dort unten, in Ewigkeit,
Und ich werfe noch zu dir hinab
All meine Schmerzen und Sünden,
Und die Schellenkappe der Torheit,
Die so lange mein Haupt umklingelt,
Und die kalte, gleißende Schlangenhaut
Der Heuchelei,
Die mir so lang die Seele umwunden,
Die kranke Seele,
Die gottverleugnende, engelverleugnende,
Unselige Seele –
Hoiho! hoiho! Da kommt der Wind!
Die Segel auf! Sie flattern und schwelln!
Über die stillverderbliche Fläche
Eilet das Schiff,
Und es jauchzt die befreite Seele.

XII

Frieden

Hoch am Himmel stand die Sonne,
Von weißen Wolken umwogt,
Das Meer war still,
Und sinnend lag ich am Steuer des Schiffes,
Träumerisch sinnend, – und halb im Wachen
Und halb im Schlummer, schaute ich Christus,
Den Heiland der Welt.
Im wallend weißen Gewande
Wandelt er riesengroß
Über Land und Meer;
Es ragte sein Haupt in den Himmel,
Die Hände streckte er segnend
Über Land und Meer;
Und als ein Herz in der Brust

Trug er die Sonne,
Die rote, flammende Sonne,
Und das rote, flammende Sonnenherz
Goß seine Gnadenstrahlen
Und sein holdes, liebseliges Licht,
Erleuchtend und wärmend,   20
Über Land und Meer.

Glockenklänge zogen feierlich
Hin und her, zogen wie Schwäne,
An Rosenbändern, das gleitende Schiff,
Und zogen es spielend ans grüne Ufer,
Wo Menschen wohnen, in hochgetürmter,
Ragender Stadt.

O Friedenswunder! Wie still die Stadt!
Es ruhte das dumpfe Geräusch
Der schwatzenden, schwülen Gewerbe,   30
Und durch die reinen, hallenden Straßen
Wandelten Menschen, weißgekleidete,
Palmzweigtragende,
Und wo sich Zwei begegneten,
Sahn sie sich an, verständnisinnig,
Und schauernd, in Liebe und süßer Entsagung,
Küßten sie sich auf die Stirne,
Und schauten hinauf
Nach des Heilands Sonnenherzen,
Das freudig versöhnend sein rotes Blut   40
Hinunterstrahlte,
Und dreimalselig sprachen sie:
Gelobt sei Jesu Christ!

I

Meergruß

Thalatta! Thalatta!
Sei mir gegrüßt, du ewiges Meer!
Sei mir gegrüßt zehntausendmal,
Aus jauchzendem Herzen,
Wie einst dich begrüßten
Zehntausend Griechenherzen,
Unglückbekämpfende, heimatverlangende,
Weltberühmte Griechenherzen.

Es wogten die Fluten,
Sie wogten und brausten,
Die Sonne goß eilig herunter
Die spielenden Rosenlichter,
Die aufgescheuchten Möwenzüge
Flatterten fort, lautschreiend,
Es stampften die Rosse, es klirrten die Schilde,
Und weithin erscholl es, wie Siegesruf:
Thalatta! Thalatta!

Sei mir gegrüßt, du ewiges Meer!
Wie Sprache der Heimat rauscht mir dein Wasser,
Wie Träume der Kindheit seh ich es flimmern
Auf deinem wogenden Wellengebiet,
Und alte Erinnerung erzählt mir aufs neue
Von all dem lieben, herrlichen Spielzeug,
Von all den blinkenden Weihnachtsgaben,
Von all den roten Korallenbäumen,
Goldfischchen, Perlen und bunten Muscheln,
Die du geheimnisvoll bewahrst,
Dort unten im klaren Kristallhaus.

O! wie hab ich geschmachtet in öder Fremde!
Gleich einer welken Blume

In des Botanikers blecherner Kapsel,
Lag mir das Herz in der Brust.
Mir ist, als saß ich winterlange,
Ein Kranker, in dunkler Krankenstube,
Und nun verlaß ich sie plötzlich,
Und blendend strahlt mir entgegen
Der smaragdene Frühling, der sonnengeweckte,
Und es rauschen die weißen Blütenbäume,
Und die jungen Blumen schauen mich an,
Mit bunten, duftenden Augen,   40
Und es duftet und summt, und atmet und lacht,
Und im blauen Himmel singen die Vöglein –
Thalatta! Thalatta!

Du tapferes Rückzugherz!
Wie oft, wie bitteroft
Bedrängten dich des Nordens Barbarinnen!
Aus großen, siegenden Augen
Schossen sie brennende Pfeile;
Mit krummgeschliffenen Worten
Drohten sie mir die Brust zu spalten;   50
Mit Keilschriftbilletts zerschlugen sie mir
Das arme, betäubte Gehirn –
Vergebens hielt ich den Schild entgegen,
Die Pfeile zischten, die Hiebe krachten,
Und von des Nordens Barbarinnen
Ward ich gedrängt bis ans Meer,
Und frei aufatmend begrüß ich das Meer,
Das liebe, rettende Meer –
Thalatta! Thalatta!

II

Gewitter

Dumpf liegt auf dem Meer das Gewitter,
Und durch die schwarze Wolkenwand
Zuckt der zackige Wetterstrahl,
Rasch aufleuchtend und rasch verschwindend,

Wie ein Witz aus dem Haupte Kronions.
Über das wüste, wogende Wasser
Weithin rollen die Donner
Und springen die weißen Wellenrosse,
Die Boreas selber gezeugt
Mit des Erichthons reizenden Stuten,
Und es flattert ängstlich das Seegevögel,
Wie Schattenleichen am Styx,
Die Charon abwies vom nächtlichen Kahn.

Armes, lustiges Schifflein,
Das dort dahintanzt den schlimmsten Tanz!
Äolus schickt ihm die flinksten Gesellen,
Die wild aufspielen zum fröhlichen Reigen;
Der eine pfeift, der andre bläst,
Der dritte streicht den dumpfen Brummbaß —
Und der schwankende Seemann steht am Steuer,
Und schaut beständig nach der Bussole,
Der zitternden Seele des Schiffes,
Und hebt die Hände flehend zum Himmel:
O rette mich, Kastor, reisiger Held,
Und du, Kämpfer der Faust, Polydeukes!

III

Der Schiffbrüchige

Hoffnung und Liebe! Alles zertrümmert!
Und ich selber, gleich einer Leiche,
Die grollend ausgeworfen das Meer,
Lieg ich am Strande,
Am öden, kahlen Strande.
Vor mir woget die Wasserwüste,
Hinter mir liegt nur Kummer und Elend,
Und über mich hin ziehen die Wolken,
Die formlos grauen Töchter der Luft,
Die aus dem Meer, in Nebeleimern,
Das Wasser schöpfen,
Und es mühsam schleppen und schleppen,

Und es wieder verschütten ins Meer,
Ein trübes, langweilges Geschäft,
Und nutzlos, wie mein eignes Leben.

Die Wogen murmeln, die Möwen schrillen,
Alte Erinnrungen wehen mich an,
Vergessene Träume, erloschene Bilder,
Qualvoll süße, tauchen hervor!

Es lebt ein Weib im Norden,   20
Ein schönes Weib, königlich schön.
Die schlanke Zypressengestalt
Umschließt ein lüstern weißes Gewand;
Die dunkle Lockenfülle,
Wie eine selige Nacht,
Von dem flechtengekrönten Haupt sich ergießend,
Ringelt sich träumerisch süß
Um das süße, blasse Antlitz;
Und aus dem süßen, blassen Antlitz,
Groß und gewaltig, strahlt ein Auge,   30
Wie eine schwarze Sonne.

O, du schwarze Sonne, wie oft,
Entzückend oft, trank ich aus dir
Die wilden Begeistrungsflammen,
Und stand und taumelte, feuerberauscht –
Dann schwebte ein taubenmildes Lächeln
Um die hochgeschürzten, stolzen Lippen,
Und die hochgeschürzten, stolzen Lippen
Hauchten Worte, süß wie Mondlicht,
Und zart wie der Duft der Rose –   40
Und meine Seele erhob sich
Und flog, wie ein Aar, hinauf in den Himmel!

Schweigt, ihr Wogen und Möwen!
Vorüber ist Alles, Glück und Hoffnung,
Hoffnung und Liebe! Ich liege am Boden,
Ein öder, schiffbrüchiger Mann,
Und drücke mein glühendes Antlitz
In den feuchten Sand.

IV

Untergang der Sonne

Die schöne Sonne
Ist ruhig hinabgestiegen ins Meer;
Die wogenden Wasser sind schon gefärbt
Von der dunkeln Nacht,
Nur noch die Abendröte
Überstreut sie mit goldnen Lichtern;
Und die rauschende Flutgewalt
Drängt ans Ufer die weißen Wellen,
Die lustig und hastig hüpfen,
Wie wollige Lämmerherden,
Die Abends der singende Hirtenjunge
Nach Hause treibt.

Wie schön ist die Sonne!
So sprach nach langem Schweigen der Freund,
Der mit mir am Strande wandelte,
Und scherzend halb und halb wehmütig,
Versichert' er mir: die Sonne sei
Eine schöne Frau, die den alten Meergott
Aus Konvenienz geheiratet;
Des Tages über wandle sie freudig
Am hohen Himmel, purpurgeputzt,
Und diamantenblitzend,
Und allgeliebt und allbewundert
Von allen Weltkreaturen,
Und alle Weltkreaturen erfreuend
Mit ihres Blickes Licht und Wärme;
Aber des Abends, trostlos gezwungen,
Kehre sie wieder zurück
In das nasse Haus, in die öden Arme
Des greisen Gemahls.

»Glaub mirs – setzte hinzu der Freund,
Und lachte und seufzte und lachte wieder –
Die führen dort unten die zärtlichste Ehe!
Entweder sie schlafen oder sie zanken sich,

Daß hochauf braust hier oben das Meer,
Und der Schiffer im Wellengeräusch es hört,
Wie der Alte sein Weib ausschilt:
›Runde Metze des Weltalls!
Strahlenbuhlende!
Den ganzen Tag glühst du für Andre,   40
Und Nachts, für Mich, bist du frostig und müde!‹
Nach solcher Gardinenpredigt,
Versteht sich! bricht dann aus in Tränen
Die stolze Sonne und klagt ihr Elend,
Und klagt so jammerlang, daß der Meergott
Plötzlich verzweiflungsvoll aus dem Bett springt,
Und schnell nach der Meeresfläche heraufschwimmt,
Um Luft und Besinnung zu schöpfen.

So sah ich ihn selbst, verflossene Nacht,
Bis an die Brust dem Meer enttauchen.   50
Er trug eine Jacke von gelbem Flanell,
Und eine liljenweiße Schlafmütz,
Und ein abgewelktes Gesicht.«

V

Der Gesang der Okeaniden

Abendlich blasser wird es am Meer,
Und einsam, mit seiner einsamen Seele,
Sitzt dort ein Mann auf dem kahlen Strand,
Und schaut, todkalten Blickes, hinauf
Nach der weiten, todkalten Himmelswölbung,
Und schaut auf das weite, wogende Meer –
Und über das weite, wogende Meer,
Lüftesegler, ziehn seine Seufzer,
Und kehren zurück, trübselig,
Und hatten verschlossen gefunden das Herz,   10
Worin sie ankern wollten –
Und er stöhnt so laut, daß die weißen Möwen,
Aufgescheucht aus den sandigen Nestern,

Ihn herdenweis umflattern,
Und er spricht zu ihnen die lachenden Worte:

»Schwarzbeinigte Vögel,
Mit weißen Flügeln meerüberflatternde,
Mit krummen Schnäbeln seewassersaufende,
Und tranigtes Robbenfleisch fressende,
Eur Leben ist bitter wie eure Nahrung!
Ich aber, der Glückliche, koste nur Süßes!
Ich koste den süßen Duft der Rose,
Der mondscheingefütterten Nachtigallbraut;
Ich koste noch süßeres Zuckerbackwerk,
Gefüllt mit geschlagener Sahne;
Und das Allersüßeste kost ich,
Süße Liebe und süßes Geliebtsein.

Sie liebt mich! Sie liebt mich! die holde Jungfrau!
Jetzt steht sie daheim, am Erker des Hauses,
Und schaut in die Dämmrung hinaus, auf die Landstraß,
Und horcht, und sehnt sich nach mir – wahrhaftig!
Vergebens späht sie umher, und sie seufzet,
Und seufzend steigt sie hinab in den Garten,
Und wandelt in Duft und Mondschein,
Und spricht mit den Blumen, erzählet ihnen,
Wie ich, der Geliebte, so lieblich bin
Und so liebenswürdig – wahrhaftig!
Nachher im Bette, im Schlafe, im Traum,
Umgaukelt sie selig mein teures Bild,
Sogar des Morgens, beim Frühstück,
Auf dem glänzenden Butterbrote,
Sieht sie mein lächelndes Antlitz,
Und sie frißt es auf vor Liebe – wahrhaftig!«

Also prahlt er und prahlt er,
Und zwischendrein schrillen die Möwen,
Wie kaltes, ironisches Kichern.
Die Dämmrungsnebel steigen herauf;
Aus violettem Gewölk, unheimlich,

Schaut hervor der grasgelbe Mond;
Hochaufrauschen die Meereswogen,   50
Und tief aus hochaufrauschendem Meer,
Wehmütig wie flüsternder Windzug,
Tönt der Gesang der Okeaniden,
Der schönen, mitleidigen Wasserfraun,
Vor allen vernehmbar die liebliche Stimme
Der silberfüßigen Peleus-Gattin,
Und sie seufzen und singen:

O Tor, du Tor, du prahlender Tor!
Du kummergequälter!
Dahingemordet sind all deine Hoffnungen,   60
Die tändelnden Kinder des Herzens,
Und, ach! dein Herz, Nioben gleich,
Versteinert vor Gram!
In deinem Haupte wirds Nacht,
Und es zucken hindurch die Blitze des Wahnsinns,
Und du prahlst vor Schmerzen!
O Tor, du Tor, du prahlender Tor!
Halsstarrig bist du wie dein Ahnherr,
Der hohe Titane, der himmlisches Feuer
Den Göttern stahl und den Menschen gab,   70
Und geiergequälet, felsengefesselt,
Olympauftrotzte und trotzte und stöhnte,
Daß wir es hörten im tiefen Meer,
Und zu ihm kamen mit Trostgesang.
O Tor, du Tor, du prahlender Tor!
Du aber bist ohnmächtiger noch,
Und es wäre vernünftig, du ehrtest die Götter,
Und trügest geduldig die Last des Elends,
Und trügest geduldig so lange, so lange,
Bis Atlas selbst die Geduld verliert,   80
Und die schwere Welt von den Schultern abwirft
In die ewige Nacht.

So scholl der Gesang der Okeaniden,
Der schönen, mitleidigen Wasserfraun,

Bis lautere Wogen ihn überrauschten –
Hinter die Wolken zog sich der Mond,
Es gähnte die Nacht,
Und ich saß noch lange im Dunkeln und weinte.

VI

Die Götter Griechenlands

Vollblühender Mond! In deinem Licht,
Wie fließendes Gold, erglänzt das Meer;
Wie Tagesklarheit, doch dämmrig verzaubert,
Liegts über der weiten Strandesfläche;
Und am hellblaun, sternlosen Himmel
Schweben die weißen Wolken,
Wie kolossale Götterbilder
Von leuchtendem Marmor.

Nein, nimmermehr, das sind keine Wolken!
Das sind sie selber, die Götter von Hellas,
Die einst so freudig die Welt beherrschten,
Doch jetzt, verdrängt und verstorben,
Als ungeheure Gespenster dahinziehn
Am mitternächtlichen Himmel.

Staunend, und seltsam geblendet, betracht ich
Das luftige Pantheon,
Die feierlich stummen, graunhaft bewegten
Riesengestalten.
Der dort ist Kronion, der Himmelskönig,
Schneeweiß sind die Locken des Haupts,
Die berühmten, olymposerschütternden Locken.
Er hält in der Hand den erloschenen Blitz,
In seinem Antlitz liegt Unglück und Gram,
Und doch noch immer der alte Stolz.
Das waren bessere Zeiten, o Zeus,
Als du dich himmlisch ergötztest
An Knaben und Nymphen und Hekatomben;
Doch auch die Götter regieren nicht ewig,

Die jungen verdrängen die alten,
Wie du einst selber den greisen Vater   30
Und deine Titanen-Öhme verdrängt hast,
Jupiter Parricida!
Auch dich erkenn ich, stolze Juno!
Trotz all deiner eifersüchtigen Angst,
Hat doch eine andre das Zepter gewonnen,
Und du bist nicht mehr die Himmelskönigin,
Und dein großes Aug ist erstarrt,
Und deine Liljenarme sind kraftlos,
Und nimmermehr trifft deine Rache
Die gottbefruchtete Jungfrau   40
Und den wundertätigen Gottessohn.
Auch dich erkenn ich, Pallas Athene!
Mit Schild und Weisheit konntest du nicht
Abwehren das Götterverderben?
Auch dich erkenn ich, auch dich, Aphrodite,
Einst die goldene! jetzt die silberne!
Zwar schmückt dich noch immer des Gürtels Liebreiz,
Doch graut mir heimlich vor deiner Schönheit,
Und wollt mich beglücken dein gütiger Leib,
Wie andere Helden, ich stürbe vor Angst –   50
Als Leichengöttin erscheinst du mir,
Venus Libitina!
Nicht mehr mit Liebe blickt nach dir,
Dort, der schreckliche Ares.
Es schaut so traurig Phöbos Apollo,
Der Jüngling. Es schweigt seine Leir,
Die so freudig erklungen beim Göttermahl.
Noch trauriger schaut Hephaistos,
Und wahrlich, der Hinkende! nimmermehr
Fällt er Heben ins Amt,   60
Und schenkt geschäftig, in der Versammlung,
Den lieblichen Nektar – Und längst ist erloschen
Das unauslöschliche Göttergelächter.

Ich hab euch niemals geliebt, ihr Götter!
Denn widerwärtig sind mir die Griechen,

Und gar die Römer sind mir verhaßt.
Doch heilges Erbarmen und schauriges Mitleid
Durchströmt mein Herz,
Wenn ich euch jetzt da droben schaue,
70 Verlassene Götter,
Tote, nachtwandelnde Schatten,
Nebelschwache, die der Wind verscheucht –
Und wenn ich bedenke, wie feig und windig
Die Götter sind, die euch besiegten,
Die neuen, herrschenden, tristen Götter,
Die schadenfrohen im Schafspelz der Demut –
O, da faßt mich ein düsterer Groll,
Und brechen möcht ich die neuen Tempel,
Und kämpfen für euch, ihr alten Götter,
80 Für euch und eur gutes, ambrosisches Recht,
Und vor euren hohen Altären,
Den wiedergebauten, den opferdampfenden,
Möcht ich selber knieen und beten,
Und flehend die Arme erheben –

Denn immerhin, ihr alten Götter,
Habt ihrs auch ehmals, in Kämpfen der Menschen,
Stets mit der Partei der Sieger gehalten,
So ist doch der Mensch großmütger als ihr,
Und in Götterkämpfen halt ich es jetzt
90 Mit der Partei der besiegten Götter.

*

Also sprach ich, und sichtbar erröteten
Droben die blassen Wolkengestalten,
Und schauten mich an wie Sterbende,
Schmerzenverklärt, und schwanden plötzlich.
Der Mond verbarg sich eben
Hinter Gewölk, das dunkler heranzog;
Hochaufrauschte das Meer,
Und siegreich traten hervor am Himmel
Die ewigen Sterne.

VII

Fragen

Am Meer, am wüsten, nächtlichen Meer
Steht ein Jüngling-Mann,
Die Brust voll Wehmut, das Haupt voll Zweifel,
Und mit düstern Lippen fragt er die Wogen:

»O löst mir das Rätsel des Lebens,
Das qualvoll uralte Rätsel,
Worüber schon manche Häupter gegrübelt,
Häupter in Hieroglyphenmützen,
Häupter in Turban und schwarzem Barett,
Perückenhäupter und tausend andre   10
Arme, schwitzende Menschenhäupter –
Sagt mir, was bedeutet der Mensch?
Woher ist er kommen? Wo geht er hin?
Wer wohnt dort oben auf goldenen Sternen?«

Es murmeln die Wogen ihr ewges Gemurmel,
Es wehet der Wind, es fliehen die Wolken,
Es blinken die Sterne, gleichgültig und kalt,
Und ein Narr wartet auf Antwort.

VIII

Der Phönix

Es kommt ein Vogel geflogen aus Westen,
Er fliegt gen Osten,
Nach der östlichen Gartenheimat,
Wo Spezereien duften und wachsen,
Und Palmen rauschen und Brunnen kühlen –
Und fliegend singt der Wundervogel:

»Sie liebt ihn! sie liebt ihn!
Sie trägt sein Bildnis im kleinen Herzen,
Und trägt es süß und heimlich verborgen,
Und weiß es selbst nicht!   10

Aber im Traume steht er vor ihr,
Sie bittet und weint und küßt seine Hände,
Und ruft seinen Namen,
Und rufend erwacht sie und liegt erschrocken,
Und reibt sich verwundert die schönen Augen –
Sie liebt ihn! sie liebt ihn!«

*

An den Mastbaum gelehnt, auf dem hohen Verdeck,
Stand ich und hört ich des Vogels Gesang.
Wie schwarzgrüne Rosse mit silbernen Mähnen,
Sprangen die weißgekräuselten Wellen;
Wie Schwänenzüge schifften vorüber,
Mit schimmernden Segeln, die Helgolander,
Die kecken Nomaden der Nordsee;
Über mir, in dem ewigen Blau,
Flatterte weißes Gewölk
Und prangte die ewige Sonne,
Die Rose des Himmels, die feuerblühende,
Die freudvoll im Meer sich bespiegelte; –
Und Himmel und Meer und mein eigenes Herz
Ertönten im Nachhall:
Sie liebt ihn! sie liebt ihn!

IX

Im Hafen

Glücklich der Mann, der den Hafen erreicht hat,
Und hinter sich ließ das Meer und die Stürme,
Und jetzo warm und ruhig sitzt
Im guten Ratskeller zu Bremen.

Wie doch die Welt so traulich und lieblich
Im Römerglas sich widerspiegelt,
Und wie der wogende Mikrokosmus
Sonnig hinabfließt ins durstige Herz!
Alles erblick ich im Glas,

Alte und neue Völkergeschichte,   10
Türken und Griechen, Hegel und Gans,
Zitronenwälder und Wachtparaden,
Berlin und Schilda und Tunis und Hamburg,
Vor allem aber das Bild der Geliebten,
Das Engelköpfchen auf Rheinweingoldgrund.

O, wie schön! wie schön bist du, Geliebte!
Du bist wie eine Rose!
Nicht wie die Rose von Schiras,
Die hafisbesungene Nachtigallbraut;
Nicht wie die Rose von Saron,   20
Die heiligrote, prophetengefeierte; –
Du bist wie die Ros im Ratskeller zu Bremen!
Das ist die Rose der Rosen,
Je älter sie wird, je lieblicher blüht sie,
Und ihr himmlischer Duft, er hat mich beseligt,
Er hat mich begeistert, er hat mich berauscht,
Und hielt mich nicht fest, am Schopfe fest,
Der Ratskellermeister von Bremen,
Ich wäre gepurzelt!

Der brave Mann! wir saßen beisammen   30
Und tranken wie Brüder,
Wir sprachen von hohen, heimlichen Dingen,
Wir seufzten und sanken uns in die Arme,
Und er hat mich bekehrt zum Glauben der Liebe –
Ich trank auf das Wohl meiner bittersten Feinde,
Und allen schlechten Poeten vergab ich,
Wie einst mir selber vergeben soll werden –
Ich weinte vor Andacht, und endlich
Erschlossen sich mir die Pforten des Heils,
Wo die zwölf Apostel, die heilgen Stückfässer,   40
Schweigend predgen, und doch so verständlich
Für alle Völker.

Das sind Männer!
Unscheinbar von außen, in hölzernen Röcklein,
Sind sie von innen schöner und leuchtender

Denn all die stolzen Leviten des Tempels
Und des Herodes Trabanten und Höflinge,
Die goldgeschmückten, die purpurgekleideten –
Hab ich doch immer gesagt,
Nicht unter ganz gemeinen Leuten,
Nein, in der allerbesten Gesellschaft,
Lebte beständig der König des Himmels!

Hallelujah! Wie lieblich umwehen mich
Die Palmen von Beth El!
Wie duften die Myrrhen von Hebron!
Wie rauscht der Jordan und taumelt vor Freude! –
Auch meine unsterbliche Seele taumelt,
Und ich taumle mit ihr, und taumelnd
Bringt mich die Treppe hinauf, ans Tagslicht,
Der brave Ratskellermeister von Bremen.

Du braver Ratskellermeister von Bremen!
Siehst du, auf den Dächern der Häuser sitzen
Die Engel und sind betrunken und singen;
Die glühende Sonne dort oben
Ist nur eine rote, betrunkene Nase,
Die Nase des Weltgeists;
Und um die rote Weltgeistnase
Dreht sich die ganze, betrunkene Welt.

X

Epilog

Wie auf dem Felde die Weizenhalmen,
So wachsen und wogen im Menschengeist
Die Gedanken.
Aber die zarten Gedanken der Liebe
Sind wie lustig dazwischenblühende,
Rot und blaue Blumen.

Rot und blaue Blumen!
Der mürrische Schnitter verwirft euch als nutzlos,

Hölzerne Flegel zerdreschen euch höhnend,
Sogar der hablose Wanderer,
Den eur Anblick ergötzt und erquickt,
Schüttelt das Haupt,
Und nennt euch schönes Unkraut.
Aber die ländliche Jungfrau,
Die Kränzewinderin,
Verehrt euch und pflückt euch,
Und schmückt mit euch die schönen Locken,
Und also geziert, eilt sie zum Tanzplatz,
Wo Pfeifen und Geigen lieblich ertönen,
Oder zur stillen Buche,
Wo die Stimme des Liebsten noch lieblicher tönt
Als Pfeifen und Geigen.

NACHGELESENE GEDICHTE

1812–1827

Aus den Zyklen ausgeschieden. Verstreut gedruckt.
Aus dem Nachlaß

I. ABTEILUNG

AUS DEN ZYKLEN AUSGESCHIEDENE GEDICHTE

1

Minnegruß

Die du bist so schön und rein,
Wunnevolles Magedein,
Deinem Dienste ganz allein
Möcht ich wohl mein Leben weihn.

Deine süßen Äugelein
Glänzen mild wie Mondesschein;
Helle Rosenlichter streun
Deine roten Wängelein.

Und aus deinem Mündchen klein
Blinkts hervor wie Perlenreihn;
Doch den schönsten Edelstein
Hegt dein stiller Busenschrein.

Fromme Minne mag es sein,
Was mir drang ins Herz hinein,
Als ich weiland schaute dein,
Wunnevolles Magedein!

10

2

Minneklage

Einsam klag ich meine Leiden,
Im vertrauten Schoß der Nacht;
Frohe Menschen muß ich meiden,
Fliehen scheu, wo Freude lacht.

Einsam fließen meine Tränen,
Fließen immer, fließen still;
Doch des Herzens brennend Sehnen
Keine Träne löschen will.

Einst, ein lachend muntrer Knabe,
Spielt ich manches schöne Spiel,
Freute mich der Lebensgabe,
Wußte nie von Schmerzgefühl.

Denn die Welt war nur ein Garten,
Wo viel bunte Blumen blühn,
Wo mein Tagwerk Blumenwarten,
Rosen, Veilchen und Jasmin.

Träumend süß auf grüner Aue,
Sah ich Bächlein fließen mild;
Wenn ich jetzt in Bächlein schaue,
Zeigt sich mir ein bleiches Bild.

Bin ein bleicher Mann geworden,
Seit mein Auge *sie* gesehn;
Heimlich weh ist mir geworden,
Wundersam ist mir geschehn.

Tief im Herzen hegt ich lange
Englein stiller Friedensruh;
Diese flohen zitternd, bange,
Ihrer Sternenheimat zu.

Schwarze Nacht mein Aug umdüstert,
Schatten drohen feindlich grimm;
Und im Busen heimlich flüstert
Eine eigen fremde Stimm.

Fremde Schmerzen, fremde Leiden
Steigen auf mit wilder Wut,
Und in meinen Eingeweiden
Zehret eine fremde Glut.

Aber daß in meinem Herzen
Flammen wühlen sonder Ruh,
Daß ich sterbe hin vor Schmerzen –
Minne, sieh! das tatest du!

3

Sehnsucht

Jedweder Geselle, sein Mädel am Arm,
Durchwandelt die Lindenreihn;
Ich aber, ich wandle, daß Gott erbarm,
Ganz mutterseelallein.

Mein Herz wird beengt, mein Auge wird trüb,
Wenn ein andrer mit Liebchen sich freut.
Denn ich habe auch ein süßes Lieb,
Doch wohnt sie gar ferne und weit.

So manches Jahr getragen ich hab,
Ich trage nicht länger die Pein,   10
Ich schnüre mein Bündlein, und greife den Stab,
Und wandr in die Welt hinein.

Und wandre fort manch hundert Stund,
Bis ich komm an die große Stadt;
Sie prangt an eines Stromes Mund,
Drei keckliche Türme sie hat.

Da schwindet bald mein Liebesharm,
Da harret Freude mein;
Da kann ich wandeln, feins Liebchen am Arm,
Durch die duftigen Lindenreihn.   20

4

Die weiße Blume

In Vaters Garten heimlich steht
Ein Blümchen traurig und bleich;
Der Winter zieht fort, der Frühling weht,
Bleich Blümchen bleibt immer so bleich.
Die bleiche Blume schaut
Wie eine kranke Braut.

Zu mir bleich Blümchen leise spricht:
Lieb Brüderchen, pflücke mich!
Zu Blümchen sprech ich: Das tu ich nicht,
Ich pflücke nimmermehr dich;
Ich such mit Müh und Not
Die Blume purpurrot.

Bleich Blümchen spricht: Such hin, such her,
Bis an deinen kühlen Tod,
Du suchst umsonst, findst nimmermehr
Die Blume purpurrot;
Mich aber pflücken tu,
Ich bin so krank wie du.

So lispelt bleich Blümchen, und bittet sehr –
Da zag ich, und pflück ich es schnell.
Und plötzlich blutet mein Herze nicht mehr,
Mein inneres Auge wird hell.
In meine wunde Brust
Kommt stille Engellust.

5

Ahnung

Oben, wo die Sterne glühen,
Müssen uns die Freuden blühen,
Die uns unten sind versagt;
In des Todes kalten Armen
Kann das Leben erst erwarmen,
Und das Licht der Nacht enttagt.

6

Die Weihe

Einsam in der Waldkapelle,
Vor dem Bild der Himmelsjungfrau,
Lag ein frommer, bleicher Knabe
Demutsvoll dahingesunken.

O Madonna! laß mich ewig
Hier auf dieser Schwelle knieen,
Wollest nimmer mich verstoßen
In die Welt so kalt und sündig.

O Madonna! sonnig wallen
Deines Hauptes Strahlenlocken;   10
Süßes Lächeln mild umspielet
Deines Mundes heilge Rosen.

O Madonna! deine Augen
Leuchten mir wie Sternenlichter;
Lebensschifflein treibet irre,
Sternlein leiten ewig sicher.

O Madonna! sonder Wanken
Trug ich deine Schmerzenprüfung,
Frommer Minne blind vertrauend,
Nur in deinen Gluten glühend.   20

O Madonna! hör mich heute,
Gnadenvolle, wunderreiche,
Spende mir ein Huldeszeichen,
Nur ein leises Huldeszeichen!

Da tät sich ein schauerlich Wunder bekunden,
Wald und Kapell sind auf einmal verschwunden;
Knabe nicht wußte, wie ihm geschehn,
Hat alles auf einmal umwandelt gesehn.

Und staunend stand er im schmucken Saale,
Da saß Madonna, doch ohne Strahlen;   30
Sie hat sich verwandelt in liebliche Maid,
Und grüßet und lächelt mit kindlicher Freud.

Und sieh! vom blonden Lockenhaupte
Sie selber sich eine Locke raubte,
Und sprach zum Knaben mit himmlischem Ton:
Nimm hin deinen besten Erdenlohn!

Sprich nun, wer bezeugt die Weihe?
Sahst du nicht die Farben wogen
Flammig an der Himmelsbläue?
Menschen nennens Regenbogen.

Englein steigen auf und nieder,
Schlagen rauschend mit den Schwingen,
Flüstern wundersame Lieder,
Süßer Harmonieen Klingen.

Knabe hat es wohl verstanden,
Was mit Sehnsuchtglut ihn ziehet
Fort und fort nach jenen Landen,
Wo die Myrte ewig blühet.

7

Ständchen eines Mauren

Meiner schlafenden Zuleima
Rinnt aufs Herz, ihr Tränentropfen;
Dann wird ja das süße Herzchen
Sehnsuchtvoll nach Abdul klopfen.

Meiner schlafenden Zuleima
Spielt ums Ohr, ihr Seufzer trübe;
Dann träumt ja das blonde Köpfchen
Heimlich süß von Abduls Liebe.

Meiner schlafenden Zuleima
Ström aufs Händchen, Herzblutquelle;
Dann trägt ja ihr süßes Händchen,
Abduls Herzblut rot und helle.

Ach! der Schmerz ist stumm geboren,
Ohne Zunge in dem Munde,
Hat nur Tränen, hat nur Seufzer,
Und nur Blut aus Herzenswunde.

8

[An August Wilhelm Schlegel]

Der schlimmste Wurm: des Zweifels Dolchgedanken,
Das schlimmste Gift: an eigner Kraft verzagen,
Das wollt mir fast des Lebens Mark zernagen;
Ich war ein Reis, dem seine Stützen sanken.

Da mochtest du das arme Reis beklagen,
An deinem gütgen Wort läßt du es ranken,
Und dir, mein hoher Meister, soll ichs danken,
Wird einst das schwache Reislein Blüten tragen.

O mögst dus ferner noch so sorgsam warten,
Daß es als Baum einst zieren kann den Garten   10
Der schönen Fee, die dich zum Liebling wählte.

Von jenem Garten meine Amm erzählte:
Dort lebt ein heimlich wundersüßes Klingen,
Die Blumen sprechen und die Bäume singen.

9

[An August Wilhelm Schlegel]

Zufrieden nicht mit deinem Eigentume,
Sollt noch des Rheines Niblungshort dich laben,
Nahmst du vom Themsestrand die Wundergaben,
Und pflücktest kühn des Tago-Ufers Blume.

Der Tiber hast du manch Kleinod entgraben,
Die Seine mußte zollen deinem Ruhme –
Du drangest gar zu Brahmas Heiligtume,
Und wolltst auch Perlen aus dem Ganges haben.

Du geizger Mann, ich rat dir, sei zufrieden
Mit dem was selten Menschen ward beschieden,   10
Denk ans Verschwenden jetzt, statt ans Erwerben.

Und mit den Schätzen, die du ohn Ermüden
Zusammen hast geschleppt aus Nord und Süden,
Mach reich den Schüler jetzt, den lustgen Erben.

10

An den Hofrat Georg S. in Göttingen

Stolz und gebietend ist des Leibes Haltung,
Doch Sanftmut sieht man um die Lippen schweben,
Das Auge blitzt, und alle Muskeln beben,
Doch bleibt im Reden ruhige Entfaltung.

So stehst du auf dem Lehrstuhl, von Verwaltung
Der Staaten sprechend, und vom klugen Streben
Der Kabinette, und von Völkerleben,
Und von Germaniens Spaltung und Gestaltung.

Aus dem Gedächtnis lischt mir nie dein Bild!
In unsrer Zeit der Selbstsucht und der Roheit
Erquickt ein solches Bild von edler Hoheit.

Doch was du mir, recht väterlich und mild,
Zum Herzen sprachst in stiller trauter Stunde,
Das trag ich treu im tiefen Herzensgrunde.

11

An J. B. R.

Dein Freundesgruß konnt mir die Brust erschließen,
Die dunkle Herzenskammer mir entriegeln;
Ich bin umfächelt wie von Zauberflügeln,
Und heimatliche Bilder mich begrüßen.

Den alten Rheinstrom seh ich wieder fließen,
In seinem Blau sich Berg und Burgen spiegeln,
Goldtrauben winken von den Rebenhügeln,
Die Winzer klettern und die Blumen sprießen.

O, könnt ich hin zu dir, zu dir, Getreuer,
Der du noch an mir hängst, so wie sich schlingt   10
Der grüne Efeu um ein morsch Gemäuer.

O, könnt ich hin zu dir und leise lauschen
Bei deinem Lied, derweil Rotkehlchen singt
Und still des Rheines Wogen mich umrauschen.

12

[Fresko-Sonett an Christian S.]

Die Welt war mir nur eine Marterkammer,
Wo man mich bei den Füßen aufgehangen
Und mir gezwickt den Leib mit glühnden Zangen
Und eingeklemmt in enger Eisenklammer.

Wild schrie ich auf vor namenlosem Jammer,
Blutströme mir aus Mund und Augen sprangen, –
Da gab ein Mägdlein, das vorbeigegangen,
Mir schnell den Gnadenstoß mit goldnem Hammer.

Neugierig sieht sie zu, wie mir im Krampfe
Die Glieder zucken, wie im Todeskampfe   10
Die Zung aus blutgem Munde hängt und lechzet.

Neugierig horcht sie, wie mein Herz noch ächzet,
Musik ist ihr mein letztes Todesröcheln,
Und spottend steht sie da mit kaltem Lächeln.

13

Die Nacht auf dem Drachenfels

An Fritz v. B.

Um Mitternacht war schon die Burg erstiegen,
Der Holzstoß flammte auf am Fuß der Mauern,
Und wie die Burschen lustig niederkauern,
Erscholl das Lied von Deutschlands heilgen Siegen.

Wir tranken Deutschlands Wohl aus Rheinweinkrügen,
Wir sahn den Burggeist auf dem Turme lauern,
Viel dunkle Ritterschatten uns umschauern,
Viel Nebelfraun bei uns vorüberfliegen.

Und aus den Trümmern steigt ein tiefes Ächzen,
Es klirrt und rasselt, und die Eulen krächzen;
Dazwischen heult des Nordsturms Wutgebrause. –

Sieh nun, mein Freund, so eine Nacht durchwacht ich
Auf hohem Drachenfels, doch leider bracht ich
Den Schnupfen und den Husten mit nach Hause.

14

An Fritz St.

Ins Stammbuch

Die Schlechten siegen, untergehn die Wackern,
Statt Myrten lobt man nur die dürren Pappeln,
Worein die Abendwinde tüchtig rappeln,
Statt stiller Glut lobt man nur helles Flackern.

Vergebens wirst du den Parnaß beackern
Und Bild auf Bild und Blum auf Blume stapeln,
Vergebens wirst du dich zu Tode zappeln, –
Verstehst dus nicht, noch *vor* dem Ei zu gackern.

Auch mußt du wie ein Kampfstier dich behörnen,
Und Schutz- und Trutz-Kritiken schreiben lernen,
Und kräftig oft in die Posaune schmettern.

Auch schreibe nicht für Nachwelt, schreib für Pöbel,
Der Knalleffekt sei deiner Dichtung Hebel, –
Und bald wird dich die Galerie vergöttern.

15

An Franz v. Z.

Es zieht mich nach Nordland ein goldner Stern;
Ade, mein Bruder, denk mein in der Fern!
Bleib treu, bleib treu der Poesie;
Verlaß das süße Bräutchen nie.
Bewahr in der Brust wie einen Hort
Das liebe, schöne, deutsche Wort! –
Und kommst du mal nach dem Norderstrand,
So lausche nur am Norderstrand;
Und lausche, bis fern sich ein Klingen erhebt
Und über die feiernden Fluten schwebt.   10
Dann mags wohl sein, daß entgegen dir zieht
Des wohlbekannten Sängers Lied.
Dann greif auch du in dein Saitenspiel,
Und gib mir süßer Kunden viel:
Wies dir, mein trauter Sänger, ergeht,
Und wies meinen Lieben allen ergeht,
Und wies ergeht der schönen Maid,
Die so manches Jünglingsherz erfreut,
Und in manches gesendet viel Glut hinein,
Die blühende Rose am blühenden Rhein!   20
Und auch vom Vaterland Kunde gib:
Obs noch das Land der treuen Lieb,
Ob der alte Gott noch in Deutschland wohnt,
Und niemand mehr dem Bösen front.
Und wie dein süßes Lied erklingt
Und heitere Mären hinüber bringt,
Wohl über die Wogen zum fernen Strand,
So freut sich der Sänger im Norderland.

16

Die Lehre

Mutter zum Bienelein:
»Hüt dich vor Kerzenschein!«

Doch was die Mutter spricht,
Bienelein achtet nicht;

Schwirret ums Licht herum,
Schwirret mit Sum-sum-sum,
Hört nicht die Mutter schrein:
»Bienelein! Bienelein!«

Junges Blut, tolles Blut,
Treibt in die Flammenglut,
Treibt in die Flamm hinein, –
»Bienelein! Bienelein!«

's flackert nun lichterrot,
Flamme gab Flammentod; –
Hüt dich vor Mägdelein,
Söhnelein! Söhnelein!

17

Traum und Leben

Es glühte der Tag, es glühte mein Herz,
Still trug ich mit mir herum den Schmerz.
Und als die Nacht kam, schlich ich fort
Zur blühenden Rose am stillen Ort.

Ich nahte mich leise und stumm wie das Grab;
Nur Tränen rollten die Wangen hinab;
Ich schaut in den Kelch der Rose hinein, –
Da glomms hervor, wie ein glühender Schein. –

Und freudig entschlief ich beim Rosenbaum;
Da trieb sein Spiel ein neckender Traum:
Ich sah ein rosiges Mädchenbild,
Den Busen ein rosiges Mieder umhüllt.

Sie gab mir was Hübsches, recht goldig und weich;
Ich trugs in ein goldenes Häuschen sogleich.
Im Häuschen da geht es gar wunderlich bunt,
Da dreht sich ein Völkchen in zierlicher Rund.

Da tanzen zwölf Tänzer, ohn Ruh und Rast,
Sie haben sich fest bei den Händen gefaßt;
Und wenn ein Tanz zu enden begann,
So fängt ein andrer von vorne an.   20

Und es summt mir ins Ohr die Tanzmusik:
Die schönste der Stunden kehrt nimmer zurück,
Dein ganzes Leben war nur ein Traum,
Und diese Stunde ein Traum im Traum. –

Der Traum war aus, der Morgen graut,
Mein Auge schnell nach der Rose schaut, –
O weh! statt des glühenden Fünkleins steckt
Im Kelche der Rose ein kaltes Insekt.

18

An Sie

Die roten Blumen hier und auch die bleichen,
Die einst erblüht aus blutgen Herzenswunden,
Die hab ich nun zum schmucken Strauß verbunden,
Und will ihn Dir, du schöne Herrin, reichen.

Nimm huldreich hin die treuen Sangeskunden,
Ich kann ja nicht aus diesem Leben weichen,
Ohn rückzulassen dir ein Liebeszeichen, –
Gedenke mein, wenn ich den Tod gefunden!

Doch nie, o Herrin, sollst du mich beklagen;
Beneidenswert war selbst mein Schmerzenleben –   10
Denn liebend durft ich dich im Herzen tragen.

Und größres Heil noch soll mir bald geschehen:
Mit Geisterschutz darf ich dein Haupt umschweben
Und Friedensgrüße in dein Herze wehen.

Während der Entstehung des »Lyrischen Intermezzos«
ausgeschieden]

Zueignung

An Salomon Heine

Meine Qual und meine Klagen
Hab ich in dies Buch gegossen,
Und wenn du es aufgeschlagen,
Hat sich dir mein Herz erschlossen.

1

Es schauen die Blumen alle
Zur leuchtenden Sonne hinauf;
Es nehmen die Ströme alle
Zum leuchtenden Meere den Lauf.

Es flattern die Lieder alle
Zu meinem leuchtenden Lieb;
Nehmt mit meine Tränen und Seufzer,
Ihr Lieder, wehmütig und trüb!

2

Ich dacht an sie den ganzen Tag,
Und dacht an sie die halbe Nacht.
Und als ich fest im Schlafe lag,
Hat mich ein Traum zu ihr gebracht.

Sie blüht wie eine junge Ros,
Und sitzt so ruhig, still beglückt.
Ein Rahmen ruht auf ihrem Schoß,
Worauf sie weiße Lämmchen stickt.

Sie schaut so sanft, begreift es nicht,
Warum ich traurig vor ihr steh.   10
»Was ist so blaß dein Angesicht,
Heinrich, sag mirs, wo tuts dir weh?«

Sie schaut so sanft, und staunt, daß ich
Still weinend ihr ins Auge seh.
»Was weinest du so bitterlich,
Heinrich, sag mirs, wer tut dir weh?«

Sie schaut mich an mit milder Ruh,
Ich aber fast vor Schmerz vergeh.
»Wer weh mir tat, mein Lieb, bist du,
Und in der Brust da sitzt das Weh.«   20

Da steht sie auf, und legt die Hand
Mir auf die Brust ganz feierlich;
Und plötzlich all mein Weh verschwand,
Und heitern Sinns erwachte ich.

3

Du sollst mich liebend umschließen,
Geliebtes, schönes Weib!
Umschling mich mit Armen und Füßen,
Und mit dem geschmeidigen Leib.

*

Gewaltig hat umfangen,
Umwunden, umschlungen schon
Die allerschönste der Schlangen
Den glücklichsten Laokoon.

4

Ich glaub nicht an den Himmel,
Wovon das Pfäfflein spricht;
Ich glaub nur an dein Auge,
Das ist mein Himmelslicht.

Ich glaub nicht an den Herrgott,
Wovon das Pfäfflein spricht;
Ich glaub nur an dein Herze,
'nen andern Gott hab ich nicht.

Ich glaub nicht an den Bösen,
An Höll und Höllenschmerz;
Ich glaub nur an dein Auge,
Und an dein böses Herz.

5

Schöne, helle, goldne Sterne,
Grüßt die Liebste in der Ferne,
Sagt, daß ich noch immer sei
Herzekrank und bleich und treu.

6

Freundschaft, Liebe, Stein der Weisen,
Diese dreie hört ich preisen,
Und ich pries und suchte sie,
Aber ach! ich fand sie nie.

7

Ich kann es nicht vergessen,
Geliebtes, holdes Weib,
Daß ich dich einst besessen,
Die Seele und den Leib.

Den Leib möcht ich noch haben,
Den Leib so zart und jung;
Die Seele könnt ihr begraben,
Hab selber Seele genung.

Ich will meine Seele zerschneiden,
Und hauchen die Hälfte dir ein,   10
Und will dich umschlingen, wir müssen
Ganz Leib und Seele sein.

8

Ich will mich im grünen Wald ergehn,
Wo Blumen sprießen und Vögel singen;
Denn wenn ich im Grabe einst liegen werde,
Ist Aug und Ohr bedeckt mit Erde,
Die Blumen kann ich nicht sprießen sehn,
Und Vögelgesänge hör ich nicht klingen.

9

Wir wollen jetzt Frieden machen,
Ihr lieben Blümelein.
Wir wollen schwatzen und lachen,
Und wollen uns wieder freun.

Du weißes Maienglöckchen,
Du Rose mit rotem Gesicht,
Du Nelke mit bunten Fleckchen,
Du blaues Vergißmeinnicht!

Kommt her, ihr Blumen, jede
Soll mir willkommen sein –   10
Nur mit der schlimmen Resede
Laß ich mich nicht mehr ein.

10

Ich wollte, meine Lieder
Das wären Blümelein:
Ich schickte sie zu riechen
Der Herzallerliebsten mein.

Ich wollte, meine Lieder
Das wären Küsse fein:
Ich schickt sie heimlich alle
Nach Liebchens Wängelein.

Ich wollte, meine Lieder
Das wären Erbsen klein:
Ich kocht eine Erbsensuppe,
Die sollte köstlich sein.

Während der Entstehung des Vorzyklus
»Heimkehr« (1826) ausgeschieden]

1

Die Wälder und Felder grünen,
Es trillert die Lerch in der Luft,
Der Frühling ist erschienen
Mit Lichtern und Farben und Duft.

Der Lerchengesang erweicht mir
Das winterlich starre Gemüt,
Und aus dem Herzen steigt mir
Ein trauriges Klagelied.

Die Lerche trillert gar feine:
»Was singst du so trüb und bang?«   10
Das ist ein Liedchen, o Kleine,
Das sing ich schon jahrelang!

Das sing ich im grünen Haine,
Das Herz von Gram beschwert;
Schon deine Großmutter, o Kleine,
Hat dieses Liedchen gehört!

2

Lieben und Hassen, Hassen und Lieben,
Ist alles über mich hingegangen;
Doch blieb von allem nichts an mir hangen,
Ich bin der allerselbe geblieben.

3

Daß ich dich liebe, o Möpschen,
Das ist dir wohlbekannt.
Wenn ich mit Zucker dich füttre,
So leckst du mir die Hand.

Du willst auch nur ein Hund sein,
Und willst nicht scheinen mehr;
All meine übrigen Freunde
Verstellen sich zu sehr.

4

Tag und Nacht hab ich gedichtet,
Und hab doch nichts ausgerichtet;
Bin in Harmonien geschwommen,
Und bin doch zu nichts gekommen.

5

Es faßt mich wieder der alte Mut,
Mir ist, als jagt ich zu Rosse,
Und jagte wieder mit liebender Glut
Nach meiner Liebsten Schlosse.

Es faßt mich wieder der alte Mut,
Mir ist, als jagt ich zu Rosse,
Und jagte zum Streite, mit hassender Wut,
Schon harret der Kampfgenosse.

Ich jage geschwind wie der Wirbelwind,
Die Wälder und Felder fliegen!
Mein Kampfgenoß und mein schönes Kind,
Sie müssen beide erliegen.

6

Du Lilje meiner Liebe,
Du stehst so träumend am Bach,
Und schaust hinein so trübe,
Und flüsterst Weh und Ach!

»Geh fort mit deinem Gekose!
Ich weiß es, du falscher Mann,
Daß meine Cousine, die Rose,
Dein falsches Herz gewann.«

1

O, mein genädiges Fräulein, erlaubt
Mir kranken Sohn der Musen,
Daß schlummernd ruhe mein Sängerhaupt
Auf Eurem Schwanenbusen!

»Mein Herr! wie können Sie es wagen,
Mir so was in Gesellschaft zu sagen?«

2

Hast du die Lippen mir wund geküßt,
So küsse sie wieder heil,
Und wenn du bis Abend nicht fertig bist,
So hat es auch keine Eil.

Du hast ja noch die ganze Nacht,
Du Herzallerliebste mein!
Man kann in solch einer ganzen Nacht
Viel küssen und selig sein.

3

Als Sie mich umschlang mit zärtlichem Pressen,
Da ist meine Seele gen Himmel geflogen!
Ich ließ sie fliegen, und hab unterdessen
Den Nektar von Ihren Lippen gesogen.

4

Himmlisch wars, wenn ich bezwang
Meine sündige Begier,
Aber wenns mir nicht gelang,
Hatt ich doch ein groß Pläsier.

5

Blamier mich nicht, mein schönes Kind,
Und grüß mich nicht unter den Linden;
Wenn wir nachher zu Hause sind,
Wird sich schon alles finden.

6

Schöne, wirtschaftliche Dame,
Haus und Hof ist wohlbestellt,
Wohlversorgt ist Stall und Keller,
Wohlbeackert ist das Feld.

Jeder Winkel in dem Garten
Ist gereutet und geputzt,
Und das Stroh, das ausgedroschne,
Wird für Betten noch benutzt.

Doch dein Herz und deine Lippen,
Schöne Dame, liegen brach,
Und zur Hälfte nur benutzet
Ist dein trautes Schlafgemach.

1

Auf den Wolken ruht der Mond,
Eine Riesenpomeranze,
Überstrahlt das graue Meer,
Breiten Streifs, mit goldnem Glanze.

Einsam wandl ich an dem Strand,
Wo die weißen Wellen brechen,
Und ich hör viel süßes Wort,
Süßes Wort im Wasser sprechen.

Ach, die Nacht ist gar zu lang,
Und mein Herz kann nicht mehr schweigen – 10
Schöne Nixen, kommt hervor,
Tanzt und singt den Zauberreigen!

Nehmt mein Haupt in euren Schoß,
Leib und Seel sei hingegeben!
Singt mich tot und herzt mich tot,
Küßt mir aus der Brust das Leben!

2

Eingehüllt in graue Wolken,
Schlafen jetzt die großen Götter,
Und ich höre, wie sie schnarchen,
Und wir haben wildes Wetter.

Wildes Wetter! Sturmeswüten
Will das arme Schiff zerschellen –
Ach, wer zügelt diese Winde
Und die herrenlosen Wellen!

Kanns nicht hindern, daß es stürmet,
Daß da dröhnen Mast und Bretter,
Und ich hüll mich in den Mantel,
Um zu schlafen wie die Götter.

3

Zu der Lauheit und der Flauheit
Deiner Seele paßte nicht
Meiner Liebe wilde Rauheit,
Die sich Bahn durch Felsen bricht.

Du, du liebtest die Chausseen
In der Liebe, und ich schau
Dich am Arm des Gatten gehen,
Eine brave, schwangre Frau.

4

In den Küssen welche Lüge!
Welche Wonne in dem Schein!
Ach, wie süß ist das Betrügen,
Süßer das Betrogensein!

Liebchen, wie du dich auch wehrest,
Weiß ich doch, was du erlaubst:
Glauben will ich, was du schwörest,
Schwören will ich, was du glaubst.

Steiget auf, Ihr alten Träume!
Öffne dich, du Herzenstor!
Liederwonne, Wehmutstränen
Strömen wunderbar hervor.

Durch die Tannen will ich schweifen,
Wo die muntre Quelle springt,
Wo die stolzen Hirsche wandeln,
Wo die liebe Drossel singt.

Auf die Berge will ich steigen,
Auf die schroffen Felsenhöhn,   10
Wo die grauen Schloßruinen
In dem Morgenlichte stehn.

Dorten setz ich still mich nieder
Und gedenke alter Zeit,
Alter blühender Geschlechter
Und versunkner Herrlichkeit.

Gras bedeckt jetzt den Turnierplatz,
Wo gekämpft der stolze Mann,
Der die Besten überwunden
Und des Kampfes Preis gewann.   20

Efeu rankt an dem Balkone,
Wo die schöne Dame stand,
Die den stolzen Überwinder
Mit den Augen überwand.

Ach! den Sieger und die Siegrin
Hat besiegt des Todes Hand –
Jener dürre Sensenritter
Streckt uns Alle in den Sand!

II. ABTEILUNG

VERSTREUT GEDRUCKTE GEDICHTE

Deutschland

Ein Fragment

Sohn der Torheit! träume immer,
Wenn dirs Herz im Busen schwillt;
Doch im Leben suche nimmer
Deines Traumes Ebenbild!

Einst stand ich in schönern Tagen
Auf dem höchsten Berg am Rhein;
Deutschlands Gauen vor mir lagen,
Blühend hell im Sonnenschein.

Unten murmelten die Wogen
Wilde Zaubermelodein;
Süße Ahndungschauer zogen
Schmeichelnd in mein Herz hinein.

Lausch ich jetzt im Sang der Wogen,
Klingt viel andre Melodei:
Schöner Traum ist längst verflogen,
Schöner Wahn brach längst entzwei.

Schau ich jetzt von meinem Berge
In das deutsche Land hinab:
Seh ich nur ein Völklein Zwerge,
Kriechend auf der Riesen Grab.

Such ich jetzt den goldnen Frieden,
Den das deutsche Blut ersiegt,
Seh ich nur die Kette schmieden,
Die den deutschen Nacken biegt.

Narren hör ich jene schelten,
Die dem Feind in wilder Schlacht
Kühn die Brust entgegenstellten,
Opfernd selbst sich dargebracht.

O der Schande! jene darben,
Die das Vaterland befreit;
Ihrer Wunden heilge Narben
Deckt ein grobes Bettlerkleid!

Muttersöhnchen gehn in Seide,
Nennen sich des Volkes Kern,
Schurken tragen Ehrgeschmeide,
Söldner brüsten sich als Herrn.

Nur ein Spottbild auf die Ahnen
Ist das Volk im deutschen Kleid;
Und die alten Röcke mahnen
Schmerzlich an die alte Zeit:

Wo die Sitte und die Tugend
Prunklos gingen Hand in Hand;
Wo mit Ehrfurchtscheu die Jugend
Vor dem Greisenalter stand;

Wo kein Jüngling seinem Mädchen
Modeseufzer vorgelügt;
Wo kein witziges Despötchen
Meineid in System gefügt;

Wo ein Handschlag mehr als Eide
Und Notarienakte war;
Wo ein Mann im Eisenkleide,
Und ein Herz im Manne war. –

Unsre Gartenbeete hegen
Tausend Blumen wunderfein,
Schwelgend in des Bodens Segen,
Lind umspielt von Sonnenschein.

Doch die allerschönste Blume
Blüht in unsern Gärten nie,
Sie, die einst im Altertume
Selbst auf felsger Höh gedieh;

Die auf kalter Bergesfeste
Männer mit der Eisenhand
Pflegten als der Blumen beste –
Gastlichkeit wird sie genannt.

Müder Wandrer, steige nimmer
Nach der hohen Burg hinan,
Statt der gastlich warmen Zimmer,
Kalte Wände dich empfahn.

Von dem Wartturm bläst kein Wächter,
Keine Fallbrück rollt herab;   70
Denn der Burgherr und der Wächter
Schlummern längst im kühlen Grab.

In den dunkeln Särgen ruhen
Auch die Frauen minnehold;
Wahrlich hegen solche Truhen
Reichern Schatz denn Perl und Gold.

Heimlich schauern da die Lüfte
Wie von Minnesängerhauch;
Denn in diese heilgen Grüfte
Stieg die fromme Minne auch.   80

Zwar auch unsre Damen preis ich,
Denn sie blühen wie der Mai;
Lieben auch und üben fleißig
Tanzen, Sticken, Malerei;

Singen auch in süßen Reimen
Von der alten Lieb und Treu;
Freilich zweiflend im geheimen:
Ob das Märchen möglich sei?

Unsre Mütter einst erkannten,
Sinnig, wie die Einfalt pflegt,   90
Daß den schönsten der Demanten
Nur der Mensch im Busen trägt.

Ganz nicht aus der Art geschlagen
Sind die klugen Töchterlein,
Denn die Fraun in unsern Tagen
Lieben auch die Edelstein.

Fort, ihr Bilder schönrer Tage!
Weicht zurück in eure Nacht!
Weckt nicht mehr die eitle Klage
Um die Zeit, die uns versagt!

2

Aucassin und Nicolette,
oder: Die Liebe aus der guten alten Zeit
[An J. F. Koreff]

Hast einen bunten Teppich ausgebreitet,
Worauf gestickt sind leuchtende Figuren.
Es ist der Kampf feindseliger Naturen,
Der halbe Mond, der mit dem Kreuze streitet.

Trompetentusch! Die Schlacht wird vorbereitet;
Im Kerker schmachten, die sich Treue schwuren;
Schalmeien klingen auf Provencer Fluren;
Auf dem Bazar Karthagos Sultan schreitet.

Freundlich ergötzt die bunte Herrlichkeit:
Wir irren, wie in märchenhafter Wildnis,
Bis Lieb und Licht besiegen Haß und Nacht.

Du, Meister, kanntest der Kontraste Macht,
Und gabst in schlechter, neuer Zeit das Bildnis
Von Liebe aus der alten, guten Zeit!

Berlin, den 27. Februar 1822

3

Das Bild

Lessing-Da Vinzis Nathan und Galotti,
Schiller-Raffaels Wallenstein und Posa,
Egmont und Faust von Goethe-Buonarotti –
Die nimm zum Muster, Houwald-Spinarosa!

4

Bamberg und Würzburg

In beider Weichbild fließt der Gnaden Quelle,
Und tausend Wunder täglich dort geschehen.
Umlagert sieht man dort von Kranken stehen
Den Fürsten, der da heilet auf der Stelle.

Er spricht: »Steht auf und geht!« und flink und schnelle
Sieht man die Lahmen selbst von hinnen gehen;
Er spricht: »Schaut auf und sehet!« und es sehen
Sogar die Blindgebornen klar und helle.

Ein Jüngling naht, von Wassersucht getrieben,
Und fleht: »Hilf, Wundertäter, meinem Leibe.«   10
Und segnend spricht der Fürst: »Geh hin und schreibe!«

In Bamberg und in Würzburg machts Spektakel,
Die Handlung Göbhardts rufet laut: »Miråkel!« –
Neun Dramen hat der Jüngling schon geschrieben.

5

Heinrich IV

Auf dem Schloßhof zu Canossa
Stand der deutsche Kaiser Heinrich,
In dem Büßerhemd und barfuß,
Und die Nacht war kalt und regnigt.

Aus dem Fensterlein herab schaun
Zwei Gestalten, und das Mondlicht
Überflimmert Gregors Kahlkopf
Und die Brüste der Mathildis.

Heinrich singt ein lautes Bußlied,
Doch im Geiste singt er heimlich:
Komm ich jetzt nach Hause, Pfäfflein,
Unterschreib ich dir den Laufpaß!

6

Charade

Das *Erste*, das ist immer,
Und wenn auch die Welt vergeht;
Das *Zweite* ist man und bleibt man,
Wenn man zu lesen versteht.

7

Burleskes Sonett

Wie nähm die Armut bald bei mir ein Ende,
Wüßt ich den Pinsel kunstgerecht zu führen
Und hübsch mit bunten Bildern zu verzieren
Der Kirchen und der Schlösser stolze Wände.

Wie flösse bald mir zu des Goldes Spende,
Wüßt ich auf Flöten, Geigen und Klavieren
So rührend und so fein zu musizieren,
Daß Herrn und Damen klatschten in die Hände.

Doch ach! mir Armen lächelt Mammon nie:
Denn leider, leider! trieb ich dich alleine,
Brotloseste der Künste, Poesie!

Und ach! wenn andre sich mit vollen Humpen
Zum Gotte trinken in Champagnerweine,
Dann muß ich dürsten, oder ich muß – pumpen.

8

Berlin[1]

Berlin! Berlin! du großes Jammertal,
Bei dir ist nichts zu finden als lauter Angst und Qual.
Der Offizier ist hitzig, der Zorn und der ist groß:
Miserabel ist das Leben, das man erfahren muß.

Und wenns dann Sommer ist,
So ist eine große Hitz;
So müssen wir exerzieren,
Daß uns der Buckel schwitzt.

Komm ich auf Wachtparad
Und tu ein falschen Schritt,   10
So ruft der Adjutant:
»Den Kerl dort aus dem Glied!

Die Tasche herunter,
Den Säbel abgelegt,
Und tapfer drauf geschlagen,
Daß er sich nicht mehr regt!«

Und wenns dann Friede ist,
Die Kräfte sind dahin;
Die Gesundheit ist verloren,
Wo sollen wir denn nun hin?   20

Alsdann so wird es heißen:
Ein Vogel und kein Nest.
Nun, Bruder, häng den Schnappsack an,
Du bist Soldat gewest.

---

[1] Dieses Volkslied, welches, wie die Prügel-Erwähnung andeutet, aus
früheren Zeiten herstammt, ist im Hannövrischen aus dem Munde des
Volkes aufgeschrieben worden.   *H. Heine.*

9

Erinnerung

Übersetzt aus dem Englischen. Sentimental Magazine,
Vol. XXXV.

Was willst du, traurig liebes Traumgebilde?
Ich sehe dich, ich fühle deinen Hauch!
Du schaust mich an mit wehmutvoller Milde;
Ich kenne dich, und ach! du kennst mich auch.

Ich bin ein kranker Jüngling jetzt, die Glieder
Sind lebensmatt, das Herz ist ausgebrannt,
Mißmut umflort mich, Kummer drückt mich nieder;
Viel anders wars, als ich dich einstens fand!

In stolzer Kraft, und von der Heimat ferne,
Ich jagte da nach einem alten Wahn;
Die Erd wollt ich zerstampfen, und die Sterne
Wollt ich entreißen ihrer Himmelsbahn. –

Frankfurt, du hegst viel Narrn und Bösewichter,
Doch lieb ich dich, du gabst dem deutschen Land
Manch guten Kaiser und den besten Dichter,
Und bist die Stadt, wo ich die Holde fand.

Ich ging die Zeil entlang, die schöngebaute,
Es war die Messe just, die Schacherzeit,
Und bunt war das Gewimmel, und ich schaute
Wie träumend auf des Volks Geschäftigkeit.

Da sah ich Sie! Mit heimlich süßem Staunen
Erblickt ich da die schwebende Gestalt,
Die selgen Augen und die sanften Braunen –
Es zog mich hin mit seltsamer Gewalt.

Und über Markt und Straßen gings, und weiter,
Bis an ein Gäßchen, schmal und traulich klein –
Da dreht sich um die Holde, lächelt heiter,
Und schlüpft ins Haus – ich eile hinterdrein.

Die Muhme nur war schlecht, und ihrem Geize
Sie opferte des Mädchens Blüten hin;   30
Das Kind ergab mir willig seine Reize,
Jedoch, bei Gott! es dacht nicht an Gewinn.

Bei Gott! auf andre Weiber noch als Musen
Versteh ich mich, mich täuscht kein glatt Gesicht.
So, weiß ich, klopft kein einstudierter Busen,
Und solche Blicke hat die Lüge nicht.

Und sie war schön! So hold ist nicht gewesen
Die Göttin, als sie stieg aus Wellenschaum.
Vielleicht war *sie* das wunderschöne Wesen,
Das ich geahnt im frühen Knabentraum!   40

Ich hab es nicht erkannt! Es war umnachtet
Mein Sinn, und fremder Zauber mich umwand.
Vielleicht das Glück, wonach ich stets geschmachtet,
Ich hielts im Arm – und hab es nicht erkannt!

Doch schöner war sie noch in ihren Schmerzen,
Als nach drei Tagen, die ich wundersüß
Verträumt an ihrem wundersüßen Herzen,
Der alte Wahn mich weiter eilen hieß;

Als sie, mit wild verzweifelnder Gebärde
Und aufgelöstem Haar, die Hände rang,   50
Und endlich niederstürzte auf die Erde,
Und laut aufweinend meine Knie umschlang!

Ach Gott! es hatte sich in meinen Sporen
Ihr Haar verwickelt – bluten sah ich sie –
Und doch riß ich mich los – und hab verloren
Mein armes Kind, und wieder sah ichs nie!

Fort ist der alte Wahn, jedoch das Bildnis
Des armen Kinds umschwebt mich, wo ich bin.
Wo irrst du jetzt, in welcher kalten Wildnis?
Dem Elend und dem Gram gab ich dich hin!   60

III. ABTEILUNG

GEDICHTE AUS DEM NACHLASS

Freund, hier sitzt und zählet
Dir Papa den Brautschatz hin:
Wirf nun, was dich quälet,
Fröhlich weg aus Herz und Sinn!
Du sollst die Tochter haben,
Dich an ihrer Schönheit laben,
Schön und bieder ist sie ja;
Drum zähl nur immer fort, Papa!

Düsseldorf 1812

2

O, habt ihr über Glück und Unglück noch Gewalt
Ihr Götter! – Gebt dem Glück auf heute viel' Befehle.
Denn Vater und Mutter, die schöne Seele
Feiern heute, ihren schönsten Tag.

Düsseldorf den 6 ten Januar 1813

3

Wünnebergiade,
ein Heldengedicht in zwei Gesängen

Erster Gesang

Holde Muse, gib mir Kunde,
Wie einst hergeschoben kommen
Jenes kugelrunde Schweinchen,
Das da Wünneberg geheißen.

Auf den Iserlohner Triften
Ward mein Schweinchen einst geworfen,
Alida stehet noch das Tröglein,
Wo es weidlich sich gemästet.

Täglich in der Brüder Mitte
Burzelt es herum im Miste,
Auf den Hinterpfötchen hüpfend, –
Zernial ist Dreck dagegen.

Und die Mutter mit Gefallen
Schauet ihres Sohns Gedeihen,
Wie das feiste Wänstchen schwellet,
Wie die Ziegelbacken quellen.

Und der Vater mit Entzücken
Hört des Sohnes erstes Quirren,
Und das lieblich helle Grunzen
Dringt zum väterlichen Herzen.

Aber soll im Mist verwelken
Diese zarte Ferkenblume?
Soll der Sprößling edler Beester
Ohne Nachruhm einst verrecken?

Also sinnen nun die Eltern,
Was ihr Söhnchen einst soll werden,
Und sie stritten, stritten lange,
Mit den Worten, mit den Fäusten.

»Holde Drütche!« sprach der Ehherr,
»Du mein alter Rumpelkasten!
Ja ich kusche, ja ich schwör es,
Ja, mein Sohn soll Pfäfflein werden.

Dorthin, wo die schmucke Düssel
Schlängelnd sich im Rhein ergießet,
Dorthin send ich meinen Lümmel,
Zu studieren Gottgelahrtheit.

Dorten lebt mein Freund Asthöver,
Den ich einst traktiert mit Kaffee
Und mit Brezel und mit Plätzchen, –
Schlau erwägend künftge Zeiten.

Auch der riesenmächtge Dahmen
Wandelt dort sein geistlich Leben;
Schreckhaft zittern seine Jünger,
Wenn er schwingt die Musengeißel.

Diesen Männern übergeb ich
Meinen Sohn zur strengen Leitung,
Diese wähl er sich zum Vorbild,
Bis sein Bauch sich einst verkläret.«

Also sprach zur Frau der Ehherr,
Und er streichelt ihr das Pfötchen;   50
Aber sie umarmt ihn glühend,
Daß der Schmerbauch heftig dröhnet.

Halt die Ohren zu, o Muse!
Jetzo wird mein Schwein gescheuert,
Mit der Glut im Wasserküven;
Und es schreit und krächzt erbärmlich.

Und ein klimperklein Frisörchen
Kräuselt à l'enfant die Borsten,
Parfümiert sie mit Pomade, –
Bis nach Gersheim hats gerochen.   60

Und mit vielen Komplimenten
Kommt ein Schneider hergetrippelt,
Und er bracht ein altdeutsch Röcklein,
Wies Arminius getragen.

Unter solcher Vorbereitung
War die Nacht herabgesunken,
Und zur Ruhe blies der Sauhirt,
Jeder kroch ins niedre Ställchen.

Zweiter Gesang

Schnarchend lag der Hausknecht Tröffel,
Bis der Tag herangebrochen,   70
Endlich rieb er sich die Augen,
Und verließ sein weiches Lager.

Und im Hofe schon versammelt
Findet er die Hausgenossen,
Um den jungen Herrn sich drängend,
Und sie nehmen rührend Abschied.

Sinnend steht der ernste Vater,
Als behorcht er Flöhgespräche;
Und die Mutter kniet im Miste,
Betend für des Sohns Erhaltung.

Auch die Kuhmagd hörbar schluchset,
Denn es scheidet der Geliebte,
Den sie einst in Lieb befangen
Durch der dicken Waden Reize.

»Lebewohl!« die Brüder grunzen,
»Lebewohl!« der Kater mauet;
Und der Esel zärtlich seufzend
Seinen Jugendfreund umarmet.

Selbst die Hühner traurig gackern;
Nur der Bock der schweigt und schmunzelt,
Er verliert ein Nebenbuhler
Bei den holden Ziegenpärchen.

Traurig, in der Freunde Mitte,
Stand nun selbst mein armes Schweinchen,
Liebevoll die Äuglein glänzen,
Und es ließ das Sterzchen hängen.

Da erhub sich männlich Tröffel:
»Sagt, was soll das Weiberplärren?
Selbst der edle Ochs der weinet,
Er, den ich für Mann gehalten!

Aber Tröffel kann dies ändern!«
Sprachs, und rasch, im edlen Zorne,
Packte er mein Schwein beim Kragen,
Band zusammen alle Vieren,

Lud es schnell auf seinen Schubkarrn,
Und er schiebet flink und lustig,
Über Felder, über Berge,
Bis an Düsseldorfs Lyceum.

4

Zur Notiz

Die Philister, die Beschränkten,
Diese geistig Eingeengten,
Darf man nie und nimmer necken.
Aber weite, kluge Herzen
Wissen stets in unsren Scherzen
Lieb und Freundschaft zu entdecken.

5

Deutschland

Deutschlands Ruhm will ich besingen.
Höret meinen schönsten Sang!
Höher will mein Geist sich schwingen,
Mich durchbebet Wonnedrang.

Vor mir liegt das Buch der Zeiten;
Was auf Erden hier geschehn;
Wie das Gut' und Böse streiten,
Alles meine Blicke sehn.

Kam aus fernem Frankenlande
Einst die Hölle schlau, gewandt,   10
Brachte Schmach und schnöde Schande
In dem frommen, deutschen Land.

Und die Tugend und den Glauben
Und die Himmelsseligkeit –
Alles Gute sie uns rauben,
Gaben Sünde uns und Leid.

Deutsche Sonne wurde düster,
Will nicht leuchten deutscher Schand,
Und ein dumpfes Traurgeflüster
Sich durch deutsche Eichen wand.

Und die Sonne wurde lichter,
Und die Eiche rauschet Freud.
Kommen sind die Racherichter,
Wollen sühnen Schmach und Leid.

Und des Trugs Altäre wanken,
Stürzen ein im grausen Schlund.
Alle deutschen Herzen danken;
Frei ist deutscher, heilger Grund.

Siehst dus lodern hoch vom Berge?
Sag, was deut't die Flamme wild?
's deut't dies Feuer auf dem Berge
Deutschlands *reines*, starkes Bild.

Aus der Sündennacht enttauchet,
Stehet Deutschland unversehrt;
Noch die dumpfe Stelle rauchet,
Wo die schönre Form entgärt.

Aus dem Stamm der alten Eichen
Sprossen Blüten, herrlich, schön,
Und die fremden Blumen weichen;
Traulich grüßt das alte Wehn.

Alles Schöne kommet wieder,
Alles Gute kehrt zurück,
Und der Deutsche, fromm und bieder,
Froh genießt sein deutsches Glück.

Alte Sitte, alte Tugend,
Und der alte Heldenmut.
Schwerter schwinget Deutschlands Jugend;
Hermanns Enkel scheut kein Blut.

Helden zeugen keine Tauben,
Löwen gleich ist Hermanns Art;   50
Doch der Liebe schöner Glauben
Sei mit Stärke mild gepaart.

Eignes Leid dem Deútschen lehrte
Christus' sanftes Wort verstehn;
's zeugt nur Brüder deutsche Erde,
Nur die Menschlichkeit ist schön.

Auch die alte fromme Minne
Kehrt zurück, die Sängerlust,
Zierest herrlich, fromme Minne,
Deutschen Mannes Heldenbrust.   60

Er ist zogen aus im Kriege
In die heiße Frankenschlacht;
Um zu rächen Meineidslüge
Blutig mit gewaltger Macht.

Und daheim die Frauen regen
Liebevoll die sanfte Hand,
Und der heilgen Wunden pflegen,
Die geblut't fürs Vaterland.

Festlich in dem schwarzen Kleide
Glänzt das schöne deutsche Weib   70
Und mit Blumen und Geschmeide,
Demantgürtel schmückt den Leib.

Doch noch herrlicher geschmücket
Mit Gefallen ich sie schau,
Wenn am Krankenbett gebücket
Sorgend schafft die deutsche Frau.

Himmels Engeln wohl sie gleichet,
Wenn sie letzten Labetrank
Dem verwundten Krieger reichet;
Sterbend noch er lächelt Dank.   80

Mutig sich ein Grab erwerben
In der Feldschlacht – das ist süß;
Doch in Frauenarmen sterben,
Das ist Gottes Paradies.

Arme, arme Frankensöhne,
Euch war nicht das Schicksal hold;
An der Seine Strand die Schöne
Buhlet nur nach feilem Gold.

Deutsche Frauen, deutsche Frauen!
Welch ein Zauber birgt dies Wort!
Deutsche Frauen, deutsche Frauen,
Blühet lange, blühet fort!

Deutschlands Töchter wie Luise,
Deutschlands Söhne Friedrich gleich.
Hör im Grabe mich, Luise!
Herrlich blüh das deutsche Reich!

6

Wenn die Stunde kommt wo das Herz mir schwillt,
Und blühender Zauber dem Busen entquillt,
Dann greif ich zum Griffel rasch und wild,
Und male mit Worten das Zaubergebild. –

7

Als ich ging nach Ottensen hin
Auf Klopstocks Grab gewesen ich bin.
Viel schmucke und stattliche Menschen dort standen,
Und den Leichenstein mit Blumen umwanden,
Die lächelten sich einander an
Und glaubten Wunders was sie getan. –
Ich aber stand beim heiligen Ort,
Und stand so still und sprach kein Wort,
Meine Seele war da unten tief
Wo der heilige deutsche Sänger schlief: – –

8

Dieses Buch sei dir empfohlen,
Lese nur, wenn du auch irrst:
Doch wenn dus verstehen wirst,
Wird dich auch der Teufel holen.

9

Ich wohnte früher weit von hier,
Zwei Häuser trennen mich jetzt von Dir.
Es kam mir oft schon in den Sinn:
Ach! wärst Du meine Nachbarin.

10

Hast du vertrauten Umgang mit Damen,
Schweig, Freundchen, stille und nenne nie Namen:
Um ihrentwillen, wenn sie fein sind,
Um deinetwillen, wenn sie gemein sind.

Bonn 1820

11

Augen, die nicht ferne blicken,
Und auch nicht zur Liebe taugen,
Aber ganz entsetzlich drücken,
Sind des Vetters Hühneraugen.

12

Oben auf dem Rolandseck
Saß einmal ein Liebesgeck,
Seufzt' sich fast das Herz heraus,
Kuckt' sich fast die Augen aus
Nach dem hübschen Klösterlein,
Das da liegt im stillen Rhein.

Fritz von Beughem! denk auch fern
Jener Stunden, als wir gern
Oben hoch von Daniels Kniff
Schauten nach dem Felsenriff,
Wo der kranke Ritter saß,
Dessen Herze nie genas.

Bonn, 7. März 1820.

13

An Fritz von Beughem!

Mein Fritz lebt nun im Vaterland der Schinken,
Im Zauberland, wo Schweinebohnen blühen,
Im dunkeln Ofen Pumpernickel glühen,
Wo Dichtergeist erlahmt, und Verse hinken.

Mein Fritz, gewohnt, aus heilgem Quell zu trinken
Soll nun zur Tränke gehn mit fetten Kühen,
Soll gar der Themis Aktenwagen ziehen, –
Ich fürchte fast er muß im Schlamm versinken.

Mein Fritz, gewohnt auf buntbeblümten Auen
Sein Flügelroß, mit leichter Hand, zu leiten,
Und sich zu schwingen hoch, wo Adler horsten;

Mein Fritz wird nun, will er sein Herz erbauen,
Auf einem dürren Prosagaul durchreuten –
Den Knüppelweg von Münster bis nach Dorsten.

14

Bang hat der Pfaff sich in der Kirch verkrochen,
Der Herrschling zittert auf dem morschen Thrönlein,
Auf seinem Haupte wackelt schon sein Krönlein –
Denn Rousseaus Namen hab ich ausgesprochen.

Doch wähne nicht, das Püpplein, womit pochen
Die Mystiker, sei Rousseaus *Glaubens*fähnlein,

Auch halte nicht für Rousseaus *Freiheit*, Söhnlein,
Das Süpplein, das die Demagogen kochen.

Sei deines Namens wert, für wahre Freiheit
Und freie Wahrheit kämpf mit deutschem Sinne: 10
Schlag drein mit Wort und Schwert, sei treu und bieder.

Glauben, Freiheit, Minne sei deine Dreiheit,
Und fehlt dir auch das *Myrtenreis* der Minne,
So hast du doch den *Lorbeerkranz* der Lieder.

Bonn, den 15. Sept. 1820

15

Wenn ich bei meiner Liebsten bin
Dann geht das Herz mir auf
Dann dünk ich mich reich in meinem Sinn
Und frag: ob die Welt zu Kauf?

Doch wenn ich wieder scheiden tu
Aus ihrem Schwanenarm
Dann geht das Herz mir wieder zu
Und ich bin bettelarm.

16

Ochse, deutscher Jüngling, endlich,
Reite deine Schwänze nach;
Einst bereust du, daß du schändlich
Hast vertrödelt manchen Tag!

17

Selig dämmernd, sonder Harm,
Liegt der Mensch in Freundes Arm;
Da kommt plötzlich wies Verhängnis
Des Consiliums Bedrängnis,
Und weit fort von seinen Lieben,
Muß der Mensch sich weiter schieben.

18

Der Weltlauf ists: den Würdgen sieht man hudeln,
Der Ernste wird bespöttelt und vexiert,
Der Mutge wird verfolgt von Schnurren, Pudeln,
Und Ich sogar – ich werde konsiliert.

Göttingen, den 29. Januar 1821

19

Wenn ich die Brüder zähle
Die mir geblieben treu,
So zähl ich Dich für zwei
Du liebe treue Seele

Und liest Du in der Ferne
Von mir 'ne Reimerei,
Und schläfst nicht ein dabei
So denk auch meiner gerne

20

Kein Stammbuch?! – da hab ich nachgedacht,
Doch kaum wird es Denkens bedürfen;
Es gleichet gar bald dem verschütteten Schacht,
Weils trostlos war, weiter zu schürfen.

Betrug und Freundschaft sind ja zumeist
Im Erdenverkehre Geschwister,
Und was man jung ein Stammbuch heißt,
Wird endlich Totenregister.

Nur mit dem Ärgernis macht ein Komplott,
Wer viel von Freundschaft will buchen;
Denn findet man immer sie wieder bankrott,
So lernt man sein Leben verfluchen.

21

Am Werfte zu Kuxhaven
Da ist ein schöner Ort,
Der heißt »Die alte Liebe«
Die meinige ließ ich dort etc. etc. etc.

22

Sonnenaufgang

Sonne, purpurgeborene,
Glänzend im Glanz der Rubinenkron
Und des goldenen Mantels,
Steigest Du empor
Aus Deinem Palast von Kristall;

Vor Dir, wie Blumenmädchen am Festtag,
Tanzen die jungen Morgenlichter
Und streuen Dir Rosenblätter;
Und unter Triumphportalen,
Gewölbt aus Wolkenmarmor,   10
Wandelst Du siegreich
Über die leuchtende Wasserbahn,
Und wohin Du gelangst,
Entflieht die Nacht
Mit hastigem Schattenschritt,
Und, lichtgeweckt, erschließen sich freudig
Die bunten Augen der Blumen
Und die lieben Herzen der Menschen,
Und aus den grünen Domen erschallt
Befiederte Jubelmusik.   20

Aber, o Sonne, purpurgeborene,
Putz Dich heut noch schöner als sonst,
Putz Dich mit all Deinem besten Geschmeide,
Denn es ist heut der Geburtstag
Der schönen Tante,
Und keinen gringeren Boten

Als Dich selber, o Sonne,
Schick ich mit meinem Glückwunsch
An die schöne Tante.

Hoch geehret fühlt sich die Sonne,
Die purpurgeborene,
Sie schmückt sich hastig,
Und hastig eilt sie über das Wasser,
Eilt in die Mündung der Elbe,
Stromaufwärts, Blankenes entlang,
Und sputet sich eifrig, und kommt noch zeitig
Nach Onkels Villa zu Ottensen,
Und findet noch, frühstückversammelt,
Alldort die schöne Tante
Und den Oheim, den fürstlichen Mann,

Und die lieben Mädchen,
Und Carl, den göttlichen Jungen,
Dem die Welt gehört,
Und den vornehmherrlichen Herrmann,
Der jüngst aus Italien gekommen,
Und vieles gesehn und erfahren,
Und jetzt erzählt:
Vom alten, blauen Wunderlande,
Von Zitronenwäldern und Banditen,
Von Makaroni und Madonnen,

Von geflickten Marmorgöttern,
Und von Musik und Misere.–
Unterdessen, die Sonne, die purpurgeborene,
Auftragsgehorsam,
Strahlet ins Fenster hinein
Meinen heißesten Glückwunsch,
Meine wärmste Gratulation.

23

Einem Abtrünnigen

O des heilgen Jugendmutes!
O, wie schnell bist du gebändigt!
Und du hast dich, kühlern Blutes,
Mit den lieben Herrn verständigt.

Und du bist zu Kreuz gekrochen,
Zu dem Kreuz, das du verachtest,
Das du noch vor wenig Wochen
In den Staub zu treten dachtest!

O, das tut das viele Lesen
Jener Schlegel, Haller, Burke –
Gestern noch ein Held gewesen,
Ist man heute schon ein Schurke.

10

24

Zum Ostwind sprach ich: Ostwind schere dich,
Nur deinen Vetter Westwind kann ich brauchen,
Und mag er stürmen, brüllen, flöten, hauchen,
Gleichviel, doch zu der Liebsten bring er mich.

Ostwind, in deinen starren Launen gleichst du
Der Herzgeliebten, meinem süßen Kind,
Ich bitte dich, ich fleh, und doch nicht weichst du,
Du bist wie sie, und sie ist wie der Wind.

25

Heut Nacht, im Traum, unglücklicherweis,
Tät ich an der schmutzigsten Magd mich laben,
Und ich konnte doch für denselben Preis
Die allerschönste Prinzessin haben.

26

Die Liebe begann im Monat März,
Wo mir erkrankte Sinn und Herz.
Doch als der Mai, der grüne, kam:
Ein Ende all mein Trauern nahm.

Es war am Nachmittag um Drei
Wohl auf der Moosbank der Einsiedelei,
Die hinter der Linde liegt versteckt,
Da hab ich ihr mein Herz entdeckt.

Die Blumen dufteten. Im Baum
Die Nachtigall sang, doch hörten wir kaum
Ein einziges Wort von ihrem Gesinge,
Wir hatten zu reden viel wichtige Dinge.

Wir schwuren uns Treue bis in den Tod.
Die Stunden schwanden, das Abendrot
Erlosch. Doch saßen wir lange Zeit
Und weinten in der Dunkelheit.

27

Jegliche Gestalt bekleidend,
Bin ich stets in deiner Nähe,
Aber immer bin ich leidend,
Und du tust mir immer wehe.

Wenn du, zwischen Blumenbeeten
Wandelnd in des Sommers Tagen,
Einen Schmetterling zertreten –
Hörst du mich nicht leise klagen?

Wenn du eine Rose pflückest,
Und mit kindischem Behagen
Sie entblätterst und zerstückest –
Hörst du mich nicht leise klagen?

Wenn bei solchem Rosenbrechen
Böse Dornen einmal wagen
In die Finger dich zu stechen –
Hörst du mich nicht leise klagen?

Hörst du nicht die Klagetöne
Selbst im Ton der eignen Kehle?
In der Nacht seufz ich und stöhne
Aus der Tiefe deiner Seele.　　　　　　　20

IV. ABTEILUNG

NACHGELASSENE WIDMUNGSGEDICHTE ZU EIGENEN SCHRIFTEN

[Zum »William Ratcliff«]

1

Mit starken Händen schob ich von den Pforten
Des dunkeln Geisterreichs die rostgen Eisenriegel;
Vom roten Buch der Liebe riß ich dorten
Die urgeheimnisvollen sieben Siegel;
Und was ich schaute in den ewgen Worten,
Das bring ich dir in dieses Liedes Spiegel.
Ich und mein Name werden untergehen,
Doch dieses Lied muß ewiglich bestehen.

Weihnachten 1823

2

Ich habe die süße Liebe gesucht,
Und hab den bittern Haß gefunden,
Ich habe geseufzt, ich habe geflucht,
Ich habe geblutet aus tausend Wunden.

Auch hab ich mich ehrlich Tag und Nacht
Mit Lumpengesindel herumgetrieben,
Und als ich all diese Studien gemacht,
Da hab ich ruhig den Ratcliff geschrieben.

Hamburg, den 12. April 1826

[Zum »Rabbi von Bacherach«]

1

(An Edom!)

Ein Jahrtausend schon und länger,
Dulden wir uns brüderlich,
Du, du duldest, daß ich atme,
Daß du rasest, dulde Ich.

Manchmal nur, in dunkeln Zeiten,
Ward dir wunderlich zu Mut,
Und die liebefrommen Tätzchen
Färbtest du mit meinem Blut!

Jetzt wird unsre Freundschaft fester,
Und noch täglich nimmt sie zu;
Denn ich selbst begann zu rasen,
Und ich werde fast wie Du.

2

Brich aus in lauten Klagen,
Du düstres Martyrerlied,
Das ich so lang getragen
Im flammenstillen Gemüt!

Es dringt in alle Ohren,
Und durch die Ohren ins Herz;
Ich habe gewaltig beschworen
Den tausendjährigen Schmerz.

Es weinen die Großen und Kleinen,
Sogar die kalten Herrn,
Die Frauen und Blumen weinen,
Es weinen am Himmel die Stern!

Und alle die Tränen fließen
Nach Süden, im stillen Verein,
Sie fließen und ergießen
Sich all in den Jordan hinein.

[Zu den »Reisebildern. Erster Teil«]

Giebelrede des Verfassers

Die schönsten Blumen – Leiden und Lieben –
Sind längst aus der Seele herausgeschrieben,
Die wenigen Blümchen, die drin geblieben,
Hat der Lenz nun wieder hervorgetrieben –
Du, Merckel, hast treulich die Kleinen gehegt,
Hast manche selbst in die Wiege gelegt,
Die Wiege, das ist dies kleine Buch,
Es machte uns Müh und Plage genug –
Gott, der so gut und gnadenreich,
Er schenk uns allen das Himmelreich,   10
Er schütz auf Erden die Blinden und Lahmen
Und dies lahm und blinde Büchlein – Amen!

Hamburg den 26. Mai 1826.

TRAGÖDIEN

ALMANSOR

Eine Tragödie

Glaubt nicht, es sei so ganz und gar phantastisch
Das hübsche Lied, das ich Euch freundlich biete!
Hört zu: es ist halb episch und halb drastisch,
Dazwischen blüht manch lyrisch zarte Blüte;
Romantisch ist der Stoff, die Form ist plastisch,
Das Ganze aber kam aus dem Gemüte;
Es kämpfen Christ und Moslem, Nord und Süden,
Die Liebe kommt am End und macht den Frieden.

Das Innere eines alten, verödeten Maurenschlosses. Durch die Seiten-
fenster fallen Strahlen der untergehenden Sonne. Almansor allein.

ALMANSOR.

  Es ist der alte, liebe Boden noch,
Der wohlbekannte, buntgestickte Teppich,
Worauf der Väter heilger Fuß gewandelt!
Jetzt nagen Würmer an den seidnen Blumen,
Als wären sie des Spaniers Bundgenossen.
Es sind die alten, treuen Säulen noch,
Des stolzen Hauses stolze Marmorstützen,
Woran ich oft mich angelehnt als Knabe.
O, hätten unsre Gomeles und Ganzuls,
Abenkeragen und hochmütge Zegris
So treu, wie diese Säulen hier, getragen
Den Königsthron im leuchtenden Alhambrah!
Es sind die alten, guten Mauern noch,
Die glattgetäfelten, die hübsch bemalten,
Die stets dem müden Wandrer Obdach gaben!
Gastlich geblieben sind die guten Mauern,
Doch ihre Gäste sind nur Eul und Uhu.
          (Er geht ans Fenster)
Still bleibts! Nur du, o Sonne, hörtest mich;
Mitleidig schickst du mir die letzten Strahlen,
Und streust mir Licht auf meinen dunkeln Pfad!
Du, gütge Sonne, hör mein dankbar Wort:
Entflieh auch du nach Mauritaniens Küste
Und nach Arabiens ewig heitrer Flur; –
O, fürchte Don Fernand und seine Räte,
Die Haß geschworen allem schönen Lichte;
O, fürchte Donna Isabell, die Stolze,
Die im Gefunkel ihrer Diamanten
Allein zu glänzen glaubt, wenn Nacht ringsum;
O, flieh auch du den schlimmen, spanschen Boden,
Wo schon gesunken deine Schwestersonne,
Die goldgetürmte, leuchtende Granada!
          (Geht vom Fenster)
Beklommen ist mein Herz, als habe sich

Der untergehnden Sonne Flammenball
Auf diese arme, schwache Brust gewälzt.
Wie morsche, glühnde Asche ist mein Leib,
Und unter meinen Füßen wankt der Boden.
So heimisch ist mir hier, und doch so ängstlich!
Das Lüftchen, das mir lind die Wange kühlt,
Haucht Grüße mir aus längstverschollner Zeit.
In jener Schatten wechselnder Bewegung   40
Seh ich die Märchen meiner Kinderjahre;
Sie regen sich, und nicken mir, und lächeln
Mit klugen Mienen, und verwundern sich,
Daß jetzt der alte Freund so bang, so fremd tut.
Dort schwankt hervor die liebe, tote Mutter,
Und schaut wehmütiglich besorgt, und weint,
Und winkt, und winkt mit ihrer weißen Hand.
Und auch den Vater seh ich dorten sitzen,
Auf grünem Sammetpolster, leise schlummernd.
(Er steht sinnend. Es ist ganz dunkel geworden. Man sieht im Hintergrunde eine Gestalt, mit einer Fackel in der Hand, vorüberscheiten)
Welch Nebelbild kam dort vorbei geflirrt?   50
Wars nur ein Blendwerk, das mich toll umgaukelt?
Wars nicht der alte Hassan, der dort ging?
Vielleicht liegt Hassans toter Leib im Grab,
Und nur sein Geist noch wandelt hier als Wächter
Der Burg, die er im Leben treu gehütet?
Es rauscht und rollet dumpf, und immer näher,
Als stiegen meine Väter aus den Gräbern,
Um mir zum Gruß die Knochenhand zu reichen,
Zum Willkommkuß die weißen, kalten Lippen –
Sie kommen schon – Eur Grüßen könnt mich töten –   60

Mehrere Mauren *stürzen hervor mit blanken Säbeln.*

ERSTER MAURE.
  Das könnte wohl geschehn!
ALMANSOR *(zieht sein Schwert aus der Scheide).*
                          So komm hervor,
Du wunderreiches, blankes Amulett,

Und schütze mich vor solchen schlimmen Geistern!

ZWEITER MAURE.

Wie kömmst du, Fremdling, hier in unsre Burg?

ALMANSOR.

Ich geb die Frag zurück, die Burg ist mein,
Und dieser Anwalt

(zeigt sein Schwert)

soll mein gutes Recht,
Auf Eure Haut, mit roten Zügen schreiben.

ERSTER MAURE.

Ei! ei! wenn unser Anwalt Einspruch tut,
Ist seine Zunge nicht von Holz; fürwahr,
Metallvoll klirret seine Eisenstimme.

(Sie fechten)

ERSTER MAURE.

Ei! ei! dein Anwalt kommt ja recht in Hitze,
Und seine Rede sprühet Feuerfunken.

ALMANSOR.

Schweig nur, in deinem Blut soll er sie löschen.

DRITTER MAURE.

Der Spaß geht bald zu End, ergib dich uns.

Hassan, *in der linken Hand eine Fackel, in der rechten einen Säbel,*
stürzt wild herbei.

HASSAN.

Ho! ho! habt Ihr den Alten ganz vergessen?
Blutrache, wißt Ihr ja, ist mein Gewerbe,
Und mir gehört der dort, Ich muß ihn töten.
(Er ficht mit dem schon ermatteten Almansor; *wie er ihn eben*
niederhauen will, erblickt er das Gesicht desselben beim Scheine
der Fackel, und erschüttert stürzt er zu Almansors *Füßen)*
Allah! Es ist Almansor ben Abdullah!

ALMANSOR.

Das bin ich noch, und du bist Hassan noch;
Steh auf, du treuer Diener meines Hauses.
Ein nächtig Blendwerk hat uns hier verwirrt,
Und bald wär mir die Vaterburg zum Grab,
Die alte Wiege mir zum Sarg geworden.

ERSTER MAURE.

Du schienest Spanier durch Barett und Mantel,
Und unser Säbel nur bewillkommt Spanier.

HASSAN *(steht langsam auf und spricht mit strengem Tone).*

Almansor ben Abdullah! steh mir Rede:
Wie kömmt dein Leib in diese spansche Tracht?
Wer hat das edle Berberroß behängt
Mit dieser gleißend farbgen Schlangenhaut?
Wirf ab die giftge Hülle, Sohn Abdullahs,   90
Tritt auf das Haupt der Schlange, edles Roß!

ALMANSOR *(lächelnd).*

Du bist der alte Eifrer Hassan noch,
Und klebst noch fest an Farben und an Formen.
Die Schlangenhaut, die schützet wider Schlangen;
So wie die Wolfsfellhülle schützt das Lamm,
Das, wehrlos fromm, die Waldungen durchstreift.
Trotz Hut und Mantel bin ich doch ein Moslem,
Denn in der Brust hier trag ich meinen Turban.

HASSAN.

Gelobt sei Allah! Allah sei gelobt!
Legt euch zur Ruhe, Brüder, ich will wachen;   100
Verjüngt hat plötzlich sich der alte Hassan.

                    (Die Mauren *gehn ab*)

ALMANSOR.

Wer sind die Männer, die du Brüder nanntest?

HASSAN.

Es sind die Reste jener treuen Diener,
Die Allah noch in diesem Land besitzt.
Ach! ihre Zahl ist gring, und täglich schmilzt sie;
Derweil die Zahl der Schelme täglich anschwillt.

ALMANSOR.

Wie tief bist du gesunken! O Granada!

HASSAN.

Wohl sinken muß die Stadt, wo Doppelfeinde,
Wo drinnen Zwietracht, draußen Arglist, wüten.
O! Fluch der Nacht, wo diese Weiberarglist   110
Mit Männerhabsucht süß gebuhlt. O! Fluch
Der Nacht, wo das Verderben von Granada

In solcher Glutumarmung ward beraten;
O! Fluch der Nacht, wo einst ins Brautbett stieg
Don Ferdinand zu Donna Isabella!
Wo solches Paar der Zwietracht Funken schürt,
Da flackert bald in Flammen auf das Haus.
Nicht durch den Speer des kräftigen Leoners,
Nicht durch des stolzen Aragoniers Lanze,
20 Nicht durch das Schwert kastilscher Ritterschaft, –
Nur durch Granada selber fiel Granada!
Wenn der Erzeuger meuchelt seine Kinder,
Die wehrlos eignen Kinder in der Wiege,
Und wenn der Sohn die frevelhafte Rechte
Entgegenballt dem heilgen Haupt des Vaters,
Und wenn der Bruder, auf des Bruders Leiche,
Des Thrones blutge Stufen frech erklimmt,
Und wenn des Reiches pflichtvergeßne Großen
Ehrlos der Fahne ihres Erbfeinds folgen:
30 Dann fliehn mit schamverhüllten Angesichtern
Die Engel, die der Hauptstadt Tore hüten,
Und siegreich ziehen ein der Feinde Scharen.

ALMANSOR.
Ich denke noch des unheilschwangern Tags;
Ich stand am Tor des Schlosses unten, plötzlich
Sprengt rasch einher, auf schwarzem Roß, ein Reiter.
Wild, und verstörten Blicks, und atemlos
Fragt er nach Vater. Schnell die Trepp hinauf, –
Und in des Vaters offne Arme sank er.
Da sah ich erst, es war der gute Aly –

HASSAN *(bitter).*
40 Der gute Aly!

ALMANSOR.
                    Aly, sprich, was bringst du?
Sprach schnell mein Vater. – O, da stürzten Bäche
Blutdunkler Tränen über Alys Wangen,
Und schluchzend sprach er: In Granada haben
Don Ferdinand und Isabell den Einzug
Gehalten, unterm Schalle der Drommeten,
Und König Boabil hat ihnen kniend

Die Schlüssel überreicht auf goldnem Becken,
Und auf Alhambrahs Turm steht aufgepflanzt
Kastiliens Fahne und Mendozas Kreuz.

HASSAN *(hält sich die Augen zu).*

O! eine Gnade nur verlang ich, Allah!   150
Lösch aus in meinem Hirn dies Bild des Greuels!

ALMANSOR.

Noch schwebt mirs vor, wie dieser Botschaft Blitz
In jedem Mund die Zunge kalt gelähmt.
Bleich, stumm und stieren Blickes stand mein Vater,
Die Arme hingen lang und schlaff herab,
Die Kniee schlotterten, und wie er hinsank,
Erhub sich Weiberjammer und Geheul.

HASSAN.

Lösch aus in meinem Hirn dies Bild des Greuels!

ALMANSOR.

Da schloß mich an sein Herz der gute Aly;
Hielt mir besorgt die nassen Augen zu,   160
Um mir des Jammers Anblick zu verbergen,
Und zog mich fort, und hub mich auf sein Roß –

HASSAN *(bitter lächelnd).*

Und trug dich fort nach seinem hübschen Schloß,
Wo dich empfing die liebliche Zuleima,
Und dir die Träne aus dem Aug gelächelt,
Vielleicht geküßt –

ALMANSOR.

                    Du boshaft saurer Hassan!
Vergiß nicht, daß ich noch ein Knabe war.
Auch irrst du dich, Zuleimas Augenstrahlen
Vermochtens nicht, mein nasses Aug zu trocknen.
Ich stahl mich heimlich fort aus Alys Schloß,   170
Und war in wengen Stunden hier zurück.
Hier auf dem Boden wälzte sich mein Vater,
Sein Kleid zerrissen, Asche auf dem Haupt,
Und wildzerrauft des Bartes weiße Locken.
Hier neben ihm lag weinend meine Mutter,
Mitsamt den Dienerinnen schwarz verschleiert.
Und wenn es still ward, und nur eine Stimme

Aufseufzend rief das Wort »Granada!«, so
Ergoß sich doppelt laut die alte Klage.

HASSAN *(weinend)*.

180   Versieget nie, ihr ewgen Tränenquellen!

ALMANSOR.

Sieh nicht so kläglich aus, du alter Hassan!
Weit besser kleidet dich der Löwentrotz,
Mit dem du, harnischglänzend, waffenklirrend,
Zu uns Erstaunten tratest in den Saal.
Ich seh dich noch, wie du zum Vater sprachest:
»Ich kann nicht länger dienen dir, Abdullah,
Dieweil mein Gott jetzt seines Knechts bedarf.«
Und festen Gangs verließest du das Schloß,
Und seit der Zeit sah ich dich niemals wieder.

HASSAN.

190   Zu jenen Kämpfern hatt ich mich gesellt,
Die ins Gebirge, auf die kalten Höhn,
Mit ihren heißen Herzen sich geflüchtet.
So wie der Schnee dort oben nimmer schwindet,
So schwand auch nie die Glut in unsrer Brust;
Wie jene Berge nie und nimmer wanken,
So wankte nimmer unsre Glaubenstreue;
Und wie von jenen Bergen Felsenblöcke
Öfters herunterrollen, allzerschmetternd,
So stürzten wir von jenen Höhen oft,
200   Zermalmend, auf das Christenvolk im Tal;
Und wenn sie sterbend röchelten, die Buben,
Wenn ferne wimmerten die Trauerglocken,
Und Angstgesänge dumpf dazwischen schollen,
Dann klangs in unsre Ohren süß wie Wollust.

Doch hat solch blutigen Besuch erwidert
Unlängst Graf Aquilar mit seinen Rittern.
Der hat zum letzten Tanz uns aufgespielt;
Und beim Geschmetter gellender Trompeten,
Bei der Kanonen dumpfem Paukenschalle,
210   Beim Kehrausfiedeln kastilianscher Klingen,
Und bei der Kugeln lustig hellem Pfeifen,

Flog jählings mancher Maure in den Himmel,
Und wenge nur entrannen wir dem Tanzplatz.
Doch sprich, Almansor, wie erging es Euch?
Mit jenen Freunden floh ich jüngst hierher,
Und fand nur öde Säle, und betrübt
Sahn auf mich nieder diese kahlen Wände,
Und traurge Ahnung gab das traurge Schloß.

ALMANSOR.

Verlange nicht ein Klagelied, laß schlummern
Die lieben Toten und Almansors Schmerzen.   220
Du sahst ja damals, wie auf schwarzem Roß
Der gute Aly hergebracht das Unglück.
Nie kommt das Unglück ohne sein Gefolge!
Tagtäglich kamen aus Granada schlimmre
Botschaften her; und wie der Wandrer schnell
Sich mit dem Antlitz auf den Boden wirft,
Wenn ihm entgegen weht der glühnde Samum,
So stürzten wir oft weinend hin zur Erde,
Daß uns der Kunden giftger Hauch nicht töte.
Bald hörten wir vom Abfall unsrer Priester,   230
Der Morabiten und der Alfaquis; –

HASSAN.

Gibts irgendwo 'nen Glauben zu verschachern,
So sind zuerst die Pfaffen bei der Hand.

ALMANSOR.

Bald hörten wir, daß auch der große Zegri,
In feiger Todesangst, das Kreuz umklammert;
Daß vieles Volk dem Beispiel Großer folgte,
Und Tausende ihr Haupt zur Taufe beugten; –

HASSAN.

Der neue Himmel lockt viel alte Sünder.

ALMANSOR.

Wir hörten, daß der furchtbare Ximenes,
Inmitten auf dem Markte, zu Granada –   240
Mir starrt die Zung im Mund – den Koran
In eines Scheiterhaufens Flamme warf!

HASSAN.

Das war ein Vorspiel nur, dort wo man Bücher

Verbrennt, verbrennt man auch am Ende Menschen.
ALMANSOR.

Am Ende kam die allerschlimmste Botschaft:
                    (stockt)
Daß auch der gute Aly Christ geworden.
                    (Pause)
Da quoll kein Tropfen aus des Vaters Augen,
Kein Klagelaut entstahl sich seinem Mund,
Kein Haar entraufte er dem greisen Haupte; –
50 Nur seine Antlitzmuskeln zuckten krampfhaft,
Und wildverzerrt, und schneidend brach hervor
Aus seiner Brust ein gellendes Gelächter.
Und wie ich mich mit leisem Weinen nahte,
Ergriffs wie Wahnsinnwut den armen Vater.
Er zog den Dolch und nannt mich »Schlangenbrut«
Und wollt mir schon die Brust durchstoßen, – plötzlich
Zog sichs wie sanftrer Schmerz um seine Lippen.
»Du, Knabe, sollst die Schuld nicht büßen«, sprach er,
Und wankte fort nach seiner stillen Kammer.
60 Dort saß er schweigend, ohne Speis und Trank,
Drei Tage lang. Doch wie er da hervorkam,
Schien er wie umgewandelt. Ruhig war er,
Befahl den Knechten: all sein Hab und Gut
Auf Maultier und auf Wagen aufzuladen;
Befahl den Weibern: uns mit Wein und Brot
Für eine lange Reise zu versorgen.
Als das geschehn, nahm er in seine Arme,
Und trug es selbst, das allerbeste Kleinod,
Die Rolle der Gesetze Mahomets,
70 Dieselben alten, heilgen Pergamente,
Die einst die Väter mitgebracht nach Spanien.
Und so verließen wir der Heimat Fluren,
Und zogen fort, halb zaudernd und halb eilig,
Als wenn es unsichtbar, mit weichen Armen
Und schmelzend lieber Stimm, uns rückwärts zöge,
Und dennoch Wolfsgeheul uns vorwärts triebe.
Als wärs ein Mutterkuß beim letzten Scheiden,
So sogen wir begierig ein den Duft

Der spanschen Myrten- und Zitronenwälder;
Derweil die Bäume klagend uns umrauschten,   280
Wehmütig süß die Lüfte uns umspielten,
Und traurge Vöglein, wie zum Lebewohl,
Uns stumme Wandrer stumm umflatterten.

HASSAN.

Ihr hieltet fest in Euren treuen Händen
Den besten Wanderstab, der Väter Glauben.

ALMANSOR.

Wo Tariks Fuß zuerst dies Land betrat,
Setzten wir schleunig über nach Marokko,
Wohin die Besten unsres Volkes flohn.
Doch als wir landeten, erblich die Mutter,
Und legte still ins Grab ihr müdes Haupt.   290

HASSAN.

Von rauher Hand versetzt in fremden Boden,
Hat welken müssen solche zarte Lilje.

ALMANSOR.

In Trauerkleidern reisten wir von dannen,
Und schlossen uns an jene Karawanen,
Die nach dem heilgen Mekka gläubig wallen,
In Jemen, in dem Land der Stammesbrüder,
Schloß auch Abdullah die verweinten Augen,
Und schlummerte hinüber nach der Heimat,
Wo kein Ximenes, keine Isabella.

HASSAN.

Und gibt es in Arabien keine Örter,   300
Wo man den toten Vater kann beweinen?

ALMANSOR.

O, kenntest du die Qual des Ruhelosen,
Den unsichtbare Flammengeißeln treiben!
Noch einmal wollt ich küssen Spaniens Boden –

HASSAN.

Und bei Gelegenheit Zuleimas Lippen.

ALMANSOR (ernst).

Des Vaters Diener ist nicht Herr des Sohnes;
Drum, bittrer Hassan, laß dein bittres Deuteln.
Ja, ich bekenn es, nach Zuleima schmacht ich,

Wie nach dem Morgentau der Sand der Wüste.
10 Noch diese Nacht geh ich nach Alys Schloß.

HASSAN.

Geh nicht nach Alys Schloß! Pestörtern gleich
Flieh jenes Haus, wo neuer Glaube keimt.
Dort zieht man dir, mit süßen Zangentönen,
Aus tiefer Brust hervor das alte Herz,
Und legt dir eine Schlang dafür hinein.
Dort gießt man dir Bleitropfen, hell und heiß,
Aufs arme Haupt, daß nimmermehr dein Hirn
Gesunden kann vom wilden Wahnsinnschmerz.
Dorten vertauscht man dir den alten Namen,
20 Und gibt dir einen neun; damit dein Engel,
Wenn er dich warnend ruft beim alten Namen,
Vergeblich rufe. O, betörtes Kind,
Geh nicht nach Alys Schloß; – du bist verloren,
Wenn man in dir Almansorn wiedersieht!

ALMANSOR.

Besorge nichts; denn niemand kennt mich mehr.
Mein Antlitz trägt des Grames tiefe Furchen,
Getrübt von salzgen Tränen ist mein Aug,
Nachtwandlerartig ist mein schwanker Gang,
Gebrochen, wie mein Herz, ist meine Stimme –
30 Wer sucht in mir den blühenden Almansor?
Ja, Hassan, ja, ich liebe Alys Tochter!
Nur einmal noch will ich sie schaun, die Holde!
Und hab ich mich noch einmal süß berauscht
Im Anblick ihrer lieblichen Gestalt,
In ihre Augen meine Seel getaucht,
Und schwelgend eingehaucht den süßen Odem: –
Dann geh ich wieder nach Arabiens Wüste,
Und setze mich auf jenen steilen Felsen,
Wo Mödschnun saß und Leilas Namen seufzte! –
40 Drum sei nur ohne Sorge, alter Hassan,
Im spanschen Mantel geh ich, unbemerkt
Und unerkannt, im ganzen Schloß herum,
Und meine Bundgenossin ist die Nacht.

HASSAN.

Trau nicht der Nacht, sie birgt im schwarzen Mantel
Viel arge Fratzenbilder, Molch und Schlangen,
Und wirft sie heimlich hin vor deine Füße.
Trau ihrem bleichen Buhlen nicht, der droben
Liebäugelnd aus den Wolken niederblinzelt,
Und hämisch bald, mit schrägen, fahlen Lichtern,
Die Schreckgestalten deines Wegs beflimmert.
Trau nimmer ihrer Bastardbrut dort oben,
Den goldnen Kindlein, die so munter funkeln,
Und freundlich tun, und liebeschmeichelnd nicken,
Und dennoch, wie mit tausend glühnden Fingern,
Am Ende spöttisch auf dich niederdeuten.
Geh nicht nach Alys Schloß! Am Eingang sitzen
Drei dunkle Fraun, und harren deiner Rückkehr,
Um würgend dich mit Inbrunst zu umarmen,
Im Liebeskuß dein Herzblut auszusaugen!

ALMANSOR.

Wirf hemmend dich in eines Mühlrads Speichen,
Dräng mit der Brust zurück des Stromes Flut,
Halt mit den Armen auf des Bergquells Sturz, –
Doch halte mich nicht ab von Alys Schloß.
Dort ziehts mich hin mit tausend Demantfäden,
Die sich verwebt in meines Hirnes Adern
Und in den Fasern meines Herzens; – Hassan,
Schlaf wohl! mein altes Schwert ist mein Begleiter.

HASSAN.

Und deine Leuchte sei dein alter Glaube.

Alys Schloß. Erleuchtetes Kabinett mit einer großen Mitteltüre.
Man hört Tanzmusik. Don Enrique *liegt zu* Zuleimas *Füßen.*

DON ENRIQUE *(pathetisch).*

Ein Zauberduft betäubte meine Sinne,
Und schauernd weiß ich nicht, was ich beginne!
Anbetend sink ich hin zu deinen Füßen,

Um dich als heilge Jungfrau zu begrüßen!
Du bist des Himmels Strahlenkuniginne,
Der ich nicht nahen darf mit irdscher Minne!
Und wenn auch Hymens Bande uns umschließen –
Ich lieg als Knecht dir immerdar zu Füßen!
(Die Musik hat aufgehört. Don Diego ist während dieser Apostro-
phe hereingeschlichen und hat beide Flügel der Mitteltüre geöffnet.
Man sieht einen prächtigen, menschenvollen Ballsaal. Die tanzenden
Paare bleiben stehen und schauen freudig nach Don Enrique *und*
Zuleima. *Einige Stimmen rufen:*
Heil! Heil! Heil! unserm schönen Brautpaar!
Trompetentusch. Don Enrique *steht auf.* Don Diego *schleicht sich*
wieder fort. Die Mitteltüre bleibt offen stehen)

ZULEIMA *(ernst).*
Führt mich zum Saal!
DON ENRIQUE *(reicht ihr den Arm; verwirrt).*
                          Señora, mein Bedienter,
Der Schalk, hat dies getan.
ZULEIMA.
                          Gut, Señor, gut.

Aly *und ein* Ritter *treten in der Türe den Vorigen entgegen.*

ALY *(Er faßt* Don Enrique *beim Arm).*
Nein, liebe Clara, laß mir deinen Bräutgam;
Hier Don Rodrigo führet dich zum Saal.

Zuleima, *vom Ritter geführt, geht ab. Die Mitteltüre schließt sich.*

DON ENRIQUE.
Ich wundre mich –
ALY *(ernst).*
                          Erinnert Ihr Euch nicht,
Daß ich noch ein Geheimnis für Euch habe,
Das ich versprach, noch vor dem Hochzeitstag
Euch mitzuteilen, Señor?
DON ENRIQUE *(neugierig und schmeichelnd).*
                          Ach, Ihr habt
So vieles schon für mich getan –

ALY.

                        Ich nichts,
Nur, nur von Donna Clara hing es ab,
Ob sie die Hand Euch reichen wollt.

DON ENRIQUE.

                         Nein, Señor,
Nur Eure Stimme, die des Vaters, galt.

ALY.

Wohl hatt ich Gründe, Claras Hand Euch nicht   39°
Zu geben. Doch ich hatte nicht das Recht.
Denn wisset: Claras Vater bin ich nicht.

DON ENRIQUE *(kleinlaut)*.

Ihr Vater nicht?

ALY *(lächelnd)*.

                Seid ohne Sorge, Señor,
Urkundlich und durch Testamentes Kraft
Hab ich sie anerkannt als eigne Tochter.
Jetzt, Señor, seht Ihr wohl, warum nur Clara
Verfügen konnte über ihre Hand.
Doch merkts Euch, niemand hier, sie selber nicht,
Kennt dies Geheimnis.

DON ENRIQUE.

                Señor, staunen muß ich –

ALY.

Mitteilen aber muß ichs Euch, dem Bräutgam.   40°
Doch erst gelobt mir, daß Ihr es verschweigt,
Sogar vor Eurer Braut, damit ich ihr
Den großen Schmerz erspare, und die Ruh
Aus ihrem süßen Herzchen nicht verscheuche.

DON ENRIQUE *(gibt ihm den Handschlag)*.

Mit meinem Ritterwort gelob ich Schweigen.

ALY.

Ihr wißt, ich hieß nicht immer Don Gonzalvo.

DON ENRIQUE.

Nicht minder schön und herrlich war der Name,
Den jedermann Euch gab, dem guten Aly.

ALY.

Ja, ja! den guten Aly nannt man mich!

10 Doch hätt man mich mit besserm Recht genannt:
Den Glücklichen. Denn Aly war einst glücklich,
Durch Freundschaft und durch Liebe.   Einen Freund,
Den seltensten der Schätze, gab mir Gott.
Und auch ein Weib, ein Weib, so schön, so mild –
Nein, Sünde ist es, sie ein Weib zu nennen –
Ein Engel lag an meinem selgen Herzen;
Und auch noch Vaterfreuden sollt ich fühlen.
Mein holdes Weib gebar mir einen Knaben;
Sie selber aber wurde bleich und bleicher, –
20 Und starb.
          Da goß der Freund mir Trost ins Herz,
Und da sein Weib, just zu derselben Zeit,
Ein Töchterchen gebar, hat diese Gute
Zu sich genommen mein verwaistes Kind,
Und großgesäugt und mütterlich gepflegt.
Doch als ich wieder zu mir nahm ins Schloß
Den Schmerzensohn, ergriff, bei seinem Anblick,
Mich jedesmal aufs neu der alte Schmerz
Ob seiner toten Mutter. Dieses merkte
Mein kluger Freund, und einst sprach er zu mir:
30 Was dünkt dir, Aly, wenn wir unsre Kinder
Schon jetzt als Braut und Bräutigam verlobten,
Um unsre Freundschaft fester noch zu gründen?
Laut weinend fiel ich in des Freundes Arm,
Und in derselben Stunde ward beschlossen:
Daß ich des Freundes Tochter zu mir nehmen
Und unter Ammenleitung, hier im Schlosse,
Selbst auferziehen sollt, damit ich selbst
Dem eignen Sohn ein wackres Weib erziehe,
Und daß mein Sohn erzogen werden sollte
40 Von meinem Freund, damit er selber bilde
Den künftgen Ehmann seiner einzgen Tochter.
Und dies geschah.

DON ENRIQUE.
          Ich brenne vor Begier –

ALY.
Die Kinder wuchsen auf, und sahn sich oft,

Und liebten sich, – bis das Gewitter kam.
Ihr wißt wohl, wie sein Blitzstrahl eingeschlagen
In des Alhambrahs höchsten Turm, wie viele
Der edelsten Geschlechter von Granada
Zur Religion des Kreuzes sich gewandt.
Ihr wißt, daß es der frommen Christenamme
Schon längst gelang, Zuleimas sanftes Herz   45
Für Christum zu gewinnen, daß die Holde
Den Heiland auch bald öffentlich bekannte,
Und durch der Taufe heilges Sakrament
Den schönen Namen Clara sich gewann.
Ich ging denselben Weg, dem eignen Herzen
Und der geliebten Pflegetochter folgend.
Ich hegte keinen Zweifel, daß mein Freund,
Der Gleichgesinnte, gleichem Beispiel huldge.
Doch wehe mir, er war ein blinder Moslem,
Und nahm die Botschaft auf mit kaltem Zorne,   46
Und ließ mir melden: Seines Gottes Feind,
Den hasse er, als seinen eignen Feind,
Er wolle nie der Gottesleugnerin,
Der eignen Tochter Antlitz wiedersehn,
Er wolle fliehen aus dem Land der Schlangen,
Und meinen Sohn, das eigne Pflegekind,
Den wolle er dem Zorne Allahs opfern,
Und mit des Sohnes Blut den Vater sühnen.
Und Wort gehalten hat der Wüterich!
Vergebens eilte ich nach seinem Schlosse;   47
Er war entflohn, entflohn mit seiner Beute.
Ich sah den armen Knaben nimmer wieder;
Und Krämer einst, die von Marokko kamen,
Erzählten mir vom Tode meines Sohns.

DON ENRIQUE *(mit affektiertem Schmerze).*
O schrecklich! schrecklich! Rührung übermannt mich!
Mein Herz verblutet! Und Ihr habt Euch nicht
Furchtbar gerächt an diesem Wüterich?
Ihr hattet ja des Buben eigne Tochter
In der Gewalt? Wie habt Ihr da gehandelt?

ALY *(stolz).*

80 Ich hab gehandelt, Señor, wie ein Christ.

        (Geht ab)

DON ENRIQUE *(allein).*

  Soll ich es Don Diego sagen? Ja, ja.

  Er soll mal sehn, daß er nicht alles weiß.

  Er sieht mich an für dumm. Nur immer zu!

  Wir wollen sehen, wer der Klügste ist.

        (Die Tanzmusik beginnt wieder)

  Doch still davon. Da rufen schönre Töne,

  Und meine schöne Donna darf nicht warten.

        (Er geht ab)

Nacht. Alys Schloß von außen. Die Fenster sind erleuchtet. Fröhliche
Tanzmusik im Schlosse. Almansor *steht sinnend davor. Die Musik*
        schweigt.

ALMANSOR.

  Fürwahr, recht hübsch ist die Musik. Nur schade

  Hör ich der Zimbeln hübsches helles Klingen,

  Fühl ich im Herzen tausend Natterstiche;

90 Hör ich der Geigen langsam weiche Töne,

  Zieht mir ein Messer schneidend durch die Brust;

  Hör ich dazwischen die Trompeten schmettern,

  Zuckts mir durch Mark und Bein, wie 'n rascher Blitz;

  Und hör ich dröhnend dumpf die Pauken donnern,

  So fallen Keulenschläge auf mein Haupt.

  Ich und dies Haus, wie passen wir zusammen?

  (Wechselnd nach dem Schlosse und nach seiner Brust zeigend)

  Dort wohnt die Lust mit ihren Harfentönen;

  Hier wohnt der Schmerz mit seinen giftgen Schlangen.

  Dort wohnt das Licht mit seinen goldnen Lampen;

00 Hier wohnt die Nacht mit ihrem dunkeln Brüten.

  Dort wohnt die schöne, liebliche Zuleima; –

        (sinnet, zeigt endlich auf seine Brust)

  Wir passen doch, – hier wohnt Zuleima auch.

  Zuleimas Seel wohnt hier im engen Hause,

Hier in den purpurroten Kammern sitzt sie,
Und spielt mit meinem Herzen Ball, und klimpert
Auf meiner Wehmut zarten Harfensaiten,
Und ihre Dienerschaft sind meine Seufzer, –
Und wachsam steht auch meine düstre Laune,
Als schwarzer Frauenhüter, vor der Pforte.

(Zeigt nach dem Schlosse)

Doch was dort oben, in dem hellen Saal,   510
Prachtvoll geschmückt und prangend stolz einhergeht,
Und mit dem Lockenhaupte freundlich zunickt
Dem seidnen Buben, der sich zierlich krümmt, –
Das dort ist nur Zuleimas kalter Schatten,
Nur eine Drahtfigur, der man ein Glasaug
Im Wachsgesichte künstlich eingefugt,
Und die, durch aufgedrehter Federn Kraft,
Den leeren Busen wechselnd hebt und senkt.

(Trompetentusch)

O weh! da kommt der seidne Bube wieder,
Und fordert auf zum Tanz die Drahtfigur.   520
Das holde Glasaug sendet süße Blitze!
Das liebe Wachsgesicht bewegt sich lächelnd!
Der schöne Federbusen schwillt und schwillt!
Mit rauher Hand berühret dort der Bube
Das leichtgebrechlich zarte Kunstgewebe –

(Rauschende Musik)

Umschlingts mit frechem Arm, und zieht es fort
In wilder Tänzer flutendes Gedränge!
Halt ein! halt ein! Ihr Geister meiner Leiden,
Reißt fort den Buben von dem Leib der Holden!
Schlagt ein! schlagt ein! Ihr Blitze meines Zorns!   530
Und lähmt die Hand, die meinen Himmel faßt!
Brecht ein! brecht ein! Ihr Mauern dieses Schlosses,
Und stürzt zermalmend auf des Frevlers Haupt!

(Pause; leisere Musik)

Sie bleiben ruhig stehn, die alten Mauern,
Und meine Wut zerschellt an ihren Quadern.

Ihr seid gar stark gebaut, ihr festen Mauern,

Und doch habt ihr ein schwach und schlecht Gedächtnis!
Ich heiß Almansor, und war sonst der Liebling
Des guten Aly, und auf Alys Knieen
540 Wohnt ich, und »lieber Sohn« nannt Aly mich,
Und strich mir dann mit sanfter Hand den Kopf; –
Und jetzt steh ich, wie 'n Bettler, vor der Türe!
(Die Musik schweigt. Man hört im Schlosse verworrene Stimmen
und lautes Gelächter)
Da spottets mein; holla! ich lache mit!
(Schlägt an die Pforte)
Macht auf! macht auf! ein Gast will übernachten!

Die Schloßtüre öffnet sich. Pedrillo erscheint mit einem Armleuchter;
er bleibt in der Türe stehen.

PEDRILLO.
Beim heiligen Pilatus! Ihr klopft stark;
Auch kommt Ihr spät zum Ball, er ist schon aus.
ALMANSOR.
Ich suche keinen Ball, ich such ein Obdach;
Bin fremd und müd, und dunkel ist die Nacht.
PEDRILLO.
Beim Barte des Propheten – ich wollt sagen
550 Der heiligen Eli – Elisabeth –
Das Schloß ist keine Herberg mehr. Unweit
Von hier steht so ein Ding, das nennt man Wirtshaus.
ALMANSOR.
So wohnt allhier nicht mehr der gute Aly,
Wenn Gastlichkeit aus diesem Schloß verbannt ist.
PEDRILLO.
Beim heilgen Jago von – von Compostella!
Nehmt Euch in acht, denn Don Gonzalvo zürnt,
Wenn man ihn noch den guten Aly nennt.
Zuleima nur,
(schlägt sich vor die Stirne)
wollt sagen Donna Clara,
Darf noch den Namen Aly nennen. Aly,
560 Der irrt sich auch, und nennt sie oft Zuleima.

Auch ich, ich heiße jetzt nicht mehr Hamahmah,
Pedrillo heiß ich, wie in seiner Jugend
Der heilge Petrus hieß; und auch Habahbah,
Die alte Köchin, heißt jetzt Petronella,
Wie einst die Frau des heilgen Petrus hieß;
Und was die alte Gastlichkeit betrifft,
So ist das eine jener Heidensitten,
Wovon dies christlichfromme Haus gesäubert.
Gut Nacht! Ich muß jetzt leuchten unsern Gästen,
Es ist schon spät, und manche wohnen weit.   570
(Er geht ins Schloß zurück und schlägt die Pforte zu. Im Schlosse
wird es bewegter)

ALMANSOR *(allein).*
Kehr um, o Pilger, denn hier wohnt nicht mehr
Der gute Aly und die Gastlichkeit;
Kehr um, o Moslem, denn der alte Glaube
Ist ausgezogen längst aus diesem Hause;
Kehr um, Almansor, denn die alte Liebe
Hat man mit Hohn zur Tür hinausgestoßen,
Und laut verlacht ihr leises Todeswimmern.
Verändert sind die Namen und die Menschen;
Was ehmals Liebe hieß, heißt jetzo Haß. –
Doch hör ich schon die lieben Gäste kommen,   580
Und gar bescheiden geh ich aus dem Weg.
(Geht ab)

Das Schloßtor öffnet sich ganz; buntes Gewühl und verworrene
Stimmen. Bediente *mit Lichtern treten hervor.*

ALYS STIMME.
Nein, Señor, nein, das leid ich nimmermehr.
EINE ANDRE STIMME.
Die Nacht ist ja recht schön und sternenhell.
Unweit von hier stehn unsre Pferd und Maultier,
Und weiche Sänften für die weichen Damen.
EINE DRITTE STIMME *(beschwichtigend).*
Nur eine kleine Strecke ists, Señora,
Und nicht zu groß für Euren kleinen Fuß.

Damen, Ritter, Fackelträger, Musikanten *usw. kommen aus dem*
Schlosse. Jede Dame wird von einem Ritter geführt.

ERSTER RITTER.
   Verstandet Ihr den leisen Wink, Señora?
SEINE DAME *(lächelnd)*.
   Ihr seid heut boshaft, boshaft, Don Antonio.
                  (Gehn vorüber)
EINE ANDRE DAME *(heftig)*.
90 Doch überladen war die Stickerei,
   Und noch ein bißchen maurisch war der Schnitt.
IHR RITTER *(mit verstelltem Ernste)*.
   Jedoch, was soll das arme Mädchen machen
   Mit all den alten, reichen Maurenkleidern?
DIE DAME.
   Gibts keine Maskenbälle, süßer Spötter?
                  (Gehn vorüber)
            Zwei Ritter gehn im Arm gefaßt.
DER ERSTE.
   Dem alten Herrn sah man den Ärger an,
   Als ihm der Diener, mit *gekreuzten* Armen,
   Des Bratens Unfall in der Angst berichtet.
DER ZWEITE *(spöttisch)*.
   Das war noch nichts. Er biß sich blau die Lippen,
   Als Carlos laut den wilden Schweinskopf lobte
500 Und scherzhaft drollig den Propheten schalt,
   Der seinem Volk ein solch Gericht versagt hat.
DER ERSTE *(gutmütig)*.
   Aus lieber Dummheit tats der alte Schlemmer,
   Dem Wein und Bratenduft den Sinn umnebelt.
DER ZWEITE *(mit schlauem Seitenblick)*.
   Die Dummheit geht oft Hand in Hand mit Bosheit.
                  (Gehn vorüber)
            Zwei andre Ritter kommen sprechend.
DER EINE RITTER *(sieht sich sorgsam um)*.
   Wir waren wohl die einzgen Maurenchristen,
   Die Aly eingeladen, und als Carlos –

DER ANDRE RITTER.

Versteh, Schmerz zuckte über Alys Antlitz,
Er sah uns forschend an, – wem traut man jetzt?
(Gehn langsam vorüber)

Musikanten, *ihre Instrumente stimmend, gehen vorüber.*

EIN JUNGER FIEDLER.

Gesprungen ist mir wieder eine Saite.

DER ALTE.

Ja, ja, im Kopfe springt dir sicher keine;   61
Die Saiten des Gehirns strengst du nicht an,
Und plagst mich immer mit den dümmsten Fragen.

DER JUNGE FIEDLER *(schmeichelnd).*

Nur eins noch sag mir, dein Verstand ist ja
So fein, wie eines Fiedelbogens Härchen;
Und du bist ja der Klügste von uns allen,
Du stehst ja zwischen uns, so wie dein Brummbaß
Großmächtig stehet zwischen unsern Geigen –
Doch du bist auch so brummig wie dein Brummbaß –
O sag mir doch: warum denn Don Gonzalvo
So hastig und so ängstlich auf uns einsprang,   62
Als wir den hübschen Maurentanz, den Zambrah,
Aufspielen wollten, und warum statt dessen
Hieß er den spanischen Fandango spielen?

DER ALTE *(mit selbstgefällig pfiffiger Miene).*

He! he! das weiß ich wohl, doch sag ichs nicht;
Denn so was spielt schon in die Politik.
(Sie gehn vorüber)

Man hört im Schlosse Don Enriques *Stimme.*

DON ENRIQUE.

Ich hab genug an *einem* Fackelträger.
Mein Esel, der Diego, leuchtet mir;
(zärtlich)
Und vor mir schweben immer, freundlich leitend
Zwei Liebessternlein, Donna Claras Augen!

Verworrene Stimmen. Die Türe wird geschlossen. Don Enrique
und Don Diego *treten auf; letzterer in Bedientenkleidung und eine*
Fackel tragend.

DON DIEGO *(stolz).*

Wir tauschen jetzt die Rollen, gnädger Herr,
Und Ihr seid jetzt der Diener und – der Esel.

DON ENRIQUE *(nimmt die Fackel).*

Ich tat nach Kräften, Señor, seid nicht launisch.

DON DIEGO *(mit Grandezza).*

Auf Ehre, Señor, ganz ein andrer schient Ihr,
Als ich zuerst Bekanntschaft mit Euch machte,
Im Zuchthaus zu Puente del Sahurro.

DON ENRIQUE *(beschwichtigend).*

Grollt nicht, ich bin Eur treuer Zögling, Señor.

DON DIEGO.

Mein Zögling muß, mit beßren Schmeichelein,
Sich reicher Damen Gunst erwerben können.
Was soll denn der Vergleich mit schmächtgen Sternlein?
Mit Sonnen muß man so ein Lieb vergleichen!
Lernt nur auswendig besser unsre Dichter,
Und schmiert mit Öl geschmeidig Eure Zung,
Die Euch wie eingerostet lag im Munde,
Als Ihr so stumm an Claras Seite saßet.

DON ENRIQUE *(schmachtend).*

Ich sah entzückt auf ihr schneeweißes Händchen!

DON DIEGO *(auflachend).*

Hätt Euch das Blitzen ihrer Demantringe
Das Aug geblendet und die Zung gelähmt,
So ließ ich gelten solch ein süß Verstummen.

(Ironisch langsam)

Entzücken soll Euch freilich Claras Hand,
Wenn sie der alte Herr gefüllt mit – Gold.
Dann will ich mit Euch teilen Eur Entzücken,
Das klingend helle, goldene Entzücken!
Doch überlaß ich Euch allein die Freude
Am süßen Spiele ihrer weißen Finger,
An ihrer Muskeln sanftgeschwellter Weichheit

Und an der Adern bläulichem Gewebe!

DON ENRIQUE *(aufgeblasen)*.

Kein Spott! Ich freie zwar des Vaters Schätze,
Jedoch gesteh ich: Claras Schönheit rührt mich.

DON DIEGO.

Mistpfütze, hüte dich, daß man dich rühre!
Kein Ambrahduft steigt auf durch solche Rührung.   66c
Lieb nicht nach innen, liebe nur nach außen!
Gefühle sind gar schlechte Liebeswerber;
Wort, Miene und Bewegung sind weit beßre.
Und dringen diese Werber noch nicht durch,
So helfen schön gefärbte Jünglingswangen,
Elastisch üppge Waden aus Madrid,
Schnürleiber, hohe Polsterbrust und Kunstbauch,
Die Waffen aus dem Schneiderarsenal.
Und sind auch die zu stumpf, so helfen sicher
Die Mauerbrecher, –   67c

(sieht ihn kaltlächelnd an)

                              Señor, kennt Ihr noch
Die Dokumente, die ich ausgefertigt,
Mit alter Schrift und mit erloschner Dinte,
Die vorsätzlich im Schloß verlornen Briefe,
Die Don Gonzalvo fand, und draus ersah –

(lachend)

Ja, Señor, mir, mir habt Ihr es zu danken,
Daß Ihr ein Prinz geworden; – seid jetzt folgsam;
Sprecht nur, wie ichs Euch habe einstudiert;
Sprecht viel von Religion und von Moral;
Zeigt jene Wunden oft, die Euch im Zuchthaus
Der Büttel schlug, und nennt sie heilge Narben,   68c
Die Ihr im Feldzug für die gute Sache
Erbeutet habt; sprecht viel von der Courage;
Vor allem aber kräuselt oft den Schnauzbart.

DON ENRIQUE.

Ich beuge mich vor Eurer Klugheit, Señor.
Nur kann ich noch Eur Kunststück nicht begreifen,
Wie Ihr den Pfaffen ins Intresse zoget?

DON DIEGO.

Die Pfaffen sind ja auch vom Handwerk, Señor,
Und heilge Männer haben heilge Zwecke,
Und brauchen Gold für ihre Kirchenkelche,
690 Und brauchen Wein, um sie damit zu füllen.
Ihr merktet nicht, daß ich die Volte schlug?
Ich gab Euch gute Karten, und da trumpft
Nun Euer Herz die Dame, und den König,
Den Alten, trumpft Ihr lustig mit dem Kreuz;
Und morgen ist das Spiel gewonnen, morgen,
Dann gratulier ich Euch zu Eurer Hochzeit.

DON ENRIQUE *(andächtig gen Himmel schauend).*

Ich danke dir, du Vater in der Höh!

DON DIEGO.

Ja, freilich in der Höh, denn luftig schwebt er
Am hohen Galgen zu San Salvador.

(Sie gehn ab)

Almansor *tritt auf.*

ALMANSOR.

700 Die buntgeputzten Fledermäus und Eulen
Sind nun vorbei geflirrt. Recht widerlich
Drang mir ins Ohr ihr heiserharsches Schrillen,
Und atmen konnt ich kaum in ihrer Näh.
Zuleima, dich umschwärmt solch Nachtgevögel?
Dich, weiße Taub, umkreisen solche Raben?
Dich, schöne Ros, umkriechet solch Gewürm?
Hält denn ein Zauber dich umstrickt, Zuleima?
Ist denn das Bild des flehenden Almansors
In deiner Seele ganz und gar erloschen?
710 Kommt nie Erinnrung an Almansors Liebe
Aus deinem Busen seufzend aufgestiegen?

Dort oben wallen tausend Liebesboten,
Und jedem gab ich tausend Liebesgrüße,
Und schmerzlich süß entfloß mein glühend Blut,
Bei jedem Gruß, aus tausend Liebeswunden;

Und dennoch brachte keiner dieser Boten
Der Heißgeliebten meine heißen Grüße!
Schämt euch, untreue Boten, Sterne oben,
Die ihr so klug und pfiffig niederblinzelt,
Und euch als Menschenschicksal-Lenker brüstet!   720
Ihr konntet nicht bestellen meine Grüße –
Und blöde Tauben tragen, treu und sicher,
Den Liebesbrief des Hirten in der Wüste! –

Das Schloßgesinde ist zu Bett gegangen,
Bedächtig sind die Lichter ausgelöscht,
Und nur ein einzges noch strahlt dort durchs Fenster;
Ich kenn dies Fenster noch; dort schläft Zuleima.
Dort stand ich manche schöne Sommernacht,
Und ließ die Laute klingen, bis die Liebste,
Mit süßem Wort, auf dem Balkon erschien.   730
(Er zieht eine Laute hervor)
Hier ist die alte Laute. Klingend schwebt mir
Im Kopf das alte Lied; und sehen möcht ich,
Ob auch der alte Zauberklang noch wirkt.
(Er spielt und singt)
    Güldne Sternlein schauen nieder,
    Mit der Liebe Sehnsuchtwehe;
    Bunte Blümlein nicken wieder,
    Schauen schmachtend in die Höhe.

    Zärtlich blickt der Mond herunter,
    Spiegelt sich in Bächleins Fluten,
    Und vor Liebe taucht er unter,   740
    Kühlt im Wasser seine Gluten.

    Wollustatmend, in der Schwüle,
    Schnäbeln weiße Turteltäubchen;
    Flimmernd, wie zum Liebesspiele,
    Fliegt der Glühwurm nach dem Weibchen.

    Lüftlein schauern wundersüße,
    Ziehen feiernd durch die Bäume,

Werfen Kuß und Liebesgrüße
Nach den Schatten weicher Träume.

50   Blümlein hüpfet, Bächlein springet,
Sternlein kommt herabgeschossen,
Alles wacht und lacht und singet –
Liebe hat ihr Reich erschlossen.

ZULEIMAS *Stimme im Schloß.*
Ist es ein Traum, der freundlich mich umgaukelt
Und liebe Töne in mein Ohr zurückruft?
Ist es ein Unhold, der, mich zu verlocken,
Des Freundes süße Stimme künstlich nachäfft?
Ists gar der tote, irrende Almansor,
Der in der Nacht gespenstisch mich umschleicht?

ALMANSOR.
60   Es ist kein Traum, der täuschend dich umgaukelt,
Es ist kein Unhold, der dich will verlocken,
Auch ists kein toter, irrender Almansor –
Es ist Almansor selbst, der Sohn Abdullahs.
Er ist zurückgekehrt, und trägt noch immer
Lebendge Liebe im lebendgen Herzen.

Zuleima *tritt, mit einem Lichte, auf den Balkon.*

ZULEIMA.
Sei mir gegrüßt, Almansor ben Abdullah,
Sei mir gegrüßt im Reiche der Lebendgen!
Denn längst kam uns die trübe Mär: tot sei
Almansor, – und Zuleimas Augen wurden
70   Zwei unversiegbar stille Tränenquellen.

ALMANSOR.
O süße Lichter, holde Veilchenaugen,
So seid ihr mir noch immer treu geblieben,
Als meiner schon vergaß Zuleimas Seele!

ZULEIMA.
Die Augen sind der Seele klare Fenster,
Und Tränen sind der Seele weißes Blut.

ALMANSOR.
Und floß auch Blut schon aus Almansors Seele,

Am Grab der Mutter und am Grab des Vaters,
So muß sie jetzt doch ganz und gar verbluten,
Hier an dem Grabe von Zuleimas Liebe.

ZULEIMA.

O schlimme Worte und noch schlimmre Kunden!   78
Ihr bohrt euch schneidend ein in meine Brust,
Und auch Zuleimas Seele muß verbluten.

(Sie weint)

ALMANSOR.

O weine nicht! Wie glühnde Naftatropfen,
So fallen deine Tränen auf mein Herz.
Mein Wort soll dich jetzt nimmermehr verletzen!
Verehren will ich dich wie 'n Heiligtum,
In dessen Näh sogar des Blutes Rächer
Die scharfe Spitze abbricht von der Lanze;
In dessen Näh die Taube und Gazelle
Gesichert sind vor schlimmen Jägerspfeilen;   79
In dessen Näh selbst gierge Räubershände
Sich demutsvoll nur zum Gebet bewegen.
Zuleima, du bist meine heilge Kaaba,
Dich glaubte ich zu küssen, als zu Mekka
Mein glühnder Mund berührt den heilgen Stein; –
Du bist so süß, doch auch so kalt wie er!

ZULEIMA.

Bin ich dein Heiligtum, so brich sie ab,
Die scharfe Lanzenspitze deiner Worte;
So laß im Köcher ruhn die argen Pfeile,
Die luftbefiedert in mein Herze treffen;   80
Und falte nicht wie zum Gebet die Hände,
Um desto sicherer meine Ruh zu rauben.
Genug schon schmerzt mich deine böse Kunde
Vom Tod Abdullahs und Fatymas; beide
Hab ich wie eigne Eltern stets geliebt,
Und beide nannten mich auch gerne »Tochter!«
O sprich, wie starb Fatyma, unsre Mutter?

ALMANSOR.

Auf ihrem Ruhebette lag die Mutter,
Zur Linken kniete ich und weinte still,

Zur Rechten stand Abdullah, starr und stumm,
Und mit der Friedenspalme schwebte sichtbar
Der Todesengel über Mutters Haupt.
Ich wollte sie entreißen diesem Engel,
Und ängstlich hielt ich fest der Mutter Hand.
Doch wie die Sanduhr leis und leiser rinnet,
So rann das Leben aus der Hand der Mutter;
Auf ihrem bleichen Antlitz zuckten wechselnd
Ein Lächeln und ein Schmerz, und wie ich leise
Mich hinbog über sie, da seufzte sie
Aus tiefer Brust: »Bring diesen Kuß Zuleimen.«
Bei diesem Namen stöhnte auf Abdullah,
Wie ein zu Tod getroffnes, wildes Tier.
Die Mutter sprach nicht mehr, die kalte Hand nur
Lag in der meinigen, wie ein Versprechen.

ZULEIMA.

O Mutter, o Fatyma, du hast noch
Bis in den Tod geliebt dein armes Kind!
Abdullah aber hat mich noch gehaßt,
Als er hinabstieg in sein dunkles Haus.

ALMANSOR.

Nicht mit ins Grab nahm er den Haß. Obzwar,
Wenn nur durch Zufall ihm ins Ohr geklungen
Die Namen Aly und Zuleima, so
Erwacht in seiner Brust der Sturm, wie Wolken
Umzog es seine Stirn, sein Auge blitzte,
Und seinem Mund entquoll Verwünschungsfluch.
Doch einst nach solchem Sturme fiel der Vater,
Ermattet und betäubt, in tiefen Schlaf.
Ich stand bei ihm, auf sein Erwachen harrend.
Wie staunte ich! Als er die Wimper aufschlug,
Da lag in seinem Blick, statt Zornesglühen,
Nur klare Freundlichkeit und fromme Milde;
Statt seiner Wahnsinnschmerzen wildes Zuckens
Umschwebte heitres Lächeln seine Lippen;
Und statt den grausen Fluch hervorzufluchen,
Sprach er zu mir mit leiser, weicher Stimme:
»Die Mutter wills nun mal, ich kanns nicht ändern,

Drum geh nur hin, mein Sohn, durchschiff das Meer,
Geh nach Hispanien zurück, geh hin
Nach Alys Schloß, und suche dort Zuleima,
Und sage ihr« –
                    Da kam der Todesengel,
Und schnitt, mit scharfem Schwerte, rasch entzwei   8
Abdullahs Leben und Abdullahs Rede.
                    (Pause)
Ich habe ihn ins Grab gelegt, doch nicht,
Nach Moslembrauch, das Antlitz gegen Mekka;
Gegen Granada hab ich, wie ers einst
Befahl, sein totes Angesicht gerichtet.
So liegt er mit den stieren, offnen Augen,
Und sieht mir immer nach.
                    (Sich allmählich umdrehend)
                    Du toter Vater,
Du sahst mich wandern durch den Sand der Wüste,
Und sahst mich schiffen nach der Küste Spaniens,
Und sahst mich eilen nach dem Schlosse Alys,   8
Und siehst mich hier, –
                    hier steh ich vor Zuleima,
Sag nun, Abdullahs Geist, was soll ich sprechen?

Eine, in einem schwarzen Mantel verhüllte, Gestalt tritt auf.

DIE GESTALT.

O sprich zu ihr: Zuleima, steig herunter
Aus deines Marmorschlosses güldnen Kammern,
Und schwing dich auf Almansors edles Roß.
Im Lande, wo des Palmbaums Schatten kühlen,
Wo süßer Weihrauch quillt aus heilgem Boden,
Und Hirten singend ihre Lämmer weiden:
Dort steht ein Zelt von blendend weißer Leinwand,
Und die Gazelle mit den klugen Augen,   8
Und die Kamele mit den langen Hälsen,
Und schwarze Mädchen mit den Blumenkränzen
Stehn an des Zeltes buntgeschmücktem Eingang
Und harren ihrer Herrin – O Zuleima,
Dorthin, dorthin entfliehe mit Almansor.

Garten vor Alys Schloß, blühend und von der Morgensonne be-
leuchtet. Zuleima liegt betend vor einem Christusbilde. Sie steht
langsam auf.

ZULEIMA.

Und doch liegt noch die Sorg auf dieser Brust!
Mein Herze zittert noch. Ist es vor Freude,
Daß er noch lebt, den ich als tot beweint?
Nein, nicht vor Freude, die verträgt sich nicht
Mit meinem heilgen Eid, mit dem Versprechen,
Das ich dem frommen Abt des Klosters gab.
Almansor ist zurückgekommen! Wenn
Mein Vater das erfährt – Wird nicht sein Zorn
Den Sohn des Todfeinds treffen? Noch erlosch nicht
Sein Groll, noch liegen lauernd in der Brust ihm
Viel schlimme Geister, die mit Wut entsteigen,
Wenn nur sein Ohr Abdullahs Namen hört.
Was hat Abdullah ihm getan? Mein Vater
Ist sonst so mild! Ich hab ihn oft behorcht;
Des Nachts durchwandelt er des Schlosses Gänge,
Mit bloßem Schwert, und ruft: »Abdullah, komm,
Wir wollen fechten, Blut will Blut« – Almansor!
Dich darf er nimmer schaun, entflieh! entflieh!
Der Väter Feindschaft bringt den Kindern Tod.
Mit meinem Schleier will ich dich umhüllen,
Daß meines Vaters Blick dich nimmer treffe.
Ich seh dich in Gefahr, und es erwachen
All die Gefühle, die mich einst bewegten,
Als wir noch Braut und Bräutgam kindisch spielten,
Als du den morschen Apfelbaum erklettert,
Als ich dich weinend, und mit bangen Bitten,
Herunterlockte von der schlimmen Höh.
                    (Sinnend)
»Tot ist Almansor«, sagten böse Leute,
Und böser Kunde glaubte böses Herz,
Und Braut des fremden Mannes ward Zuleima!
Ich will dich lieben, wie man liebt den Bruder, –
Sei mir ein Bruder, lieblicher Almansor!
          (Sie sieht zur Erde und seufzt: »Almansor!«*)*

Almansor ist unterdessen hinter Zuleima erschienen, naht sich derselben unbemerkt, legt beide Hände auf ihre Schulter, und lächelnd seufzt er im selben Tone: »Zuleima!«

ZULEIMA *(dreht sich erschrocken um und betrachtet ihn lange).*
Du hast dich viel verändert, mein Almansor.
Du siehst fast aus wie 'n starker Mann, doch hast du
Die wilden Knabensitten nicht vergessen,
Und störst mich wieder, eben so wie sonst,
Wenn ich mit meinen Blumen heimlich spreche.

ALMANSOR *(heiter lächelnd).*
Sag mir, mein Liebchen, welche Blume ist es,
Die jetzt »Almansor« heißt? Ein trüber Name,
Der nur für Trauerblumen passen könnt!

ZULEIMA.
Sag mir zuvor, du wilder, finstrer Buhle,
Wer war der schwarze Sprecher diese Nacht?

ALMANSOR.
Es war ein alter Freund, du kennst ihn gut.
Der alte Hassan wars, der vielbesorgt,
Wie 'n treues Tier, gefolget meiner Spur.

Leg ab, mein süßes Lieb, die finstre Miene,
Den schwarzen Flor, der deinen Blick umdüstert.
Wie 'n Schmetterling die Raupenhülle abstreift
Und leuchtend bunt entfaltet seine Flügel,
So hat die Erde abgestreift das Dunkel,
Womit die Nacht ihr schönes Haupt umschleiert.
Die Sonne senkt sich küssend auf sie nieder;
Im grünen Wald erwacht ein süßes Singen;
Der Springborn rauscht und stäubet Diamanten;
Die hübschen Blümlein weinen Wonnetränen; –
Das Licht des Tages ist ein Zauberstab,
Der all die Blumen und die Lieder weckte,
Der selbst Almansors Seele konnt entnachten.

ZULEIMA.
Trau nicht den Blumen, die hierher dir winken,
Trau nicht den Liedern, die hierher dich locken,
Sie winken und sie locken in den Tod.

ALMANSOR.

    Ich weiche nicht, und weich auch nicht dem Tod.
    Mir ist so wohl, so heimlich wohl allhier!
    Sie steigen auf, die goldnen Knabenträume!
40   Hier ist der Garten, wo ich gerne spielte,
    Hier blühn die Blumen, die mir freundlich nickten,
    Hier singt der Zeisig, der mich morgens grüßte, –
    Doch sprich, mein Lieb, ich sehe nicht die Myrte,
    Wo sie einst stand, da steht jetzt die Zypresse?

ZULEIMA.

    Die Myrte starb, und auf das Grab der Myrte
    Hat man gepflanzt die traurige Zypresse.

ALMANSOR.

    Noch steht die Laube von Jasmin und Geißblatt,
    Wo wir die hübschen Märchen uns erzählten,
    Von Mödschnuns Wahnsinn und von Leilas Sehnsucht,
50   Von beider Liebe und von beider Tod.
    Hier steht auch noch der liebe Feigenbaum,
    Mit dessen Frucht du meine Märchen lohntest;
    Hier stehn auch noch die Trauben und Melonen,
    Die uns erquickten, wenn wir lang geschwatzt –
    Doch sprich, mein Lieb, ich seh nicht den Granatbaum,
    Worauf einst saß und sang die Nachtigall,
    Ihr Liebesweh der roten Rose klagend.

ZULEIMA.

    Die rote Rose ward vom Sturm entblättert,
    Die Nachtigall samt ihrem Liede starb,
60   Und böse Äxte haben abgehaun
    Den edeln Stamm des blühenden Granatbaums.

ALMANSOR.

    Hier ist mir wohl! Auf diesem lieben Boden
    Klebt fest mein Fuß, wie heimlich angekettet;
    Ich bin gebannt in diesen lieben Kreisen,
    Die du um mich gezogen, schöne Fee;
    Vertraute Balsamdüfte mich umhauchen,
    Die Blumen sprechen und die Bäume singen,
    Bekannte Bilder hüpfen aus den Büschen –
        (Er erblickt das Christusbild, befremdet)

Doch sprich, mein Lieb, dort steht ein fremdes Bild,
Das schaut mich an so mild, und doch so traurig,   97
Und eine bittre Träne läßt es fallen
In meinen schönen, goldnen Freudenkelch.

ZULEIMA.

Und kennst du nicht dies heilge Bild, Almansor?
Hast du es nie geschaut in selgen Träumen?
Trafst du es wachend nie auf deinen Wegen?
Besinn dich wohl, du mein verlorner Bruder!

ALMANSOR.

Wohl traf ich schon auf meinem Weg dies Bildnis,
Am Tage meiner Rückkehr in Hispanien.
Links an der Straße, die nach Xeres führt,
Steht prangend eine herrliche Moschee.   98
Doch wo der Türmer einst vom Turme rief:
»Es gibt nur einen Gott, und Mahomet
Ist sein Prophet!« da klung jetzund herab
Ein dröhnend dumpfes, schweres Glockenläuten.
Schon an der Pforte goß sich mir entgegen
Ein dunkler Strom gewaltger Orgeltöne,
Die hoch aufrauschten und wie schwarzer Sud,
Im glühnden Zauberkessel, qualmig quollen.
Und wie mit langen Armen zogen mich
Die Riesentöne in das Haus hinein,   99
Und wanden sich um meine Brust, wie Schlangen,
Und zwängten ein die Brust, und stachen mich,
Als läge auf mir das Gebirge Kaff,
Und Simurghs Schnabel picke mir ins Herz.
Und in dem Hause scholl, wie 'n Totenlied,
Das heisre Singen wunderlicher Männer,
Mit strengen Mienen und mit kahlen Häuptern,
Umwallt von blumgen Kleidern, und der feine
Gesang der weiß- und rotgeröckten Knaben,
Die oft dazwischen klingelten mit Schellen   100
Und blanke Weihrauchfässer dampfend schwangen.
Und tausend Lichter gossen ihren Schimmer
Auf all das Goldgefunkel und Geglitzer,
Und überall, wohin mein Auge sah,

Aus jeder Nische nickte mir entgegen
Dasselbe Bild, das ich hier wiedersehe.
Doch überall sah schmerzenbleich und traurig
Des Mannes Antlitz, den dies Bildnis darstellt.
Hier schlug man ihn mit harten Geißelhieben,
Dort sank er nieder unter Kreuzeslast,
Hier spie man ihm verachtungsvoll ins Antlitz,
Dort krönte man mit Dornen seine Schläfe,
Hier schlug man ihn ans Kreuz, mit scharfem Speer
Durchstieß man seine Seite, – Blut, Blut, Blut
Entquoll jedwedem Bild. Ich schaute gar
Ein traurig Weib, die hielt auf ihrem Schoß
Des Martermannes abgezehrten Leichnam,
Ganz gelb, und nackt, von schwarzem Blut umronnen –
Da hört ich eine gellend scharfe Stimme:
»Dies ist sein Blut«, und wie ich hinsah, schaut ich
(schaudernd)
Den Mann, der eben einen Becher austrank.
(Pause)

ZULEIMA.

Ins Haus der Liebe trat dein Fuß, Almansor,
Doch Blindheit lag auf deinen Augenwimpern.
Vermissen mochtest du den heitern Schimmer,
Der leicht durchgaukelt alte Heidentempel,
Und jene Werkeltagsbequemlichkeit,
Die in des Moslems dumpfer Betstub kauert.
Ein ernstres, beßres Haus hat sich die Liebe
Zur Wohnung ausgesucht auf dieser Erde.
In diesem Hause werden Kinder mündig,
Und Mündge werden da zu Kindern wieder;
In diesem Hause werden Arme reich,
Und Reiche werden selig in der Armut;
In diesem Hause wird der Frohe traurig,
Und aufgeheitert wird da der Betrübte.
Denn selber als ein traurig armes Kind
Erschien die Liebe einst auf dieser Erde.
Ihr Lager war des Stalles enge Krippe,
Und gelbes Stroh war ihres Hauptes Kissen.

Und flüchten mußte sie wie 'n scheues Reh,   104
Von Dummheit und Gelehrsamkeit verfolgt.
Für Geld verkauft, verraten ward die Liebe,
Sie ward verhöhnt, gegeißelt und gekreuzigt; –
Doch von der Liebe sieben Todesseufzern
Zersprangen jene sieben Eisenschlösser,
Die Satan vorgehängt der Himmelspforte,
Und wie der Liebe sieben Wunden klafften,
Erschlossen sich aufs neu die sieben Himmel,
Und zogen ein die Sünder und die Frommen.
Die Liebe wars, die du geschaut als Leiche   10
Im Mutterschoße jenes traurgen Weibes.
O, glaube mir, an jenem kalten Leichnam
Kann sich erwärmen eine ganze Menschheit,
Aus jenem Blute sprossen schönre Blumen
Als aus Alradschids stolzen Gartenbeeten,
Und aus den Augen jenes traurgen Weibes
Fließt wunderbar ein süßres Rosenöl,
Als alle Rosen Schiras' liefern könnten.
Auch du hast Teil, Almansor ben Abdullah,
An jenem ewgen Leib und ewgen Blute,   10
Auch du kannst setzen dich zu Tisch mit Engeln
Und Gottesbrot und Gotteswein genießen,
Auch du darfst wohnen in der Selgen Halle,
Und, gegen Satans starke Höllenmacht,
Schützt dich mit ewgem Gastrecht Jesu Christ,
Wenn du genossen hast sein »Brot und Wein«.

ALMANSOR.

Du sprachest aus, Zuleima, jenes Wort,
Das Welten schafft und Welten hält zusammen;
Du sprachest aus das große Wörtlein »Liebe!«
Und tausend Engel singens jauchzend nach,   10
Und in den Himmeln klingt es schallend wieder;
Du sprachst es aus, und Wolken wölben sich,
Dort oben hoch, wie eines Domes Kuppel,
Die Ulmen rauschen auf, wie Orgeltöne,
Die Vöglein zwitschern fromme Andachtlieder,
Der Boden dampft von wallend süßem Weihrauch,

Der Blumenrasen hebt sich als Altar, –
Nur eine Kirch der Liebe ist die Erde.

ZULEIMA.

Die Erde ist ein großes Golgatha,
80 Wo zwar die Liebe siegt, doch auch verblutet.

ALMANSOR.

O, flechte nicht zum Totenkranz die Myrte,
Und hüll die Liebe nicht in Trauerflöre.
Der Liebe Priesterin bist du, Zuleima,
Die Liebe wohnt in deines Busens Zelle,
Aus deiner Äuglein klaren Fenstern schaut sie,
Ihr Odem weht aus deinem süßen Munde –
Auf euch, ihr sammetweiche Purpurkissen,
Auf euch, ihr holden Lippen, thront die Liebe,
Auf euch möcht sich Almansors Seele betten, –
90 Ei, hörst du nicht Fatymas letzte Worte:
»Bring diesen Kuß Zuleimen, meiner Tochter«. –
(Sie sehen sich lange und wehmütig an. Sie küssen sich feierlich)

ZULEIMA.

Fatymas Totenkuß hab ich empfangen,
Nimm hin dagegen Christi Lebenskuß.

ALMANSOR.

Es war der Liebe Odem, den ich trank
Aus einem Becher mit Rubinenrande;
Es war ein Feuerborn, woraus ich trank
Ein Öl, das heiß durch meine Adern rinnet,
Und mir das Herz erquicket und verbrennt.
                    (Umschlingt sie)
Ich laß nicht ab von dir, von dir, Zuleima!
100 Und ständen offen Allahs goldne Hallen,
Und Huris winkten mir mit schwarzen Augen,
Ich ließ nicht ab von dir, ich blieb bei dir,
Umschlänge fester deinen süßen Leib, –
Dein Himmel nur, Zuleimas Himmel nur,
Sei auch Almansors Himmel, und dein Gott
Sei auch Almansors Gott, Zuleimas Kreuz
Sei auch Almansors Hort, dein Christus sei
Almansors Heiland auch, und beten will ich

In jener Kirche, wo Zuleima betet.

Beseligt schwimm ich wie in Liebeswellen,
Von weichen Harfenlauten süß umklungen;
Die Bäume tanzen wunderlichen Reigen; –
Die Englein schütten neckend Sonnenstrahlen
Und bunten Blütenstaub auf mich herab; –
Erschlossen ist des Himmels stille Pracht; –
Hellgoldne Schwingen tragen mich hinauf, –
Zur Seligkeit hinauf! –

(In der Ferne hört man Glockengeläute und Kirchengesang)
ZULEIMA *(sich erschrocken von ihm wendend)*.

Jesus Maria!

ALMANSOR.

Welch dunkler Laut zerreißt den goldnen Schleier,
Womit mich selge Träume leicht umwoben?
Erblassen seh ich plötzlich dich, mein Lieb,
Mein Röslein wandelt sich in eine Lilje, –
Sag an, mein Lieb, hast du den Tod geschaut,
Der unsichtbar erscheinet, uns zu trennen?

ZULEIMA.

Der Tod, der trennet nicht, der Tod vereinigt,
Das Leben ists, was uns gewaltsam trennt.
Hörst du, Almansor, was die Glocken murmeln?
Sie murmeln dumpf:

(verhüllt sich)
»Zuleima wird vermählt heut
Mit einem Mann, der nicht Almansor heißt.«
(Pause)

ALMANSOR.

So hast du mir ins Herz hineingezischt
Dein schlimmstes Gift, du Schlangenkönigin!
Von diesem Gifthauch welken rings die Blumen,
Des Springborns Wasser wandelt sich in Blut,
Und tot fällt aus der Luft herab der Vogel.
So hast du mich hineingesungen, Falsche,
In jene Folterkammer, die du Kirch nennst,
Und kreuzigst mich an deines Gottes Kreuz,

Und ziehst geschäftig an den Glockensträngen,
Und spielst die Orgel, um zu übertäuben
Mein lautes Reu- und Angstgebet zu Allah!
140 So hast du mich gelockt, du schlimme Fee,
In deinen Muschelwagen mit den Täubchen,
Hast mich hinaufgelockt bis in die Wolken,
Um jählings mich von dort herabzuschleudern.
Ich höre fallend noch dein Spottgelächter,
Ich sehe fallend, wie dein Zauberwagen
Zu einem Sarge wird, mit Feuerrädern,
Wie deine Tauben sich in Drachen wandeln,
Wie du sie lenkst am schwarzen Schlangenzügel, –
Und grausen Fluch hinunterbrüllend, stürz ich
150 Hinab, hinab, bis in den Schlund der Hölle,
Und Teufel selbst erschrecken und erbleichen
Bei meinem Wahnsinnfluch und Wahnsinnanblick.
Fort! fort von hier! Ich weiß noch einen Fluch,
Spräch ich ihn aus, müßt Eblis selbst erblassen,
Die Sonne müßt erschrocken rückwärts eilen,
Die Toten kröchen zitternd aus den Gräbern,
Und Mensch und Tier und Bäume würden Stein.
(Stürzt fort)
*(Zuleima, die bis jetzt verhüllt und unbeweglich stand, wirft sich
nieder vor dem Christusbilde. Ein Kirchenlied singend, ziehen Mön-
che, mit Kirchenfahnen und Heiligenbildern, in Prozession vorüber)*

Waldgegend.

DER CHOR.
Es ist ein schönes Land, das schöne Spanien,
Ein großer Garten, wo da prangen Blumen,
160 Goldäpfel, Myrten; – aber schöner noch
Prangten mit stolzem Glanz die Maurenstädte,
Das edle Maurentum, das Tarik einst,
Mit starker Hand, auf spanschen Boden pflanzte.
Durch manch Ereignis war schon früh gediehn

Das junge Reich; es wuchs und blühte auf
In Herrlichkeit, und überstrahlte fast
Des alten Mutterlands ehrwürdge Pracht.
Denn als der letzte Omayad entrann
Dem Gastmahl, wo der arge Abasside
Der Omayaden blutge Leichenhaufen   117
Zu Speisetischen höhnend aufgeschichtet;
Als Abderam nach Spanien sich gerettet,
Und wackre Mauren treu sich angeschlossen
Dem letzten Zweig des alten Herrscherstamms, –
Da trennte feindlich sich der spansche Moslem
Vom Glaubensbruder in dem Morgenlande;
Zerrissen ward der Faden, der von Spanien,
Weit übers Meer, bis nach Damaskus reichte,
Und dort geknüpft war am Kalifenthron;
Und in den Prachtgebäuden Cordovas   118
Da wehte jetzt ein reinrer Lebensgeist
Als in des Orients dumpfigen Haremen.
Wo sonst nur grobe Schrift die Wand bedeckte,
Erhub sich jetzt in freundlicher Verschlingung,
Der Tier- und Blumenbilder bunte Fülle;
Wo sonst nur lärmte Tamburin und Zimbel,
Erhob sich jetzt, beim Klingen der Chitarre,
Der Wehmutsang, die schmelzende Romanze;
Wo sonst der finstre Herr, mit strengem Blick,
Die bange Sklavin trieb zum Liebesfron,   119
Erhub das Weib jetzund sein Haupt als Herrin,
Und milderte, mit zarter Hand, die Roheit
Der alten Maurensitten und Gebräuche,
Und Schönes blühte, wo die Schönheit herrschte.
Kunst, Wissenschaft, Ruhmsucht und Frauendienst,
Das waren jene Blumen, die da pflegte
Der Abderamen königliche Hand.
Gelehrte Männer kamen aus Byzanz,
Und brachten Rollen voll uralter Weisheit;
Viel neue Weisheit sproßte aus der alten;   120
Und Scharen wißbegierger Schüler wallten,
Aus allen Ländern, her nach Cordova,

Um hier zu lernen, wie man Sterne mißt,
Und wie man löst die Rätsel dieses Lebens.
Cordova fiel, Granada stieg empor
Und ward der Sitz der Maurenherrlichkeit.
Noch klingts in blühend stolzen Liedern von
Granadas Pracht, von ihren Ritterspielen,
Von Höflichkeit im Kampf, von Siegergroßmut,
Und von dem Herzenspochen holder Damen,
Die streiten sahn die Ritter ihrer Farbe.

Doch wars ein ernstrer Ritterkampf, worin
Sie selber fiel, die leuchtende Granada,
Und ritterliche Großmut war es nicht,
Als jüngst sein Wort, womit er Glaubensfreiheit
Verbürget hatt, der Sieger listig brach,
Und den Besiegten nur die Wahl gelassen,
Entweder Christ zu werden, oder fort
Aus Spanien nach Afrika zu fliehn.
Da wurde Aly Christ. Er wollte nicht
Zurück ins dunkle Land der Barbarei.
Ihn hielt gefesselt edle Sitte, Kunst
Und Wissenschaft, die in Hispanien blühte.
Ihn hielt gefesselt Sorge für Zuleima,
Die zarte Blume, die im Frauenkäfig
Des strengen Morgenlands hinwelken sollte.
Ihn hielt gefesselt Vaterlandesliebe,
Die Liebe für das liebe, schöne Spanien.
Doch was am meisten ihn gefesselt hielt,
Das war ein großer Traum, ein schöner Traum,
Anfänglich wüst und wild, Nordstürme heulten,
Und Waffen klirrten, und dazwischen riefs:
»Quiroga und Riego!« tolle Worte!
Und rote Bäche flossen, Glaubenskerker
Und Zwingherrnburgen stürzten ein, in Glut
Und Rauch, und endlich stieg, aus Glut und Rauch,
Empor das ewge Wort, das urgeborne,
In rosenroter Glorie selig strahlend.

(Geht ab)

Almansor *wankt träumerisch einher.*

ALMANSOR *(kalt und verdrossen).*
In alten Märchen gibt es goldne Schlösser,
Wo Harfen klingen, schöne Jungfraun tanzen,   120
Und schmucke Diener blitzen, und Jasmin
Und Myrt und Rosen ihren Duft verbreiten –
Und doch ein einziges Entzaubrungswort
Macht all die Herrlichkeit im Nu zerstieben,
Und übrig bleibt nur alter Trümmerschutt,
Und krächzend Nachtgevögel, und Morast.
So hab auch ich mit einem einzgen Worte
Die ganze blühende Natur entzaubert.
Da liegt sie nun, leblos und kalt und fahl,
Wie eine aufgeputzte Königsleiche,   125
Der man die Backenknochen rot gefärbt
Und in die Hand ein Scepter hat gelegt.
Die Lippen aber schauen gelb und welk,
Weil man vergaß sie gleichfalls rot zu schminken,
Und Mäuse springen um die Königsnase,
Und spotten frech des großen, goldnen Scepters. –

Es ist das eigne Blut, das uns hinaufsteigt
Ins Aug, wodurch mit schönem roten Schimmer
Bekleidet werden all die Rosenblätter,
Jungfrauenwänglein, Sommerabendwölkchen,   126
Und gleiche Spielerein, die uns entzücken.
Ich hab die rote Brille abgelegt –
Und sieh! welch schlechtes Machwerk ist die Welt!
Die Vögel singen falsch; die Bäume ächzen
Wie alte Mütterchen; die Sonne wirft,
Statt glühnder Strahlen, lauter kalte Schatten;
Schamlos, wie Metzen, lachen dort die Veilchen;
Und Tulpen, Nelken und Aurikeln haben
Die bunten Sonntagsröckchen ausgezogen,
Und tragen ihr geflicktes, graues Hauskleid.   127
Ich selbst hab mich verändert noch am meisten;
Kaum kann ein Mädchensinn sich so verändern!

Ich bin nur noch ein knöchrichtes Skelett;
Und was ich sprech, ist nur ein kalter Windstoß,
Der klappernd zieht durch meine trocknen Rippen.
Das kluge Männlein, das im Kopf mir wohnte,
Ist ausgezogen, und in meinem Schädel
Spinnt eine Spinn ihr friedliches Gewebe.
Auch wein ich einwärts jetzt; denn als ich schlief,
Stahl man die Augen mir, und glühnde Kohlen
Hat man gefugt in meine Augenhöhlen.

Du Engel oben, du, von dem die Amme
Mir einst erzählte: daß du jede Träne,
Die meinem Aug entflösse, sorgsam zähltest,
Du hast jetzt Feierabend! Mühsam war
Dein Tagewerk, du armer Tränenzähler, –
Hast du dich nie verzählt? und konntest du
Die großen Zahlen stets im Kopf behalten?
Du bist wohl müd, und ich bin auch recht müd,
Und auch mein Herz ist müd vom vielen Klopfen,
Und ausruhn wollen wir.
        (Er legt sich nieder, an einen Kastanienbaum gelehnt)
                        Ich bin recht müd,
Und krank, und kranker noch als krank, denn ach!
Die allerschlimmste Krankheit ist das Leben;
Und heilen kann sie nur der Tod. Das ist
Die bitterste Arznei, doch auch die letzte,
Und ist zu haben überall, und wohlfeil.
                (Er zieht einen Dolch hervor)
Du eiserne Arznei, du schaust so zweifelnd
Mich an. Willst du mir helfen?

                    Hassan *tritt auf und naht sich leise.*

HASSAN.
                                Allah hilft!

ALMANSOR *(ohne ihn zu bemerken, noch immer mit dem Dolche
    sprechend).*
    Du murmelst was von Allah und dergleichen.
    Bedarf der Dolch noch eines spitzgen Wortes,

Um mir das Herz im Leibe zu verwunden?

HASSAN.

Was Allah tut, ist wohlgetan.

ALMANSOR *(immer noch mit dem Dolche sprechend)*.

Ha, ha, ha!

Moralisieren, scheint es, will der Dolch!
Ich rate, schweig, denn schweigend sprichst du mehr
Als mancher Moralist mit seinem Wortschwall.

HASSAN *(seufzend)*.

Almansor ben Abdullah, was beginnst du?

ALMANSOR *(Hassan erblickend)*.

Ha! ha! Du sprachst, zweibeinig kluges Ding!
Trägst du nicht Hassans Bart und Hassans Augen?
Bist du gar Hassan selbst? Das ist recht schön.
Wir wollen Abschied nehmen. Lebe wohl!
Gleich reis ich ab!

(Zeigt ihm den Dolch)

Sieh, diese schmale Brücke
Führt aus dem Land der Trauer in das Land
Der Freude. Drohend steht am Eingang zwar,
Mit blankem Schwert, ein kohlenschwarzer Riese, –
Der ist dem Feigen furchtbar, doch der Mutge
Geht ungestört hinein ins Land der Freude.
Ja, dorten ist die wahre Freude, oder –
Was doch dasselbe ist – die wahre Ruh.
Dort summt ins Ohr kein überlästger Käfer,
Und keine Mücke kitzelt dort die Nase;
Dort fällt kein grelles Licht ins blöde Aug;
Und nimmer quält dort Hitz, und Frost, und Hunger,
Und Durst; und, was das beste ist, dort schläft man
Den ganzen Tag, und obendrein die Nacht.

HASSAN.

Nein, Sohn Abdullahs, feige ist der Schwächling,
Der keine Kraft hat, mit dem Schmerz zu ringen,
Und ihm den Nacken zeigt, und zaghaft von
Des Lebens Kampfplatz flieht – steh auf, Almansor!

ALMANSOR *(hebt eine Kastanie von der Erde)*.

Durch wessen Schuld liegt diese Frucht am Boden?

HASSAN.

1330   Durch Wurm und Sturm; der Wurm zernagt die Fasern,
     Und leicht wirft dann der Sturm die Frucht herab.

ALMANSOR.

     Soll nun der Mensch, die allerschwächste Frucht,
     Nicht auch zu Boden fallen, wenn der Wurm,
             (zeigt aufs Herz)
     Der schlimmste Wurm die Lebenskraft zernagte,
     Und der Verzweiflung wilder Sturm ihn rüttelt?

HASSAN.

     Steh auf, steh auf, Almansor! Nur der Wurm
     Mag sich am Boden krümmen, doch der Aar
     Fliegt stolz hinauf zum ewgen Sonnenlichte.

ALMANSOR.

     Reiß du dem Aar die mächtgen Flügel aus,
1340   Und auch der Aar ist Wurm und kriecht am Boden.
     Des Mißmuts Schere hat mir längst zerschnitten
     Die goldnen Flügel, die mich einst als Knabe
     Gen Himmel trugen, hoch, gar hoch hinauf.

HASSAN.

     O, zeig mir einen Stein, der kalt und stumm ist,
     Und sprich: das ist Almansor! Ich wills glauben.
     Doch du bists nicht, du, der mit offnen Augen
     Dort zaghaft liegst, und liegst, und glotzend zusiehst,
     Wie man die Schmach auf deine Brüder wälzt,
     Wie spanscher Übermut der Mauren beste
1350   Und edelste Geschlechter frech verhöhnt,
     Wie man sie schlau beraubt, und händeringend,
     Und nackt, und hilflos aus der Heimat peitscht –
     Du bist Almansor nicht, sonst dränge dir
     Ins Ohr der Greise und der Weiber Wimmern,
     Das spansche Hohngelächter und der Angstruf
     Der edlen Opfer auf dem glühnden Holzstoß.

ALMANSOR.

     Glaub mir, ich bins. Ich seh den spanschen Hund!
     Dort spuckt er meinem Bruder in den Bart,
     Und tritt ihn noch mit Füßen obendrein.
1360   Ich hörs: dort weint das arme Mütterchen;

Sie aß am Freitag gerne Gänsebraten,
Drum bratet man sie selbst jetzt, Gott zu Ehren.
Am Pfahl daneben steht ein schönes Mädchen –
Die Flammen sind in sie verliebt, umschmeicheln,
Umlecken sie mit lüstern roten Zungen;
Sie schreit und sträubt sich hold errötend gegen
Die allzuheißen Buhlen, und sie weint –
O schade! aus den schönen Augen fallen
Hellreine Perlen in die gierge Glut.
Jedoch was sollen diese Leute mir?   137
Mein Herz ist ganz durchstochen wie ein Sieb,
Hat keinen Raum für neue Schmerzenstiche.
Der blutge Mann, der auf der Folter liegt,
Hat kein Gefühl für einer Biene Stachel.
Glaub mirs, ich bin Almansor noch, und gastfrei
Steht meine Brust noch offen fremden Schmerzen;
Doch, durch die engen Pförtlein, Aug und Ohr,
Sind Riesenleiden in die Brust gestiegen,
Die Brust ist voll –
          (ängstlich leise)
          Gar einge wunde Gäste
Sind, herbergsuchend, mir ins Hirn gestiegen.   138
HASSAN.

Steh auf! steh auf! sonst sag ich dir ein Wort,
Das dich aufgeißeln wird, und neue Glut
In deine Adern gießt –
          (sich zu ihm herabbeugend)
          Zuleima
Liegt heute Nacht in eines Spaniers Armen.
ALMANSOR *(aufspringend und sich krampfhaft windend)*.
Die Sonne ist mir auf den Kopf gefallen,
Das Hirn ist eingebrochen, und die Gäste,
Die dort sich eingenistet, taumeln auf,
Umflirren mich, wie graue Fledermäuse,
Umsummen mich, umächzen mich, umnebeln
Mich mit dem Duft vergifteter Gedanken!   139
          (Hält sich den Kopf)
O weh! o weh! die Alte faßt mich an,

Reißt mir das Haupt vom Rumpf, und schleudert es
In einen Hochzeitsaal, wo zärtlich bellend
Ein spanscher Hund mein süßes Liebchen küßt,
Und schnalzend küßt und herzt – O weh! O hilf mir!
(Wirft sich zu Hassans *Füßen)*
O hilf dem blutgen, abgerißnen Kopf,
Der keine Arme hat, den Hund zu würgen –
O leih mir deine Arme, Hassan! Hassan!

HASSAN.

Ja, meinen Arm will ich dir leihn, Almansor,
Und auch die starken Arme meiner Freunde.
Wir wollen würgen jenen spanschen Hund,
Der dir entreißen will dein Eigentum.
Steh auf! Du sollst Zuleima bald besitzen.
(Almansor steht auf)
Als ich Eur gestrig Nachtgespräch belauscht,
Riet ich zu schneller Flucht, allein vergebens;
Doch soll Almansor nicht verzweifeln, dacht ich.
Ich habe meine Freunde hergeführt;
Sie harren meines Winkes, und wir stürmen
Nach Alys Schloß, wir ungeladne Gäste.
Du nimmst dir deine Braut, und bringst sie mit
Nach unserm Schiff, das an der Küste liegt.
Zuleimas Liebe wird schon wiederkommen.

ALMANSOR.

Ha, ha, ha! Liebe! Liebe! Fades Wort,
Das einst, mit schläfrig halbgeschloßnen Augen,
Ein Engel gähnend sprach. Er gähnte wieder,
Und eine Welt voll Narren, Alt und Jung,
Hat gähnend nachgelallet: Liebe! Liebe!
Nein, nein! ich bin kein schmächtger Zephyr mehr,
Der schmeichelnd fächelt eines Mädchens Wange;
Ich bin der Nordsturm, der ihr Haar zerzaust,
Und rasend mit sich reißt die scheue Braut.
Ich bin kein süßes Weihrauchdüftchen mehr,
Das einer Jungfrau Nase zärtlich kitzelt;
Ich bin der Gifthauch, der sie dumpf betäubt
Und schwelgend dringt in alle ihre Sinne.

Ich bin das Lamm nicht mehr, das, fromm und mild,
Sich hinschmiegt zu den Füßen seiner Schäfrin;
Ich bin der Tiger, der sie wild umkrallt
Und wollustbrüllend ihren Leib zerfleischt.
Zuleimas Leib ists, was ich jetzt verlange;   14
Ich will ein glücklich Tier sein, ja, ein Tier;
Und in des Sinnenrausches Taumel will ich
Vergessen, daß es einen Himmel gibt.

             (*Ergreift hastig* Hassans *Hand*)

Ich bleibe bei dir, Hassan! ja, wir wollen
Auf wilder See ein lustig Reich begründen.
Tribut soll uns der stolze Spanier zollen;
Wir plündern seine Küst und seine Schiffe; –
Auf dem Verdecke kämpf ich dir zur Seite; –
Mein Säbel spaltet stolze Spanierschädel –
Die Hunde über Bord! – das Schiff ist unser!   14
Ich aber eile jetzt, mich zu erquicken,
Nach der Kajüte, wo Zuleima wohnt,
Umfasse sie mit meinen blutgen Armen,
Und küsse ab von ihrer weißen Brust
Die roten Flecken – Ha! sie sträubt sich noch?
Zu meinen Füßen, Sklavin, sollst du wimmern,
Ohnmächtig Ding, das meine Sinne kühlt
Nach wilder Kampfeshitze, – Sklavin, Sklavin,
Gehorche mir, und fächle meine Glut!

                (*Beide eilen fort*)

Saal in Alys Schloß. Ritter *und* Frauen *sitzen, festlich geschmückt,*
an einer Speisetafel. Aly. Don Enrique. Zuleima. Ein Abt.
        Musikanten. Speisenauftragende Bediente.

EIN RITTER (*steht auf, mit einem gefüllten Becher in der Hand*).
Ein schöner Name klingt in meiner Brust: 145
Es lebe Isabella von Kastilien!

                (*Er trinkt*)

EIN TEIL DER GÄSTE.

   Hoch lebe Isabella von Kastilien!
           (Bechergeklirr und Trompetentusch)

DER ABT.

   Noch einen Namen nenn ich Euch: Ximenes,
   Erzbischof von Toledo, lebe hoch!
               (Er trinkt)

EIN TEIL DER GÄSTE.

   Hoch lebe der Erzbischof von Toledo!
           (Bechergeklirr und Trompetentusch)

EIN ANDERER RITTER.

   Laßt uns die besten Namen nicht vergessen.
   Stoßt an: Es lebe hoch das edle Brautpaar!
               (Er trinkt)

ALLE.

   Hoch lebe Donna Clara und Enrique!
   (Bechergeklirr und Trompetentusch. Zuleima und Enrique ver-
                     neigen sich)

DON ENRIQUE.

   Ich danke Euch.

ZWEITER RITTER.

               Doch Eure Braut ist stumm.

DON ENRIQUE.

160 Die holde Clara spricht zwar wenig heut,
   Doch heut bedarfs nur eines einzgen Wortes,
   Des Jaworts am Altar, und ich bin glücklich.

ZULEIMA.

   Die Brust ist mir so sehr beklommen, Señor.

DRITTER RITTER.

   Ein schlimmes Zeichen ist es, Don Enrique,
   Daß Ihr das Salzfaß eben umgestoßen.

VIERTER RITTER.

   Ein schlimmres Zeichen wärs, wenn Ihr den Becher
   Mitsamt dem Weine umgestoßen hättet.

DRITTER RITTER.

   Don Carlos ist ein Säufer.

VIERTER RITTER.

               Ja! Gottlob,

Und kein trübselig Sonntagskind, wie Ihr,
Dem gleich das beste Mahl versalzen ist,   14
Wenn jemand unversehns das Salzfaß umwirft.
Ja, ja, der Wein, das ist mein Element!
In seinen goldig hellen Liebesfluten
Will ich gesund die kranke Seele baden;
Und lachen muß ich immer, wenn ich denke,
Wie Mekkas nüchterner Prophet –

                              Ja, Señor,
Der Wein, der Wein, ja, ja, ich wollte sagen
Der Wein ist gut, –

ALY.

                    Pedrillo! Hör, Pedrillo!

PEDRILLO.

Gnädger Herr?

ALY.

                    Laß alle Possenreißer
Und alle Gaukler kommen, alle Springer,   14
Und auch den Harfenspieler, das Gesindel
Aus Barzelona.

PEDRILLO.

                    Versteh schon, gnädger Herr!
                    (Geht ab)

FÜNFTER RITTER *(im Gespräch mit einer Dame).*

Heuraten werd ich nimmermehr, Señora.

DIE DAME.

Ihr scherzt, Ihr seid bei Laune, Don Antonio;
Ihr seid ein Damenfreund, und Freund der Liebe.

FÜNFTER RITTER.

Ich liebe wohl die Myrte, ich ergötze
Mein Auge an dem frischen Grün der Blätter,
Erquicke mir das Herz an ihrem Duft;
Doch hüt ich mich, daß ich die Myrte koche,
Um als Gemüse sie zu speisen, – bitter,   14
Señora, bitter schmeckt ein solch Gericht.

DER ABT *(im Gespräche mit seinem Nachbar).*

Das war ein herrliches Auto-da-fe;
So etwas labt das Herz des frommen Christen,

Und schreckt die starren Sünder auf den Bergen –
(zu Aly)
Wißt Ihr die Nachricht schon vom Sieg der Unsern
Und von der Heiden blutger Niederlage?
Sie haben sich zerstreut, unweit von hier
Durchstreifen sie die Gegend, –

ALY *(nach der Türe sehend).*

Gott sei Dank!

Ich hab es schon gehört, ehrwürdger Herr, –
1500   Doch soll uns jetzt das Gaukelspiel ergötzen –

Possenreißer, Gaukler, Springer und ein Harfenspieler treten
herein.
Burleskes Ballett.

DER HARFENSPIELER *(singt).*
> In dem Hofe des Alhambrahs
> Stehn zwölf Löwensäul von Marmor;
> Auf den Löwen steht ein Becken
> Von dem reinsten Alabaster.
>
> In dem Becken schwimmen Rosen,
> Rosen von der schönsten Farbe;
> Das ist Blut der besten Ritter,
> Die geleuchtet in Granada.

ALY.
Ein traurig Lied. Es ist zu melancholisch.
1510   Gebt uns ein lustig Hochzeitlied, recht lustig!

DER HARFENSPIELER *(singt).*
> Es war mal ein Ritter, trübselig und stumm,
> Mit hohlen, schneeweißen Wangen;
> Er schwankte und schlenderte schlotternd herum,
> In dumpfen Träumen befangen.
> Er war so hölzern, und täppisch, und links,
> Die Blümlein und Mägdlein die kicherten rings,
> Wenn er stolpernd vorbei gegangen.
>
> Oft saß er im finstersten Winkel zu Haus;
> Er hatt sich vor Menschen verkrochen.

Da streckte er sehnend die Arme aus,   1520
Doch hat er kein Wörtlein gesprochen.
Kam aber die Mitternachtstunde heran,
Ein seltsames Singen und Klingen begann, –
An die Türe da hört er es pochen.

Da kommt seine Liebste geschlichen herein,
Im rauschenden Wellenschaumkleide.
Sie blüht und glüht, wie ein Röselein,
Ihr Schleier ist eitel Geschmeide.
Goldlocken umspielen die schlanke Gestalt,
Die Äugelein grüßen mit süßer Gewalt –   1530
In die Arme sinken sich beide.

Der Ritter umschlingt sie mit Liebesmacht,
Der Hölzerne steht jetzt in Feuer;
Der Blasse errötet, der Träumer erwacht,
Der Blöde wird freier und freier.
Sie aber, sie hat ihn gar schalkhaft geneckt,
Sie hat ihm ganz leise den Kopf bedeckt
Mit dem weißen, demantenen Schleier.

In einen kristallenen Wasserpalast
Ist plötzlich gezaubert der Ritter.   1540
Er staunt, und die Augen erblinden ihm fast
Vor alle dem Glanz und Geflitter.
Doch hält ihn die Nixe umarmet gar traut,
Der Ritter ist Bräutgam, die Nixe ist Braut,
Ihre Jungfraun spielen die Zither.

Sie spielen und singen; es tanzen herein
Viel winzige Mädchen und Bübchen.
Der Ritter der will sich zu Tode freun,
Und fester umschlingt er sein Liebchen –

Pedrillo *stürzt ängstlich herein.*

PEDRILLO.
   O, Allah hilf! Jesus Maria Joseph!   1550

Wir sind verloren, denn sie kommen, kommen!

ALLE.

Wer kömmt?

PEDRILLO.

Die Unsern kommen!

ALLE.

Wie? die Unsern?

PEDRILLO.

Nein, nicht die Unsern. Die verfluchten Heiden,
Die schändlichen Rebellen von den Bergen,
Die sind herangeschlichen auf den Strümpfen –
Wir sind verloren, draußen sind sie, hört Ihr?
(Man hört Waffengerassel. Verworrene Stimmen rufen: Granada!
Allah! Mahomet!*)*

EINIGE RITTER.

Wohlan, sie mögen kommen!

ANDRE RITTER.

Unsre Waffen!

(Die Damen *geben Zeichen des Schreckens.* Zuleima *sinkt ohnmächtig hin. Laute Bewegung im Saale)*

ALY.

O seid nur außer Sorge, schöne Damen.
Der Maure ist galant, und selbst im Zorne
Wird er den Damen ritterlich begegnen.
Wir Männer aber wollen tüchtig kämpfen –

ALLE RITTER *(ihre Schwerter ziehend).*

Wir kämpfen für den Leib und für die Ehre!
(Waffengeklirr. Verworrene Stimmen. Die Mauren *brechen herein;
an ihrer Spitze* Hassan *und* Almansor. *Letzterer bricht sich Bahn
zur ohnmächtigen* Zuleima. *Gefecht)*

Waldgegend. Man hört in der Nähe Waffengerassel und Kampfruf.
Pedrillo *kommt ängstlich und händeringend gelaufen.*

PEDRILLO.

O weh! die hübsche Hochzeit ist verdorben!
O weh! die hübschen, seidnen Hochzeitkleider,

Die werden jetzt zerhauen und zerfetzt,
Und blutig obendrein, und statt des Weines
Fließt Blut! Ich lief nicht fort aus Feigheit, nein,
Beim Kampfe wollt ich niemand in dem Weg stehn.
Sie werden fertig ohne mich. Schon sind
Die Feinde aus dem Saal zurückgedrängt, –   15
Und sieh!

(nach der Seite gewendet)
          Schon vor dem Schlosse kämpfen sie.
Sieh dort! O weh! der säbelt lustig drein!
Mir wärs nicht lieb, wenn solch ein krummes Ding
Mir flink und zierlich durchs Gesicht spazierte.
Dem dorten ist die Nase abgehaun,
Und unserm armen, dicken Ritter Sancho
Hat man den fetten Schmerbauch aufgeschlitzt.
Doch sieh! wer ist der rote Ritter? Seltsam!
Er trägt den spanschen Mantel und gehört
Zur maurischen Partei – O Allah! Jesus!   15

(weint)
Ach, unsre arme, freundliche Zuleima!
Dem roten Ritter liegt sie auf der Schulter,
Er hält sie fest mit seinem linken Arm,
Und mit der rechten Hand schwingt er den Säbel,
Und haut, wie'n Rasender – er ist verwundet –
Er sinkt – Nein! nein! er wankte nur. – Er steht,
Er kämpft – er flieht –
                    O weh! wo soll ich hin,
Auch hier muß ich den Leuten aus dem Weg gehn.
(Eilt fort)

Almansor *wankt ermattet vorüber. Er trägt auf dem Arm die
ohnmächtige* Zuleima, *schleppt sein Schwert nach sich, und lallt:*
Zuleima! Mahomet! *Kämpfende* Mauren *und* Spanier *treten auf.
Die* Mauren *werden weitergedrängt.* Hassan *und* Aly *kommen
fechtend. Wildes Gefecht zwischen beiden.* Hassan *wird verwundet.*

Don Enrique, Diego *und spanische Ritter treten auf.*

HASSAN *(niedersinkend)*.

Ha! ha! die Christenschlange hat gestochen!
590 Und just ins Herz hinein – O schläfst du, Allah?
Nein, Allah ist gerecht, und was er tut,
Ist wohlgetan – Vergißt du meiner? – Nein,
Nur Menschen sind vergeßlicher Natur –
Vergessen ihren Gott, und ihren Freund,
Und ihres Freundes besten Knecht – Sag, Aly,
Kennst du den Hassan noch, den Knecht Abdullahs?
Abdullah –

ALY *(in Zorn ausbrechend)*.

        Abdullah ist der Name jenes
Verräterischen Buben, jenes feigen,
Blutdürstgen Bösewichts, der meinen Sohn,
600 Den teuern Sohn Almansor, mir gemordet!
Abdullah heißt Almansors Meuchelmörder –

HASSAN *(sterbend)*.

Abdullah ist kein Bösewicht, kein Bube,
Abdullah ist Almansors Mörder nicht!
Almansor lebt – lebt – lebt – ist hier – es ist
Der rote Ritter, der Zuleima raubt', –
Dort, dort –

ALY.

        Mein Sohn Almansor lebt? es ist
Der rote Ritter, der Zuleima raubt'?

HASSAN.

Ja, Ja! fest hält er, was er einmal hat –
Du lügst, Abdullah war kein Meuchelmörder,
610 Und war kein Bösewicht, und war kein Christ –
Laß mich in Ruh – Es kommen schon die Mädchen,
Mit schwarzen Augen, schöne Huris kommen –
            (selig lächelnd)
Die jungen Mädchen und der alte Hassan!
            (Er stirbt)

ALY.

O Gott, ich danke dir! Mein Sohn, er lebt!
O Gott, das ist ein Zeichen deiner Gnade!
Mein Sohn, er lebt! Kommt, Freunde, laßt uns jetzt

Verfolgen seine Spur. Er ist uns nah,
Und hat als Beute schon davongetragen
Die holde Braut, die ich ihm einst erkor.

Alle gehen ab, bis auf Don Enrique *und* Don Diego, *die sich
lange schweigend ansehen.*

DON ENRIQUE *(weinerlich).*

Und nun? Nun, Don Diego? 16

DON DIEGO *(ihn nachäffend).*

Und nun, Don
Enrique del Puente del Sahurro?

DON ENRIQUE.

Was wollen wir jetzt tun?

DON DIEGO.

Wir? wir? Nein, Señor,
Wir beide sind geschiedne Leute jetzt.
Ihr habt kein Glück. Das kostet mir zweihundert
Dukaten. Geld ist fort. Die Müh verloren.

(ärgerlich lachend)

Ich plage mich von Jugend auf, mit Kniffen
Und Pfiffen, denke mir die Haare grau;
Auf krummen Pfaden schleiche ich im Wald,
Daß mir der Dornbusch Rock und Fleisch zerreißt;
Durch steile Felsen wind ich mich, und springe 16
Von Spitz' zu Spitz', daß, wenn ich niederfiele,
Die Raben meinen Kopf als ein Ragout
Verspeisen würden – dennoch bleib ich arm!
Ich bleibe arm, wie eine Kirchmaus arm!
Derweil mein Schulkamrad, der blöde Dummkopf,
Der immer, recht schnurgrade und behaglich,
Auf seiner breiten Landstraß schlendert,
Noch immer seinen Ochsengang fortschlendert,
Und ein geehrter, dicker, reicher Mann ist.
Nein, ich bins müde, Señor; lebet wohl! 16

(Geht ab)

DON ENRIQUE *(steht lange sinnend).*

Ob Don Gonzalvo mir nichts borgen wird?

(Geht ab)

Felsengegend. Almansor, *matt und blutend, und die ohnmächtige*
Zuleima *tragend, erklimmt den höchsten Felsen.*

ALMANSOR.

O, hilf mir, Allah, bin so müd und matt,
Hab mir zurückgeholt mein weißes Reh,
Just als des Jägers Hand es schlachten wollte.
(Er setzt sich auf des Felsens Spitze und hält Zuleima *auf dem*
Schoße)
Ich bin der arme Mödschnun, und ich sitze
Auf meinem Felsen, spiel mit meinem Reh;
Denn in ein Reh verwandelte sich Leila,
Und sah mich an mit freundlich klaren Augen.
Jetzt sind die Äuglein zu, mein Rehlein schläft.
650 Still! still! Du Zeisig, zwitschre nicht so schmetternd.
Du Käfer, summe leiser. Liebes Lüftlein,
Durchraschle nicht so laut die Blätter, – Stille!
Ein Wiegenlied will ich dir singen. Stille!
            (Er wiegt Zuleima *im Schoß und singt)*
            Die Sonne wirft ihr Nachtkleid um,
            Gar rosenrot und schön;
            Die Vöglein werden still und stumm,
            Sie wolln zu Bette gehn.
            Schlafe, mein Rehlein, auch du!
Mein Rehlein schläft, recht hübsch; doch gar zu lang.
660 Die schmachtend süßen, liebeklaren Äuglein
Sind zugeschlossen, jetzt, fest zugeschlossen, –
Und bleiben zu? Ist denn mein Rehlein tot?
            (In Tränen ausbrechend)
Tot! Tot! mein weiches, weißes Rehlein tot!
Die süßen Sternlein ausgelöscht und tot!
Mein totes Rehlein! sanft will ich dich betten
Auf Rosen, Liljen, Veilchen, Hyazinthen.
Aus goldnem Mondschein web ich eine Decke
Und deck dich zu. Ein Trauerlied soll dir
Rotkehlchen singen, und es sollen zwölf
670 Goldkäfer ernsthaft Schildwacht stehn des Tags,
An deinem kleinen Blumenbettchen, zwölf

Glühwürmchen sollen flimmernd dort des Nachts,
Wie stille Totenkerzen, leuchten; aber
Ich selber will dort weinen Tag und Nacht.

(Zuleima erwacht aus ihrer Ohnmacht)

Was seh ich?   Heimlich leise regen sich
Die zarten Glieder, und der seidne Vorhang
Der süßen Augen rollt sich langsam auf!
Das ist kein Rehlein, das ist Leila nicht,
Das ist Zuleima, Alys schöne Tochter –

(Zuleima öffnet die Augen)

Der Himmel schließt sich auf, das Himmelreich!   168

ZULEIMA.
Bin ich im Himmel schon?

ALMANSOR.
                            Aus starrem Tod
Bist du erwacht.

ZULEIMA.
                Ich weiß es wohl, daß ich
Gestorben bin, und jetzt im Himmel bin.

(Sieht sich überall um)

Wie schön ists hier, wie leicht und rein die Luft,
Und alles trägt ein rosenfarbig Kleid.

ALMANSOR.
Ja, ja, wir sind im Himmel, süßes Lieb,
Siehst du die Blumen, die dort unten spielen,
Die Schmetterlinge, die dazwischen flattern,
Und, neckend, bunten Diamantenstaub
Den armen Blümlein in die Augen werfen?   169
Hörst du dort unten, wie das Bächlein rauscht,
Wie bläuliche Libellen es umsummen,
Und grüngelockte Wassermädchen, plätschernd,
In rötlich goldne Wellen untertauchen?
Siehst du die weißen Nebelbilder wallen?
Es ist der Selgen Schar, die, ewig jung,
Im ewgen Frühlingsgarten sich ergehn.

ZULEIMA.
Wenn das der Selgen Wohnung ist, Almansor,
So sage mir, wie bist du hergekommen?

700 Denn unser frommer Abt hat mir versichert:
    Daß nur wer Christ ist, selig werden kann.

ALMANSOR.

    O zweifle nicht an meiner Seligkeit!
    Ich halte dich, mein Lieb, in meinen Armen,
    Und selig, dreimal selig ist Almansor.

ZULEIMA.

    So log der fromme Mann, er sagte auch,
    Den edeln Don Enrique müßt ich lieben.
    Ich habs getan, so gut es ging. Almansor
    Wollt ich vergessen. O, das ging nicht gut.
    Ich hab es auch geklagt der Mutter Gottes.
710 Die hat gelächelt, freundlich, gnädig, huldreich,
    Und hat mich eingehüllt in ihren Schleier
    Und hergetragen in die lichte Höh.
    Musik erklang auf meinem Weg; es bliesen
    Die Englein auf Waldhörnern und Schalmein,
    Und sangen süße Lieder; – süße Lust!
    Ich bin im Himmel, und das beste ist,
    Almansor ist bei mir, und in dem Himmel
    Bedarf es der Verstellungskünste nicht,
    Und frei darf ich gestehn: Ich liebe dich,
720 Ich liebe dich, ich liebe dich, Almansor!
       (Das scheidende Abendrot verklärt die beiden Gestalten)

ALMANSOR.

    Ich wußte längst, du liebest mich noch immer,
    Mehr als dich selbst. Die Nachtigall hat mirs
    Vertraut, die Rose hats mir zugehaucht,
    Ein Lüftlein hat es mir ins Ohr gefächelt,
    Und jede Nacht hab ich es klar gelesen
    Im blauen Buche mit den goldnen Lettern.

ZULEIMA.

    Nein! nein! der fromme Mann hat nicht gelogen,
    Es ist so schön im schönen Himmelreich!
    Umschließe mich mit deinen lieben Armen,
730 Und wiege mich auf deinem weichen Schoß,
    Und laß Jahrtausende mich Wonnetrunkne
    In diesem Himmel, in dem Himmel liegen!

ALMANSOR.

Wir sind im Himmel, und die Engel singen,
Und rauschen drein mit ihren seidnen Flügeln, –
Hier wohnet Gott im Grübchen dieser Wangen, –
    (Waffengeklirr in der Ferne. Almansor *erschrickt)*
Dort unten aber wohnet Eblis, furchtbar
Dringt seine Stimm hinauf, bis in den Himmel,
Und streckt er nach mir aus die Eisenhand.

ZULEIMA *(erschrocken).*

Was schrickst du plötzlich auf? was zitterst du?

ALMANSOR.

Nenns Eblis, nenn es Satan, nenn es Menschen,   174
Die tückisch arge Macht, die wild hinaufsteigt,
In meinen Himmel selbst –

ZULEIMA.

           So laß uns fliehn,
Hinab ins Blumental, wo Blümlein spielen,
Die Schmetterlinge flattern, Bächlein rauscht,
Libellen summen, Nachtigallen trillern,
Und stille, selge Nebelbilder wallen –
Trag mich hinab, ich bleib an deiner Brust.
      (Sie schmiegt sich an ihn)

ALMANSOR *(springt auf und hält* Zuleima *im Arm).*

Hinab! hinab! die Blumen winken ängstlich,
Die Nachtigall ruft mich mit bangem Ton,
Der Selgen Schatten strecken nach mir aus   175
Die Nebelarme, riesig lang, ziehn mich
Hinab, hinab –
      (Fliehende Mauren *eilen vorüber)*
      Die Jäger nahen schon,
Mein Reh zu schlachten! dorten klirrt der Tod,
Hier unten blüht entgegen mir das Leben,
Und meinen Himmel halt ich in den Armen.
    (Er stürzt sich mit Zuleima *den Felsen hinab)*

*Spanische Ritter, die den Mauren nacheilen, sehen beide herab-
stürzen und treten entsetzt zurück. Man hört Alys Stimme:*

Sucht ihn, sucht ihn, er muß uns nahe sein!

Aly tritt auf.

MEHRERE RITTER.
Entsetzlich!

ALY.
        Habt Ihr ihn und sie gefunden?

EIN RITTER *(hinter den Felsen zeigend).*
Gefunden wohl, der Wütende hat sich
Herabgestürzt mit seiner teuern Last.
              (Pause)

ALY.
760 Jetzt, Jesu Christ, bedarf ich deines Wortes,
Und deines Gnadentrosts, und deines Beispiels.
Der Allmacht Willen kann ich nicht begreifen,
Doch Ahnung sagt mir: ausgereutet wird
Die Lilje und die Myrte auf dem Weg,
Worüber Gottes goldner Siegeswagen
Hinrollen soll in stolzer Majestät.

WILLIAM RATCLIFF

Tragödie

Das Wintermärchen, welches »Deutschland« betitelt und in den frühern Ausgaben dieses Bandes enthalten, habe ich der gegenwärtigen Ausgabe entzogen, sintemalen dasselbe seitdem vielfach im Einzeldruck erschienen ist, und ich ihm überdies in der Sammlung meiner poetischen Werke eine andere Stelle zugedacht. Die entstandene Lücke benutze ich, um hier die kleine Tragödie William Ratcliff mitzuteilen, die vor etwa neunundzwanzig Jahren unter dem Titel: »Tragödie, nebst einem lyrischen Intermezzo« zu Berlin bei Dümmler herauskam. Das lyrische Intermezzo wurde seitdem in einer größern Sammlung meiner Gedichte aufgenommen und gelangte zur außerordentlichsten Popularität. Der William Ratcliff wurde jedoch nur wenig bekannt; in der Tat, der Name seines Verlegers war Dümmler. Dieser Tragödie oder dramatisierten Ballade gewähre ich mit gutem Fug jetzt einen Platz in der Sammlung meiner Gedichte, weil sie als eine bedeutsame Urkunde zu den Prozeßakten meines Dichterlebens gehört. Sie resümiert nämlich meine poetische Sturm- und Drangperiode, die sich in den »Jungen Leiden« des Buchs der Lieder sehr unvollständig und dunkel kundgibt. Der junge Autor, der hier mit schwerer, unbeholfener Zunge nur träumerische Naturlaute lallt, spricht dort, im Ratcliff, eine wache, mündige Sprache und sagt unverhohlen sein letztes Wort. Dieses Wort wurde seitdem ein Losungswort, bei dessen Ruf die fahlen Gesichter des Elends wie Purpur aufflammen und die rotbäckigen Söhne des Glücks zu Kalk erbleichen. Am Herde des ehrlichen Tom im Ratcliff brodelt schon die große Suppenfrage, worin jetzt tausend verdorbene Köche herumlöffeln, und die täglich schäumender überkocht. Ein wunderliches Sonntagskind ist der Poet; er sieht die Eichenwälder, welche noch in der Eichel schlummern, und er hält Zwiesprache mit den Geschlechtern, die noch nicht geboren sind. Sie wispern ihm ihre Geheimnisse, und er plaudert sie aus auf öffentlichem Markt. Aber seine Stimme verhallt im lauten Getöse der Tagesleidenschaften; wenige hören ihn, keiner versteht ihn. Friedrich Schlegel nannte den Geschichtschreiber einen Propheten, der rückwärts schaue in die Vergangenheit; – man könnte mit größerem Fug von dem Dichter sagen, daß er ein Geschichtschreiber sei, dessen Auge hinausblicke in die Zukunft.

Ich schrieb den William Ratcliff zu Berlin unter den Linden, in den letzten drei Tagen des Januars 1821, als das Sonnenlicht mit einem gewissen lauwarmen Wohlwollen die schneebedeckten Dächer und die traurig entlaubten Bäume beglänzte. Ich schrieb in einem Zuge und ohne Brouillon. Während dem Schreiben war es mir, als hörte ich über meinem Haupte ein Rauschen, wie der Flügelschlag eines Vogels. Als ich meinen Freunden, den jungen Berliner Dichtern, davon erzählte, sahen sie sich einander an mit einer sonderbaren Miene, und versicherten mir einstimmig, daß ihnen nie dergleichen beim Dichten passiert sei.

Paris, 24. November 1851.

Heinrich Heine.

PERSONEN

MAC-GREGOR, schottischer Laird
MARIA, seine Tochter
GRAF DOUGLAS, ihr Bräutigam
WILLIAM RATCLIFF
LESLEY, sein Freund
MARGARETE, Marias Amme
TOM, Wirt einer Diebesherberge
WILLIE, sein Söhnchen
ROBIN
DICK
BILL   Räuber und Gauner
JOHN
TADDIE
RÄUBER, BEDIENTE, HOCHZEITSGÄSTE.

Die Handlung geht vor in der neuesten Zeit,
im nördlichen Schottland.

Zimmer in Mac-Gregors Schloß.
Margarete *(kauert bewegungslos in einer Ecke).*
Mac-Gregor. Maria. Douglas.

MAC-GREGOR *(Er legt* Douglas' *und* Marias *Hände ineinander).*
Ihr seid jetzt Mann und Weib. Wie Eure Hände
Vereinigt sind, so sollen auch die Herzen,
In Leid und Freud, vereinigt sein auf immer.
Zwei mächtge Sakramente, das der Kirche
Und das der Liebe, haben Euch verbunden;
Ein Doppelsegen ruht auf Euren Häuptern;
Und auch den Vatersegen leg ich drauf.
     (Er legt segnend seine Hände auf beider Haupt)
DOUGLAS.
Mit Stolz, Mylord, nenn ich Euch heute: Vater.
MAC-GREGOR.
Mit noch weit größerm Stolz nenn ich Euch: Sohn.
       (Sie umarmen sich)
MARGARETE *(singt im abgebrochenen Wahnsinntone).*
10 »Was ist von Blut dein Schwert so rot?
                       Edward, Edward?«
DOUGLAS *(erschrocken auffahrend und nach Margarete schauend).*
Um Gott, Mylord, welch gläsern geller Laut?
Es fängt zu singen an, das stumme Bild –
MAC-GREGOR *(mit erzwungenem Lächeln).*
Stört Euch nicht dran. Es ist die tolle Margret,
Gehört zum Schloß. Sie leidet an der Starrsucht,
Seit Jahr und Tag. Mit stieren Augen liegt sie
Gekauert, manch unheimlich lange Stunde;
Und dann und wann, wie 'n Stein, der sprechen kann,
Bewegungslos, quäkt sie ein altes Lied –
DOUGLAS.
20 Warum behaltet Ihr im Schloß solch Schrecknis?
MAC-GREGOR *(leise zu ihm).*
Still, still. Sie hört jedwedes Wort; – schon lange
Hätt ich sie fortgeschafft – doch darf ich nicht.
MARIA.
Laßt ruhn die arme, gute Margarete.

Erzählt mir lieber etwas Neues, Douglas.
Wie siehts in London aus? Bei uns in Schottland
Erfährt man nichts.

DOUGLAS.

                    Noch ists das alte Treiben.
Man rennt, und fährt, und jagt, Straß auf Straß ab.
Man schläft des Tags, und macht zum Tag die Nacht.
Vauxhall und Routs und Picknicks drängen sich;
Und Drurylane und Coventgarden locken.   30
Die Oper rauscht. Pfundnoten wechselt man
Für Musiknoten ein. God save the king
Wird mitgebrüllt. Die Patrioten liegen
In dunkeln Schenken und politisieren,
Und subskribieren, wetten, fluchen, gähnen,
Und saufen auf das Wohl des Vaterlands.
Roastbeef und Pudding dampft, der Porter schäumt,
Und sein Rezept schreibt lächelnd der Quacksalber.
Die Taschendiebe drängen. Gauner quälen
Mit ihrer Höflichkeit. Der Bettler quält   40
Mit seinem Jammeranblick und Gewimmer.
Vor allem quält die unbequeme Tracht,
Der enge Wespenrock, das steife Halsband,
Und gar der babylonisch hohe Turmhut.

MAC-GREGOR.

Da lob ich mir mein Plaid und meine Mütze.
Ihr tatet gut, daß Ihr die Narrenkleider
Vom Leib geworfen habt. Ein Douglas muß
Im Äußern auch ein Schotte sein, und heute
Lacht mir das Herz im Leib, wenn ich Euch schaue,
Euch alle, in der lieben Schottentracht.   50

MARIA.

Erzählt mir was von Eurer Reise, Douglas.

DOUGLAS.

Zu Wagen fuhr ich bis an Schottlands Grenze.
Das ging mir viel zu langsam. In Old-Jedburgh
Nahm ich ein Pferd. Ich gab dem Tier die Sporn.
Mich selber aber spornte Liebessehnsucht.
Ich dachte nur an Euch, Marie, und pfeilschnell,

Durch Busch und Berg und Feld, trug mich mein Roß.
Im Wald bei Invernes wär mirs bald schlecht
Bekommen, daß ich in Gedanken ritt.
60 Piff! Paff! erweckten mich aus meinen Träumen
Die Kugeln, die mir um die Ohren pfiffen.
Drei Straßenräuber stürzten auf mich ein.
Ein Kampf begann. Es regneten die Hiebe.
Ich wehrte mich der Haut; doch unterliegen
Hätt ich wohl müssen –

               O weh! Marie erbleicht,
Und wankt, und sinkt –
(Margarete springt hastig auf und hält die in Ohnmacht fallende
            Maria *in ihren Armen)*

MARGARETE.

                  O weh! mein rotes Püppchen
Ist kreideblaß, und kalt wie Stein. O weh!
      (Halb singend, halb sprechend und Maria *streichelnd)*

       »Püppchen klein, Püppchen mein,
        Schließe auf die Äugelein!

70   Püppchen fein, du mußt sein
        Nicht so kalt wie Marmelstein.

       Rosenschein will ich streun
        Auf die weißen Wängelein.« –

MAC-GREGOR.
Halt ein, verrücktes Weib, mit Wahnsinnsprüchen
Betörst du ihr noch mehr das kranke Haupt –
MARGARETE *(mit dem Finger drohend).*
Du? du? willst schelten? Wasch dir erst die Hände,
Die roten Hände; du befleckst mit Blut
Klein Püppchens weißes Hochzeitkleid. Geh fort.
Ich rat dir gut.
MAC-GREGOR *(ängstlich).*
           Die tolle Alte faselt! –
MARGARETE *(singend).*
       »Püppchen klein, Püppchen mein,
80   Schließe auf die Äugelein!«

MARIA *(Sie erwacht aus ihrer Ohnmacht und lehnt sich an Mar-*
     garete).

     Erzählt nur weiter, wie es ging. Ich höre.

DOUGLAS.

     Es tut mir leid – was ich erzählt – doch hört:
     Ein andrer Reiter sprengte rasch herbei,
     Fiel jenen Räubern plötzlich in den Rücken,
     Und hieb drauf los mit Kraft. Ich selbst bekam
     Jetzt neuen Mut und freies Spiel. Wir schlugen
     Die Hunde in die Flucht. Ich wollte danken
     Dem edlen Retter. Aber dieser rief:
     »Ich habe keine Zeit« und jagte weiter.   90

MARIA *(lächelnd).*

     Ach, Gott sei Dank! Ihr habt mich sehr geängstigt.
     Jetzt bin ich wieder wohl. Margrete, führ mich.
     Freundinnen warten meiner in dem Saal.

MARGARETE *(ängstlich zu Mac-Gregor).*

     Du, sei nicht bös. Die arme Margret ist
     Nicht immer toll.

MAC-GREGOR.

                    Geht nur, wir folgen gleich.
            (Maria und Margarete gehen ab)

            Mac-Gregor. Douglas.

DOUGLAS.

     Ich staune, ist Marie so krankhaft reizbar?
     Sie ist so ängstlich heute; sie erbleicht
     Und zittert bei dem leisesten Geräusch –

MAC-GREGOR.

     Douglas! ich will und darfs Euch nicht verhehlen,
     Was heut so sehr Mariens Seele ängstigt.   100
     Verzeiht, daß ichs Euch früher nicht eröffnet.
     Tollkühn ist Euer Mut, und die Gefahr,
     Die ich mit Klugheit von Euch abgewendet,
     Hättet Ihr selber rastlos aufgesucht;
     Fort hätt es Euch getrieben, ihn zu züchtgen,

Den Frevler, der Mariens Ruhe störte.

DOUGLAS.

Wer darf Mariens Ruh gefährden, sprecht?

MAC-GREGOR.

Hört ruhig an die traurige Geschichte.
Sechs Jahre sind es jetzt, da kehrte ein
10 Bei uns ins Schloß ein fahrender Student
Aus Edinburgh, mit Namen William Ratcliff.
Den Vater hatt ich einst gekannt, recht gut,
Recht gut, recht gut, er hieß Sir Edward Ratcliff.
Gastfreundlich nahm ich also auf den Sohn,
Und gab ihm Speis und Obdach, vierzehn Tage.
Er sah Marie, und sah ihr in die Augen,
Und sah dort viel zu tief, begann zu seufzen,
Zu schmachten und zu ächzen, – bis Maria
Ihm rund erklärte: daß er lästig sei.
20 Die Liebe packt er in den Korb und ging. –

Zwei Jahre drauf kam Philipp Macdonald,
Der Earl von Ais, warb um Mariens Hand,
Und warb mit gutem Glück, und nach sechs Monden
Stand am Altare, hochzeitlich geschmückt,
Die holde Braut – der Bräutgam aber fehlte.
Wir suchten überall, in allen Zimmern,
Im Hof, im Stall, im Garten – Ach! da fand man
Am Schwarzenstein den Leichnam Macdonalds.

DOUGLAS.

Wer war der Mörder?

MAC-GREGOR.

                    Lange war vergeblich
30 All unser Forschen, – da gestand Maria,
Daß sie den Mörder kenne, und erzählte:
In jener Nacht, die auf den Mordtag folgte,
Sei William Ratcliff in ihr Schlafgemach
Plötzlich getreten, habe lachend ihr
Die Hand gezeigt, noch rot vom Blut des Bräutgams,
Und habe Macdonalds Verlobungsring
Ihr dargereicht mit zierlicher Verbeugung.

DOUGLAS.

Verruchtheit! Welcher Hohn! Was tatet Ihr?

MAC-GREGOR.

Ich ließ den Leichnam Macdonalds beisetzen
In seines eignen Schlosses Ahnengruft,   14
Und an der Stätte, wo der Mord geschah,
Pflanzt ich ein Kreuz, zum ewigen Gedächtnis.

Den Mörder Ratcliff suchte ich vergebens.
Man hatte ihn zuletzt gesehn in London,
Wo er, nach seiner Mutter Tod, sein Erbteil
In Saus und Braus verpraßte, und nachher
Von Spiel und Borg, und gar, wie einge sagen,
Vom ritterlichen Straßenraube lebte.

Verstrichen waren seit der Zeit zwei Jahre,
Und Mord und Mörder waren fast vergessen,   15
Da kam hierher in unser Schloß Lord Duncan,
Hielt bei mir an um meiner Tochter Hand.
Ich willgte ein und mir gelang es auch,
Marias Jawort einem Mann zu schaffen,
Der aus dem Stamm der Schottenkönige sproßt.
Doch wehe uns! Bald stand am Hochaltar,
Festlich geschmückt, die heimlich bange Braut –
Und Duncan lag am Schwarzenstein erschlagen!

DOUGLAS.

Entsetzlich!

MAC-GREGOR.

                    Auf! Steigt auf zu Roß! rief ich
Den Knechten, und wir jagten und wir suchten,   16
In Busch und Feld, in Wäldern und in Klüften,
Drei Tage lang, jedoch umsonst, wir fanden
Die Spur des Mörders nirgends.

                            Ach! und dennoch,
Dieselbe Nacht von jenem Schreckenstag,
Schlich William Ratcliff in Mariens Kammer,
Verhöhnte sie, und gab ihr zierlich grüßend
Des Bräutigams Verlobungsring zurück.

DOUGLAS.

Bei Gott! der Mensch ist kühn! den möcht ich treffen.

MAC-GREGOR.

Er wars gewiß, den Ihr schon habt getroffen,
70   Im Wald bei Invernes. Nur wundr ich mich,
Daß keiner meiner Späher ihn gesehn; –
Denn, Graf, ich hab dafür gesorgt, daß ich
Nicht Euren Namen auch zu setzen brauche –
Auf das Gedächtniskreuz am Schwarzenstein.
(Er geht ab)

DOUGLAS *(allein)*.

Aus Klugheit hats Mac-Gregor mir verschwiegen
Bis nach der Trauung. O, das ist ein Fuchs!
Doch messen möcht ich mich mit jenem Trotzkopf,
Der finster grollend stets Marien ängstigt.
Mir soll er nicht den Ring vom Finger ziehen,
80   Denn wo mein Finger ist, ist auch die Hand.
Ich liebe nicht Marien, und ich bin
Auch nicht geliebt von ihr. Die Konvenienz
Hat unsern heutgen Ehebund geschlossen.
Doch herzlich gut bin ich dem sanften Mädchen.
Ich möcht von Dornen ihre Pfade säubern –

Lesley, *im Mantel gehüllt und sich vorsichtig umsehend, tritt herein.*
Douglas. Lesley.

LESLEY.

Seid Ihr Graf Douglas?

DOUGLAS.

                  Ja, ich bins, was wollt Ihr?

LESLEY *(Er gibt ihm einen Brief)*.

So ist an Euch dies niedliche Billet.

DOUGLAS *(Er hat den Brief gelesen)*.

Ja, ja! Sagt ihm, ich komm. Am Schwarzenstein!
(Beide gehn ab)

Diebesherberge. Im Hintergrunde liegen schlafende Menschen. Ein Heiligenbild hängt an der Wand. Die Wanduhr pickt. Abend-
dämmerung.

William Ratcliff *(sitzt brütend in einer Ecke des Zimmers). In der andern Ecke sitzt* Tom, *der Wirt, und hält sein Söhnchen* Willie
zwischen den Knieen.

TOM *(leise).*

Willie, kannst du das Vaterunser sagen?

WILLIE *(lachend und laut).*

Wie 'n Donnerwetter.   19

TOM.

                    Sprich nur nicht so laut,
Du weckst mir ja die müden Leute auf.

WILLIE.

Nun, solls jetzt losgehn?

TOM.

                    Ja, doch nicht zu rasch.

WILLIE *(schnell).*

»Vater unser im Himmel, dein Name werde geheiligt. Dein Reich komme. Dein Wille geschehe auf Erden, wie im Himmel. Gib uns unser täglich Brot immerdar. Und vergib uns unsre Sünden; denn auch wir vergeben allen, die uns schuldig sind. Und führe uns nicht –

                    (stottert)
                    führe uns nicht – führe uns nicht –«

TOM.

Siehst du? du stotterst. »Führe uns nicht in Versuchung«;
Fang wieder an von vorn.   20

WILLIE *(sieht immer nach* William Ratcliff *und spricht ängstlich und unsicher).*

»Vater unser im Himmel, dein Name werde geheiligt. Dein Reich komme. Dein Wille geschehe auf Erden, wie im Himmel. Gib uns unser täglich Brot immerdar. Und vergib uns unsre Sünden; denn auch wir vergeben allen, die uns schuldig sind. Und führe uns nicht –

                    (stottert)
                    führe uns nicht – führe uns nicht – «

TOM *(ärgerlich)*.
>>In Versuchung!<<
WILLIE *(weinend)*.

Lieber Vater, sonst ging mirs
Vom Maul wie Wasser. Aber der dort sitzt –
(er zeigt auf William Ratcliff*)*
Der sieht mich immer an mit schlimmen Augen.

TOM.

210 Heut Abend, Willie, kriegst du keine Fische,
(drohend)
Und stiehlst du sie mir wieder aus dem Kasten –

WILLIE *(weinend und im Vaterunser-Tone)*.
>>Führe uns nicht in Versuchung!<<

RATCLIFF.

Laßt nur den Buben gehn. Auch ich hab nie
Im Kopf behalten können diese Stelle.
(Schmerzlich)
>>Führe uns nicht in Versuchung!<<

TOM.

Auch tät mirs leid, wenn einst der Bube würde
Wie Ihr und diese dort.
(Zeigt nach den Schlafenden)
Jetzt geh nur, Willie.

WILLIE *(abgehend und weinerlich vor sich hinmurmelnd)*.
>>Führe uns nicht in Versuchung!<<

Die Vorigen ohne Willie.

RATCLIFF *(lächelnd)*.
Wie meint Ihr das?

TOM.

Fromm, christlich soll er werden;
220 Kein solcher Galgenstrick, wie ich, sein Vater.

RATCLIFF *(spöttisch)*.
Ihr seid so schlimm noch nicht.

TOM.

Jetzt freilich bin ich
Ein zahmes Tier, und zapfe Bier, ein Wirt.

Und weil mein Häuschen hübsch versteckt im Wald liegt,
Beherberg ich nur große Herrn wie Ihr,
Die gerne das Inkognito behaupten,
Am Tage schlafen und des Abends ausgehn.
Ich gebe Tagsquartier statt Nachtquartier.
Ja, einst mondsüchtelte ich auch und schwärmte
          (macht eine Fingerbewegung)
In fremde Häuser und in fremde Taschen.
Doch nie hab ichs so toll gemacht wie diese.   230
          (Er zeigt nach den Schlafenden)
Seht diesen Fuchskopf. Das ist ein Genie!
Der hat ein angeborenes Gelüste
Nach fremden Taschentüchern. Stiehlt wie 'n Rabe.
Ei, seht, wie er im Schlafe hastig fingert!
Er stiehlt sogar im Traum. Seht nur, er schmunzelt.
Der Lange dort, mit magern Heuschreckbeinen,
War einst ein Schneider; mauste anfangs Läppchen,
Bald aber Lappen, endlich Stücke Tuch.
Mit Not ist er dem Hängen einst entronnen;
Seitdem hat er das Zucken in den Beinen.   240
Seht, wie er zappelt! O, ich wett, er träumt
Von einer Leiter, wie der Vater Jakob.
Doch seht mal dort den alten, dicken Robin,
Wie er so ruhig liegt und schnarcht, und ach!
Der hat schon zehn Mordtaten auf der Seele.
Ja, wenn er noch katholisch wär, wie wir,
Und absolvieren könnt! Er ist ein Ketzer,
Und nach dem Hängen muß er dort noch brennen.

RATCLIFF *(Er ist immer unruhig im Zimmer auf- und abgegangen,*
     und sieht beständig nach der Uhr).
Glaubts nicht, der alte Robin wird nicht brennen.
Dort oben gibt es eine andre Jury   250
Als hier in Großbritannien. Robin ist
Ein Mann; und einen Mann ergreift der Zorn,
Wenn er betrachtet, wie die Pfennigseelen,
Die Buben, oft im Überflusse schwelgen,
In Samt und Seide schimmern, Austern schlürfen,
Sich in Champagner baden, in dem Bette

Des Doktor Graham ihre Kurzweil treiben,
In goldnen Wagen durch die Straßen rasseln,
Und stolz herabsehn auf den Hungerleider,
260 Der, mit dem letzten Hemde unterm Arm,
Langsam und seufzend nach dem Leihhaus wandert.
                    (Bitter lachend)
O seht mir doch die klugen, satten Leute,
Wie sie mit einem Walle von Gesetzen
Sich wohlverwahret gegen allen Andrang
Der schreiend überlästgen Hungerleider!
Weh dem, der diesen Wall durchbricht!
Bereit sind Richter, Henker, Stricke, Galgen, –
Je nun! manchmal gibts Leut, die das nicht scheun.

TOM.
So dacht ich auch, und teilte ein die Menschen
270 In zwei Nationen, die sich wild bekriegen;
Nämlich in Satte und in Hungerleider.
Weil ich zu letzterer Partei gehörte,
So mußt ich mit den Satten oft mich balgen.
Doch hab ich eingesehn, der Kampf ist ungleich,
Und zieh allmählich mich zurück vom Handwerk.
Ich bin es müd: unstät herumzustreichen,
Niemand ins Aug zu schaun, das Licht zu fliehn,
An jedem Galgen, im Vorbeigehn, ängstlich
Hinaufzuschaun, ob ich nicht selbst dran hänge,
280 Und nur zu träumen von Botany-Bay,
Vom Zuchthaus und vom ewgen Wollespinnen.

Wahrhaftig, das ist nur ein Hundeleben!
Man wird durch Busch und Feld gehetzt wie 'n Wild,
In jedem Baume sieht man einen Häscher,
Und sitzt man auch in still verborgner Kammer,
Erschrickt man, wenn die Tür sich öffnet –

Lesley *tritt hastig ein.* Ratcliff *stürzt ihm entgegen.* Tom *fährt
    erschrocken zurück mit dem Ausruf* Jesus!

LESLEY.
Er kömmt! Er kömmt!

RATCLIFF.

           Er kömmt? Wohlan, so gilts.

TOM *(ängstlich).*

   Wer kömmt? Seit einger Zeit bin ich so schreckhaft –

LESLEY *(zu Tom).*

   Beruhge dich, und laß uns jetzt allein.

TOM *(mit pfiffiger Miene).*

   Ha! ich versteh, Ihr habt jetzt was zu teilen.   290

             (Er geht ab)

          Die Vorigen ohne Tom.

RATCLIFF.

   Er kömmt? So will ich gehn.

        (Er greift nach Hut und Degen)

LESLEY *(hält ihn zurück).*

               Ho! ho! so gehts nicht.

Erst muß es dunkler sein. Man paßt dir auf.
Mac-Gregors Knechte lauern. Wie du aussiehst,
Weiß jedes Kind; man hat dich gut beschrieben.
Wahrhaftig sag mir mal, was soll der Spaß?
Du suchst Gefahr, Gefahr, die dir nicht nützt.
Geh mit zurück nach London; bist dort sicher.
Du solltest meiden diese schlimme Gegend.
Man weiß es, daß du Macdonald und Duncan
So abgemurkst.   300

RATCLIFF *(mit trotziger Würde).*

            Nicht abgemurkst. Im Zweikampf
Fiel Macdonald und Duncan. Ehrlich focht ich;
Und auch mit Douglas will ich ehrlich fechten.

LESLEY.

   Erleichtre dirs. Verstehst ja Italienisch.

       (Macht eine Banditenbewegung)

Doch sprich, wo trat dir Douglas in den Weg?
Was tat er dir? Woher dein Groll, dein Haß?

RATCLIFF.

   Ich sah ihn nie; ich sprach ihn nie; er tat
Mir niemals was zu Leid; ich haß ihn nicht.

LESLEY.

 Und doch willst du sein Lebenslicht auslöschen?

 Bist du verrückt? Bin ich verrückt? daß ich

10 Behilflich bin zu solchem Tollhausstreich!

RATCLIFF.

 Weh dir, wenn du begriffest solche Dinge!

 Weh deinem Hirnfuttral, es müßte bersten,

 Und Wahnsinn würde gucken aus den Ritzen!

 Wie eine Eierschale würde bersten

 Dein armer Kopf, und wär er so geräumig

 Als wie die Kuppel der Sankt Pauluskirche.

LESLEY *(fühlt sich ironisch ängstlich den Kopf)*.

 Du machst mich bang; o schweige lieber still!

RATCLIFF.

 Glaub nicht, ich sei ein weicher Mondscheinheld,

 Ein Bilderjäger, der vom eignen Windhund,

20 Von Phantasie, durch Nacht und Höll gehetzt wird,

 Ein magenkrank schwindsüchtelnder Poet,

 Der mit den Sternen Unzucht treibt, der Leibschmerz

 Vor Rührung kriegt, wenn Nachtigallen trillern,

 Der sich aus Seufzern eine Leiter baut,

 Und endlich mit dem Strick verschlungner Reime

 Sich aufhängt an der Säule seines Ruhms.

LESLEY.

 Das könnt ich selbst im Notfall wohl beschwören.

RATCLIFF.

 Und doch gesteh ich – spaßhaft mag dirs klingen –

 Es gibt entsetzlich seltsame Gewalten,

30 Die mich beherrschen; dunkle Mächte gibts,

 Die meinen Willen lenken, die mich treiben

 Zu jeder Tat, die meinen Arm regieren,

 Und die schon in der Kindheit mich umschauert.

 Als Knabe schon, wenn ich alleine spielte,

 Gewahrt ich oft zwei neblichte Gestalten,

 Die weit ausstreckten ihre Nebelarme,

 Sehnsüchtig sich in Lieb umfangen wollten,

 Und doch nicht konnten, und sich schmerzlich ansahn!

Wie luftig und verschwimmend sie auch schienen,
Bemerkt ich dennoch auf dem einen Antlitz   340
Die stolzverzerrten Züge eines Mannes,
Und auf dem andern milde Frauenschönheit.
Oft sah ich auch im Traum die beiden Bilder,
Und schaute dann noch deutlicher die Züge:
Mit Wehmut sah mich an der Nebelmann,
Mit Liebe sah mich an das Nebelweib. –
Doch als ich auf die hohe Schule kam,
Zu Edinburgh, sah ich die Bilder seltner,
Und in dem Strudel des Studentenlebens
Verschwammen meine bleichen Traumgesichte.   350
Da brachte mich auf einer Ferienreise
Zufall hierher, und nach Mac-Gregors Schloß.

Maria sah ich dort! Mein Herz durchzuckte
Ein rascher Blitz bei ihrem ersten Anblick.
Es waren ja des Nebelweibes Züge,
Die schönen, stillen, liebefrommen Züge,
Die mich so oft im Traume angelächelt!
Nur war Mariens Wange nicht so bleich,
Nur war Mariens Auge nicht so starr.
Die Wange blühte und das Auge blitzte;   360
Der Himmel hatte allen Liebeszauber
Auf dieses holde Bild herabgegossen;
Die Hochgebenedeite selber war
Gewiß nicht schöner als die Namensschwester;
Und von der Liebe Sehnsuchtweh ergriffen,
Streckt ich die Arme aus, sie zu umfangen – *(Pause)*

Ich weiß nicht, wie es kam: im nahen Spiegel
Sah ich mich selbst – Ich war der Nebelmann,
Der nach dem Nebelweib die Arme ausgestreckt!

Wars eitel Traum? Wars Phantasieentrug?   370
Maria sah mich an so mild, so freundlich,
So liebend, so verheißend! Aug in Auge
Und Seel in Seele tauchten wir. O Gott!

Das dunkle Urgeheimnis meines Lebens

War plötzlich mir erschlossen, und verständlich
War mir der Sang der Vögel, und die Sprache
Der Blumen, und der Liebesgruß der Sterne,
Der Hauch des Zephyrs und des Baches Murmeln,
Und meiner eignen Brust geheimes Seufzen!
480 Wie Kinder jauchzten wir, und spielten wir.
Wir suchten uns, und fanden uns im Garten.
Sie gab mir Blumen, Myrten, Locken, Küsse;
Die Küsse gab ich doppelt ihr zurück.
Und endlich sank ich hin vor ihr aufs Knie,
Und bat: O sprich, Maria, liebst du mich?
(Versinkt in Träumerei)

LESLEY.

Da hätt ich dich doch sehen mögen, Ratcliff,
Die starken Fäuste bittend fromm gefaltet,
Das funkelnd wilde Aug sehnsüchtig schmachtend,
Und zärtlich sanft die Stimm, die auf der Landstraß
490 Dem reichen Lord so schrecklich ins Gehör schallt.

RATCLIFF *(wild ausbrechend).*

Verfluchte Schlang! Mit seltsam scheuen Blicken,
Und Widerwillen fast, sah sie mich an,
Und höhnisch knixend, sprach sie frostig: Nein!
Noch hör ichs lachen unter mir: Nein! nein!
Noch hör ichs seufzen über mir: Nein! nein!
Und klirrend schlagen zu des Himmels Pforte!

LESLEY.

Das war ja ganz infam und niederträchtig.

RATCLIFF.

Mac-Gregors Schloß verließ ich, und ich reiste
Von dort nach London; im Gewühl der Hauptstadt
500 Dacht ich des Herzens Qual zu übertäuben.
Ich war mein eigner Herr, denn meine Eltern
Verlor ich früh, noch eh ich sie gekannt hab.
Schlecht, schlecht gelang mir der Betäubungsplan.
Portwein, Champagner, alles wollt nicht fruchten;
Nach jedem Glase ward mein Herz betrübter.
Blondinen und Brünetten, keine konnt
Forttändeln und fortlächeln meinen Schmerz.

Sogar beim Pharo fand ich keine Ruh.
Marias Aug schwamm auf dem grünen Tische;
Marias Hand bog mir die Parolis;   410
Und in dem Bild der eckigen Coeur-Dame
Sah ich Marias himmelschöne Züge!
Maria wars, kein dünnes Kartenblatt;
Maria wars, ich fühlte ihren Atem;
Sie winkte: ja! sie nickte: ja! – va banque! –
Zum Teufel war mein Geld, die Liebe blieb.

LESLEY *(lacht).*

Ha! ha! da zogst du aus dem Stall dein Rößlein,
Schwangst dich hinauf, wies Schottlands Rittern ziemt,
Und wie die Ahnen lebtest du vom Stegreif.
Die Liebe ist dir jetzt gewiß vergangen;   420
Man wird schon nüchtern, wenn man oft des Nachts
Durch Wind und Wetter reitet, und beim Galgen
Vorbeikömmt, und dort gute Freunde sieht,
Die pendulartig mit den Beinen grüßen.

RATCLIFF.

Öl kam ins Feuer. Wilder nur entbrannte
In mir die wilde Sehnsucht nach Marien.
In England wards mir oft zu eng; nach Schottland
Zogs mich mit unsichtbaren Eisenarmen.
Nur in Mariens Nähe schlaf ich ruhig,
Und atm ich frei, und ist mir nicht so ängstlich,   430
Und ist mir wohl – denn höre mein Geheimnis:

Geschworen hab ich bei dem Wort des Herrn,
Und bei der Macht des Himmels und der Hölle,
Und hab mit grausem Fluch den Schwur besiegelt, –
»Von dieser Hand soll fallen der Vermeßne,
Ders wagt Marien bräutlich zu umfangen.«
Die Stimm in meiner Brust sprach diesen Schwur,
Und blindlings dien ich jener dunklen Macht,
Die mit mir kämpft, wenn ich Mariens Freiern
Am Schwarzenstein ein Rosenbett bereite.   440

LESLEY.

Jetzt erst versteh ich dich; doch billg ich nichts.

RATCLIFF.

Billg ichs denn selbst? Nur jene Stimme hier,
Die fremde Stimm, die sich hier eingenistet,
Sagt: ja; nur jene Bilder nicken Beifall,
Die ich im Traume seh –
                (aufschreiend)
                Jesus Maria!
Dort! dort! siehst du? dort, dort! Die Nebelmenschen!

*Es ist dunkel geworden. Man sieht zwei neblichte Gestalten über
die Bühne schwanken und verschwinden. – Die im Hintergrunde
liegenden* Räuber *und* Gauner, *durch Ratcliffs Schrei aus dem
Schlafe geweckt, springen auf mit dem Ausrufe:*

Was gibts? Was gibts?

LESLEY.
                Bist du des Teufels, Ratcliff?
Ich sehe nichts.

MEHRERE.
           Was sieht er? Sieht er Häscher?

LESLEY.
Nein! just das Gegenteil, denn Geister sieht er.
              (Alle lachen)

ROBIN *(verdrießlich)*.
God damn! Man hat auch keine Ruh am Tag.

RATCLIFF.
Es dunkelt; ich will gehn.

LESLEY.
              Ich gehe mit.

RATCLIFF.
Das leid ich nicht.

LESLEY.
          Nur bis zum Schwarzenstein;
Vielleicht stehn Wachen dort.

RATCLIFF.
              Die Angst treibt sie
Schon weg; dort ist es nicht geheur des Nachts.

LESLEY.

  Lebt wohl, Ihr Herrn!

RATCLIFF.

                    Lebt wohl!

ALLE.

                              Gott segne Euch.

                    (Ratcliff und Lesley gehn ab)

                    Die Vorigen ohne Ratcliff und Lesley.

ROBIN.

  God damn! der ist besoffen oder toll.

DICK.

  So war er immer, denn ich kenn ihn noch
  Von London her. In Rascal-Tavern hab ich
  Ihn oft gesehn. Er pflegte stundenlang
  Mit krauser Stirn zu sitzen in der Ecke   460
  Und immer still und stumm ins Licht zu starrn.
  Oft saß er zwischen uns vergnügt und lachend –
  Nur lacht' er gar zu hell – erzählte Späße –
  Nur gar zu wilde Späße – und er war
  Vergnügt und lachte – O da zuckte plötzlich
  Und gräßlich spöttisch seine Oberlippe,
  Ein Ton des Schmerzes pfiff aus seiner Brust,
  Und wütend sprang er auf:»Johann, mein Pferd!« –
  Und ritt zum Teufel, und er kam nach eingen
  Monaten erst zurück. Nach Schottland, sagt man,   470
  Pflegt er alsdann zu reiten, Tag und Nacht.

ROBIN.

  O, der ist krank.

DICK.

                Was kümmerts mich? Lebt wohl.
                    (Geht ab)

BILL.

  Es ist schon Zeit, daß man zur Arbeit geht.
                (Betend vor dem Heiligenbilde)
  Beschütz mich in Gefahr und gib mir Segen!
                    (Er und mehrere gehn ab)

ROBIN *(hält sich seine Faust vorm Gesicht).*
Mein Schutzpatron, beschütz mich in Gefahr.
(Geht ab)

Zwei Gauner *bleiben schlafend liegen.* Tom, *der Wirt, schleicht
herein und stiehlt ihnen das Geld aus der Tasche.*

TOM *(mit schlauer Miene).*
Sie dürfen mich nicht vor Gericht verklagen.
(Er geht ab)
(John und Taddie *wachen auf)*
JOHN *(gähnend).*
Der Schlaf ist doch die köstlichste Erfindung!
TADDIE *(gähnend).*
Komm, John, zum Frühstück.
JOHN.
Frühstück! Was gibts Neues?
TADDIE.
Gewiß hat man Freund Riffel heut gehängt.
JOHN.
Das Hängen ist die schlechteste Erfindung.
(Trollen beide fort)

*Wilde Gegend am Schwarzenstein. Nacht. Links abenteuerliche
Felsenmassen und Baumstämme. Rechts ein Denkmal in der Form
eines Kreuzes. Der Wind braust. Man sieht zwei weiße Nebelgestalten, die sehnsüchtig die Arme gegeneinander ausstrecken, sich
nahen, immer wieder auseinanderfahren, und endlich verschwinden.*
Ratcliff *tritt auf.*

RATCLIFF *(allein).*
Hui, wie das peift! Die Hölle hat all ihre
Querpfeifer ausgesandt. Die spielen auf.
Der Mond hüllt sich in seinen weiten Plaid,
Und schüttelt nur ein sparsam Licht herab.

Ha! ha! meinthalb kann er sich ganz verhüllen.
Denn wies auch dunkel sei, die Schneelawine
Bedarf nicht der Laterne, um zu schaun,
Wohin sie rollen soll; es wird das Eisen
Den Weg zu dem Magnet von selber finden;
Und ohne Meilenzeiger findet Ratcliffs   490
Erprobtes Schwert den Weg zu Douglas' Brust.
Ob auch das Gräflein kömmt? Ob nicht der Sturm,
Die Furcht vor Schnupfen, Husten und Erkältung
Es gar zurückhält? Und es denkt vielleicht:
Ich wills auf *morgen* Nacht verschieben.

                                        Ha! ha! –
Und just um *diese* Nacht ists mir zu tun.
Kömmt er nicht her, so komme ich zu ihm
Ins Schloß.

            (An sein Schwert schlagend)
            Der Schlüssel paßt für alle Zimmer;
Und diese Freunde
            (legt die Hand an die Pistolen im Gürtel)
                decken mir den Rücken.
        (Nimmt eine Pistole heraus und betrachtet sie)
Der sieht mich an so ehrlich; gerne möcht ich   500
Auf seinen Mund festdrücken meinen Mund,
Und drücken –

                Ach, nach solchem Feuerkusse
Da wär mir wohl, und wich mein wildes Weh!
                    (Sinnend)
Vielleicht im selben Augenblick drückt Douglas
Gleichfalls den Mund fest auf Mariens Mund –

Ha! ha! das ists. Deshalb darf ich nicht sterben.
Ich müßt allnächtlich aus dem Grabe steigen,
Und als ohnmächtger Schatten knirschend zusehn:
Wie 'n Gimpel, mit dem lüstern Mopsgesicht,
Beschnüffelt und begafft Mariens Reize.   510
Ich darf nicht sterben. Käm ich in den Himmel
Und schaute, durch den Ritz der Himmelsdecke,
Zufällig in Graf Douglas' Schlafgemach –

Ich würde fluchen, daß den frommen Englein
Erblassen würden ihre roten Backen,
Und ängstlich in der Kehle stecken bliebe
Das lange, wässerige Halleluja.
Und bin ich mal verdammt zur ewgen Hölle,
Wohlan, so will ich auch ein Teufel sein,
20 Und nicht ein jämmerlicher, armer Sünder.

Ratcliff. Douglas.

RATCLIFF.

Horch, horch, ich höre Tritte!
                    (Ruft laut)
                              Holla! holla! –
Wer bist du, der sich dorten naht? Gib Antwort!

DOUGLAS.

Die Stimm ist mir bekannt. Es ist die Stimme
Des edlen Reiters, der mich jüngst gerettet
Aus Räuberklaun, im Wald bei Invernes.
                    (Nähert sich ihm)
Ja, ja, Ihr seids, jetzt könnt Ihr nicht entrinnen.
Ich muß Euch danken für die edle Tat.

RATCLIFF.

O, spart den Dank. Es war nur eine Grille,
Daß ich Euch half. *Drei* lagen über Euch.
30 Das war zu viel. Wärs *Einer* nur gewesen,
Bei Gott! ich wäre still vorbeigeritten.

DOUGLAS.

Seid nicht so grämlich. Laßt uns Freunde werden.

RATCLIFF.

Wohlan, es sei. Doch als Beweis der Freundschaft
Müßt Ihr mir eine Bitte gleich gewähren.

DOUGLAS.

Sprecht nur. Mit Leib und Seel gehör ich Euch.

RATCLIFF.

Mein neuer Freund, verlaßt jetzt diesen Platz;
                    (lachend)
Es seie denn, daß Ihr Graf Douglas hießet.

DOUGLAS *(befremdet).*

Bei Gott, so heiß ich.

RATCLIFF.

Was? Ihr heißt Graf Douglas?
(Lachend)

O, das ist schlimm, so ist es ja schon aus

Mit unsrer hübschen, neugebacknen Freundschaft; 540

Denn wißt, Herr Graf, ich heiße – William Ratcliff.

DOUGLAS *(wild und das Schwert ziehend).*

Du bist der Mörder Macdonalds und Duncans?

RATCLIFF *(zieht sein Schwert).*

Ich bins, und um das Kleeblatt vollzumachen,

Hab ich auch Euch, Herr Graf, hierher beschieden.

DOUGLAS *(stürzt auf ihn ein).*

Verruchter Mörder, wehr dich deiner Haut.
(Gefecht)

RATCLIFF.

Ha! ha! ich schlag, so gut ich kann. Ha! ha!

DOUGLAS.

Lach nicht so gräßlich auf.

RATCLIFF *(lachend).*

Ich lache nicht,

Das tun die bleichen Nebelmenschen dort –

DOUGLAS.

Lach, wie du willst. Ihr, Schatten Macdonalds

Und Duncans, steht mir bei! 550

RATCLIFF.

Teufel und Hölle!

Der tote Duncan fängt die Quarten auf.

Misch dich nicht ein, verfluchter, toter Fechter!

DOUGLAS.

Ha! ha! der Hieb, der saß!

RATCLIFF.

Tod und Verrat!

Jetzt kommt der Macdonald noch obendrein, –

Das ist zuviel – Drei gegen Einen –

(er weicht zurück und stolpert über das Piedestal des Monuments)

Ha!

Fluch und Verdammnis! Ratcliff liegt am Boden –
Stoßt zu, stoßt zu! ich bin Eur größter Feind.
DOUGLAS *(kalt)*.
Ihr habt jetzund des Douglas Schwert erprobt.
Vielleicht verdankte *ich* Euch jüngst das Leben.
560 Jetzt sollt Ihrs mir verdanken. Wir sind quitt.
Ich denk, Ihr kennt mich jetzt, und die Lektion
Hat Euch vielleicht das böse Herz gebessert.
         (Er geht stolz ab)

Ratcliff *liegt regungslos am Fuße des Monuments. Der Wind heult*
wilder. Die zwei Nebelgestalten *erscheinen, nahen sich mit ausge-*
streckten Armen, fahren wieder auseinander, und verschwinden.

RATCLIFF *(Er steht langsam und betäubt auf)*.
Wars eine Menschenstimme? Wars der Wind?
Ein wahnsinnschwangres Wort summt mir im Ohr.
War es ein toller Traum? Wo bin ich denn?
Was ist das für ein Kreuz, und was steht drauf?
         (Er liest die Inschrift des Monuments)
»Graf Duncan und Lord Macdonald sind hier
Von Gottverfluchter Hand ermordet worden.«
         (Auffahrend)
Es ist kein Traum. Ich bin am Schwarzenstein,
570 Und bin besiegt, verspottet und verachtet!
Boshafte Winde kichern mir ins Ohr:
Hier steht der Mann, der starke Riesengeist,
Der Großbritanniens Menschen und Gesetze
Verhöhnt, der trotzig mit dem Himmel rechtet –
Nun kann ers nicht verhindern, daß Graf Douglas
Heut Nacht in seines Liebchens Armen liegt,
Und lachend ihr erzählet, wie der Wurm,
Der William Ratcliff heißt, am Schwarzenstein
Sich krümmte, jämmerlich am Boden krümmte,
580 Und wie des Douglas Fuß ihn nicht zertreten,
Um sich nicht zu besudeln –
         (in Wut ausbrechend)
                 O, verfluchte,

Verdammte Hexen, lacht nicht so entsetzlich,
Reibt nicht verhöhnend Eure Zeigefinger!
Ich werfe Felsen auf Eur scheußlich Haupt,
Ich reiße Schottlands Tannenwälder aus,
Und geißle Euch damit den gelben Rücken,
Und mit dem Fuß stampf ich das schwarze Gift
Aus Euren dürren, gottverhaßten Leibern!
Nordwind, zerzause und zerreiß die Welt!
Brich, Himmelsdecke, und zermalme mich!   590
Erde, vernachte und verschlinge mich!
(Halb wild, halb ängstlich, und in einen geheimnisvollen Ton
übergehend)
Verdammter Doppelgänger, Nebelmensch,
Anglotze mich nicht mit den stieren Augen –
Mit deinen Augen saugst du aus mein Blut,
Erstarren machst du mich, Eiswasser gießt du
In meine glühnden Adern, machst mich selbst
Zum toten Nachtgespenst – du zeigst dorthin?
Mit langem Nebelarm zeigst du dorthin?
Soll ich? Marie? Die weiße Taube? Blut?
Soll ich? Holla, wer spricht? Das war kein Wind.   600
Maria soll ich mit mir nehmen? Nickst du?
Es sei, es sei, mein Wille ist von Eisen,
Und ist allmächtger noch als Gott und Teufel.
(Er stürzt fort)

Mac-Gregors Schloß. Erleuchtetes Zimmer mit einem verhängten
Kabinette in der Mitte. Man hört verhallende Tanzmusik und
Mädchengekicher.
Maria, *festlich geschmückt, und* Margarete *treten eben herein.*

MARIA.
    Ach Gott! mir ist so ängstlich –
MARGARETE.
                                    's tut der Schnürleib.
Komm her, ich will dich ausziehn, liebes Püppchen.
    (Sie hilft Marien *beim Auskleiden)*

MARIA.

Das Herz ist mir beklommen.

MARGARETE.

Ei, mein Püppchen,
Graf Douglas ist ein hübscher Mann.

MARIA *(heiter lachend)*.

Das ist er!
Und lustig, und verträglich, und ein Mann!

MARGARETE.

Ist Püppchen auch verliebt?

MARIA.

Verliebt? verliebt?
O, das ist dumm. Man muß sich leiden können.

MARGARETE.

Man sprach nicht immer so. Als William Ratcliff –

MARIA *(hält ihr ängstlich den Mund zu)*.

O, bitte, bitte, bitte, sprich nicht aus
Den bösen Namen, es ist Nacht und spät –

MARGARETE.

Mein Püppchen war verliebt.

MARIA.

Ach nein! Im Anfang
Da schien er lämmchensanft, und sein Gesicht
Das schien mir so bekannt, und seine Stimme
Klang mir so weich, und auch sein Odem
Tat meiner Wange heimlich wohl, sein Auge
Das schaute gar zu spaßhaft lieb und fromm –
(zusammenschauernd)
Doch plötzlich sah er aus wie ein Gespenst,
So blaß, so starr und wild verzerrt und blutig,
Und drohend grimm, als wollt er mich ermorden –
Er sah fast ähnlich jenem Nebelmann,
Der oft im Traum die Arme nach mir ausstreckt,
Und mich so lang entsetzlich zärtlich anschaut,
Bis daß ich selbst ein luftges Bildnis werde,
Und neblicht selbst ausbreite meine Arme.

MARGARETE.

Du bist doch just wie deine selge Mutter;

Sie tat so bös, und doch wie eine Katz
War sie verliebt in Ratcliff –   630

MARIA.

Wie, in Ratcliff?

MARGARETE.

In Edward Ratcliff, William Ratcliffs Vater –
O, deine Mutter war so hübsch, so hübsch!
Sie hieß Schön-Betty. Locken hatte sie
Wie pures Gold, und Händ wie Marmelstein,
Und Augen – O, die kannte Edward Ratcliff!
Der sah den ganzen Tag hinein, und hat
Sich fast die eignen Augen ausgeguckt –
Und singen konnt sie wie die Nachtigall;
Und wenn sie an dem Herde saß und sang:

(sie singt)

»Was ist von Blut dein Schwert so rot,   640

Edward? Edward?«

So blieb die Köchin still stehn, und der Braten
Verbrannte jedesmal – Ach Gott! ich wollte
Ich hätt ihr nie das böse Lied gelehrt.

(Sie weint)

MARIA.

O, liebe Margret, o erzähl mir das.

MARGARETE.

Schön-Betty, deine Mutter, saß allein
Und sang:

(sie singt)

»Was ist von Blut dein Schwert so rot,

Edward? Edward?« –

Da sprang ins Zimmer plötzlich Edward Ratcliff,
Und sang im selben Tone trotzig weiter: 650

(sie singt)

»Ich habe geschlagen mein Liebchen tot, –

Mein Liebchen war so schön, o!«

Da hat Schön-Betty sich so sehr entsetzt,
Daß sie den armen, wilden Edward nimmer
Wollt wiedersehn; und um ihn noch zu ärgern,
Heiratete sie deinen Vater. Edward Ratcliff,

Der wurde toll vor Wut, und um zu zeigen,
Daß er Schön-Betty leicht entbehren könne,
Nahm er zur Frau, ganz aus Verzweiflungstrotz,
660 Lord Campbels Jenny, und der William Ratcliff,
Das ist der Sohn aus dieser tollen Ehe.

MARIA.

Die arme Mutter!

MARGARETE.

                Ei, Schön-Betty war
Ein eigensinnig Ding. Ein ganzes Jahr lang
Hat sie den Namen Ratcliff nie genannt.
Doch wie zum zweitenmal Oktober kam –
Ich glaub, es war just Ratcliffs Namenstag –
Da frug sie, wie von ungefähr: »Margret,
Hast du von Edward nichts gehört?« O, sagt ich,
Der hat die Jenny Campbel sich zur Frau
670 Genommen. »Campbels Jenny?« rief Schön-Betty,
Und wurde blaß und rot, und bitterlich
Fing sie zu weinen an – dich hielt ich just
Im Schoß, Marie, drei Monat warst du alt –
Und du fingst auch zu weinen an, – und ich
Um nur Schön-Bettys Tränen fortzuschwatzen,
Erzählte ihr: der Edward könne doch nicht
Ablassen von Schön-Betty, Tag und Nacht
Säh man ihn schleichen hier ums Schloß, man sähe,
Wie er die Arme nach Schön-Bettys Fenster
680 Sehnsüchtig ausstreckt. – »O, das wußt ich längst!«
Rief jetzt Schön-Betty lachend; hastig flog sie
Ans Fenster, streckte aus die Arm nach Edward –
O, das war schlimm, Mac-Gregor sah das just,
Dein eifersüchtger Vater –
             (hält erschrocken ein)

MARIA.

                Nun, und da?
Erzähl doch weiter.

MARGARETE.   Nun, und da ists aus.

MARIA.

Erzähl doch weiter.

MARGARETE *(ängstlich).*
                    Nun, am andern Morgen
  Lag, bei der alten Schloßmauer, tot und blutig
  Der Edward Ratcliff –
MARIA.
                    Und die arme Mutter?
MARGARETE.
  Je nun, die starb, vor Schreck, drei Tage drauf.
MARIA.
  O das ist gräßlich!   690
MARGARETE *(im kalten, höhnischen Wahnsinntone).*
                    Hättest du erst selbst
  Gesehn mit deinen kleinen Augen, Püppchen,
  Wie an der Schloßmaur Edward Ratcliff lag –
  Hu, hu, das blutge Bild klebt mir im Kopf!
  Und weil ich weiß, wer ihn erschlagen hat,
  Und weil ich das niemanden sagen darf,
  Und weil ich toll bin – hu! kann ich nicht schlafen,
  Und überall seh ich den Edward Ratcliff,
  Den bleichen, blutigen, mit seinen starren,
  Dolchspitzen Augen, mit dem Zeigefinger
  Gespenstisch aufgehoben, langsam schreitend –   700

William Ratcliff, *bleich, verstört und blutig, tritt herein.*
                    Die Vorigen.

MARGARETE *(wild aufschreiend).*
  Jesus Marie, der tote Edward Ratcliff!
  *(Sie kauert nieder in einer Ecke des Zimmers, und bleibt dort starr
                    und regungslos sitzen)*
MARIA *(aufschreiend).*
  Entsetzlicher! Bringst du mir Douglas' Ring?
RATCLIFF *(bitter lachend).*
  Das Karussell, das Ringestechen, ist
  Jetzt aus. Zwei Ringe stach ich, doch der dritte
  Wollt sich nicht stechen lassen, und ich stürzte
  Hinunter von dem Holzpferd.

MARIA *(plötzlich im vertraulich ängstlichen Tone).*
                              William! William!
Du blutest ja. Komm her, ich will die Wunde
Verbinden.
            (Sie zerreißt ihren weißen Hochzeitschleier)
               Gott! Wo bin ich? Böser William –
Nein, du bist Edward, ich, ich bin Schön-Betty –
710   Dein armer Kopf ist blutig, und der meine
Ist so verwirrt – Ich weiß nicht was ich tu –
Komm her; wenn du mich lieb hast, kniee nieder –
            (Sie will ihm die Kopfwunde verbinden)
RATCLIFF *(stürzt zu ihren Füßen. Schmerzhaft zärtlich).*
Neckt mich ein Traum? Ich liege vor Marien?
Liege zu ihren Füßen? Kleine Füße,
Seid ihr nicht Nebel, die der Wahnsinn bildet,
Und die zerrinnen, wenn ich sie umfasse?
MARIA *(beschwichtigend und ihm den Kopf mit dem Schleier ver-
bindend).*
Bleib ruhig. An den goldnen, hübschen Locken
Klebt Blut. Lieg still; du machst mich selber blutig.
Ja, wenn du still liegst, küß ich dich aufs Auge.
                    (Sie küßt ihn)
RATCLIFF.
720   Mir ist die Nacht vom Auge fortgeküßt;
Die Sonne kann ich wieder sehn – Maria!
MARIA *(wie aus einem Traume aufgeschreckt).*
Maria? Und du bist auch der William Ratcliff?
                    (Hält sich die Augen zu)
O das ist gar zu traurig!
                    (Schaudernd)
                    Fort! geh fort!
RATCLIFF *(springt auf und umschlingt sie).*
Ich weiche nicht! Ich hab dich lieb, Maria,
Und du hast William lieb –
                    (vertraulich)
                              Im Traum hast dus
Mir oft gesagt. Weißt du, wir sehn uns ähnlich?
Schau in den Spiegel.

(Er führt sie an einen Spiegel und zeigt nach beiden Spiegelbildern)
                    Deine Züge sind
Zwar schöner, edler, reiner als die meingen;
Doch sind sie ihnen ähnlich. Diese Lippen
Umzuckt derselbe Stolz, derselbe Trotz.   730
Hier sitzt der Leichtsinn ebenso wie dort.
Sprich mal ein Wörtchen!
MARIA *(sich sträubend)*.
                              Laß mich! laß mich!
RATCLIFF.
                                        Hörst du?
Die Stimm klingt wie die meinge, nur weit sanfter.
Das tiefe Blau des Auges ist dasselbe;
Nur glänzender bei dir. Gib her die Hand.
    (Nimmt ihre Hand und vergleicht sie mit der seinigen)
Siehst du dieselben Linien?
                    (Erschrickt)
                              Sieh mal her,
Die Lebenslinie ist so kurz wie hier –
MARIA.
O laß mich, William, und entflieh! entflieh! –
Nur schnell, sie kommen gleich –
RATCLIFF.
                              Ja, du hast recht,
Wir wollen fliehn. Komm, folge mir, mein Lieb.   740
Komm, folge mir. Gesattelt steht mein Roß,
Das schnellste in ganz Schottland.
              (Zieht sein Schwert hervor)
                              Hier, mein Schwert
Bahnt uns den Weg. Sieh mal, wies funkelt! Horch!
MARGARETE *(wahnsinnig singend)*.
»Was ist von Blut dein Schwert so rot,
                              Edward? Edward?
Ich habe geschlagen mein Liebchen tot, –
                    Mein Liebchen war so schön, o!«
RATCLIFF.
Wer sprach das blutge Wort? Wars dort die Eule,
Die sich ans Fenster klammert? Wars der Wind,

750 Der im Kamin pfeift? Wars die bleiche Hexe,
Die in der Ecke kauert? Ja, die war es;
Ihr Leib ist marmorstarr, doch aus der Brust
Schrillt ihr der heisre Sang. Ich soll mein Liebchen
                    (im höchsten Schmerz)
Totschlagen, singt sie – O, das muß ich ja –

MARIA.

Entsetzlich rollt dein Aug, dein Odem brennt –
Dein Wahnsinn steckt mich an – verlaß mich! laß mich!

RATCLIFF.

O sträub dich nicht, mein Lieb. Der Tod ist ja
So süß. Ich nehm dich mit ins schöne Land,
Wovon wir oft geträumt. Komm mit, mein Lieb.

MARIA *(sich von ihm losreißend)*.

760 Entflieh! Entflieh! Denn trifft dich hier Graf Douglas –

RATCLIFF *(in Wut ausbrechend)*.

Verfluchter Name! Losungswort des Todes!
Kein Gott soll dich besitzen. Mir gehörst du –
                    (Er will sie erstechen)

MARIA *(sich in das verhängte Kabinett flüchtend)*.

William! du willst mich morden –

RATCLIFF *(stürzt ihr nach ins Kabinett)*.

                              Mir gehörst du –

Mein ist Maria –
                    (Man hört Marias Stimme:)
                    William! Hülfe! William!

MARGARETE *(singt)*.

»Ich habe geschlagen mein Liebchen tot, –
                    Mein Liebchen war so schön, o!«
*(Die zwei Nebelmenschen erscheinen von entgegengesetzten
Seiten, stellen sich an den Eingang des Kabinetts, strecken die Arme
nacheinander aus, und verschwinden bei Ratcliffs Hervortreten)*

RATCLIFF *(das blutige Schwert in der Hand, stürzt aus dem Kabinette)*.

Halt! halt! entweich mir nicht, mein Doppelgänger!
Du bleiches Nachtgespenst, du hasts getan.
An deiner Nebelhand klebt rotes Blut.

770 Komm, ficht mit mir, du hast Marie ermordet –

Mac-Gregor *stürzt herein mit bloßem Schwerte.*
Die Vorigen.

MAC-GREGOR.

Um Hülfe riefs –

(*erblickt Ratcliff*)

Dich treff ich hier, Verruchter,
Verhaßter Mörder, Störer meiner Ruh –

RATCLIFF (*wild auflachend*).

Das bin ich, und auch du bist mir verhaßt,
Weiß nicht warum, doch bist du mir verhaßt,
Nach deinem Blute lechz ich –

(*Sie stürzen fechtend aufeinander ein*)

MAC-GREGOR.

Bösewicht!

RATCLIFF.

Ha! ha! ha!

MARGARETE (*singt*).

»Was ist von Blut dein Schwert so rot,

Edward? Edward?«

MAC-GREGOR (*stürzt nieder*).

Verfluchtes Lied!

(*Er stirbt*)

RATCLIFF (*erschöpft*).

Die giftge Schlang ist tot.
Nun ist mirs leicht ums Herz. Den Vorgeschmack
Der Ruh genieß ich schon. Marie ist mein.   780
Mein Tagwerk ist vollbracht. Ich komm, Marie.

(*Er geht ins Kabinett; man hört inwendig seine Stimme:*)

Hier bin ich, süßes, weißes Lieb. Maria!

(*Es fällt ein Schuß im Kabinette*)

(*Die* zwei Nebelbilder *erscheinen von beiden Seiten, stürzen sich
hastig in die Arme, halten sich festumschlungen, und verschwinden.
Man hört lautes Rufen und verworrene Stimmen*)

Douglas, Gäste *und* Diener *treten bestürzt herein.*
Die Vorigen.

EIN DIENER.

Jesus Marie! hier liegt der edle Herr!

VIELE STIMMEN.
  Mac-Gregor!
DOUGLAS.
                Tot! tot ist der edle Laird.
  Sucht nur den Mörder. Schließt des Schlosses Pforte.
MARGARETE *(richtet sich langsam in die Höhe, nähert sich der Leiche*
        Mac-Gregors *und spricht im wahnsinnigen Tone:)*
  Ei! ei! so blutig und so bleich lag auch
  Der tote Edward Ratcliff an der Schloßmaur.
  Der böse, zornige Mac-Gregor hatte
  Den armen Edward Ratcliff totgeschlagen!
                    (Weinend)
790 Ich hab es nicht getan, habs nur gewußt.
  Und den
              (zeigt nach Mac-Gregors *Leiche)*
        hat William Ratcliff totgeschlagen –
  Und auch der William hat jetzt Ruh. Er schläft
  Jetzt bei Marie – still! still! – weckt sie nicht auf –
  (Sie geht auf den Fußzehen nach dem Kabinette und hebt die Gardine
  desselben auf. Man sieht die Leichen von Maria *und* William
                    Ratcliff*)*
ALLE.
  Entsetzlich!
MARGARETE *(vergnügt lachend).*
        Sie sehn fast aus wie Edward und Schön-Betty!

BYRON-ÜBERSETZUNGEN

MANFRED

Erster Auftritt

Eine gotische Halle. – Mitternacht. – Manfred allein.

MANFRED.
Ich muß die Ampel wieder füllen, dennoch
Brennt sie so lange nicht, als ich muß wachen.
Mein Schlaf – wenn ich auch schlaf – ist doch kein Schlaf;
Nur ein fortdauernd Brüten in Gedanken,
Die ich nicht bannen kann. Im Herzen pocht mirs
Gleich wie ein Wecker, und mein Aug erschließt
Sich nur, einwärts zu schaun. Und dennoch leb ich,
Und trage Menschenform und Menschenantlitz.
Doch Kummer sollt des Weisen Lehrer sein;
Der Schmerz macht weise, und wers meiste weiß,
Den schmerzt am meisten auch die bittre Wahrheit:
Daß der Erkenntnisbaum kein Baum des Lebens!
Nun hab ich jede Wissenschaft durchgrübelt,
Auch Weltweisheit, die Kräfte der Natur
Erforscht, und fühl im Herzen die Gewalt,
Die solche dienstbar machen könnt mir selber.
Doch frommt es nicht. – Den Menschen tat ich Gutes,
Und mir geschah auch Gutes, selbst von Menschen.
Doch frommt' das nicht. – Ich hatte meine Feinde,
Ich sank vor keinem, mancher sank vor mir.
Doch frommt' es nicht. – Denn Gutes, Böses, Leben,
Macht, Leidenschaft, wie ichs bei Andern sehe,
Das war bei mir wie Regen auf den Sand,
Seit jener grausen Stund. Ich fürchte nichts,
Mich quält der Fluch, daß ich nichts fürchten kann,
Kein stärkres Pochen fühl, von Hoffnung, Wünschen,
Sehnsucht nach einem Wesen dieser Erde.
Mein Werk beginn!
                    Geheimnisvolle Mächte!

Ihr Geister dieses unbegrenzten Weltalls!
Ihr, die ich stets gesucht in Licht und Dunkel!   30
Ihr, die den Erdball rings umwebt, und luftig
Im Hauche wohnt; Ihr, die als Lieblingsplätze
Euch ausgesucht die steilsten Bergesgipfel;
Ihr, die in Erd- und Meerabgründen hauset, –
Euch ruf ich her kraft des geschriebnen Zaubers,
Der Euch mir unterjocht. Steigt auf! Erscheint!
                    (Pause)
Sie zögern. – Ich beschwör Euch bei dem Worte
Des Geisteroberhaupts, bei diesem Zeichen,
Das Euch erzittern macht, beim Willen dessen,
Der nimmer stirbt. – Steigt auf! Steigt auf! Erscheint!   40
                    (Pause)
Sie zögern. – Geister in der Erd und Luft!
Ihr sollt nicht spotten meiner. Ich beschwör Euch
Bei noch viel mächtgrer Macht, beim Talisman,
Den ausgeheckt einst der verdammte Stern,
Der nun, ein Trümmerbrand zerstörter Welt,
Wie eine Höll im ewgen Raume wandelt;
Beim grausen Fluch, der meine Seel belastet,
Bei dem Gedanken, der stets in mir lebt,
Und um mich lebt, beschwör ich Euch. Erscheint!
(Ein Stern wird sichtbar im dunkeln Hintergrunde der Halle. Er
        bleibt stehn. Man hört eine Stimme singen)

ERSTER GEIST.
                Mensch! Auf deines Wortes Schall   50
                Stürmt ich aus der Wolkenhall,
                Die der Dämmrung Hauch gebildet,
                Die das Abendlicht vergüldet
                Mit Karmin und Himmelbläu,
                Daß sie mir ein Lusthaus sei.
                Zwar sollt ich gehorchen nimmer,
                Dennoch ritt ich auf dem Schimmer
                Eines Sternleins zu dir her;
                Mensch! erfüllt sei dein Begehr.

ZWEITER GEIST.
                Montblanc ist der König der Berge,   60

Die krönten schon längst seine Höh;
Auf dem Felsenthron sitzend, im Wolkentalar,
Empfing er die Kron von Schnee.
Wie 'n Gurt umschnallt seine Hüft ein Wald,
Seine Hand die Lawine hält;
Doch vor dem Fall muß der donnernde Ball
Still stehn, wenns mir gefällt.
Des Gletschers ruhlos kalte Mass
Sinkt tiefer Tag für Tag;
70   Doch ich bins, der sie sinken laß,
Und auch sie hemmen mag.
Ich bin der Geist des Berges hier,
Wollt ichs, er beugte sich,
Erzitternd bis zum Marke schier, –
Und du, was riefst du mich?

DRITTER GEIST.

In dem bläulichen Meergrund,
Wo der Wellenkampf schweigt,
Wo ein Fremdling der Wind ist,
Und die Meerschlange kreucht,
80   Wo die Nixe ihr Grünhaar
Mit Muscheln durchschlingt, –
Wie wenn Sturm auf der Meerfläch,
Scholl dein Spruch, der mich zwingt.
In mein stilles Korallhaus
Erdröhnte er schwer;
Denn der Wassergeist bin ich, –
Sprich aus dein Begehr!

VIERTER GEIST.

Wo der Erdschüttrer schlummert
Auf Kissen von Glut,
90   Wo die Pechström aufwälzen
Die kochende Flut,
Wo die Wurzel der Andes
Die Erde durchwebt,
Also tief wie ihr Gipfel
Zum Himmel aufstrebt,
Dort ließ ich die Heimat,

Dein Ruf riß mich fort, –
Bin Knecht deines Spruches,
Mein Herr ist dein Wort.

FÜNFTER GEIST.

Mein Roß ist Wind, mit Geißelhieb   100
Treib ich das Sturmgewühl;
Das Wetter, das dahinten blieb,
Ist noch von Blitzen schwül.
Mich hat gar schnell, über Land und Well,
Ein Windstoß hergebracht;
Die Flott, die ich traf, die segelt brav,
Doch sinkt sie noch heut Nacht.

SECHSTER GEIST.

Mein Wohnhaus ist der Schatten süßer Nacht;
Was quälst du mich ans Licht mit Zaubermacht?

SIEBENTER GEIST.

Vor Erdbeginn beherrschte ich   110
Den Stern, der nun beherrschet dich.
Das war ein Erdball, hübsch belebt,
Wie keiner je die Sonn umschwebt.
Sein Lauf war schön geregelt, kaum
Trug schönern Stern der Himmelsraum.
Da kam die Stunde – und er ward
Ein Flammenball unförmger Art,
Ein Schweifstern, der sich pfadlos schlingt,
Und Menschen schreckt und Unheil bringt,
Der nie ermattend rollt und schweift,   120
Und irrend ohne Laufbahn läuft,
Ein Tollbild, das da oben brennt,
Ein Ungeheur am Firmament!
Und du, dem dies ein Schicksalstern,
Wurm, dem ich hohnvoll dien als Herrn,
Du zwangst mich (mit der kurzen Macht,
Die dich am End mir eigen macht)
Auf kurz hierher, wo zitternd gar
Hier diese schwache Geisterschar
Mit einem Ding, wie du bist, schwätzt, –   130
Du, Sohn des Staubs, was willst du jetzt?

DIE SIEBEN GEISTER.

    Erd, Weltmeer, Luft und Nacht, Gebirg und Wind
    Und auch dein Stern umstehn als Geister dich,
    Und harren deines Winkes, Menschenkind, –
    Was will von uns der Sohn des Staubes, sprich?

MANFRED.

    Ich will vergessen –

ERSTER GEIST.

               Was – und wie – warum?

MANFRED.

    Was in mir ist, will ich vergessen, lesets
    In mir – Ihr kennts und ich kanns nimmer sagen.

GEIST.

    Nur was wir haben, können wir dir geben,
    Verlange Gegenstände, Herrschaft, Weltmacht,
    Ganz oder nur ein Teil, verlang ein Zeichen,
    Das dir die Elemente dienstbar macht,
    Die wir regieren, jedes, all dergleichen
    Sei dein.

MANFRED.

          Vergessen, Selbstvergessenheit –
    Könnt Ihr nicht schaffen dies aus dunklen Reichen,
    Ihr, die mir prahlerisch so vieles bietet?

GEIST.

    In unsrer Macht stehts nicht; es seie denn –
    Du stürbest jetzt.

MANFRED.

          Wird mirs der Tod gewähren?

GEIST.

    Wir sind unsterblich und vergessen nicht;
    Wir leben ewig, und Vergangnes ist uns
    Mitsamt der Zukunft gegenwärtig. Siehst du?

MANFRED.

    Ihr höhnt mich; doch die Macht, die Euch hierherzwang,
    Gab Euch in meine Hand. Höhnt nicht, Ihr Knechte!
    Die Seel, der Geist, der prometheische Funken,
    Die Flamme meines Lebens ist so leuchtend,
    Durchglühnd, und weithinblitzend wie die Eure,

Gibt der nichts nach, obgleich in Staub gekleidet.
Gebt Antwort! sonst beweis ich, wer ich bin.

GEIST.

Die alte Antwort gnügt; die beste Antwort
Sind deine eignen Wort.   10

MANFRED.

                         Erklär die Rede.

GEIST.

Wenn, wie du sagst, dein Wesen unserm gleicht,
So hattest du schon Antwort, als wir sagten:
Was Tod die Menschen nennen, bleibt uns fremd.

MANFRED.

So rief ich Euch umsonst aus Euren Reichen,
Ihr könnt nicht oder wollt nicht helfen.

GEIST.

                                    Sprich!

Was wir vermögen, bieten wir, dein seis;
Besinn dich, eh du uns entläßt, frag nochmals, –
Macht, Herrschaft, Kraft, Verlängrung deiner Tage –

MANFRED.

Verflucht! was habe ich zu tun mit Tagen?
Sie sind mir jetzt schon allzu lang, – fort! fort!   1

GEIST.

Gemach! sind wir mal hier, kanns doch dir nützen;
Besinn dich, gibts denn gar nichts, was wir könnten
Nicht ganz unwert in deinen Augen machen?

MANFRED.

Nein, nichts; doch bleibt, – ich möcht wohl, eh wir
                                                  scheiden,
Euch schaun von Angesicht zu Angesicht.
Ich höre Eure Stimmen, süß und schmachtend,
Wie Harfentöne auf dem Wasser, immer
Steht leuchtend vor mir jener klare Stern;
Doch anders nichts. Kommt näher, wie Ihr seid,
Kommt all, kommt einzeln, in gewohnten Formen.   18

GEIST.

Wir tragen keine Formen, außer die
Des Elements, wovon wir Seel und Urgeist;

Wähl die Gestalt, worin wir kommen sollen.

MANFRED.

 Ich wählen! Gibts ja keine Form auf Erden,
 Die häßlich oder reizend wär für mich.
 Eur Mächtigster mag wählen sich ein Antlitz,
 Das ihm das beste dünkt. Erschein!

SIEBENTER GEIST *(erscheint in der Gestalt eines schönen Weibes).*
                                    Sieh her!

MANFRED.

 O Gott! Wenns so sein soll, und du kein Wahnbild
 Und auch kein Blendwerk bist, so könnt ich dennoch
190 Recht glücklich sein. – Umarmen will ich dich,
 Wir wollen wieder –
                    (die Gestalt verschwindet)
                        's Herz ist mir zermalmet.
             (Manfred stürzt besinnungslos nieder)

EINE STIMME *(spricht folgenden Zauberbann):*
             Wenn der Mond im Wasser schwimmt,
             Und im Gras der Glühwurm blinkt,
             Wenn am Grab das Dunstbild glimmt,
             Und im Sumpf das Irrlicht winkt,
             Wenn Sternschnuppen niederschießen,
             Und sich Eulen krächzend grüßen,
             Wenn, umschattet von den Höhn,
             Baum und Blätter stille stehn,
200   Dann kommt meine Seel auf dich,
             Und mein Zauber reget sich.

             Schläfst du auch mit Augen zu,
             Findet doch dein Geist nicht Ruh,
             Schatten drohn, die nie verbleichen,
             Und Gedanken, die nicht weichen;
             Von geheimer Macht umrauscht,
             Bist du nimmer unbelauscht;
             Bist wie leichentuchumhängt,
             Wie von Wolken eingezwängt;
210   Sollst jetzt leben immerfort
             Hier in diesem Zauberwort.

Siehst mich zwar nicht sichtbarlich,
Dennoch fühlt dein Auge mich,
Als ein Ding, das unsichtbar
Nah dir ist, und nahe war;
Und wenns dir dann heimlich graust,
Und du hastig rückwärts schaust,
Siehst du staunend, daß ich nur
Bin der Schatten deiner Spur,
Und verschweigen muß dein Mund   220
Jene Macht, die dir ward kund.

Und ein Zaubersang und Spruch
Hat dein Haupt getauft mit Fluch;
Und ein Luftgeist voller List
Legt dir Schlingen, wo du bist;
In dem Wind hörst du ein Wort,
Das dir scheucht die Freude fort;
Und die Nacht, so still und hehr,
Gönnt dir Ruhe nimmermehr;
Und des Tages Sonnenschein   230
Soll dir unerträglich sein.

Aus deinen Tränen falsch und schlau
Kocht ich ein tödliches Gebrau;
Aus deines Herzens schwarzem Quell
Preßt ich des schwarzen Blutes Well;
Aus deines Lächelns Falt ich zog
Die Schlang, die dort sich ringelnd bog;
Aus deinem Mund nahm ich den Reiz,
Den Hauch des allerschlimmsten Leids;
Ich prüft manch Gift, das mir bekannt,   240
Doch deins am giftigsten ich fand.

Bei deines Schlangenlächelns Mund,
Eiskaltem Herzen, Arglistschlund,
Bei deinem Aug, scheinheilig gut,
Bei deiner Seel verschloßner Wut,
Bei deiner Kunst, womit du gar

Dein Herz für menschlich gabest dar,
Bei deiner Lust an fremdem Leid,
Bei deiner Kainsähnlichkeit,
Hierbei verfluch ich dich, Gesell:
Sei selber deine eigne Höll!

Und auf dein Haupt gieß ich den Saft,
Der dir ein solch Verhängnis schafft:
Schlafen nicht und Sterben nicht
Gönnt dein Schicksal dir, du Wicht;
Sollst den Tod stets nahe schaun,
Freudig zwar und doch mit Graun.
Sieh! der Zauber schon umringt dich,
Klanglos seine Kett umschlingt dich;
Auf dein Herz und Hirn zugleich
Kam der Spruch – verwelk, verbleich!

Befreundet waren weiland ihre Herzen,
Doch Lästerzungen können Wahrheit schwärzen;
Und die Beständigkeit wohnt nur dort oben;
Und dornig ist das Leben, und die Jugend
Ist eitel; und entzweit sein mit Geliebten,
Das kann wie Wahnsinnschmerz im Hirne toben!

*

Doch nie fand sich ein Mittler diesen beiden,
Der heilen wollte ihrer Herzen Leiden.
Genüber standen sich die Schmerzgestalten,
Wie Klippen, die des Blitzes Strahl gespalten.   10
Ein wilder, wüster Strom fließt jetzt dazwischen;
Doch aller Elemente zornge Schar
Vermag wohl nimmer gänzlich zu verwischen
Die holde Spur von dem, was einstens war.

(Aus Coleridges Christabel)

Lebe wohl, und seis auf immer!
Seis auf immer, lebe wohl!
Doch, Versöhnungslose, nimmer
Dir mein Herze zürnen soll.

Könnt ich öffnen dir dies Herze,
Wo dein Haupt oft angeschmiegt   20
Jene süße Ruh gefunden,
Die dich nie in Schlaf mehr wiegt!

Könntest du durchschaun dies Herze
Und sein innerstes Gefühl!
Dann erst sähst du: es so grausam
Fortzustoßen war zu viel.

Mag sein, daß die Welt dich preise
Und die Tat mit Freuden seh, –

Muß nicht selbst ein Lob dich kränken,
Das erkauft mit fremdem Weh?

Mag sein, daß viel Schuld ich trage,
War kein andrer Arm im Land,
Mir die Todeswund zu schlagen,
Als der einst mich lieb umwand?

Dennoch täusche dich nicht selber,
Langsam welkt die Liebe bloß,
Und man reißt so raschen Bruches
Nicht ein Herz vom Herzen los.

Immer soll dein Herz noch schlagen,
Meins auch, blut es noch so sehr;
Immer lebt der Schmerzgedanke:
Wieder sehn wir uns nicht mehr!?

Solche Worte schmerzen bittrer,
Als wenn man um Tote klagt;
Jeder Morgen soll uns finden
Im verwitwet Bett erwacht.

Suchst du Trost, wenns erste Lallen
Unsres Mägdleins dich begrüßt:
Willst du lehren »Vater «rufen
Sie, die Vaters Huld vermißt?

Wenn, umarmt von ihren Händchen,
Dich ihr süßer Kuß entzückt,
Denke sein, der fern dich liebet,
Den du liebend einst beglückt!

Wenn du schaust, daß ihr Gesichtlein
Meinen Zügen ähnlich sei,
Zuckt vielleicht in deinem Herzen
Ein Gefühl, das mir noch treu.

Alle meine Fehltritt kennst du,
All mein Wahnsinn fremd dir blieb;

All mein Hoffen, wo du gehn magst,
Welkt, – doch gehts mit dir, mein Lieb.

Jed Gefühl hast du erschüttert;
Selbst mein Stolz, sonst felsenfest,
Beugt sich dir, – von dir verlassen,
Meine Seel mich jetzt verläßt.

Doch was helfen eitel Worte, –
Kommt ja gar von mir das Wort!
Nur entzügelte Gedanken
Brechen durch des Willens Pfort.   70

Lebe wohl! ich bin geschleudert
Fort von allen Lieben mein,
Herzkrank, einsam, und zermalmet, –
Tödlicher kann Tod nicht sein!

An Inez

Childe Harold. Erster Gesang

O lächle nicht ob meinen finstern Brauen,
Das Wiederlächeln wird mir gar zu schwer!
Doch Tränen mögen nie dein Aug betauen,
Umsonst geweinte Tränen nimmermehr.

O forsche nicht von jenem Schmerz die Kunde,
Der nagend Freud und Jugend mir zerfrißt.
Enthülle nicht die tiefgeheime Wunde,
Die du sogar zu heilen machtlos bist.

Es ist kein Liebesweh, es ist kein Hassen,
Es ist kein Schmerz getäuschter Ruhmbegier,
Was stets mich treibt, das Liebste zu verlassen,
Was mir die Gegenwart verekelt schier.

Es ist ein Überdruß, der mich erdrücket,
Bei allem was ich hör, und seh, und fühl.
Denn keine Schönheit gibts, die mich entzücket,
Kaum noch ergötzt mich Deiner Augen Spiel.

Es ist die düstre Glut, die stets getragen,
In tiefer Brust, der ewge Wandersmann,
Der nirgendwo sich kann ein Grab erjagen,
Und doch im Grab nur Ruhe finden kann.

Welch Elend kann sich selbst entfliehn? Vergebens
Durchjag ich rastlos jedes fernste Land,
Und stets verfolget mich der Tod des Lebens,
Der Teufel, der »Gedanke« wird genannt.

Doch andre seh ich, die sich lustig tauchen
In jenes Freudenmeer, dem ich entwich;
O möge nie ihr schöner Traum verrauchen,
Und keiner mög erwachen so wie ich!

Noch manchen Himmelsstrich muß ich durcheilen,
Verdammt noch manches Mal zurück zu sehn;   30
Nur ein Bewußtsein kann mir Trost erteilen:
Was auch gescheh, das Schlimmst ist mir geschehn.

Was ist denn dieses Schlimmste? Laß die scharfen,
Die scharfen Stachelfragen lasse fort!
O lächle nur, – doch such nicht zu entlarven
Ein Männerherz, zu schaun die Hölle dort.

GUT NACHT

Childe Harold. Erster Gesang

Leb wohl! leb wohl! im blauen Meer
Verbleicht die Heimat dort.
Der Nachtwind seufzt, wir rudern schwer,
Scheu fliegt die Möwe fort.
Wir segeln jener Sonne zu,
Die untertaucht mit Pracht;
Leb wohl, du schöne Sonn und du,
Mein Vaterland, – gut Nacht!

Aufs neu steigt bald die Sonn heran,
Gebärend Tageslicht;
Nur Luft und Meer begrüß ich dann,
Doch meine Heimat nicht.
Mein gutes Schloß liegt wüst und leer,
Mein Herd steht öde dort,
Das Unkraut rankt dort wild umher,
Mein Hund heult an der Pfort.

Komm her, komm her, mein Page klein,
Was weinst du, armes Kind?
Fürchtst du der Wogen wildes Dräun,
Macht zittern dich der Wind?
Wisch nur vom Aug die Träne hell,
Das Schiff ist fest gefügt,
Kaum fliegt der beste Falk so schnell,
Wie unser Schifflein fliegt.

»Laß brausen Flut, laß heulen Wind,
Mich schreckt nicht Wind, nicht Flut;
Sir Childe, viel andre Ding es sind,
Weshalb ich schlimmgemut.
Denn ich verließ den Vater mein,
Und auch die Mutter traut;
Mir blieb kein Freund als du allein,
Und der dort oben schaut.

Lang segnete mein Vater mich,
Doch klagte er nicht sehr.
Doch Mutter weint wohl bitterlich,
Bis daß ich wiederkehr.« –
Still, still, mein Bub, dich zieret hold
Im Auge solche Trän,
Hätt ich dein schuldlos Herz, man sollt
Auch meins nicht trocken sehn.   40

Komm her, komm her, mein Schloßdienstmann,
Was hat dich bleich gemacht?
Fürchtst du, der Franzmann käm heran?
Durchfröstelt dich die Nacht?
»Glaubst du, ich zittre für den Leib?
Sir Childe, bin nicht so bang!
Doch denkt er an sein fernes Weib,
Wird bleich des Treuen Wang!

Am Seerand, wo dein Stammschloß ragt,
Da wohnt mir Weib und Kind;   50
Wenn nun der Bub nach Vater fragt,
Was sagt sie ihm geschwind?«
Still! still, mein wackrer Schloßdienstmann,
Man ehre deinen Schmerz;
Doch ich bin leichtrer Art, und kann
Entfliehn, als seis ein Scherz.

Ich traue Weibesseufzern nicht!
Ein frischer Buhlertroß
Wird trocknen jenes Auge licht,
Das jüngst noch überfloß.   60
Mich quälet kein Erinnrung süß,
Kein Sturm, der näher rollt;
Mich quält nur, daß ich nichts verließ,
Weshalb ich weinen sollt.

Und nun schwimm ich auf weitem Meer,
Bin einsam in der Welt: –

Sollt ich um andre weinen sehr,
Da mir kein Tränlein fällt?
Mein Hund heult nur, bis neue Speis
70   Ein neuer Herr ihm reicht;
Kehr ich zurück und nah ihm leis –
Zerfleischt er mich vielleicht.

Mit dir, mein Schiff, durchsegl ich frei
Das wilde Meergebraus;
Trag mich, nach welchem Land es sei,
Nur trag mich nicht nach Haus.
Sei mir willkommen, Meer und Luft!
Und ist die Fahrt vollbracht,
Sei mir willkommen, Wald und Kluft!
80   Mein Vaterland – gut Nacht!

ZUR LITERATUR

(1820–1828)

DIE ROMANTIK

Was Ohnmacht nicht begreift, sind Träumereien.
A.W.v. Schlegel.

Nummero 12, 14 und 27 des Kunst- und Unterhaltungsblatts enthält eine alte, aber neu aufgewärmte und neu glossierte Satire wider Romantik und romantische Form. Ob man zwar einer solchen Satire eigentlich nur mit einer Gegensatire entgegnen sollte, so ist es dennoch die Frage, ob man hierdurch der Sache selbst nutzen würde. Nummero 124 der Hall. allg. Literatur-Zeitung enthält die Rezension einer solchen Gegensatire, deren Wirkung auf die Gegenpartei dieselbe zu sein scheint, welche auch jene Karfunkel- und Solaris-Satiren auf die Romantiker ausgeübt haben, nämlich – Achselzucken. Ich wenigstens möchte daher nicht ohne Aussicht, dadurch nutzen zu können, also bloß des Scherzes halber, von einer Sache sprechen, von der die Ausbildung des deutschen Wortes fast ausschließlich abhängt. Denn wenn man auf den Rock schlägt, so trifft der Hieb auch den Mann, der im Rocke steckt, und wenn man über die poetische Form des deutschen Wortes spöttelt, so läuft auch manches mitunter, wodurch das deutsche Wort selbst verletzt wird. Und dieses Wort ist ja eben unser heiligstes Gut, ein Grenzstein Deutschlands, den kein schlauer Nachbar verrücken kann, ein Freiheitswecker, dem kein fremder Gewaltiger die Zunge lähmen kann, eine Oriflamme in dem Kampfe für das Vaterland, ein Vaterland selbst demjenigen, dem Torheit und Arglist ein Vaterland verweigern.

Ich will daher mit wenigen Worten, ohne polemische Ausfälle, und ganz unbefangen, meine subjektiven Ansichten über Romantik und romantische Form hier mitteilen.

Im Altertum, das heißt eigentlich bei Griechen und Römern, war die Sinnlichkeit vorherrschend. Die Menschen lebten meistens in äußern Anschauungen, und ihre Poesie hatte vorzugsweise das Äußere, das Objektive, zum Zweck und zugleich zum Mittel der Verherrlichung. Als aber ein schöneres und milderes Licht im Orient aufleuchtete, als die Menschen anfingen zu ahnen, daß es noch etwas Besseres gibt als Sinnenrausch, als die unüberschwenglich beseligende Idee des Christentums, die Liebe, die Gemüter zu durchschauern begann: da wollten auch die Menschen diese geheimen Schauer, diese unendliche Wehmut und zugleich unendliche Wollust mit Worten aussprechen und besingen. Vergebens suchte man nun durch die alten Bilder und Worte die neuen Gefühle zu bezeichnen. Es mußten jetzt neue Bilder und neue Worte erdacht werden, und just solche, die, durch eine geheime, sympathetische Verwandtschaft mit jenen neuen Gefühlen, diese letztern zu jederzeit im Gemüte erwecken und gleichsam herauf beschwören konnten. So entstand die sogenannte romantische Poesie, die in ihrem schönsten Lichte im Mittelalter aufblühete, späterhin vom kalten Hauch der Kriegs- und Glaubensstürme traurig dahin welkte, und in neuerer Zeit wieder lieblich aus dem deutschen Boden aufsproßte und ihre herrlichsten Blumen entfaltete. Es ist wahr, die Bilder der Romantik sollten mehr erwecken als bezeichnen. Aber nie und nimmermehr ist dasjenige die wahre Romantik, was so viele dafür ausgeben; nämlich: ein Gemengsel von spanischem Schmelz, schottischen Nebeln und italienischem Geklinge, verworrene und verschwimmende Bilder, die gleichsam aus einer Zauberlaterne ausgegossen werden, und durch buntes Farbenspiel und frappante Beleuchtung seltsam das Gemüt erregen und ergötzen. Wahrlich, die Bilder, wodurch jene romantischen Gefühle erregt werden sollen, dürfen eben so klar und mit eben so bestimmten Umrissen gezeichnet sein, als die Bilder der plastischen Poesie. Diese romantischen Bilder sollen an und für sich schon ergötzlich sein; sie sind die kostbaren, goldenen Schlüssel, womit, wie alte Märchen sagen, die hübschen, verzauberten Feengärten aufgeschlossen werden. – So kommt es, daß unsre zwei größten Romantiker, *Goethe* und *A. W. v. Schlegel*, zu gleicher Zeit auch unsre größten Plastiker sind. In Goethes Faust und Liedern sind dieselben reinen Umrisse wie in der Iphigenie, in Herm. und Dorothea, in den Elegien usw.; und in den romantischen Dichtungen Schlegels sind dieselben sicher und bestimmt gezeichneten Konturen, wie in dessen wahrhaft plastischen *Rom.* O, möchten dies doch endlich diejenigen beherzigen, die sich so gern Schlegelianer nennen. –

Viele aber, die bemerkt haben, welchen ungeheuren Einfluß das Christentum, und in dessen Folge das Rittertum, auf die romantische Poesie ausgeübt haben, vermeinen nun beides in ihren Dichtungen einmischen zu müssen, um denselben den Charakter der Romantik aufzudrücken. Doch glaube ich, Christentum und Rittertum waren nur Mittel, um der Romantik Eingang zu verschaffen; die Flamme derselben leuchtet schon längst auf dem Altar unserer Poesie; kein Priester braucht noch geweihtes Öl hinzuzugießen, und kein Ritter braucht mehr bei ihr die Waffenwacht zu halten. Deutschland ist jetzt frei; kein Pfaffe vermag mehr die deutschen Geister einzukerkern; kein adeliger Herrscherling vermag mehr die deutschen Leiber zur Fron zu peitschen, und deshalb soll auch die deutsche Muse wieder ein freies, blühendes, unaffektiertes, ehrlich deutsches Mädchen sein, und kein schmachtendes Nönnchen, und kein ahnenstolzes Ritterfräulein.

Möchten doch viele diese Ansicht teilen! dann gäbe es bald keinen Streit mehr zwischen Romantikern und Plastikern. Doch mancher Lorbeer muß welken, ehe wieder das Ölblatt auf unserm Parnassus hervorgrünt.

TASSOS TOD

Trauerspiel in fünf Aufzügen
Von Wilhelm Smets
Koblenz, bei Hölscher. 1819

Diese Dichtung hat uns beim ersten unbefangenen Durchlesen so freundlich ergötzt und gemütlich angesprochen, daß es uns wahrlich schwer ankömmt, sie mit der notwendigen Kälte, nach den Vorschriften und Anforderungen der dramatischen Kunst, kritisch zu beurteilen; ihren innern Wert, mit Unterdrückung individueller Anregungen, gewissenhaft genau zu bestimmen, und ihre Mängel und Gebrechen mit strenger Hand aufzudecken. – Ehrlich gestanden, will es uns freilich bedünken, als ob wir bei diesem Geschäft nicht ganz unähnlich sind jenem unzufriedenen Grämlinge, der in der Mittagsschwüle unter einem laubigen Apfelbaume ein kühlendes Obdach fand, den lechzenden Gaumen mit den Früchten desselben labte, sich weidlich ergötzte an dem Gezwitscher der Vöglein, die von Zweig zu Zweig flatterten, aber endlich gegen Abend sich verdrießlich auf die Beine macht, und über den Baum räsoniert und in sich murmelt: das war ein erbärmliches Lager, das waren ja herbe Holzäpfel, das war ein unausstehliches Spatzengepiepse usw. Indessen das Rezensieren hat doch auch sein Gutes. Es gibt heur so viele wunderliche Bäume auf dem Parnaß, daß es not tut, wie in botanischen Gärten Gebrauch ist, bei jedem ein weißes Täfelchen zu stellen, worauf der Wandrer lesen kann: unter diesem Baume läßt sichs angenehm ruhen, auf diesem wachsen treffliche Früchte, in diesem singen Nachtigallen; – so wie auch: auf diesem Baume wachsen unreife, unerquickliche und giftige Früchte, unter diesem Baume duftet sinnebetäubender Weihrauch, unter diesem spuken des Nachts alte Rittergeister, in diesem pfeift ein saubrer Vogel, unter diesem Baume kann man gut – einschlafen.

Wir haben oben bemerkt, daß wir vorliegende Tragödie nach den Kunstvorschriften der Dramaturgie beurteilen wollen. Doch, da in Betreff derselben auch unsere größten Ästhetiker nicht miteinander übereinstimmen, da es Anmaßung wäre, wenn wir unsere eigene Meinung als die allein richtige annehmen wollten, und da wir nicht durch subjektive Ansicht das Verdienst des Dichters unbewußt beeinträchtigen möchten, so wollen wir nie unbedingt ein Urteil über die Leistungen desselben fällen, ohne erst mit wenigen Worten angedeutet zu haben, von welchen ästhetischen Grundsätzen wir ausgehn. Wir werden demnach vorliegende Tragödie aus drei Gesichtspunkten beurteilen: aus dem dramatischen, aus dem poetischen und aus dem ethischen Gesichtspunkte.

Lyrik ist die erste und älteste Poesie. Sowohl bei ganzen Völkern, als bei einzelnen Menschen, sind die ersten poetischen Ausbrüche lyrischer Art. Die gebräuchlichen Konvenienzmetaphern scheinen hier dem Dichter zu abgedroschen und kalt, und er greift nach ungewöhnlichen, imposanteren Bildern und Vergleichen, um sowohl seine subjektiven Gefühle als auch die Eindrücke, welche äußere Gegenstände auf seine Subjektivität ausüben, lebendig darzustellen. Es geben Individuen und ganze Völker, die es in der Poesie nie weiter als bis zu dieser Dichtart gebracht haben. Bei beiden deutet solches auf einen Zustand der Geisteskindheit, oder der flachen Einseitigkeit. Sobald aber beim Dichter eine gewisse Verstandesreife eingetreten ist, sobald sein geistiges Auge das innere Getreibe der äußern Gegenstände und Begebenheiten besser durchschaut, und sein Geist die Gesamtanschauung dieser Außenwelt in sich aufnimmt, so wird es auch ein neues Bestreben des Dichters sein, diese äußern Gegenstände in ihrer objektiven Klarheit, ohne Beimischung von subjektiven Gefühlen und Ansichten, poetisch schön darzustellen. So entsteht die epische und die dramatische Dichtung.

Gewisse Talente, wie man sieht, werden von der einen dieser Dichtungsarten eben so gut wie von der andern erfordert; nämlich: allgemeine Naturanschauung, Heraustreten aus der Subjektivität, treue lebendige Schilderung von Begebenheiten, Situationen, Leidenschaften, Charakteren usw. Doch machen wir die vielbestätigte Bemerkung: daß Dichter, die in der einen dieser Dichtungsarten Meister sind, oft in der andern nichts Erträgliches zu Stande bringen können. Diese Beobachtung führt uns zur Untersuchung, ob jenes Mißlingen nicht dadurch entsteht, weil etwa bei der einen Dichtungsart die oben angedeuteten Talente in minderm Grade erforderlich sind, als bei der andern, und weil vielleicht das Wesen beider Dichtungsarten so erstaunlich voneinander verschieden ist?

Wenn wir den epischen und den dramatischen Dichter, jeden in seiner Werkstätte belauschen, und hier sein Verfahren beobachten, so ist uns nichts leichter, als die Lösung dieser Frage. Der Epiker trägt freilich im Geiste die lebendigste Anschauung seines Stoffes, aber er erzählt einfach, natürlich, sein Erzählen ist zwar meistens ein Nacheinander, aber auch oft ein Nebeneinander, und nicht selten ein Voreinander, (Voraussagen der Katastrophe). Er schildert ruhig die Gegend, die Zeit, das Kostüm seiner Helden, er läßt sie zwar sprechen, aber er erzählt ihre Mienen und Bewegungen, und zuweilen gar schießt ein Blitzstrahl aus seinem eigenen Gemüte, aus seiner Subjektivität, und beleuchtet mit schnellem Lichte das Lokal und die Helden seines Gedichtes. Dieses subjektive Aufblitzen, wovon unsere zwei besten epischen Gedichte, die Odyssee und die Nibelungen nicht frei sind, und welches vielleicht zum Charakter des Epos gehört, zeigt schon, daß das Talent des gänzlichen Heraustretens aus der Subjektivität beim Epos nicht in so hohem Grade erforderlich ist, als beim Drama. In dieser Dichtart muß jenes Talent vollkommen sein. Aber das ist noch lange nicht das Hauptsächlichste. Das Drama setzt eine Bühne voraus, wo sich nicht jemand hinstellt, und das Gedicht vordeklamiert, sondern wo die Helden des Gedichts selbst lebendig auftreten, in ihrem Charakter mitsammen sprechen und handeln. Hierbei hat der Dichter nur notwendig aufzuzeichnen, was sie sprechen und wie sie handeln. Wehe dem Dichter aber, der es da vergißt, daß diese lebendigen Heldenvorsteller das Recht haben, nach eigener Willkür sich zu gruppieren und Grimassen zu schneiden, daß der Theaterschneider für hübsche Kleider, der Dekorationsmaler für hübsche Umgebungen, der Kapellmeister für dämmernde Gefühle, und der Lampenputzer für klare Beleuchtung Sorge trägt. Das will dem epischen Dichter gar nicht in den Kopf, und wenn er sich im Drama versucht, verwickelt er sich in schöne Gegendbeschreibungen, Charakterschilderungen und zu feine Nüancierungen. Endlich leidet das Drama keinen Stillstand, kein Nebeneinander, noch vielweniger ein Voreinander, wie das Epos. Der Hauptcharakter des Dramas ist also lebendiges und immer lebendigeres Fortschreiten und Ineinandergreifen des Dialogs und der Handlung.

Wir haben hier das Charakteristische im Wesen des Epos und des Dramas leicht hingezeichnet, und jedem ist es durchaus erklärbar, warum so viele Dichter mit Erfolg aus dem Gebiete der Lyrik in das Gebiet des Epischen übergehen, weil sie hier ihre Subjektivität nicht ganz und gar zu verleugnen brauchen, und durch etwanige Versuche in der Romanze, in der Elegie, im Roman, und in dergleichen Dichtungsarten, welche aus einer Vermischung des Epischen und des Lyrischen

bestehn, sich an jener Verleugnung der Subjektivität allmählig
gewöhnen können, oder einen leichten Übergang zum Rein-
epischen finden, statt daß bei der dramatischen Dichtung
keine solche Übergangsform vorhanden ist, und gleich die
allerstrengste Unterdrückung der hervorquellenden Subjektivität verlangt wird. Zugleich ist es sichtbar, daß es die
Gewohnheit, welche den erprobtesten epischen Dichter, der
immer an Lokal- und Kostümschilderungen u. dgl. denkt, zum
schlechten Dramatiker macht, und daß es daher gut ist, wenn
der Dichter, der im Dramatischen sich hervortun will, aus dem
Gebiet der Lyrik gleich in das Gebiet des Dramas übergeht.

Mit Vergnügen bemerken wir, daß dieses letztere der Fall
ist beim Verfasser der vorliegenden Tragödie, dessen lyrische
Gedichte, sowohl durch äußern Glanz, als lebendige Innigkeit,
uns so oft entzückt haben. Indessen wie schwer, wie äußerst
schwer der Übergang vom Lyrischen zum Dramatischen ist,
hat unser Herr Verfasser selbst erfahren, da ihm seine erste, dem
Tasso vorangehende Tragödie, gänzlich mißlungen ist. Doch
das ehrliche Geständnis, womit der Verfasser in der Vorrede
zum Tasso über dieses Mißlingen sich äußert, so wie auch der
überraschende Eindruck, den letztere Tragödie auf denjenigen
macht, der das Unglück gehabt hat, die frühere zu lesen, das
alles berechtigt uns, viele Mängel des Tasso zu übersehen, das
rüstige Fortschreiten des Verfassers zu bewundern, sein schon
errungenes Talent anzuerkennen, und ihm in einiger Ferne den
Kranz zu zeigen, der ihm auf solchem Wege und bei solchem
Streben nimmermehr vorenthalten werden kann.

Die bescheidene Erklärung in der Vorrede zum Tasso macht
es uns gleichsam zur Pflicht, jeder Vergleichung desselben mit
dem Goethischen Drama desselben Namens gehörig auszu-
weichen. Doch können wir nicht umhin zu bemerken, daß die
Begebenheit, welche letzterm zur Katastrophe dient, auch von
unserm Verfasser benutzt worden ist, nämlich: der in Liebes-
verzückung taumelnde Tasso umarmt Leonore von Este. Als
historisch müssen wir diese Begebenheit leugnen. Tassos Haupt-
biographen, sowohl Serassi, als auch (wenn wir nicht irren,)
Manso, verwerfen sie. Nur Muratori erzählt uns ein solches
Märchen. Wir zweifeln sogar, ob je eine Liebe zwischen der

zehn Jahr ältern Prinzessin Leonore und Tasso existiert habe? Überhaupt, wir können auch nicht unbedingt annehmen die allgemein verbreitete Meinung, als habe Herzog Alfons aus bloßem Egoismus, aus Furcht, seinen eigenen Ruhm geschmälert zu sehn, den armen Dichter ins Narrenhospital einsperren lassen. Ist es denn so etwas ganz Unerhörtes und Unbegreifliches, daß ein Poet verrückt geworden sei? Warum wollen wir uns dieses Verrücktwerden nicht vernünftig erklären? Warum nicht wenigstens annehmen, daß die Ursache jener Einsperrung sowohl im Hirne des Dichters, als im Herzen des Fürsten gelegen habe? Doch wir wollen von allem historischen Vergleichen lieber gleich abgehen, setzen die Fabel des Stücks, wie sie allgemein gang und gebe ist, als bekannt voraus, und sehen zu, wie unser Verfasser seinen Stoff behandelt hat.

Das erste, was wir hier erblicken, ist, daß der Verfasser eine von Manso erwähnte, und von Serassi durchaus geleugnete Leonore ins Spiel zieht. Durch diesen glücklichen Griff gewinnt das Stück an interessanter, intrigenartiger, dramatischer Verwickelung. Diese Leonore Nummero 3, genannt Leonore von Gisello, ist Gesellschafterin der Gräfin Leonore von Sanvitale. Mit dem Zweigespräch dieser beiden, im Schloßpark zu Ferrara, beginnt das Stück.

Leonore von Gisello gesteht, daß sie Tasso liebe, und erzählt, daß sie einen Beweis seiner Gegenliebe habe. Die Gräfin entgegnet ihr, daß dieser Beweis, der darin bestehe, daß so oft in Tassos Liedern der Name Leonore gefeiert werde, sehr zweideutig sei, da noch zwei andere Damen des Hofes, sie selbst und die Prinzessin, denselben Namen führen. Es wäre sogar wahrscheinlich, daß die Prinzessin die Gefeierte sei. Die Gräfin erinnert an jenen Tag, wo Tasso dem Herzog sein vollendetes Gedicht, das befreite Jerusalem, überreichte, und die Prinzessin

> – – mit schnell gewandten Händen griff
> Zum Lorbeerkranz, der Virgils Marmor schmückte,
> Und ihn dem Sänger auf die Stirne drückte,
> Der niederbog sein Knie, sein lockigt Haupt,
> Das eine Fürstin liebend ihm umlaubt!
> Da zittert' er; so tief er sich auch beugte,

Hob sich sein Auge doch zu ihr empor,
Ich sahs wie es hinauf, heiß funkelnd, strebte;
Das war das Höchste, was ihm konnt begegnen,
Und gegen tausendfachen Lorbeerkranz
Des Kapitols, hätt er nicht den vertauscht,
Den er seit jener Stund mit Eitelkeit
Am Ruhbett aufhing über seine Scheitel.
Unwillig sieht Alfonso dieses Treiben,
Er sieht des Standes Majestät verletzt,
Und was zurück noch ist, wer sagt das gern?!

Die Prinzessin erscheint, sie neckt die Gräfin wegen des Viel-
gefeiertwerdens des Namens Leonore. In dem folgenden Monolog zeigt die Prinzessin ihre Liebe für Tasso. Letzterer tritt auf,
spricht von seiner Liebe zu ihr.

PRINZESSIN.

O schweiget, Tasso, schweigt, ich bitt Euch drum,
Um meinetwegen schweigt, ich weiß das alles.

TASSO.

Ihr könnt nicht wissen, wie ich mich zerquäle,
Wie ich, um nicht verraten mich zu sehn,
Um Euch nicht zu verraten, hin und wieder
Als ein Verstellter um *drei* Wesen schmachte,
So einem, wie dem andern mich zu zeigen.

Er versinkt in Liebesschwärmerei, und entfernt sich, wie der
Herzog naht. Dieser macht bittere Anspielungen auf beider
Liebe; die Prinzessin weint, Alfons entfernt sich, Tasso kehrt
zurück. »Ihr weint Eleonore?« Er lodert auf in stolzer Kraft,
verwirrt sich in ein schmachtendes Sonett, und in Liebeswahn-
sinn umarmt er die Prinzessin. Der Herzog, in Begleitung des
Grafen Tirabo und einiger Nobili, ist unterdessen im Hintergrunde erschienen, und tritt schnell auf Tasso los. Ende des 1ten
Akts.

Die Prinzessin in Liebeswehmut versunken. Die Gräfin
kommt und erzählt ihr:

Nach jenem Überfall im Parke ließ
Der Herzog unsern Dichter ruhig gehn,

> Ihr wißts, und konntet selbst Euch nicht die Miene
> Erklären, die der Bruder angenommen.

Hierauf sei Graf Tirabo zu Tasso gekommen, und habe ihn
verhöhnt mit erkünsteltem Mitleid. Tasso schlägt ihn.

> Doch er besann sich, fordert ihn zum Kampf,
> Und zieht den Degen im Palast Ferraras.

– – – –

> Der Graf schützt vor des Ortes Majestät,
> Und harret sein auf dem Lenardo-Wall.

Dort wird Tasso von Tirabos Brüdern, drei heimtückischen
Buben, überfallen, doch er wehrt sich brav, wird aber endlich
gefangen genommen. Man hört den Jubel des Volks über
Tassos Sieg. Der Herzog erscheint, verwundet die Schwester
durch neue Bitterkeiten, und verweist sie auf ihre Zimmer. In
folgendem Monolog zeigt er sich in seiner wahren Gestalt:

> Sie geht; es sei, verlier ich ihre Gunst,
> Soll der Verlust die andern mir gewinnen.
> Ich bin der Herrscher hier, der Herr des Hofs,
> Der Ehre Gaben spend ich aus, versammle
> Der Künste Kreis großmütig, Lust und Glanz
> Vor ganz Italien meinem Haus zu geben;
> Von fernher zieht der Fürst und Edelmann,
> Und will der Frauen Schönheit hier bewundern,
> Wovon der Ruf in allen Ländern sprach;
> Und ich allein, am eignen Hofe, bin ich
> Der letzte, unbemerkt läßt man mich gehn,
> Erwärmt sich an der Fürstenwürde Strahl,
> In meiner Größe Schatten ruht sichs gut,
> Doch eines Irrlichts Glänzen schaut man nach,
> Und einem Echo hört man seufzend zu.
> Das ist der Dichter, den ich herberufen,
> Der müßig durch das rege Leben schlendert,
> Der Jagdlust Mordlust nennt, und statt der Erde
> Worauf er wächst und lebt, den Mond besieht –
> Er seh sich vor, in meinem Herzogsmantel
> Hüllt ich ihn gnädig ein, er reißt sich los,
> Zum Falle wird die Schleppe seinem Fuß!

Graf Tirabo erscheint, und zeigt dem Herzog das Mittel, wie er wieder allein glänzen könne. Dies ist die Entfernung Tassos. Man gebe ihn frei, bedeute ihm, daß die Prinzessin sich von ihm gewendet habe, und er wird sich von selbst entfernen. – Tasso ist befreit, und ergeht sich im Garten. Er hört Gitarrentöne, und eine Stimme singt ein schmelzend üppiges Lied aus seinem Aminta. Es ist die Sängerin Justina, sie will den frommen Dichter mit süßen Klängen in die Netze der Sinnenlust verlocken. Tasso beschämt sie mit ernster Rede, spricht mit losbrechender Bitterkeit und Verachtung von den Großen des Hofs, vom Fürsten selbst. – Da erscheinen der Herzog und der Graf. Weil er den Fürsten gelästert habe und wahnsinnig scheine, wird Tasso nach St. Annen geschleppt. Ende des 2ten Akts.

Garten zu Ferrara. Zwiegespräch des Herzogs und des Grafen. Letzterer bemerkt, man müsse Tasso streng hüten lassen. Der Herzog will ihn nur unschädlich wissen, nämlich wegen seiner Liebe zur Prinzessin. Diese erscheint und bittet ihren Bruder um Loslassung des Dichters. Der Herzog ist dazu geneigt, wenn sie sich nach Palanto entfernen wolle. Sie entschließt sich dazu, sie überträgt der Gräfin Sanvitale die Sorge für Tasso in ihrer Abwesenheit. Tiefer Liebesschmerz der Prinzessin. Ende des 3ten Akts.

Garten des Hospitals zu St. Annen. Der Beichtvater des Hospitals und Leonore von Gisello; letztere als Pilger gekleidet. Sie erbittet sich von ihm die Erlaubnis, den als wahnsinnig eingesperrten Tasso zu sprechen. Schwärmerisches Gespräch zwischen diesem und Leonore; sie sagt ihm, daß sie nach dem Heiligen Lande pilgre, und gibt ihm einen Schlüssel, um sich durch die Pforte der Erkerstiege zu befreien. Tasso glaubt, er habe eine Engelserscheinung gehabt. – Graf Tirabo kommt zum Beichtvater und meldet ihm, daß Tasso freigelassen werden solle. – Nacht. Erker von Tassos Gemach unweit der Brücke, die über den Fluß führt. Leonore von Gisello im Begriff, ihre Wallfahrt anzutreten, sinkt hin auf eine Bank unter dem Erker. Die Prinzessin nebst ihrer Hofdame geht über die Brücke, um sich nach Palanto zu begeben. Tasso erscheint am Erkerfenster. Unendlich wehmütiges Liebesgespräch zwischen ihm und der Prinzessin. Sie wankt fort mit ihrer Hofdame.

Leonore von Gisello erhebt sich von ihrem Sitze, fühlt sich durch das angehörte Gespräch gestärkt zur langen Wallfahrt, grüßt Tasso nochmals mit mildem Worte, und geht schnell ab. Tasso ruft verhallend: »O weile, weile verklärter Geist.«

Die Ketten fallen, und Tasso ist frei!

Er streckt die Arme aus nach der Enteilenden. – Ende des 4ten Akts.

Sprechzimmer im Kloster St. Ambrogio zu Rom. Der Beichtvater und Manso, Tassos Jugendfreund (?). Dieser ist eben in Rom angekommen und erfährt, daß Tasso den folgenden Tag auf dem Kapitol gekrönt werden solle. Er will zu ihm, der Beichtvater bemerkt ihm, daß Tasso im Nebenzimmer schlafe, aber sehr krank sei, und schon von ihm das Abendmahl und die letzte Ölung empfangen habe. Er erzählt ihm, daß Tasso eigenmächtig seiner Haft entsprungen sei, just an dem Tage, wo der Herzog ihm die Freiheit schenkte, daß ein Pilger ihm heimlich den notwendigen Schlüssel gegeben habe, daß dieser Pilger wahrscheinlich Leonore von Gisello gewesen sei, daß aber Tasso ihn noch immer für einen gottgesandten Boten halte. Er schildert den Zustand, wie er Tasso wiedergefunden:

> Wie ich ihn sah im dürftigen Gewande
> Hinwanken auf der Straße, ausgesetzt
> Des frühen Lenzes wechselvollem Treiben.
> Auf Hagelschloßen folgte milder Regen,
> Drauf blickte wieder hell die Sonne durch,
> Bis frostger Hauch die Wolken vor sich trieb. –
> So wankt' er hin mit unbedecktem Haupte,
> Wild flatterten die Haare durch die Luft,
> Und tief in Stirn und Scheitel eingedrückt,
> Trug er verdorrten Lorbeers heilgen Schmuck,
> Den ihm Prinzessin Leonore einst
> Aufs Haar gesetzet für sein heilig Lied.

Tasso sollte noch heute nach St. Onuphrius gebracht werden, weil dieser Platz dem Kapitole näher liegt. – Tasso erscheint, den Lorbeerkranz der Prinzessin in der Hand. Er spricht wie ein schon Verklärter, und empfängt liebevoll seinen Manso. Der Prior von Onuphrius und zwei Mönche kommen Tasso abzuholen. Volk drängt sich hinzu; Jubel und Musik. Begeisterung ergreift Tasso, er spricht von einer überirdischen Krönung, er hebt den Lorbeer der Prinzessin in die Höhe:

> Mit diesem ward ich hier auf Erden groß,
> Dort wird der schöne Engel mich umzweigen,
> Von meinem irdschen Ruhm soll *dieser* zeugen!

Er legt den Lorbeer in die Hände des Beichtvaters. Matt und schwankend wird er in Triumph und unter rauschender Musik fortgeführt. –

Säulenhalle in der Akademie zu St. Onuphrius. In der Mitte die Bildsäule des Ariost. Im Hintergrunde Aussicht auf das Kapitol. Constantini und Kardinal Cinthio treten hervor. Ersterer erzählt den Tod der Prinzessin Leonore.

> Da herrschte tiefe Trauer in Ferrara,
> Und Tassos Lieder tönten dort nicht mehr;
> Er war verschwunden und die Fürstin tot.
> Die Gräfin Sanvitale drang in mich
> Ferrara zu verlassen und nach Rom
> Mich zu begeben auf der Eile Schwingen,
> Daß nicht die Nachricht von der Fürstin Tod
> Voreilig Tassos hohe Qualen steigre.

Tasso wird in Triumph hereingebracht. Da er vor Mattigkeit zusammensinken will, lassen ihn seine Führer auf eine der Stufen von Ariosts Bildsäule nieder. Jauchzen des hereindringenden Volks. Kardinäle, Prälaten, Nobili und Offiziere füllen die Halle. Musikwirbel. Tasso erhebt sich mit Anstrengung. Constantini stürzt zu seinen Füßen, und begrüßt so den verherrlichten Freund. Tasso blickt erschrocken auf ihn nieder:

TASSO.
> So ist es wahr, und nicht hat mirs geträumt?
> Ich sah dich früher schon auf meinem Wege,
> Mit schwarzem Flore war dein Kleid umsäumt,
> Mein Ohr vernahm der Glocken Trauerschläge,
> Und geisterähnlich sprach dein Mund dies Wort:
> »Torquato findet Leonoren – dort!«

Tasso stirbt sichtbar ab, spricht verzückt von Gott und Geisterliebe, sinkt hin, und sitzt als Leiche auf dem Piedestal der Bildsäule seines großen Nebenbuhlers, Ariosto. Der Beichtvater nimmt den ihm überlieferten Lorbeerkranz, setzt ihn auf das heilige Haupt des Erblichenen. Verhallende Musik. Der Vorhang fällt.

Nach unsern vorangeschickten Erklärungen müssen wir jetzt gestehn, daß der Verfasser in der Behandlung seines Stoffs nur sehr unbedeutendes dramatisches Verdienst gezeigt hat. Die meisten seiner Personen sprechen im selben Tone, fast wie in einem Marionettentheater, wo ein Einzelner den verschiedenen Puppen seine Stimme leiht. Fast alle führen dieselbe lyrische Sprache. Da nun der Verfasser ein Lyriker ist, so können wir behaupten, daß es ihm nicht gelungen ist, aus seiner Subjektivität gänzlich herauszutreten. Nur hier und da, besonders wenn der Herzog spricht, bemerkt man ein Bestreben darnach. Das ist ein Fehler, dem fast kein lyrischer Dichter in seinen dramatischen Erstlingen entging. Hingegen das lebendige Ineinandergreifen des Dialogs ist dem Verfasser recht oft gelungen. Nur hie und da treffen wir Stellen, wo alles festgefroren scheint, und wo oft Frage und Antwort an den Haaren herbeigerissen sind. Die erste Expositionsszene ist ganz nach der leidigen französischen Art, nämlich Unterredung der Vertrauten. Wie anders ist das bei unserm großen Muster, bei Shakespeare, wo die Exposition schon eine hinreichend motivierte Handlung ist. Ein *beständiges* Fortschreiten der Handlung fehlt ganz. Nur bis zu gewissen Punkten sieht man ein solches Fortschreiten. Dergleichen Punkte sind: das Ende des 1ten und des 4ten Akts; jedesmal nimmt alsdann der Verfasser gleichsam einen neuen Anlauf.

Wir gehn über zur Untersuchung des poetischen Wertes des Tasso.

Es wird manchen Wunder nehmen, daß wir unter dieser Rubrik den theatralischen Effekt erwähnen. In unserer letzten Zeit, wo meistens junge Dichter auf Kosten des Dramatischen nach dem theatralischen Effekt streben, ist beider Unterschied genugsam zur Sprache gekommen und erörtert worden. Dies sündhafte Streben lag in der Natur der Sache. Der Dichter will

Eindruck auf sein Publikum machen, und dieser Eindruck wird leichter durch das Theatralische, als durch das Dramatische eines Stückes hervorgebracht. Goethes Tasso geht still und klanglos über die Bühne; und oft das jämmerlichste Machwerk, worin Dialog und Handlung hölzern, und zwar vom schlechtesten Holze sind, worin aber recht viele theatralische Knallerbsen zur rechten Zeit losplatzen, wird von der Galerie applaudiert, vom Parterre bewundert, und von den Logen huldreichst aufgenommen. – Wir können nicht laut genug, und nicht oft genug den jungen Dichtern ins Ohr sagen: daß je mehr in einem Drama das Streben nach solchem Knalleffekt sichtbar wird, desto miserabeler ist es. Doch bekennen wir, wo natürlich und notwendig der theatralische Effekt angebracht ist, da gehört er zu den poetischen Schönheiten eines Dramas. Dies ist der Fall in vorliegender Tragödie. Nur sparsam sind theatralische Effekte darin eingewebt, doch wo sie sind, besonders am Ende des Stücks, sind sie von höchst poetischer Wirkung.

Noch mehr wird es befremden, daß wir die Beobachtung der drei dramatischen Einheiten zu den poetischen Schönheiten eines Stücks rechnen. Einheit der Handlung nennen wir zwar durchaus notwendig zum Wesen der Tragödie. Doch, wie wir unten sehen werden, gibt es eine dramatische Gattung, wo Mangel an Einheit der Handlung entschuldigt werden kann. Was aber die Einheit des Ortes und der Zeit betrifft, so werden wir zwar die Beobachtung dieser beiden Einheiten dringend empfehlen, jedoch nicht, als ob sie zum Wesen eines Dramas durchaus notwendig wären, sondern weil sie letzterm einen herrlichen Schmuck verleihen, und gleichsam das Siegel der höchsten Vollendung auf die Stirne drücken. Wo aber dieser Schmuck, auf Kosten größerer poetischer Schönheiten erkauft werden soll, da möchten wir ihn weit lieber entbehren. Nichts ist daher lächerlicher, als einseitige strenge Beobachtung dieser zwei Einheiten, und einseitiges strenges Verwerfen derselben. – Unser Herr Verfasser hat keine einzige von allen drei Einheiten beobachtet. – Nach obiger Ansicht können wir ihn nur wegen Mangel an Einheit der Handlung zur Verantwortung ziehn. Doch auch hier glauben wir eine Entschuldigung für ihn zu finden.

Wir teilen die Tragödien ein in solche, wo der Hauptzweck des Dichters ist, daß eine merkwürdige Begebenheit sich vor unsern Augen entfalte; in solche, wo er das Spiel bestimmter Leidenschaften uns durchschauen lassen will, und in solche, wo er strebt, gewisse Charaktere uns lebendig zu schildern. Die beiden erstern Zwecke hatten die griechischen Dichter. Es war ihnen meistens darum zu tun, Handlungen und Leidenschaften zu entwickeln. Der Charakterzeichnungen konnten sie füglich entbehren, da ihre Helden meistens bekannte Heroen, Götter, und dergleichen stehende Charaktere waren. Dies ging hervor aus der Entstehung ihres Theaters. Priester und Epiker hatten schon lange voraus die Konture der Heldencharaktere dem Dramatiker vorgezeichnet. Anders ist es bei unserm modernen Theater. Charakterschilderung ist da eine Hauptsache. Ob nicht auch die Ursache davon in der Entstehungsart unseres Theaters liegt, wenn wir annehmen, daß dasselbe hauptsächlich entstanden ist durch Fastnachtspossen? Es war da der Hauptzweck, bestimmte Charaktere lebendig, oft grell hervortreten zu lassen, nicht eine Handlung, noch viel weniger eine Leidenschaft zu entwickeln. Beim großen William Shakespeare finden wir zuerst obige drei Zwecke vereinigt. Er kann daher als Gründer des modernen Theaters angesehn werden, und bleibt unser großes, freilich unerreichbares Muster. *Johann Gotthold Ephraim Lessing, der Mann mit dem klarsten Kopfe, und mit dem schönsten Herzen,* war in Deutschland der erste, welcher die Schilderungen von Handlungen, Leidenschaften und Charakteren am schönsten und am gleichmäßigsten in seinen Dramen verwebte, und zu einem Ganzen zusammenschmelzte. So blieb es bis auf die neueste Zeit, wo mehrere Dichter anfingen, jene drei Gegenstände der dramatischen Schilderung nicht mehr zusammen, sondern einzeln zum Hauptzweck ihrer Tragödien zu machen. Goethe war der erste, der das Signal zu bloßen Charakterschilderungen gab. Er gab sogar auch das Signal zur Charakterschilderung einer bestimmten Klasse Menschen, nämlich der Künstler. Auf seinen Tasso folgte Öhlenschlägers Correggio, und diesem wieder eine Anzahl ähnlicher Tragödien. Auch der Tasso unseres Verfassers gehört zu dieser Gattung. Wir können daher bei dieser Tragödie Mangel an Einheit der Handlung füglich entschuldigen, und wollen sehen, ob die Charakter- und nebenbei die Leidenschafts-Schilderungen treu und wahr sind.

Den Charakter des Haupthelden finden wir trefflich und treu gehalten. Hier scheint dem Verfasser ein glücklicher Umstand zu Statten gekommen zu sein. Nämlich Tasso ist ein Dichter, oft ein lyrischer und immer ein religiös schwärmerischer Dichter. Hier konnte nun unser Verfasser, der alles dieses ebenfalls ist, mit seiner ganzen Individualität hervortreten, und dem Charakter seines Helden eine überraschende Wahrheit geben. Dieses ist das Schönste, das Beste in der ganzen Tragödie. Etwas minder treffend gezeichnet ist der Charakter der Prinzessin; er ist zu weich, zu wächsern, zu zerfließend, es fehlt ihm an Gehalt. Die Gräfin Sanvitale ist vom Verfasser gleichgültig behandelt; nur ganz schwach läßt er ihr Wohlwollen für Tasso hervorschimmern. Der Herzog ist in mehreren Szenen sehr wahr gezeichnet, doch widerspricht er sich oft. Z.B. am Ende des 2ten Akts läßt er Tasso einsperren, damit er seinen Namen nicht mehr verlästre, und in der 1ten Szene des 3ten Akts sagt er: es sei geschehen aus Besorgnis, daß nicht aus Tassos Liebeshandel mit seiner Schwester Schlimmes entstehe. Graf Tirabo ist nicht allein ein jämmerlicher Mensch, sondern auch, was der Verfasser *nicht* wollte, ein inkonsequenter Mensch. Leonore v. Gisello ist ein hübsches Vesperglöcklein, das in diesem Gewirre heimlich und lieblich klinget, und leiser und immer leiser verhallet.

Schön und herrlich ist die Diktion des Verfassers. Wie trefflich, ergreifend und hinreißend ist z.B. das Nachtgespräch zwischen der Prinzessin und Tasso. Diese wehmütig weichen, schmelzend süßen Klänge ziehn uns unwiderstehlich hinab in die Traumwelt der Poesie, das Herz blutet uns aus tief geheimen Wunden – aber dieses Verbluten ist eine unendliche Wollust, und aus den roten Tropfen sprossen leuchtende Rosen.

TASSO.

Mit tausend Augen schaut auf mich die Nacht,
Und mich erfassen Zweifel, will sie leuchten,
Vielleicht auch lauschen? Hat mit solcher Pracht
Sie sich geschmückt, und fällt des Taues Feuchten,
Daß sich dem Schlafe meine Glieder senken?

PRINZESSIN.

Hört ich nicht Töne, die hinab sich neigten,
Als wollten sie zu meinem Herzen lenken?

HOFDAME.

Fürwahr, Prinzessin, bleich verworrner Miene,
Als wollt mit Schierlingstau die Nacht ihn tränken,
Täuscht michs, wenn so nicht Tasso dort erschiene.

TASSO.

Welch Bild erglänzet auf der Brücke Bogen
Mit Majestät, als obs der Hohen diene,
Kommt nebenher ein anderes gezogen.
Schneeweiß umfließt, wie Silbernebels Schleier,
Ein Strahlenkleid die Glieder, hell umflogen
Das Haupt vom Sternenchor, wie Demantfeuer.

PRINZESSIN.

Doch Tränentau sinkt von dem Mond hernieder,
Und trübet meiner Sterne helle Feier.

TASSO.

Dem Tau entblühen neue Blumen wieder,
Und neue Kränze wird die Nacht uns winden. – – –

Ebenfalls wunderschön sind die Verse Seite 77; so wie auch
die Stanzen Seite 82, wo Tasso zur Gisello, die ihn als Pilger
besucht, sagt:

Wie sich die Blume wendet zu der Sonne,
Und wie der Tau sich wiegt im Morgenschein,
Wie Engel flehn zur himmlischen Madonne,
Und Schar an Schar sich um die Hohe reihn,
So still und feierlich, voll selger Wonne,
Schließt mich das Zauberland der Liebe ein;
Klar seh ich die Verklärte vor mir schweben,
Frei und in Banden ihr allein zu leben. – – – –

Ob aber überhaupt der *Reim* in der Tragödie zweckmäßig
ist? Wir sind ganz dagegen, würden ihn nur bei rein lyrischen
Ergüssen tolerieren, und wollen ihn in vorliegender Tragödie
nur da entschuldigen, wo Tasso selbst spricht. Im Munde des

Dichters, der so viel in seinem Leben gereimt hat, klingt der Reim wenigstens nicht ganz unnatürlich. Dem schlechten Poeten wird der Reim in der Tragödie immer eine hülfreiche Krücke sein, dem guten Dichter wird er zur lästigen Fessel. Auf keinen Fall findet derselbe Ersatz dafür, daß er sich in diese Fessel schmiegt. Denn unsre Schauspieler, besonders Schauspielerinnen, haben noch immer den leidigen Grundsatz, daß die Reime für das Auge seien, und daß man sich ja hüten müsse, sie hörbar klingen zu lassen. Wofür hat sich nun der arme Dichter abgeplagt? – So wohlklingend auch die Verse unseres Verfassers sind, so fehlt es denselben doch an Rhythmus. Es fehlt ihm die Kunst des Enjambements, die beim fünffüßigen Jambus von so unendlicher Wirkung ist, und wodurch so viele metrische Mannigfaltigkeit hervorgebracht wird. Manchmal hat sich der Verfasser einen Sechsfüßer entschlüpfen lassen. Schon Seite 1. »Die deine Schönheit rühmen nach Verliebter Art.«

Ob vorsätzlich? Unbegreiflich ist uns, wie sich der Verfasser die Skansion »Vīrgīl« Seite 7 und 22 erlauben konnte. So wie auch Seite 4. »Und vīelleīcht dārŭm, weil sies nötger haben«. Seite 14. Der Daktylus »Hörenden« am Ende des Verses füllt das Ohr nicht. Obschon unsere besten alten Dichter sich solche Fehler zu Schulden kommen lassen, sollten doch die jüngern sie zu vermeiden suchen.

Wir gehn jetzt über zur Frage: welchen Wert hat vorliegende Tragödie in *ethischer* Hinsicht?

Ethisch? Ethisch? hören wir fragen. Um Gotteswillen, gelehrte Herren, halten Sie sich nicht an der Schuldefinition. Ethisch soll hier nur ein Rubriknamen sein, und wir wollen entwickelnd erklären, was wir unter dieser Rubrik befaßt haben wollen. Hören Sie, ist es Ihnen noch nie begegnet, daß Sie innerlich mißvergnügt, verstimmt und ärgerlich des Abends aus dem Theater kamen, obschon das Stück, das Sie eben sahen, recht dramatisch, theatralisch, kurz voller Poesie war? Was war nun der Fehler? Antwort: das Stück hatte keine Einheit des Gefühls hervorgebracht. Das ist es. Warum mußte der Tugendhafte untergehn durch List der Schelme? Warum mußte die gute Absicht verderblich wirken? Warum mußte die Unschuld leiden? Das sind die Fragen, die uns marternd die

Brust beklemmen, wenn wir nach der Vorstellung von manchem Stücke aus dem Theater kommen. Die Griechen fühlten wohl die Notwendigkeit, dieses qualvolle *Warum* in der Tragödie zu erdrücken, und sie ersannen das *Fatum*. Wo nun aus der beklommenen Brust ein schweres Warum hervorstieg, kam gleich der ernste Chorus, zeigte mit dem Finger nach oben, nach einer höhern Weltordnung, nach einem Urratschluß der Notwendigkeit, dem sich sogar die Götter beugen. So war die geistige Ergänzungssucht des Menschen befriedigt, und es gab jetzt noch eine unsichtbare Einheit – Einheit des Gefühls. Viele Dichter unserer Zeit haben dasselbe gefühlt, das Fatum nachgebildet, und so entstanden unsere heutigen *Schicksalstragödien*. Ob diese Nachbildung glücklich war, ob sie überhaupt Ähnlichkeit mit dem griechischen Urbild hatte, lassen wir dahin gestellt. Genug, so löblich auch das Streben nach Hervorbringung der Gefühlseinheit war, so war doch jene Schicksalsidee eine sehr traurige Aushülfe, ein unerquickliches, schädliches Surrogat. Ganz widersprechend ist jene Schicksalsidee mit dem Geist und der Moral unserer Zeit, welche beide durch das Christentum ausgebildet worden. Dieses grause, blinde, unerbittliche Schicksalswalten verträgt sich nicht mit der Idee eines himmlischen Vaters, der voller Milde und Liebe ist, der die Unschuld sorgsam schützet, und ohne dessen Willen kein Sperling vom Dache fällt. Schöner und wirksamer handelten jene neuere Dichter, die alle Begebenheiten aus ihren natürlichen Ursachen entwickeln, aus der moralischen Freiheit des Menschen selbst, aus seinen Neigungen und Leidenschaften, und die in ihren tragischen Darstellungen, sobald jenes furchtbare letzte Warum auf den Lippen schwebt, mit leiser Hand den dunklen Himmelsvorhang lüften, und uns hineinlauschen lassen in das Reich des Überirdischen, wo wir im Anschaun so vieler leuchtenden Herrlichkeit und dämmernden Seligkeit mitten unter Qualen aufjauchzen, diese Qualen vergessen, oder in Freuden verwandelt fühlen. Das ist die Ursache, warum oft die traurigsten Dramen dem gefühlvollsten Herzen einen unendlichen Genuß verschaffen. – Nach letzterer löblichen Art hat sich auch unser Verfasser bestrebt, die Gefühleinheit hervorzubringen. Er hat ebenfalls die Begebenheit aus ihren natürlichen Gründen entwickelt. In den Worten der Prinzessin:

> Ihr Dichter wollt euch nicht zu Menschen schicken,
> Verstehet anders, was die andern sagen,
> Und was ihr selbst sagt, habt ihr nicht bedacht;
> Das ist der schwarze Faden, den ihr selbst
> Euch in das heitre Dichterleben spinnet.

In diesen Worten erkennen wir das Fatum, das den unglücklichen Tasso verfolgte. Auch unser Verfasser wußte mit vieler Geschicklichkeit den Himmelsvorhang vor unsern Augen leise aufzuheben, und uns zu zeigen, wie Tassos Seele schon schwelget im Reiche der Liebe. Alle unsere Qualen des Mitleids lösen sich auf in stille Seelenfreude, wenn wir im 5 ten Akt den bleichen Tasso langsam hereintreten sehen mit den Worten:

> Vom heilgen Öle triefen meine Glieder,
> Und meine Lippen, die manch eitles Lied
> Von schnödem Wesen dieser Welt gesungen,
> Unwürdig haben sie berührt den Leib des Herrn. – –

Freilich wir müssen hier von einem historischen Standpunkte die Gefühle betrachten, die in unserm religiösen Schwärmer aufgeregt werden durch jene heiligen Gebräuche der römisch-katholischen Kirche, welche von Männern ersonnen worden sind, die das menschliche Herz, seine Wunden und den heilsamen beseligenden Eindruck passender Symbole genau kannten. Wir sehn hier unsern Tasso schon in den Vorhallen des Himmels. Seine geliebte Eleonore mußte ihm schon vorangegangen sein, und heilige Ahndung mußte ihm die Zusicherung gegeben haben, daß er sie bereits findet. Dieser Blick hinter die Himmelsdecke versüßt uns den unendlichen Schmerz, wenn wir das Kapitol schon in der Ferne erblicken, und der Langgeprüfte in dem Augenblick, als er den höchsten Preis erhalten soll, tot niedersinkt, bei der Bildsäule seines großen Nebenbuhlers. Der Priester greift den Schlußakkord, indem er den Lorbeerkranz Eleonorens der Leiche aufs Haupt setzt. – Wer fühlt hier nicht die tiefe Bedeutung dieses Lorbeers, der Torquatos Leid und Freud ist, in Leid und Freud ihn nicht verläßt, oft wie glühende Kohlen seine Stirn versengt, oft die arme brennende Stirn wie Balsam kühlet, und endlich, ein mühsam errungenes Siegeszeichen sein Haupt auf ewig verherrlicht.

Sollte nicht vielleicht unser Verfasser, eben wegen jener Gefühlseinheit, die Einheit der Handlung verworfen haben? Sollte ihm nicht etwas Ähnliches vorgeschwebt haben, was bei den Alten die Trilogien hervorbrachte? Fast möchten wir dieses glauben, und wir können nicht umhin, den Verfasser zu bitten, die fünf Akte seiner Tragödie in drei zusammen zu schmelzen, deren jeder einzelne alsdann das Glied einer Trilogie sein würde. Der 1te und 2te Akt wäre zusammengeschmolzen, und hieße: Tassos Hofleben; der 3te und 4te Akt wäre ebenfalls vereinigt, und hieße: Tassos Gefangenschaft; und der 5te Akt, womit sich die Trilogie schlösse, hieße: Tassos Tod.

Wir haben oben gezeigt, daß Einheit des Gefühls zum Ethischen einer Tragödie gehört, und daß unser Verfasser dieselbe vollkommen und musterhaft beobachtet hat. Er hat aber auch noch einer zweiten ethischen Anforderung Genüge geleistet. Nämlich seine Tragödie trägt den Charakter der Milde und Versöhnung.

Unter dieser Versöhnung verstehn wir nicht allein die *Aristotelische Leidenschaftsreinigung*, sondern auch die weise Beobachtung der Grenzen des Reinmenschlichen. Keiner kann furchtbarere Leidenschaften und Handlungen auf die Bühne bringen, als Shakespeare, und doch geschieht es nie, daß unser Inneres, unser Gemüt durch ihn gänzlich empört würde. Wie ganz anders ist das bei vielen unserer neuern Tragödien, bei deren Darstellung uns die Brust gleichsam in spanische Schnürstiefeln eingeklemmt wird, der Atem uns in der Kehle stocken bleibt, und gleichsam ein unerträglicher Katzenjammer der Gefühle unser ganzes Wesen ergreift. Das eigene Gemüt soll dem Dichter ein sicherer Maßstab sein, wie weit er den Schrekken und das Entsetzliche auf die Bühne bringen kann. Nicht der kalte Verstand soll emsig alles Gräßliche ergrübeln, mosaikähnlich zusammenwürfeln, und in der Tragödie aufstapeln. Zwar wissen wir recht wohl, alle Schrecken Melpomenens sind erschöpft. Pandoras Büchse ist leer, und der Boden derselben, wo noch ein Übel kleben konnte, von den Poeten kahl abgeschabt, und der gefallsüchtige Dichter muß im Schweiße seines Angesichts neue Schreckensfiguren und neue Übel herausbrüten. So ist es dahin gekommen, daß unser heutiges Theaterpublikum schon ziemlich vertraut ist mit Brudermord, Vatermord, Inzest usw. Daß am Ende der Held bei ziemlich gesundem Verstande einen Selbstmord begeht, cela se fait sans dire. Das ist ein Kreuz, das ist ein Jammer. In der Tat, wenn das so fort geht, werden die Poeten des 20ten Jahrhunderts ihre dramatischen Stoffe aus der japanischen Geschichte nehmen müssen, und alle dortigen Exekutionsarten und Selbstmorde: Spießen, Pfählen, Bauchaufschlitzen usw. zur allgemeinen Erbauung auf die Bühne bringen. Wirklich, es ist empörend, wenn man sieht, wie in unsern neuern Tragödien statt des wahrhaft Tragischen ein Abschlachten, ein Niedermetzeln, ein Zerreißen der Gefühle aufgekommen ist, wie zitternd und zähneklappernd das Publikum auf seinem Armensünderbänkchen sitzt, wie es moralisch gerädert wird, und zwar von unten herauf. Haben denn unsere Dichter ganz und gar vergessen, welchen ungeheuren Einfluß das Theater auf die Volkssitten ausübt? Haben sie vergessen, daß sie diese Sitten milder und nicht wilder machen sollen? Haben sie vergessen, daß das Drama mit der Poesie überhaupt denselben Zweck hat, und die Leidenschaften versöhnen, nicht aufwiegeln, menschlicher machen, und nicht entmenschen soll? Haben unsere Poeten ganz und gar vergessen, daß die Poesie in sich selbst genug Hülfsmittel hat, um auch das allerabgestumpfteste Publikum zu erregen und zu befriedigen, ohne Vatermord und ohne Inzest?

Es ist doch jammerschade, daß unser großes Publikum so wenig versteht von der Poesie, fast ebensowenig wie unsere Poeten.

»RHEINISCH-WESTFÄLISCHER MUSEN-ALMANACH,
AUF DAS JAHR 1821«

Herausgegeben von Friedrich Raßmann

(Hamm, bei Schultz und Wundermann)

»Was lange wird, wird gut« – »Eile mit Weile« – »Rom ist nicht
in einem Tag gebaut« – »Kommst du heut nicht, kommst du
morgen« und noch viele hundert ähnliche Sprüchwörter führt
der Deutsche beständig im Munde, dienen ihm als Krücken bei
jeder Handlung, und sollten mit Recht der ganzen deutschen
Geschichte als Motto voran gesetzt werden. – Nur unsere
Almanachs-Herausgeber haben sich von jenen leidigen Sprüch-
wörtern losgesagt, und ihre poetischen Blumensträußchen, die
dem Publikum, in winterlicher Zeit, ein Surrogat für wirkliche
Sommerblumen sein sollen, pflegen schon im Frühherbste zu
erscheinen. Es ist daher befremdend, daß vorliegender poetische Blumenstrauß so spät, nämlich im April 1821, zum Vorschein gekommen. Lag die Schuld an den Blumen-Lieferanten,
den Einsendern? oder am Straußbinder, dem Herausgeber?
oder an der Blumen-Händlerin, der Verlagshandlung? Doch
es ist ja kein gewöhnlicher Almanach, kein poetisches Taschen-
buch, oder ähnliches Duodezbüchlein, das, als ein niedliches
Neujahrsgeschenk, in die Sammetridiküls holder Damen geschmeidig hineingleiten soll, oder bestimmt ist, mit der fein-
geglätteten Vignettenkapsel und dem hervor blitzenden Gold-
schnitt auf duftender Toilette neben der Pomadenbüchse zu
prangen; nein – Herr Raßmann gibt uns einen *Musen-Almanach*. In einem solchen darf nämlich gar keine *Prosa* (und wenn
es tunlich ist, auch gar nichts *Prosaisches*) enthalten sein; aus dem
einfachen Grunde: weil die Musen nie in Prosa sprechen. Dieser
Satz, der durch historische Erinnerungen an die Musen-Alma-
nache von Voß, Tieck, Schlegel usw. entstanden ist, hat des
Referenten selige Großmutter einst veranlaßt, zu behaupten:
daß es eigentlich gar keine Poesie gibt, wo keine Reime klingen,
oder Hexameter springen. Nach diesem Grundsatz kann man
dreist behaupten: daß viele unserer berühmten, viele unserer

sehr gelesenen Autoren, wie z.B. Jean Paul, Hoffmann, Clauren, Karoline Fouqué usw. nichts von der Poesie verstehen, weil sie nie oder höchst selten Verse machen. Doch viele Leute, worunter Referent so halb und halb auch gehört, wollen diesen Grundsatz bestreiten. Sollte Herr Raßmann nicht auch zu diesen Leuten gehören? Warum aber diese engbrüstige Laune bei einer poetischen Kunstausstellung – was doch der Musen-Almanach eigentlich sein soll – gar keine Prosa ein zu lassen? – Indessen, abgesehen von allem Zufälligen, und zur Form Gehörigen muß Referent gestehen: daß ihn der Inhalt des Büchleins recht freundlich und innig angesprochen hat, daß ihm bei manchem Gedichte das Herz aufgegangen, und daß ihm bei der Lektüre des »*Rheinisch-westfälischen* Musen-Almanachs« so wohlig, heimisch und behaglich zu Mute war, als ob er sein Leibgericht äße, rohen westfälischen Schinken nebst einem Glase Rheinwein. Durchaus soll hier nicht angedeutet sein, als ob die im Almanach enthaltenen westfälischen Dichter mit westfälischen Schinken, hingegen die ebenfalls darin enthaltenen rheinischen Dichter mit Rheinwein zu vergleichen wären. Referent kennt zu genau den kreuzbraven, echtwackern Sinn des Kernwestfalen, um nicht zu wissen, daß er in keinem Zweige der Literatur seinen Nachbaren nachzustehen braucht, obzwar er noch nicht darauf eingeübt ist, mit den literarischen Kastagnetten sich durchzuklappern und ästhetische Maulhelden nieder zu schwatzen. – Von den sieben und dreißig Dichtern, die der Musen-Almanach vorführt und worunter auch einige neue Namen hervor grüßen, muß zuerst der Herausgeber erwähnt werden. Raßmann gehört, der Form nach, der neuern Schule zu; doch sein Herz gehört noch der alten Zeit an, jener guten alten Zeit, wo alle Dichter Deutschlands gleichsam nur *ein* Herz hatten. Schon bei dem flüchtigen Anblick der Gegenstände der literarischen Tätigkeit Raßmanns wird man innig gerührt durch seine Liebe für fremde Arbeiten und sein emsiges Hervorsuchen des fremden Verdienstes, (lauter altfränkische Eigenschaften, die längst aus der Mode gekommen!) In den Gedichten Raßmanns, die der Musen-Almanach enthält, besonders in »Einzwängung des Frühlings« »der Töpfer nach der Heirat« und im »armen Heinrich« findet sich ganz ausgesprochen jene grundehrliche Gesinnung, liebreiche Betriebsamkeit, und fast Hans-Sachsische Ausmalerei. E. M. Arndts Gedicht: »die Burg des echten Wächters« ist herzlich und jugendlich frisch. In W. v. Blombergs »Elegie auf die Herzogin von Weimar« sind recht schöne und anmutige Stellen. Buerens Nachtstück »die Hexen« ist sehr anziehend; der Verfasser fühlt gar wohl, wie viel durch metrische Kunstgriffe erreicht werden kann, er fühlt gar wohl die Macht der Spondeen, besonders der spondeischen Reime; doch die höhere Feinheit, die Mäßigkeit, die im Gebrauche derselben beobachtet werden muß, ist ihm bis jetzt noch unbekannt. »Der Klausner« von Freifrau Elise v. Hohenhausen ist ein sinniges, heiteres, blühendes Gemälde, von dessen Anmut und Lieblichkeit das Gemüt des Lesers angenehm bewegt wird. In J. B. Rousseaus Gedicht »Verlust« weht ein zarter und doch herzinnig glühender Hauch, liebliche Weichheit und heimlich süße Wehmut. Heilmanns Gedicht »Geist der Liebe« wäre sehr gut, wenn mehr Geist und weniger (das Wort) Liebe drin wäre. Der Stoff von Theobalds »Schelm von Bergen« ist wunderschön, fast unübertrefflich; doch der Verfasser ist auf falschem Wege, wenn er den Volkston durch holpernde Verse und Sprachplumpheit nachzuahmen sucht. Der gemütliche Gebauer gibt uns hier vier Gedichte, recht herzig, recht hübsch. Wilhelm Smets gibt ebenfalls eine Reihe schöner Dichtungen, wovon einige gewiß seelenerquickend genannt werden dürfen. Zu diesen gehören das Sonett »an Ernst von Lasaulx« und das Gedicht »an Elisabeths Namenstage«. Nikol. Meyers Gedichte sind recht wacker, einige ganz vortrefflich, am allerschönsten ist das Gedicht »Liebesweben«. Rühmliche Auszeichnung verdienen die Gedichte von Adelheid von Stolterfoth, von Sophie George und von v. Kurowski-Eichen. – Der Druck des Büchleins ist recht ansprechend, das Äußere desselben fast zu bescheiden und einfach. Doch der goldne Inhalt läßt bald den Mangel des Goldschnitts übersehen.

I. »Gedichte von Johann Baptist Rousseau«

(Krefeld, bei Funke. 1823)

II. »Poesien für Liebe und Freundschaft«,
von demselben

(Hamm, bei Schultz und Wundermann. 1822)

Die Gefühle, Gesinnungen und Ansichten des Jünglingsalters sind das Thema dieser zwei Bücher. Ob der Verfasser die Bedeutung dieses Alters völlig begriffen hat, ist uns nicht bekannt; doch ist es unverkennbar, daß ihm die Darstellung desselben nicht mißlungen ist. – Was will ein Jüngling? Was will diese wunderliche Aufregung in seinem Gemüt? Was wollen jene verschwindenden Gestalten, die ihn jetzt ins Menschengewühl und nachher wieder in die Einsamkeit locken? Was wollen jene unbestimmten Wünsche, Ahnungen und Neigungen, die sich ins Unendliche ziehen, und verschwinden, und wieder auftauchen, und den Jüngling zu einer beständigen Bewegung antreiben? Jeder antwortet hier auf seine eigne Weise, und da auch wir das Recht haben, unseren eignen Ausdruck zu wählen, so erklären wir jene Erscheinung mit den Worten: »Der Jüngling will eine Geschichte haben.« Das ist die Bedeutung unseres Treibens in der Jugend; wir wollen was erlebt haben, wir wollen erbaut und zerstört, genossen und gelitten haben; im Mannesalter ist schon manches dergleichen erlangt, und jener brausende Trieb, der vielleicht die Lebenskraft selbst sein mag, ist schon etwas abgedämpft und in ein ruhiges Bett geleitet. Doch erst der Greis, der im Kreise seiner Enkel unter der selbstgepflanzten Eiche, oder unter den Leichen seiner Lieben auf den Trümmern seines Hauses sitzt, fühlt jenen Trieb, jenes Verlangen nach einer Geschichte, in seinem Herzen gänzlich befriedigt und erloschen. – Wir können jetzt die Haupt-Idee obiger zwei Bücher genugsam andeuten, wenn wir sagen, daß der Verfasser in dem ersten sein Streben, eine Geschichte zu haben, und in dem andern die ersten Anfänge seiner Geschichte dargestellt hat. Wir nannten die Darstellung gelungen, weil der Verfasser uns nicht

Reflexionen über seine Gefühle, Gesinnungen und Ansichten, sondern diese letzteren selbst gegeben hat in den von ihnen notwendig hervorgerufenen Aussprüchen, Tätigkeiten und anderen Äußerlichkeiten. Er hat die ganze Außenwelt ruhig auf sich einwirken lassen und frei und schlicht, oft großartig-ehrlich und kindlich-naiv, ausgesprochen, wie sie sich in seinem bewegten Gemüt abgespiegelt. Der Verfasser hat hierin den obersten Grundsatz der Romantiker-Schule befolgt, und hat, statt nach der bekannten falschen Idealität zu streben, die besondersten Besonderheiten eines einfältiglichen, bürgerlichen Jugendlebens in seinen Dichtungen hingezeichnet. Aber was ihn als Dichter bekundet, ist: daß in jenen Besonderheiten sich wieder das Allgemeine zeigt, und daß sogar in jenen niederländischen Gemälden, wie sie uns der Verfasser in den Sonetten manchmal dargibt, das Idealische selbst uns sichtbar entgegen tritt. Diese Wahl und Verbindung der Besonderheiten ist es ja, woran man das Maß der Größe eines Talents erkennen kann; denn wie des Malers Kunst darin besteht, daß sein Auge auf eine eigentümliche Weise sieht, und er z. B. die schmutzigste Dorfschenke gleich von der Seite auffaßt und zeichnet, von welcher sie eine dem Schönheitssinne und Gemüt zusagende Ansicht gewährt: so hat der wahre Dichter das Talent, die unbedeutendsten und unerfreulichsten Besonderheiten des gemeinen Lebens so an zu schauen und zusammen zu setzen, daß sie sich zu einem schönen, echt-poetischen Gedichte gestalten. Deshalb hat jedes echte Gedicht eine bestimmte Lokalfärbung, und im subjektiven Gedichte müssen wir das Lokal erkennen, wo der Dichter lebt. Aus den vorliegenden Dichtungen haucht uns der Geist der Rheingegenden an, und wir finden darin überall Spuren des dortigen Treibens und Schaffens, des dortigen Volkscharakters mit all seiner Lebensfreude, Anmut, Freiheitsliebe, Beweglichkeit und unbewußten Tiefe. – In Hinsicht der Kunststufe halten wir das zweite der beiden Bücher für vorzüglicher, als das erste, obschon dieses mehr Ansprechendes und Kräftiges enthält. In dem ersten Buche ist noch die Bewegung der Leidenschaft vorherrschend, eben weil in demselben das unruhige Streben nach Geschichte sich ausspricht; im zweiten dämmert schon eine epische Ruhe hervor, da bereits einiger Geschichtsstoff vorhanden ist, der bestimmte Umrisse gewährt. Nun weiß aber jeder – und wer es nicht weiß, erfahre es hier – daß die Leidenschaft eben so gut Gedichte hervorbringt, als der eingeborne poetische Genius. Darum sieht man so viele deutsche Jünglinge, die sich für Dichter halten, weil ihre gärende Leidenschaft, etwa das Hervorbrechen der Pubertät, oder der Patriotismus, oder der Wahnsinn selbst, einige erträgliche Verse erzeugt. Darum sind ferner manche Winkel-Ästhetiker, die vielleicht einen zärtlichen Kutscher oder eine zürnende Köchin in poetische Redensarten ausbrechen sahen, zu dem Wahne gelangt: die Poesie sei gar nichts anderes, als die Sprache der Leidenschaft. Sichtbar hat unser Verfasser in dem ersten Buche manches Gedicht durch den Hebel der Leidenschaft hervorgebracht; doch von den Gedichten des zweiten Buches läßt sich sagen, daß sie zum Teil Erzeugnisse des Genius sind. Schwerer ist es, das Maß der Kraft desselben zu bestimmen, und der Raum dieser Blätter erlaubt nicht eine solche Untersuchung. Wir gehen daher über zu einem mehr äußerlichen Bezeichnen der beiden Bücher. Das erste enthält hundert einzelne und verbundene Gedichte, in verschiedenen Vers- und Ton-Arten. Der Verfasser gefällt sich darin, die meisten südlichen Formen nachzubilden, mit mehr oder weniger Erfolg. Doch auch die schlichtdeutsche Spruchweise und das Volkslied sind nicht vergessen. Seiner Kürze halber sei folgender Spruch erwähnt:

> Mir ist zuwider die Kopfhängerei
> Der jetzigen deutschen Jugend,
> Und ihre, gleich einer Litanei,
> Auswendig gelernte Tugend.

Die Volkslieder sind zwar im rechten Volkstone, aber nach unserm Bedünken etwas zu massiv geschrieben. Es kömmt darauf an, den Geist der Volkslied-Formen zu erfassen, und mit der Kenntnis desselben nach unserem Bedürfnis gemodelte, neue Formen zu bilden. Abgeschmackt klingen daher die Titular-Volkslieder jener Herren, die den heutigsten Stoff aus der gebildeten Gesellschaft mit einer Form umkleiden, die vielleicht ein ehrlicher Handwerksbursche vor zweihundert Jahren für den Erguß seiner Gefühle passend gefunden. Der Buchstabe tötet, doch der Geist macht lebendig. – Das zweite Buch enthält nur Sonette, wovon die erste Hälfte, »Tempel der Liebe« überschrieben, aus poetischen Apologien befreundeter Geister besteht. Unter den Liebes-Sonetten halten wir am gelungensten XVI, XVIII, XX, XXI, XXII, XXXVI. Im »Tempel der Freundschaft« zeichnen wir aus die Sonette: an Strauß, Arnim und Brentano, A.W. v. Schlegel, Hundeshagen, Smets, Kreuser, Rückert, Blomberg, Loeben, Immermann, Arndt und Heine. Unter diesen hat uns das Sonett an J. Kreuser am meisten angesprochen. Das Sonett an E. M. Arndt finden wir löblich, weil der Verfasser nicht, wie so manche zahme Leute, aus bekannten Gründen, sich scheut, von diesem ehrenwerten Manne öffentlich zu sprechen. In diesem Sonette wollen wir den zweiten Vers nicht verstehen; Babel liegt nicht an der Seine, das ist ein widerwärtiger geographischer Irrtum von 1814. Im ganzen scheint kein tadelsüchtiger Geist in diesem »Tempel der Freundschaft« zu wohnen, und es mag hie und da das versifizierte Wohlwollen allerdings etwas zu reichlich gespendet sein. Besonders ist dies der Fall in den Sonetten an H. Heine, den der Verf. auch schon im ersten Buche gehörig bedacht, und den wir hier mit acht Sonetten begabt finden, wo andere Leute mit einem einzigen beehrt sind. Heines Haupt wird durch jene Sonette mit einem so köstlichen Lorbeerzweige geschmückt, daß Hr. Rousseau sich wahrhaft einmal in der Folge das Vergnügen machen muß, dieses von ihm so schön bekränzte Haupt mit niedlichen Kotkügelchen zu bewerfen; wenn solches nicht geschieht, so ist es jammerschade und ganz gegen Brauch und Herkommen, und ganz gegen das Wesen der gewöhnlichen menschlichen Natur.

[ALBERT METHFESSEL]

Hamburg. – Unsere gute Stadt Hamburg, die vor einigen Jahren durch das Ableben des alten, braven, groben, herzensbiedern, kenntnisvollen und anticatalanistischen Schwencke einen noch unvergessenen Verlust erlitten, scheint jetzt hinlänglichen Ersatz dafür zu finden, indem sich einer der ausgezeichnetsten

deutschen Musiker hier niederlassen will. Das ist Albert Methfessel, dessen Liedermelodien durch ganz Deutschland verbreitet sind, von allen Volksklassen geliebt werden, und sowohl im
Kränzchen sanftmütiger Philisterlein, als in der wilden Kneipe
zechender Burschen, klingen und widerklingen. Auch Referent hat zu seiner Zeit manches hübsche Lied aus dem Meth-
fesselschen Kommersbuche ehrlich mitgesungen, und hat schon
damals Mann und Buch hochgeschätzt. Wahrlich, man kann
jene Komponisten nicht genug ehren, welche uns Liedermelodien geben, die von der Art sind, daß sie sich Eingang bei dem
Volke verschaffen, und echte Lebenslust und wahren Frohsinn
verbreiten. Die meisten Komponisten sind innerlich so verkün-
stelt, versumpft und verschroben, daß sie nichts Reines, Schlich-
tes, kurz nichts Natürliches hervor bringen können – und das
Natürliche, das organisch Hervorgegangene und mit dem un-
nachahmlichen Stempel der Wahrheit Gezeichnete, ist es eben,
was den Liedermelodien jenen Zauber verleiht, der sie allen
Gemütern einprägt und sie populär macht. Einige unserer Komponisten sind zwar der Natur immer noch nahe genug geblieben, daß sie dergleichen schlichte Liederkompositionen liefern könnten; aber teils dünken sie sich zu vornehm dazu, teils
gefallen sie sich in absichtlichen Naturabweichungen, und fürchten vielleicht, daß man sie nicht für wirkliche Künstler halten
möchte, wenn sie nicht musikalische Kunststücke machen. Das
Theater ist die nächste Ursache, warum das Lied vernachlässigt
wird; alles was nur den Generalbaß studiert, oder halb studiert
oder gar nicht studiert hat, stürmt nach den Brettern. Leidige
Nachahmerei, Untergang mancher wirklich Talentvollen!
Weichmütige Blütenseelen wollen kolossale Elefanten-Musik
hervor posaunen und pauken; handfeste Kraftkerle wollen süße
Rossinische Rosinen-Musik oder gar noch überzuckerte Rosinen-Musik hervor hauchen. Gott besser's! – Wir wollen daher
Komponisten, wie Methfessel, ehren – und ihn ganz besonders –
und seine Liedermelodien dankbar anerkennen.

[»STRUENSEE« VON MICHAEL BEER]

München. – Den 27sten März wurde im hiesigen Nationaltheater aufgeführt: »Struensee«, Trauerspiel in fünf Aufzügen, von Michael Beer. Sollen wir über dieses Stück ein beurteilendes Wort aussprechen, so muß es uns erlaubt sein, zuvor auf Beers frühere dramatische Erzeugnisse einen kurzen Rückblick zu werfen. Nur hierdurch, indem wir einigermaßen den Verfasser im Zusammenhang mit sich selbst betrachten, und dann die Stelle, die er in der dramatischen Literatur einnimmt, besonders bezeichnen, gewinnen wir einen festen Maßstab, womit Lob und Tadel zu ermessen ist und seine relative Bedeutung erhält.

Jugendlich unreif, wie das Alter ihres Verfassers, war »Klytämnestra«; ihre Bewunderer gehörten zu jenen Auserlesenen, die Grillparzers »Sappho« als das höchste Muster dieser griechischen Gattung anstaunen, ihre Tadler gehörten teils zu solchen, die nur tadeln wollten, teils zu solchen, die wirklich Recht hatten. Es ist nicht zu leugnen, in den Gestalten dieser Tragödie war nur ein äußeres Scheinleben, und ihre Reden waren ebenfalls nichts als eitel Schein. Da war kein echtes Gefühl, sondern nur ein herkömmlich theatralisches Aufblähen, kein begeistertes Wort, sondern nur stelzenhafte Komödiantenhofsprache, und bis auf einige echte Veilchen war alles nur ausgeschnitzeltes Papierblumenwerk. Das Einzige, was sich nicht verkennen ließ, war ein dramatisches Talent, das sich unabweisbar kund gab, trotz aller angelernten Unnatur und bedauernswürdiger Mißleitung.

Daß der Verfasser dergleichen selbst ahnte, bewies sein zweites Trauerspiel, »die Bräute von Aragonien«. Hie und da glänzt darin schon eine echte Flamme, echte Leidenschaft bricht hie und da hervor, etwas Poesie ließ sich nicht abweisen, aber, obgleich schon die papiernen Putzmacherblumen beseitigt sind, und echte, organische Blumen zum Vorschein kommen, so verraten diese doch immer noch ihren Boden, nämlich das Theater, man sieht es ihnen an, daß sie an keinem freien Sonnenlichte, sondern an fahlen Orchesterlampen gereift sind, und Farbe und Duft sind zweifelhaft. Dramatisches Talent läßt sich aber hier noch viel weniger verkennen.

Wie erfreulich war daher das weitere Fortschreiten des Verfassers! War es das Begreifen des eignen Irrtums, oder war es unbewußter Naturtrieb, oder war es gar eine äußere, überwältigende Macht, was den Verfasser plötzlich in die bravste und richtigste Bahn versetzte? Sein »Paria« erschien. Dieser Gestalt hatte kein Theatersouffleur seinen kümmerlichen Atem eingehaucht. Die Glut dieser Seele war kein gewöhnliches Kolophoniumfeuer, und keine auswendig gelernte Schmerzen zuckten durch diese Glut. Da gab es Stichworte, die jedes Herz trafen, Flammen, die jedes Herz entzündeten.

Herr Beer wird lächeln, wenn er liest, daß wir der Wahl des Stoffes dieser Tragödie die außerordentliche Aufnahme, die sie beim Publikum gefunden, zuschreiben möchten. Wir wollen ihm gerne zugestehen, daß er in diesem Stücke wahre, unbezweifelbare Poesie hervortreten ließ, ja daß wir eben durch dieses Erzeugnis bestimmt wurden ihm die echte Dichterwürde zuzusprechen, und ihn nicht mehr zu jenen homöopathischen Dichtern zu zählen, die nur ein Zehntausendteil Poesie in ihre Wassertragödien schütten, aber wir müssen doch den Stoff des Paria als die Hauptursache seines Gelingens bezeichnen. Ist es doch nie die Poesie an und für sich, was den Produkten eines Dichters Zelebrität verschafft. Betrachten wir nur den Goetheschen »Werther«. Sein erstes Publikum fühlte nimmermehr seine eigentliche Bedeutung, und es war nur das Erschütternde, das Interessante des Faktums, was die große Menge anzog und abstieß. Man las das Buch wegen des Totschießens, und Nicolaiten schrieben dagegen wegen des Totschießens. Es liegt aber noch ein Element im Werther, welches nur die kleinere Menge angezogen hat, ich meine nämlich die Erzählung, wie der junge Werther aus der hochadeligen Gesellschaft höflichst hinausgewiesen wird. Wäre der Werther in unseren Tagen erschienen, so hätte diese Partie des Buches weit bedeutsamer die Gemüter aufgeregt, als der ganze Pistolenknalleffekt.

Mit der Ausbildung der Gesellschaftlichkeit, der neueuropäischen Sozietät erblühte in Unzähligen ein edler Unmut über die Ungleichheit der Stände, mit Unwillen betrachtete man jede Bevorrechtung, wodurch ganze Menschenklassen gekränkt werden, Abscheu erregten jene Vorurteile, die, gleich zurückgebliebenen häßlichen Götzenbildern aus den Zeiten der Roheit und Unwissenheit noch immer ihre Menschenopfer verlangen, und denen noch immer viel schöne und gute Menschen hingeschlachtet werden. Die Idee der Menschengleichheit durchwärmt unsere Zeit, und die Dichter, die als Hohepriester dieser göttlichen Sonne huldigen, können sicher sein, daß Tausende mit ihnen niederknieen, und Tausende mit ihnen weinen und jauchzen.

Daher wird rauschender Beifall allen solchen Werken gezollt, worin jene Idee hervortritt. Nach Goethes Werther war Ludwig Robert der erste, der jene Idee auf die Bühne brachte, und uns in der »Macht der Verhältnisse« ein wahrhaft bürgerliches Trauerspiel zum besten gab, als er mit kundiger Hand die prosaischen, kalten Umschläge von der brennenden Herzwunde der modernen Menschheit plötzlich abriß. Mit gleichem Erfolge haben spätere Autoren dasselbe Thema, wir möchten fast sagen dieselbe Wunde behandelt. Dieselbe Macht der Verhältnisse erschüttert uns in »Urika« und »Eduard« der Herzogin von Duras und in »Isidor und Olga« von Raupach. Frankreich und Deutschland fanden sogar dasselbe Gewand für denselben Schmerz, und Delavigne und Beer gaben uns beide einen Paria.

Wir wollen nicht untersuchen, welcher von den beiden Dichtern den besten Lorbeer verdiente; genug, wir wissen, daß beider Lorbeer von den edelsten Tränen benetzt worden. Nur sei es uns erlaubt anzudeuten, daß die Sprache im Beerschen Paria, obgleich getränkt in Poesie, doch immer noch etwas Theatermäßiges an sich trägt, und hie und da merken läßt, daß der Paria mehr unter berlinischen Kulissenbäumen als unter indischen Banianen aufgewachsen, und in direkter Linie mit der guten Klytämnestra und den bessern Bräuten von Aragonien verwandt ist.

Wir haben diese Ansichten über M. Beers frühere Dichtungen voranschicken müssen, um uns desto kürzer und faßlicher über sein neuestes Trauerspiel, »Struensee«, aussprechen zu können.

Zuvörderst bekennen wir, daß der Tadel, womit wir noch eben den Paria nicht verschonen konnten, nimmermehr den Struensee treffen wird, dessen Sprache rein und klar dahin fließt, und als ein Muster guter Diktion gelten kann. Hier müssen wir die Segel des Lobes mit vollem Atem anschwellen, hier erscheint uns Michael Beer am meisten hervorragend aus dem Trosse unserer sogenannten Theaterdichter, jener Schwulstlinge, deren bildreiche Jamben sich wie Blumenkränze oder wie Bandwürmer um dumme Gedanken herumringeln. Es war uns unendlich erquickend, in jener dürren Sandwüste, die wir deutsches Theater nennen, wieder einen reinen, frischen Labequell hervorspringen zu sehen.

Was den Stoff betrifft, so ist Herr Beer wieder von einem glücklichen Sterne, fast möchten wir sagen glücklichen Instinkte geleitet worden. Die Geschichte Struensees ist ein zu modernes Ereignis, als daß wir sie herzuerzählen und in gewohnter Weise die Fabel des Stückes zu entwickeln brauchten. Wie man leicht erraten mag, der Stoff desselben besteht eines Teils in dem Kampfe des bürgerlichen Ministers mit einer hochmütigen Aristokratie, andern Teils in Struensees Liebe zur Königin Karoline Mathilde von Dänemark.

Über dieses zweite Hauptthema der Beerschen Tragödie wollen wir keine weitläufigen Betrachtungen anstellen, obgleich dasselbe dem Dichter so wichtig dünkte, daß er im vierten und fünften Akte fast das erste Hauptthema darüber vergaß, und vielleicht dieses zweite Hauptthema auch andern Leuten so wichtig erscheinen mag, daß deshalb der Darstellung dieses Trauerspiels an manchen Orten die allerhöchsten Schwierigkeiten entgegengesetzt werden dürften. Ob es überhaupt einer liberalen Regierung nicht unwürdig ist, den dramatischen Darstellungen beurkundeter Wahrheiten sich entgegen zu setzen, ist eine Frage, die wir seiner Zeit erörtern wollen. Unser Volksschauspiel, über dessen Verfall so trübselig geklagt wird, müßte ganz untergehen ohne jene Bühnenfreiheit, die noch älter ist als die Preßfreiheit, und die immer in vollem Maße vorhanden war, wo die dramatische Kunst geblüht hat, z. B. in Athen zur Zeit des Aristophanes, in England während der Regierung der Königin Elisabeth, die es erlaubt hatte sogar die Greulgeschichten ihrer eigenen Familie, selbst die Schrecknisse ihrer eigenen Eltern auf der Bühne darzustellen. Hier in Bayern, wo wir ein freies Volk, und, was noch seltener ist, einen freien König fin-

den, treffen wir auch eine eben so großartige Gesinnung, und
dürfen daher auch schöne Kunstfrüchte erwarten.

Wir kehren zurück zu dem ersten Hauptthema des »Struensee«, dem Kampfe der Bürgerlichen mit der Aristokratie. Daß
dieses Thema mit dem des Paria verwandt ist, soll nicht geleugnet werden. Es mußte naturgemäß aus demselben hervorgehen,
und wir rühmen um so mehr die innere Entwicklung des Dichters und sein feines Gefühl, das ihn immer auf das Prinzip der
Hauptstreitfragen unserer Zeit hinleitet. Im Paria sahen wir den
Unterdrückten, zu Tode gestampft unter dem eisernen Fußtritte des übermütigen Unterdrückers, und die Stimme, die
seelenzerreißend zu unseren Herzen drang, war der Notschrei
der beleidigten Menschheit. Im Struensee hingegen sehen wir
den ehemals Unterdrückten im Kampfe mit seinen Unterdrük-
kern, diese sind sogar im Erliegen, und was wir hören, ist
würdiger Protest, womit die menschliche Gesellschaft ihre alten
Rechte vindiziert, und die bürgerliche Gleichstellung aller ihrer
Mitglieder verlangt. In einem Gespräche mit Graf Ranzau,
dem Repräsentanten der Aristokratie, spricht Struensee die
kräftigsten Worte über jene Bevorrechteten, jene Karyatiden
des Thrones, die wie dessen notwendige Stützen aussehen möchten, und treffend schildert er jene noble Zeit, wo er noch nicht
das Staatsruder ergriffen hatte:

> – – – Es teilten
> Die höchsten Stellen Übermut und Dünkel.
> Die Bessern wichen. Einem feilen Heer
> Käuflicher Diener ließ man alle Mühen
> Der niedern Ämter. Schimpflich nährte damals
> Das Mark des Landes manch bebrämten Kuppler,
> Dem man des Vorgemachs geheime Sorgen
> Und schändliche Verschwiegenheit vergalt;
> Voreilig flog der Edlen junge Schar
> Der Ehrenstellen vielgestufte Leiter
> Mit raschen Sätzen an, und, flüchtgen Fußes
> Die niedern Sprossen überspringend, drängten
> Sie keck sich zu des Staates schmalem Gipfel,
> Der Raum nur hat für wenige Geprüfte.

So sah das Land mit wachsendem Entsetzen
Von edlen Knaben seine besten Männer
Zurückgedrängt in Nacht und in Verachtung.

RANZAU *(lächelnd)*.

Wohl möglich, daß die Brut des Adlers sich
Mit kühnern Schwingen auf zum Lichte wagt
Als der gemeinen Spatzen niedrer Flug.

STRUENSEE.

Ich aber habe mich erkühnt, Herr Graf,
Die Flügel dieser Adlerbrut zu stutzen,
Mit kräftigem Gesetz unbärtger Kühnheit
Gewehrt, daß uns kein neuer Phaethon
Das Flammenroß der Staatenherrschaft lenke. – –

Wie sich von selbst versteht, hat es einer Tragödie, deren
Held solche Verse deklamiert, nicht an gehöriger Mißdeutung
gefehlt; man war nicht damit zufrieden, daß der Sünder, der
sich solchermaßen zu äußern gewagt, am Ende geköpft wird,
sondern man hat den Unmut sogar durch Kunsturteile kund gegeben, man hat ästhetische Grundsätze aufgestellt, wonach man
die Fehler des Stücks haarklein demonstriert. Man will unter
andern dem Dichter vorwerfen, in seinen Tragödien seien keine
tiefen und prächtigen Reflexionen, und er gebe nichts als Handlung und Gestalten. Diese Kritiker kennen gewiß nicht die
obenerwähnte Klytämnestra und Die Bräute von Aragonien,
die es wahrlich nicht an Reflexionen fehlen ließen. Ein anderer
Vorwurf war die Wahl des Stoffes, der, wie man sagte, noch
nicht ganz der Geschichte anheimgefallen sei, und dessen Behandlung es nötig mache, noch lebende Personen auf die Bühne
zu bringen. Dann auch fand man es unstatthaft, dabei noch gar
die Interessen der heutigsten Parteien auszusprechen, die Leidenschaften des Tages aufzuwiegeln, uns im Rahmen der Tragödie die Gegenwart darzustellen, und zwar zu einer Zeit, wo
diese Gegenwart am gefährlichsten und wildesten bewegt ist.
Wir aber sind anderer Meinung. Die Greuelgeschichten der Höfe
können nicht schnell genug auf die Bühne gebracht werden,
und hier soll man, wie einst in Egypten, ein Totengericht halten
über die Könige und Großen der Erde. Was gar jene Nützlich-

keitstheorie betrifft, wonach man die Aufführung einer Tragödie nach dem Schaden oder Nutzen, den sie etwa stiften könnte, beurteilt, so sind wir gewiß sehr weit entfernt uns dazu zu bekennen. Doch auch bei einer solchen Theorie würde die Beersche Tragödie vielmehr Lob als Tadel verdienen, und wenn sie das Bild jener Kastenbevorrechtung, in all seiner grausamen Leibhaftigkeit, uns vor Augen bringt, so ist das vielleicht heilsamer, als man glaubt.

Es geht eine Sage im Volke, der Basilisk sei das furchtbarste und festeste Tier, weder Feuer noch Schwert vermöchten es zu verwunden, und das einzige Mittel es zu töten bestände darin, daß jemand die Kühnheit habe, ihm einen Spiegel vorzuhalten; indem alsdann das Tier sich selbst erblickt, erschrickt es so sehr ob seiner eignen Häßlichkeit, daß es zusammenstürzt und stirbt. Der Struensee, eben so wie der Paria, war ein solcher Spiegel, den der kühne Dichter dem schlimmsten Basilisken unserer Zeit entgegenhielt, und wir danken ihm für diesen Liebesdienst.

Die Kunstgesetze, die ästhetischen Plebiscita, die der große Haufe bei Gelegenheit der Beerschen Tragödie zu Tage förderte, wollen wir nicht beleuchten. Es sei genug, wenn wir sagen, daß Herr Beer vor diesem Richterstuhle gut bestanden hat. Wir wollen dieses nicht lobend gesagt haben, sondern es versteckt sich vielmehr in diese Worte der geheime Tadel, daß der Dichter durch Mittel, die vielleicht eben eines Dichters nicht ganz würdig waren, das große Publikum zu gewinnen wußte. Wir deuten hier auf das theatralische Reizmittel einer aufs höchste gespannten Erwartung, wodurch es möglich war, ein so gedrängt volles Haus, wie wir bei der Aufführung des Struensee sahen, fast fünfthalb Stunden, sage vier und eine halbe Stunde lang ausdauern zu machen, so daß am Ende doch noch der ungeschwächteste Enthusiasmus übrig bleiben und allgemeiner Beifall ausbrechen konnte, ja daß der größte Teil des Publikums noch Lust hatte lange zu warten, ob nicht Herr Beer, den man stürmisch hervorrief, erscheinen würde.

Wir haben vielleicht jenen Kritikern Unrecht getan, die Herrn Beer einen Mangel an schönen Reflexionen vorwarfen; dergleichen war vielleicht nur ein ironischer Tadel, der hinter sich das feinste Lob verstecken wollte. War es indessen ernstlich gemeint, wir sind alle schwache Menschen, so bedauern wir, daß jene Kritiker vor lauter Bäumen den Wald nicht gesehen haben. Sie sahen, wie sie sagen, nichts als Handlung und Gestalten, und merkten nicht, daß solche die allerschönsten Reflexionen repräsentierten, ja daß das Ganze nichts als eine einzige große Reflexion aussprach. Wir bewundern die dramatische Weisheit und die Bühnenkenntnis des Dichters, wodurch er so Großes bewirkt. Er hat nicht bloß jede Szene genau motiviert, vorbereitet und ausgeführt, sondern jede Szene ist auch an und für sich aus organischer Notwendigkeit und aus der Hauptidee des Stücks hervorgegangen; z.B. jene Volksszene, die den vierten Akt eröffnet, und die einem kurzsichtigen Zuschauer als überflüssiges Füllwerk erscheinen möchte, und manchem wirklich so erschienen ist, bedingt dermaßen die ganze Katastrophe, daß sie ohne dieselbe nur zur Hälfte motiviert wäre. Wir wollen gar nicht einmal in Betrachtung ziehen, daß das Gemüt des Zuschauers von den Schmerzen der drei ersten Akte so tief bewegt ist, daß es durchaus zu seiner Erholung einer komischen Szene bedurfte. Ihre eigentliche Bedeutung ist dennoch tragischer Natur, aus der lachenden Komödienmaske schauen Melpomenes geisterhafte, tiefleidende Augen, und eben durch diese Szene erkennen wir, wie Struensee, der schon allein durch seine majestätsverbrecherische Liebe untergehen konnte, noch obendrein dadurch seinem Untergang entgegeneilte, daß seine neuen Institutionen auch antinational waren, daß das Volk sie haßte, daß das Volk noch nicht reif war für die großen Ideen seines liberalen Herzens. Es sei uns erlaubt einige Reden aus jener Volksszene anzuführen, wodurch uns Herr Beer gezeigt, daß er auch Talent für das Lustspiel hat. Die Bauern sitzen in der Schenke und politisieren.

SCHULMEISTER.

»Meinetwegen, der Struensee ists nicht wert, daß wir uns um ihn zanken. Der ist zu unserer aller Unglück ins Land gekommen. Er bringt überall Hader und Zwistigkeit. Mischt er sich nicht auch in die Angelegenheiten des edlen Lehrfachs? fordert er jetzt nicht von den wohlbestallten Schulmeistern, daß sie lehren sollen, was durchaus nicht für die Köpfe Eurer lieben Jugend paßt? Wenns geschieht wie ers haben will, so werden Eure Buben und Mädchen bald klüger sein als Ihr. Aber dazu soll es nicht kommen, dafür will ich sorgen.

HOOGE *(ein Bauer)*.

Ja, er will überall Licht anzünden, wo mans auslöschen sollte; darf nicht jetzt jeder drucken lassen was er will! Ihr dürft jetzt als ein ehrlicher Schulmeister nicht mehr einen Schluck über den Durst trinken, so kann morgen der Küster drucken lassen: ‚gestern war der Schulmeister betrunken.'

SCHULMEISTER.

Das sollt er sich unterstehen! Ich möchte doch sehen –

HOOGE.

Das würdet Ihr sehen, und könntets nicht hindern. Sie nennens Preßfreiheit, aber wahrhaftig, wer nicht immer nach dem Schnürchen lebt, kann dabei gewaltig in die Presse kommen.

BABE *(Chirurgus)*.

Lebt nach dem Schnürchen, so schadets keinem was. Dürft Ihr doch auf diese Weise Eure Herzensmeinung dem andern sagen, und dürft Euch, wenns Euch beliebt, gegen den Struensee und die Regierung aussprechen.

HOOGE.

Ei was aussprechen! ich will mich nicht aussprechen, ich will das Maul halten, aber die andern sollens auch. Jeder kümmre sich um die Töpfe auf seinem Herd.

SCHULMEISTER.

Führt nicht so freventliche Redensarten, Gevatter Babe! wozu werden wir regiert, wenn wir uns gegen die Regierung aussprechen wollen? Eine gute Regierung soll alles regieren, Herz und Geldbeutel und Mund und Feder. In einem guten Staate ist ein Hauptgrundsatz, daß man, wie Hooge sich auf seine herzliche, einfache Weise ausdrückt, das Maul halte, denn wer redet und druckt, der muß auch zuweilen denken, und getreuen Untertanen ist nichts gefährlicher als die Gedanken.

BABE.

Die Gedanken könnt Ihr aber nicht hindern.

FLYNS *(Bauer)*.

Nein, die kann keiner hindern, und ich denke mir vieles.

SCHULMEISTER.

Nun, laßt doch hören, Flynschen, was denkt Ihr denn?

(*Zu* Swenne *leise*)

Das ist der größte Einfaltspinsel im Dorfe.

FLYNS.

Ich denke, daß mir alles recht ist, wenns nur nicht zur Ausführung des Planes kommt, den sich der Struensee, wie sie sagen, vorgenommen habe.

BABE.

Das wäre?

FLYNS.

Daß er sich vorgenommen uns Bauern in Dänemark und in den Herzogtümern zu freien Leuten zu machen. Ich will nicht frei und unabhängig sein. Was ists denn Großes, daß ich für den Edelmann meinen Acker bestellen muß? dafür ernährt er mich und sorgt für mich, und eine Tracht Prügel nehme ich so mit. Wenn wir frei wären, müßten wir uns plagen und quälen, wären unsere eignen Herrn und müßten Abgaben geben.

BABE.

Und für dein Eigentum, für die Freude, das, was du besitzest, dein nennen zu können, möchtest du nicht sorgen?

FLYNS.

Ei was! wenn ein anderer für mich sorgt, ist mirs bequemer.

SCHULMEISTER.

Das ist der erste vernünftige Gedanke, Flyns, auf dem ich dich ertappe. Mit der Freiheit käm auch zugleich die Aufklärung, das moderne Gift – Euer Tod.«

Außer den trefflichen Andeutungen, daß die Preßfreiheit eben so große Gegner hat unter den niedern, wie unter den hohen Ständen, und daß die Abschaffung der Leibeigenschaft den Leibeignen selbst am meisten verhaßt ist, außer dergleichen wahren Zügen, deren in jener Szene noch manche andere vorkommen, sehen wir deutlich, wie Struensee auf den hohen Isolierschemeln seiner Ideen tragisch allein stand, und im Kampfe des Einzelnen mit der Masse rettungslos untergehen mußte. Der feine Sinn unseres Dichters hat indessen die Notwendigkeit gefühlt, den allzugroßen Schmerz des Helden, bei einem solchen Untergang, einigermaßen zu mäßigen; er läßt ihn im Geiste die Zeit voraussehen, wo die Wohltäter des Volks mit dem Volke selbst einig sein werden; sterbend sieht er das Morgenrot dieser Zeit und spricht die schönen Worte:

>>Der Tag geht auf! demütig leg ich ihm
Mein Leben nieder vor dem ewgen Thron.
Verborgner Wille tritt ans Licht und glänzt
Und Taten werden bleich, wie irdscher Kummer.
Doch ein beglückter Lohn steigt blühend auf;
Hier, wo ich wirkte, reift manch edle Saat.
So hab ich nicht umsonst gelebt, so hab ich
Mit falschen Lehren nicht das Reich geblendet!
Es kommt der Tag, die Zeiten machens wahr,
Was ich gewollt, die Tyrannei erkennt,
Daß sich das Ende ihrer Schrecken naht.
Ich seh ein Blutgerüst sich nach dem andern
Erbaun, ein rasend Volk entfesselt sich,
Trifft seinen König in verruchter Wut,
Und dann sich selbst mit immer neuen Schlägen.
Geschäftig mäht das Beil die Leben nieder,
Wie emsge Schnitter ihre Ernte – plötzlich
Hemmt eine starke Hand die ehrne Wut.
Der Henker ruht, doch die gewaltge Hand
Kommt nicht zu segnen mit dem Zweig des Friedens.
Mit ihrem Schwert vergeudet sie die Völker,
Bis auch der Kampf erlischt, ein brausend Meer
Schlägt an ein einsam Grab, und alles ruht.
Und hellre Tage kommen, und die Völker
Und Kön'ge schließen einen ewgen Bund.
Notwendig ist die Zeit, sie muß erscheinen,
Sie ist gewiß, wie die allmächtge Weisheit.
Nur durch die Kön'ge sind die Völker mächtig,
Nur durch die Völker sind die Kön'ge groß.<<

Nachdem wir uns über Grundidee, Diktion und Handlung der neuen Beerschen Tragödie geäußert, bleibt uns noch übrig, die Gestalten, die wir darin handeln sehen, näher zu beleuchten. Doch die Ökonomie dieser Blätter gestattet uns kein so kritisches Geschäft, und erlaubt uns kaum über die Hauptpersonen einige kurze Bemerkungen vorzubringen. Wir gebrauchen vorsätzlich das Wort »Gestalten« statt Charaktere, mit dem ersteren Ausdruck das Äußere, mit dem andern das Innerliche der Erscheinung bezeichnend. Struensee, möge uns der Dichter den harten Tadel verzeihen, ist keine Gestalt. Das Verschwimmende, Verseufzende, Überweiche, was wir an ihm erblicken, soll vielleicht sein Charakter sein, wir wollen es sogar als einen Charakter gelten lassen, aber es raubt ihm alle äußere Gestaltlichkeit. Dasselbe ist der Fall bei Graf Ranzau, der, mehr edel als adlig, eben so wie Struensee vor lauter Sentimentalität, dem Erbgebrechen Beerscher Helden, auseinander fließt; nur wenn wir ihm ins Herz leuchten, sehen wir, daß er dennoch ein Charakter ist, wenn auch schwach gezeichnet, doch immer ein Charakter. Sein Haß gegen die Königin Juliane, womit er dennoch ein Bündnis gegen Struensee abschließt, und dergleichen Züge mehrere geben ihm Innerlichkeit, Individualität, kurz einen Charakter. Das Gesagte gilt einigermaßen auch vom Pfarrer Struensee; dieser, den einer unserer Freunde, gewiß mit Unrecht, für ein Nachbild des Vaters im Delavigneschen Paria halten wollte, gewann seine äußere Gestalt vielleicht weniger durch den Dichter selbst, als durch die Persönlichkeit des Darstellers. Die hohe Gestalt Eßlairs in einer solchen Rolle, nämlich als reformierter Pfarrer, erschien uns wie ein kolossaler, altkatholischer Dom, der zum protestantischen Gottesdienste eingerichtet worden; an den Wänden sind die hübschen Bilder teils abgebrochen, teils mit frischem Kalk überstrichen, die Pfeiler stehen nackt und kalt, und die Worte, die so öde und nüchtern von der neugezimmerten Kanzel erschallen, sind dennoch das Wort Gottes. So erschien uns Eßlair besonders in der Szene, wo der Pfarrer Struensee, fast im liturgischen Tone, seinen Sohn segnet.

Der Charakter der Königin Karoline Mathilde ist, wie sich von selbst versteht, holde Weiblichkeit, und wenn wir nicht irren, hat dem Dichter das Bild der unglücklichen Maria Antoinette vorgeschwebt, wie denn auch die Bedrängnisszene, wo die rebellierenden Truppen gegen das königliche Schloß marschieren, uns bedeutungsvoll den Tuileriensturm ins Gedächtnis rief. An Gestalt gewann die Königin ebenfalls durch ihre Darstellerin, Dem. Hagn, die am Anfang des zweiten Aktes, auf dem roten, goldumränderten Sessel sitzend, ganz so freundlich aussah, wie auf dem Gemälde von Stieler, das wir jüngst im Ausstellungssaale des hiesigen Kunstvereins so sehr bewundert haben.

Wir besitzen nicht das Talent schönen Damen etwas Bitteres zu sagen, es sei denn, daß wir sie liebten, und wir enthalten uns unseres Urteils über das Spiel der Mad. Hagn als Königin Karoline Mathilde um so mehr, da man der Meinung ist, sie habe in dieser Rolle besser als jemals gespielt, und da überhaupt unser etwaiger Tadel jene ganze Unnaturschule betrifft, woraus so viele Meisterinnen hervorgegangen. Mit Ausnahme der *Wolff*, der *Stich*, der *Schröder*, der *Peche*, der *Müller* und noch einiger andern Damen, haben sich unsere Schauspielerinnen immer jenes gespreizten, singenden, gleißenden, heuchlerischen Tones befleißigt, der seines Gleichen nur auf lutherischen Kanzeln findet, und der jedes reine Gefühl parodiert. Die natürlichsten, unverwöhntesten Mädchen glauben, sobald sie die Bretter betreten, diesen Ton anstimmen zu müssen, und sobald sie sich diese traditionelle Unnatur zu eigen gemacht haben, nennen sie sich Künstlerinnen. Wenn wir in dieser Hinsicht unsere Königin Karoline Mathilde noch keine vollendete Künstlerin nennen, haben wir das größte Lob ausgesprochen, welches sie von uns erwarten kann. Da sie noch jung ist, und hoffentlich auf wohlgemeinten Wink achtet, vermag sie vielleicht einst dem Streben nach jenem fatalen Künstlertume zu entsagen, und sie soll uns freundlich geneigt finden, sie dafür vollauf zu loben. Heute aber müssen wir die Krone einer bessern Königin zusprechen, und trotz unserer antiaristokratischen Gesinnung huldigen wir der Königin Juliane Marie. Diese ist eine Gestalt, diese ist ein Charakter, hier ist nichts auszusetzen an Zeichnung und Farbe, hier ist etwas Neues, etwas ganz Eigentümliches, und hier bekundet der Dichter seine höchste, göttlichste Vollmacht, seine Vollmacht, Menschen zu schaffen. Hier scheint uns Herr Beer ein Können zu offenbaren, das mehr ist, als was wir gewöhnlich Talent nennen, und das wir fast Genie nennen möchten, wenn wir mit diesem allzukostbaren Worte minder geizig wären.

Die alte, schleichend kräftige, entzückend schauderhafte Königin ist eine eigentümliche Schöpfung des Dichters, die sich mit keinem vorhandenen Bilde vergleichen läßt. Madame Frieß hat diese Rolle gespielt wie sie gespielt werden muß, sie hat den rauschenden Beifall, der ihr zu Teil wurde, rechtmäßig verdient, und seit jenem Abende zählen wir sie zu dem Häuflein besserer Schauspielerinnen, die wir oben genannt haben. Ihre seltsame, unruhige Händebewegung erinnerte uns lebhaft an die Semiramis der Mad. Georges. Ihre Kostumierung, ihre Stimme, ihr Gang, ihr ganzes Wesen erfüllte uns mit geheimem Grauen; absonderlich in der Szene, wo sie den Verschworenen die Nachtbefehle austeilt, ward uns so tief unheimlich zu Mute wie damals in unserer Kindheit, als eines Abends die blinde Magd uns die schaurige Geschichte erzählte von dem nächtlichen Schlosse, wo die verwünschte Katzenkönigin, abenteuerlich geputzt, im Kreise ihrer Hofkater und Hofkatzen sitzt, und halb mit menschlicher Stimme und halb miauend, Unheil beratet.

Wir schließen diese Betrachtungen mit dem Bedauern, daß der Raum dieser Blätter uns nicht vergönnt, uns weitläuftiger über Herrn Beers neue Tragödie zu verbreiten. Wir fühlen selbst, daß wir zumeist nur eine Seite derselben, die politische, beleuchtet haben. Wir denken, daß andere Berichterstatter, wie gewöhnlich, einseitig die andere Seite, die romantische, die verliebte besprechen werden. Indem wir solche Ergänzung erwarten, wollen wir nur noch unsern Dank aussprechen für den hohen Genuß, den uns der Dichter bereitet. An der freimütigen Beurteilung, die sein Werk bei uns gefunden, möge er unsere neidlose, liebreiche Gesinnung erkennen, und es sollte uns freuen, wenn unser Wort vielleicht dazu beiträgt, ihn auf der schönen Bahn, die er so ruhmvoll betreten, noch lange zu erhalten. Die Dichter sind ein unstätes Volk, man kann sich nicht auf sie verlassen, und die besten haben oft ihre besseren Meinungen gewechselt, aus eitel Veränderungssucht. In dieser Hinsicht sind die Philosophen weit sicherer, weit mehr als die Dichter lieben sie die Wahrheiten, die sie einmal ausgesprochen, man sieht sie weit ausdauernder dafür kämpfen, denn sie haben selbst mühsam diese Wahrheiten aus der Tiefe des Denkens hervorgedacht, während sie den müßigen Dichtern gewöhnlich wie ein leichtes Geschenk zugekommen sind. Mögen die künftigen Tragödien des Herrn Beer, eben so wie der Paria und der Struensee, tief durchdrungen werden von dem Hauche jenes Gottes, der noch größer ist als der große Apollo und all die andern mediatisierten Götter des Olymps, wir sprechen vom Gotte der Freiheit.

Die deutsche Literatur

von Wolfgang Menzel. 2 Teile. Stuttgart,
bei Gebrüder Frankh. 1828

»Wisse, daß jedes Werk, das da wert war zu erscheinen, sogleich bei seiner Erscheinung gar keinen Richter finden kann; es soll sich erst sein Publikum erziehen, und einen Richterstuhl für sich bilden. – – *Spinoza* hat über ein Jahrhundert gelegen, ehe ein treffendes Wort über ihn gesagt wurde; über Leibniz ist vielleicht das erste treffende Wort noch zu erwarten, über Kant ganz gewiß. Findet ein Buch sogleich bei seiner Erscheinung seinen kompetenten Richter, so ist dies der treffende Beweis, daß dieses Buch eben so wohl auch ungeschrieben hätte bleiben können.«

Diese Worte sind von Johann Gottlieb Fichte, und wir setzen sie als Motto vor unsere Rezension des Menzelschen Werks, teils um anzudeuten, daß wir nichts weniger als eine Rezension liefern, teils auch um den Vfr. zu trösten, wenn über den eigentlichen Inhalt seines Buches nichts Ergründendes gesagt wird, sondern nur dessen Verhältnis zu anderen Büchern der Art, dessen Äußerlichkeiten und besonders hervorstehende Gedankenspitzen besprochen werden.

Indem wir nun zuvörderst zu ermitteln suchen, mit welchen vorhandenen Büchern der Art das vorliegende Werk vergleichend zusammengestellt werden kann, kommen uns Friedrich Schlegels Vorlesungen über Literatur fast ausschließlich in Erinnerung. Auch dieses Buch hat nicht seinen kompetenten Richter gefunden, und wie stark sich auch in der letzteren Zeit, aus kleinlich protestantischen Gründen, manche absprechende Stimmen gegen Friedrich Schlegel erhoben haben, so war doch noch keiner im Stande, beurteilend sich über den großen Beurteiler zu erheben; und wenn wir auch eingestehen müssen, daß ihm an kritischem Scharfblick sein Bruder August Wilhelm und einige neuere Kritiker, z.B. Wilibald Alexis, Zimmermann, Varnhagen v. Ense und Immermann, ziemlich überlegen sind, so haben uns diese bisher doch nur Monographien geliefert, während Friedrich Schlegel großartig das Ganze aller geistigen Bestrebungen erfaßte, die Erscheinungen derselben gleichsam wieder zurückschuf in das ursprüngliche Schöpfungs-Wort, woraus sie hervorgegangen, so daß sein Buch einem schaffenden Geisterliede gleicht.

Die religiösen Privatmarotten, die Schlegels spätere Schriften durchkreuzen, und für die er allein zu schreiben wähnte, bilden doch nur das Zufällige, und namentlich in den Vorlesungen über Literatur ist, vielleicht mehr als er selbst weiß, die Idee der Kunst noch immer der herrschende Mittelpunkt, der mit seinen goldenen Radien das ganze Buch umspinnt. Ist doch die Idee der Kunst zugleich der Mittelpunkt jener ganzen Literaturperiode, die mit dem Erscheinen Goethes anfängt und erst jetzt ihr Ende erreicht hat, ist sie doch der eigentliche Mittelpunkt in Goethe selbst, dem großen Repräsentanten dieser Periode – und wenn Friedrich Schlegel, in seiner Beurteilung Goethes, demselben allen Mittelpunkt abspricht, so hat dieser Irrtum vielleicht seine Wurzel in einem verzeihlichen Unmut. Wir sagen »verzeihlich«, um nicht das Wort »menschlich« zu gebrauchen: die Schlegel, geleitet von der Idee der Kunst, erkannten die Objektivität als das höchste Erfordernis eines Kunstwerks, und da sie diese im höchsten Grade bei Goethe fanden, hoben sie ihn auf den Schild, die neue Schule huldigte ihm als König, und als er König war, dankte er, wie Könige zu danken pflegen, indem er die Schlegel kränkend ablehnte und ihre Schule in den Staub trat.

Menzels »deutsche Literatur« ist ein würdiges Seitenstück zu dem erwähnten Werke von Friedr. Schlegel. Dieselbe Großartigkeit der Auffassung, des Strebens, der Kraft und des Irrtums. Beide Werke werden den späteren Literatoren Stoff zum Nachdenken liefern, indem nicht bloß die schönsten Geistesschätze darin niedergelegt sind, sondern indem auch ein jedes dieser beiden Werke ganz die Zeit charakterisiert, worin es geschrieben ist. Dieser letztere Umstand gewährt auch uns das meiste Vergnügen bei der Vergleichung beider Werke. In dem Schlegelschen sehen wir ganz die Bestrebungen, die Bedürfnisse, die Interessen, die gesamte deutsche Geistesrichtung der vorletzten Dezennien, und die Kunstidee als Mittelpunkt des Ganzen. Bilden aber die Schlegelschen Vorlesungen solchermaßen ein Literaturepos, so erscheint uns hingegen das Menzelsche Werk wie ein bewegtes Drama, die Interessen der Zeit treten auf und halten ihre Monologe, die Leidenschaften, Wünsche, Hoffnungen, Furcht und Mitleid sprechen sich aus, die Freunde raten, die Feinde drängen, die Parteien stehen sich gegenüber, der Vfr. läßt allen ihr Recht widerfahren, als echter Dramatiker behandelt er keine der kämpfenden Parteien mit allzu besonderer Vorliebe, und wenn wir etwas vermissen, so ist es nur der Chorus, der die letzte Bedeutung des Kampfes ruhig ausspricht. Diesen Chorus aber konnte uns Herr Menzel nicht geben, wegen des einfachen Umstandes, daß er noch nicht das Ende dieses Jahrhunderts erlebt hat. Aus demselben Grunde erkannten wir bei einem Buche aus einer früheren Periode, dem Schlegelschen, weit leichter den eigentlichen Mittelpunkt, als bei einem Buche aus der jetzigsten Gegenwart. Nur so viel sehen wir, der Mittelpunkt des Menzelschen Buches ist nicht mehr die Idee der Kunst. Menzel sucht viel eher das Verhältnis des Lebens zu den Büchern aufzufassen, einen Organismus in der Schriftwelt zu entdecken, es ist uns manchmal vorgekommen, als betrachte er die Literatur wie eine Vegetation – und da wandelt er mit uns herum und botanisiert, und nennt die Bäume bei ihren Namen, reißt Witze über die größten Eichen, riecht humoristisch an jedem Tulpenbeet, küßt jede Rose, neigt sich freundlich zu einigen befreundeten Wiesenblümchen, und schaut dabei so klug, daß wir fast glauben möchten, er höre das Gras wachsen.

Andererseits erkennen wir bei Menzel ein Streben nach Wissenschaftlichkeit, welches ebenfalls eine Tendenz unserer neuesten Zeit ist, eine jener Tendenzen, wodurch sie sich von der früheren Kunstperiode unterscheidet. Wir haben große geistige Eroberungen gemacht, und die Wissenschaft soll sie als unser Eigentum sichern. Diese Bedeutung derselben hat sogar die Regierung in einigen deutschen Staaten anerkannt, absonderlich in Preußen, wo die Namen Humboldt, Hegel, Bopp, A.W. Schlegel, Schleiermacher etc. in solcher Hinsicht am schönsten glänzen. Dasselbe Streben hat sich, zumeist durch Einwirkung solcher deutschen Gelehrten, nach Frankreich verbreitet; auch hier erkennt man, daß alles Wissen einen Wert an und für sich hat, daß es nicht wegen der augenblicklichen Nützlichkeit kultiviert werden soll, sondern damit es seinen Platz finde in dem Gedankenreiche, das wir, als das beste Erbteil, den folgenden Geschlechtern überliefern werden.

Herr Menzel ist mehr ein enzyklopädischer Kopf als ein synthetisch wissenschaftlicher. Da ihn aber sein Willen zur Wissenschaftlichkeit drängt, so finden wir in seinem Buche eine seltsame Vereinigung seiner Naturanlage mit seinem vorgefaßten Streben. Die Gegenstände entsteigen daher nicht aus einem einzigen innersten Prinzip, sie werden vielmehr nach einem geistreichen Schematismus einzeln abgehandelt, aber doch ergänzend, so daß das Buch ein schönes, gerundetes Ganze bildet.

In dieser Hinsicht gewinnt vielleicht das Buch für das große Publikum, dem die Übersicht erleichtert wird, und das auf jeder Seite etwas Geistreiches, Tiefgedachtes und Anziehendes findet, welches nicht erst auf ein letztes Prinzip bezogen werden muß, sondern an und für sich schon seinen vollgültigen Wert hat. Der Witz, den man in Menzelschen Geistesprodukten zu suchen berechtigt ist, wird durchaus nicht vermißt, er erscheint um so würdiger, da er nicht mit sich selbst kokettiert, sondern nur der Sache wegen hervortritt – obgleich sich nicht leugnen läßt, daß er Herrn Menzel oft dazu dienen muß, die Lücken seines Wissens zu stopfen. H. M. ist unstreitig einer der witzigsten Schriftsteller Deutschlands, er kann seine Natur nicht verleugnen, und möchte er auch, alle witzigen Einfälle ablehnend, in einem steifen Perückentone dozieren, so überrascht ihn wenigstens der Ideenwitz, und diese Witzart, eine Verknüpfung von Gedanken, die sich noch nie in einem Menschenkopfe begegnet, eine wilde Ehe zwischen Scherz und Weisheit, ist vorherrschend in dem Menzelschen Werke. Nochmals rühmen wir des Vfrs. Witz, um so mehr, da es viele trockene Leute in der Welt gibt,

die den Witz gern proskribieren möchten, und man täglich
hören kann, wie Pantalon sich gegen diese niedrigste Seelen-
kraft, den Witz, zu ereifern weiß, und als guter Staatsbürger
und Hausvater die Polizei auffordert ihn zu verbieten. Mag
immerhin der Witz zu den niedrigsten Seelenkräften gehören,
so glauben wir doch, daß er sein Gutes hat. Wir wenigstens
möchten ihn nicht entbehren. Seitdem es nicht mehr Sitte ist,
einen Degen an der Seite zu tragen, ist es durchaus nötig, daß
man Witz im Kopfe habe. Und sollte man auch so überlaunig
sein, den Witz nicht bloß als notwendige Wehr, sondern sogar
als Angriffswaffe zu gebrauchen, so werdet darüber nicht allzu
sehr aufgebracht, Ihr edlen Pantalone des deutschen Vaterlandes! Jener Angriffswitz, den Ihr Satire nennt, hat seinen guten
Nutzen in dieser schlechten, nichtsnutzigen Zeit. Keine Religion ist mehr im Stande, die Lüste der kleinen Erdenherrscher
zu zügeln, sie verhöhnen Euch ungestraft und ihre Rosse zertreten Eure Saaten, Eure Töchter hungern und verkaufen ihre
Blüten dem schmutzigen Parvenü, alle Rosen dieser Welt werden die Beute eines windigen Geschlechts von Stockjobbern
und bevorrechteten Lakaien, und vor dem Übermut des Reichtums und der Gewalt schützt Euch nichts – als der Tod und die
Satire.

   »*Universalität* ist der Charakter unserer Zeit«, sagt Herr Menzel im zweiten Teile S. 63. seines Werkes, und da dieses letztere,
wie wir oben bemerkt, ganz den Charakter unserer Zeit trägt,
so finden wir darin auch ein Streben nach jener Universalität.
Daher ein Verbreiten über alle Richtungen des Lebens und des
Wissens, und zwar unter folgenden Rubriken: »die Masse der
Literatur, Nationalität, Einfluß der Schulgelehrsamkeit, Einfluß
der fremden Literatur, der literarische Verkehr, Religion, Philosophie, Geschichte, Staat, Erziehung, Natur, Kunst und Kritik.«
Es ist zu bezweifeln, ob ein junger Gelehrter in allen möglichen
Disziplinen so tief eingeweiht sein kann, daß wir eine gründliche Kritik des neuesten Zustandes derselben von ihm erwarten
dürften. Herr Menzel hat sich durch Divination und Konstruk-
tion zu helfen gewußt. Im Divinieren ist er oft sehr glücklich,
im Konstruieren immer geistreich. Wenn auch zuweilen seine
Annahmen willkürlich und irrig sind, so ist er doch unüber-

trefflich im Zusammenstellen des Gleichartigen und der Gegensätze. Er verfährt kombinatorisch und konziliatorisch. Den Zweck dieser Blätter berücksichtigend wollen wir als eine Probe der Menzelschen Darstellungsweise die folgende Stelle aus der Rubrik »Staat« mitteilen:

»Bevor wir die Literatur der politischen Praxis betrachten, wollen wir einen Blick auf die Theorien werfen. Alle Praxis geht von den Theorien aus. Es ist jetzt nicht mehr die Zeit, da die Völker aus einem gewissen sinnlichen Übermut, oder aus zufälligen, örtlichen Veranlassungen in einen vorübergehenden Hader geraten. Sie kämpfen vielmehr um Ideen, und eben darum ist ihr Kampf ein allgemeiner, im Herzen eines jeden Volks selbst, und nur in so fern eines Volks wider das andere, als bei dem einen diese, bei dem anderen jene Idee das Übergewicht behauptet. Der Kampf ist durchaus philosophisch geworden, so wie er früher religiös gewesen. Es ist nicht ein Vaterland, nicht ein großer Mann, worüber man streitet, sondern es sind *Überzeugungen*, denen die Völker wie die Helden sich unterordnen müssen. Völker haben mit Ideen gesiegt, aber sobald sie ihren Namen an die Stelle der Idee zu setzen gewagt, sind sie zu Schanden geworden; Helden haben durch Ideen eine Art von Weltherrschaft erobert, aber sobald sie die Idee verlassen, sind sie in Staub gebrochen. Die Menschen haben gewechselt, nur die Ideen sind bestanden. Die Geschichte war nur die Schule der Prinzipien. Das vorige Jahrhundert war reicher an voraussichtigen Spekulationen, das gegenwärtige ist reicher an Rücksichten und Erfahrungsgrundsätzen. In beiden liegen die Hebel der Begebenheiten, durch sie wird alles erklärt, was geschehen ist.

Es gibt nur zwei Prinzipe oder entgegengesetzte Pole der politischen Welt, und an beiden Endpunkten der großen Achse haben die *Parteien* sich gelagert, und bekämpfen sich mit steigender Erbitterung. Zwar gilt nicht jedes Zeichen der Partei für jeden ihrer Anhänger, zwar wissen manche kaum, daß sie zu dieser bestimmten Partei gehören, zwar bekämpfen sich die Glieder einer Partei unter einander selbst, sofern sie aus ein und demselben Prinzip verschiedene Folgerungen ziehen; im allgemeinen aber muß der subtilste Kritiker so gut wie das gemeine

Zeitungspublikum einen Strich ziehen zwischen Liberalismus und Servilismus, Republikanismus und Autokratie. Welches auch die Nüancen sein mögen, jenes clair-obscur und jene bis zur Farblosigkeit gemischten Tinten, in welche beide Hauptfarben in einander übergehen, diese Hauptfarben selbst verbargen sich nirgends, sie bilden den großen, den einzigen Gegensatz in der Politik, und man sieht sie den Menschen wie den Büchern gewöhnlich auf den ersten Blick an. Wohin wir im politischen Gebiet das Auge werfen, trifft es diese Farben an. Sie füllen es ganz aus, hinter ihnen ist leerer Raum.

Die liberale Partei ist diejenige, die den politischen Charakter der neueren Zeit bestimmt, während die sogenannte servile Partei noch wesentlich im Charakter des Mittelalters handelt. Der Liberalismus schreitet daher in demselben Maße fort, wie die Zeit selbst, oder ist in dem Maße gehemmt, wie die Vergangenheit noch in die Gegenwart herüber dauert. Er entspricht dem Protestantismus, sofern er gegen das Mittelalter protestiert, er ist nur eine neue Entwicklung des Protestantismus im weltlichen Sinn, wie der Protestantismus ein geistlicher Protestantismus war. Er hat seine Partei in dem gebildeten Mittelstande, während der Servilismus die seinige in den Vornehmen und in der rohen Masse findet. Dieser Mittelstand schmilzt allmählig immer mehr die starren Kristallisationen der mittelalterlichen Stände zusammen. Die ganze neuere Bildung ist aus dem Liberalismus hervorgegangen, oder hat ihm gedient, sie war die Befreiung von dem kirchlichen Autoritätsglauben. Die ganze Literatur ist ein Triumph des Liberalismus, denn seine Feinde sogar müssen in seinen Waffen fechten. Alle Gelehrte, alle Dichter haben ihm Vorschub geleistet, seinen größten Philosophen aber hat er in Fichte, seinen größten Dichter in Schiller gefunden.«

Unter der Rubrik »Philosophie« bekennt sich Herr Menzel ganz zu Schelling, und unter der Rubrik »Natur« hat er dessen Lehre, wie sich gebührt, gefeiert. Wir stimmen überein in dem, was er über diesen allgemeinen Weltdenker ausspricht. Görres und Steffens finden als schellingsche Unterdenker ebenfalls ihre Anerkennung. Ersterer ist mit Vorliebe gewürdigt, seine Mystik etwas allzu poetisch gerühmt. Doch sehen wir diesen hohen Geist immer lieber überschätzt als parteiisch verkleinert. Stef-

fens wird als Repräsentant des Pietismus dargestellt, und die
Ansichten, die der Vfr. von Mystik und Pietismus hegt, sind,
wenn auch irrig, doch immer tiefsinnig, schöpferisch und großartig. Wir erwarten nicht viel Gutes vom Pietismus, obgleich
Herr Menzel sich abmüht, das Beste von ihm zu prophezeien.
Wir teilen die Meinung eines witzigen Mannes, der keck behauptet: unter hundert Pietisten sind neun und neunzig Schurken und ein Esel. Von frömmelnden Heuchlern ist kein Heil zu
erwarten und durch Eselsmilch wird unsere schwache Zeit auch
nicht sehr erstarken. Weit eher dürfen wir Heil vom Mystizismus erwarten. In seiner jetzigen Erscheinung mag er immerhin
widerwärtig und gefährlich sein; in seinen Resultaten kann er
heilsam wirken. Dadurch, daß der Mystiker sich in die Traumwelt seiner innern Anschauung zurückzieht und in sich selbst
die Quelle aller Erkenntnis annimmt: dadurch ist er der Ober-
gewalt jeder äußern Autorität entronnen, und die orthodoxesten
Mystiker haben auf diese Art in der Tiefe ihrer Seele jene Ur-
wahrheiten wieder gefunden, die mit den Vorschriften des posi-
tiven Glaubens im Widerspruch stehen, sie haben die Autorität
der Kirche geleugnet und haben mit Leib und Leben ihre Meinung vertreten. Ein Mystiker aus der Sekte der Essäer war jener
Rabbi, der in sich selbst die Offenbarung des Vaters erkannte
und die Welt erlöste von der blinden Autorität steinerner Gesetze und schlauer Priester; ein Mystiker war jener deutsche
Mönch, der in seinem einsamen Gemüte die Wahrheit ahnte,
die längst aus der Kirche verschwunden war; – und Mystiker
werden es sein, die uns wieder vom neueren Wortdienst erlösen
und wieder eine Naturreligion begründen, eine Religion, wo
wieder freudige Götter aus Wäldern und Steinen hervorwachsen
und auch die Menschen sich göttlich freuen. Die katholische
Kirche hat jene Gefährlichkeit des Mystizismus immer tief gefühlt; daher, im Mittelalter, beförderte sie mehr das Studium
des Aristoteles als des Plato; daher im vorigen Jahrhundert ihr
Kampf gegen den Jansenismus; und zeigt sie sich heut zu Tage
sehr freundlich gegen Männer wie Schlegel, Görres, Haller,
Müller etc., so betrachtet sie solche doch nur wie Guerillas, die
man in schlimmen Kriegszeiten, wo die stehenden Glaubens-
armeen etwas zusammengeschmolzen sind, gut gebrauchen

kann und späterhin in Friedenszeit gehörig unterdrücken wird. Es würde zu weit führen, wenn wir nachweisen wollten, wie auch im Oriente der Mystizismus den Autoritätsglauben sprengt, wie z. B. aus dem Sufismus in der neuesten Zeit Sekten entstanden, deren Religionsbegriffe von der erhabensten Art sind.

Wir können nicht genug rühmen, mit welchem Scharfsinne Herr Menzel vom Protestantismus und Katholizismus spricht, in diesem das Prinzip der Stabilität, in jenem das Prinzip der Evolution erkennend. In dieser Hinsicht bemerkt er sehr richtig unter der Rubrik »Religion«:

»Der Erstarrung muß die Bewegung, dem Tode das Leben, dem unveränderlichen Sein ein ewiges Werden sich entgegensetzen. Hierin allein hat der Protestantismus seine große welthistorische Bedeutung gefunden. Er hat mit der jugendlichen Kraft, die nach höherer Entwickelung drängt, der greisen Erstarrung gewehrt. Er hat ein Naturgesetz zu dem seinigen gemacht, und mit diesem allein kann er siegen. Diejenigen unter den Protestanten also, welche selbst wieder in eine andere Art von Starrsucht verfallen sind, die Orthodoxen, haben das eigentliche Interesse des Kampfes aufgegeben. Sie sind stehen geblieben und dürfen von Rechtswegen sich nicht beklagen, daß die Katholiken auch stehen geblieben sind. Man kann nur durch ewigen Fortschritt oder gar nicht gewinnen. Wo man stehen bleibt, ist ganz einerlei, so einerlei, als wo die Uhr stehen bleibt. Sie ist da, damit sie geht.«

Das Thema des Protestantismus führt uns auf dessen würdigen Verfechter, Johann Heinrich Voß, den Herr Menzel bei jeder Gelegenheit, mit den härtesten Worten und durch die bittersten Zusammenstellungen verunglimpft. Hierüber können wir nicht bestimmt genug unseren Tadel aussprechen. Wenn der Vfr. unseren seligen Voß einen »ungeschlachten niedersächsischen Bauer« nennt, sollten wir fast auf den Argwohn geraten, er neige selber zu der Partei jener Ritterlinge und Pfaffen, wogegen Voß so wacker gekämpft hat. Jene Partei ist zu mächtig, als daß man mit einem zarten Galanteriedegen gegen sie kämpfen könnte, und wir bedurften eines ungeschlachten niedersächsischen Bauers, der das alte Schlachtschwert aus der Zeit des Bauernkriegs wieder hervorgrub und damit loshieb. Herr Men-

zel hat vielleicht nie gefühlt, wie tief ein ungeschlachtes nieder-
sächsisches Bauernherz verwundet werden kann von dem
freundschaftlichen Stich einer feinen, glatten hochadligen Vi-
per – die Götter haben gewiß Herrn Menzel vor solchen Gefühlen bewahrt, sonst würde er die Herbheit der Vossischen
Schriften nur in den Tatsachen finden und nicht in den Worten.
Es mag wahr sein, daß Voß, in seinem protestantischen Eifer,
die Bilderstürmerei etwas zu weit trieb. Aber man bedenke,
daß die Kirche jetzt überall die Verbündete der Aristokratie ist
und sogar hie und da von ihr besoldet wird. Die Kirche, einst
die herrschende Dame, vor welcher die Ritter ihre Knie beugten und zu deren Ehren sie mit dem ganzen Orient tournierten,
jene Kirche ist schwach und alt geworden, sie möchte sich jetzt
eben diesen Rittern als dienende Amme verdingen, und verspricht mit ihren Liedern die Völker in den Schlaf zu lullen, damit man die Schlafenden leichter fesseln und scheren könne.

Unter der Rubrik »Kunst« häufen sich die meisten Ausfälle
gegen Voß. Diese Rubrik umfaßt beinah den ganzen zweiten
Teil des Menzelschen Werks. Die Urteile über unsere nächsten
Zeitgenossen lassen wir unbesprochen. Die Bewunderung, die
der Vfr. für Jean Paul hegt, macht seinem Herzen Ehre. Ebenfalls
die Begeisterung für Schiller. Auch wir nehmen daran Anteil;
doch gehören wir nicht zu denen, die durch Vergleichung
Schillers mit Goethe den Wert des letztern herabdrücken möchten. Beide Dichter sind vom ersten Range, beide sind groß, vortrefflich, außerordentlich, und hegen wir etwas Vorneigung für
Goethe, so entsteht sie doch nur aus dem geringfügigen Umstand, daß wir glauben, Goethe wäre im Stande gewesen, einen
ganzen Friedrich Schiller mit allen dessen Räubern, Piccolomi-
nis, Luisen, Marien und Jungfrauen zu dichten, wenn er der aus-
führlichen Darstellung eines solchen Dichters nebst den dazu
gehörigen Gedichten in seinen Werken bedurft hätte.

Wir können über die Härte und Bitterkeit, womit Herr Menzel von Goethe spricht, nicht stark genug unser Erschrecken
ausdrücken. Er sagt manch allgemein wahres Wort, das aber
nicht auf Goethe angewendet werden dürfte. Beim Lesen jener
Blätter, worin über Goethe gesprochen, oder vielmehr abge-
sprochen wird, ward uns plötzlich so ängstlich zu Mute wie

vorigen Sommer, als ein Bankier in London uns, der Kuriosität wegen, einige falsche Banknoten zeigte; wir konnten diese Papiere nicht schnell genug wieder aus Händen geben, aus Furcht, man möchte plötzlich uns selbst als Verfertiger derselben anklagen und ohne Umstände vor Old Bailey aufhängen. Erst nachdem wir an den Menzelschen Blättern über Goethe unsere schaurige Neugier befriedigt, erwachte der Unmut. Wir beabsichtigen keineswegs eine Verteidigung Goethes; wir glauben die Menzelsche Lehre »Goethe sei kein Genie, sondern ein Talent« wird nur bei wenigen Eingang finden, und selbst diese wenigen werden doch zugeben, daß Goethe dann und wann das Talent hat, ein Genie zu sein. Aber selbst wenn Menzel Recht hätte, würde es sich nicht geziemt haben, sein hartes Urteil so hart hinzustellen. Es ist doch immer Goethe, der König, und ein Rezensent, der an einen solchen Dichterkönig sein Messer legt, sollte doch eben so viel Courtoisie besitzen wie jener englische Scharfrichter, welcher Karl I. köpfte, und ehe er dieses kritische Amt vollzog, vor dem königlichen Delinquenten niederkniete und seine Verzeihung erbat.

Woher aber kommt diese Härte gegen Goethe, wie sie uns hie und da sogar bei den ausgezeichnetsten Geistern bemerkbar worden? Vielleicht eben weil Goethe, der nichts als Primus inter pares sein sollte, in der Republik der Geister zur Tyrannis gelangt ist, betrachten ihn viele große Geister mit geheimem Groll. Sie sehen in ihm sogar einen Ludwig XI., der den geistigen hohen Adel unterdrückt, indem er den geistigen Tiers état, die liebe Mittelmäßigkeit, empor hebt. Sie sehen, er schmeichelt den respektiven Korporationen der Städte, er sendet gnädige Handschreiben und Medaillen an die Lieben Getreuen, und erschafft einen Papieradel von Hochbelobten, die sich schon viel höher dünken als jene wahren Großen, die ihren Adel, eben so gut wie der König selbst, von der Gnade Gottes erhalten, oder, um whiggisch zu sprechen, von der Meinung des Volkes. Aber immerhin mag dieses geschehen. Sahen wir doch jüngst in den Fürstengrüften von Westminster, daß jene Großen, die, als sie lebten, mit den Königen haderten, dennoch im Tode in der königlichen Nähe begraben liegen: – und so wird auch Goethe nicht verhindern können, daß jene großen Geister, die er im

Leben gern entfernen wollte, dennoch im Tode mit ihm zusammen kommen, und neben ihm ihren ewigen Platz finden im Westminster der deutschen Literatur.

Die brütende Stimmung unzufriedener Großen ist ansteckend und die Luft wird schwül. Das Prinzip der goetheschen Zeit, die Kunstidee, entweicht, eine neue Zeit mit einem neuen Prinzipe steigt auf, und seltsam! wie das Menzelsche Buch merken läßt, sie beginnt mit Insurrektion gegen Goethe. Vielleicht fühlt Goethe selbst, daß die schöne objektive Welt, die er durch Wort und Beispiel gestiftet hat, notwendiger Weise zusammensinkt, so wie die Kunstidee allmählig ihre Herrschaft verliert, und daß neue frische Geister von der neuen Idee der neuen Zeit hervorgetrieben werden, und gleich nordischen Barbaren, die in den Süden einbrechen, das zivilisierte Goethentum über den Haufen werfen und an dessen Stelle das Reich der wildesten Subjektivität begründen. Daher das Bestreben, eine goethesche Landmiliz auf die Beine zu bringen. Überall Garnisonen und aufmunternde Beförderungen. Die alten Romantiker, die Janitscharen, werden zu regulären Truppen zugestutzt, müssen ihre Kessel abliefern, müssen die goethesche Uniform anziehen, müssen täglich exerzieren. Die Rekruten lärmen und trinken und schreien Vivat; die Trompeter blasen –

Wird Kunst und Altertum im Stande sein, Natur und Jugend zurückzudrängen?

Wir können nicht umhin, ausdrücklich zu bemerken, daß wir unter »Goethentum« nicht Goethes Werke verstehen, nicht jene teuern Schöpfungen, die vielleicht noch leben werden, wenn längst die deutsche Sprache schon gestorben ist, und das geknutete Deutschland in slavischer Mundart wimmert; unter jenem Ausdruck verstehen wir auch nicht eigentlich die goethesche Denkweise, diese Blume, die, im Miste unserer Zeit, immer blühender gedeihen wird, und sollte auch ein glühendes Enthusiastenherz sich über ihre kalte Behaglichkeit noch so sehr ärgern; mit dem Worte »Goethentum« deuteten wir oben vielmehr auf goethesche Formen, wie wir sie bei der blöden Jüngerschar nachgeknetet finden, und auf das matte Nachpiepsen jener Weisen, die der Alte gepfiffen. Eben die Freude, die dem Alten jenes Nachkneten und Nachpiepsen gewährt, er-

regte unsere Klage. Der Alte! wie zahm und milde ist er geworden! Wie sehr hat er sich gebessert! würde ein Nicolaite
sagen, der ihn noch in jenen wilden Jahren kannte, wo er den
schwülen Werther und den Götz mit der eisernen Hand schrieb?
Wie hübsch manierlich ist er geworden, wie ist ihm alle Roheit
jetzt fatal, wie unangenehm berührt es ihn, wenn er an die
frühere xeniale, himmelstürmende Zeit erinnert wird, oder
wenn gar andere, in seine alten Fußtapfen tretend, mit demselben Übermute ihre Titanenflegeljahre austoben! Sehr treffend hat in dieser Hinsicht ein geistreicher Ausländer unseren
Goethe mit einem alten Räuberhauptmanne verglichen, der
sich vom Handwerk zurückgezogen hat, unter den Honoratio-
ren eines Provinzialstädtchens ein ehrsam bürgerliches Leben
führt, bis aufs Kleinlichste alle Philistertugenden zu erfüllen
strebt, und in die peinlichste Verlegenheit gerät, wenn zufällig
irgend ein wüster Waldgesell aus Kalabrien mit ihm zusammen-
trifft, und alte Kameradschaft nachsuchen möchte.

FRAGMENTE ERZÄHLENDER PROSA

DER RABBI VON BACHERACH

Ein Fragment

Seinem geliebten Freunde,

Heinrich Laube,

widmet
die Legende des

Rabbi von Bacherach,

heiter grüßend,

der Verfasser.

Unterhalb des Rheingaus, wo die Ufer des Stromes ihre lachende Miene verlieren, Berg und Felsen, mit ihren abenteuerlichen Burgruinen, sich trotziger gebärden, und eine wildere, ernstere Herrlichkeit emporsteigt, dort liegt, wie eine schaurige Sage der Vorzeit, die finstre, uralte Stadt Bacherach. Nicht immer waren so morsch und verfallen diese Mauern mit ihren zahnlosen Zinnen und blinden Warttürmchen, in deren Luken der Wind pfeift und die Spatzen nisten; in diesen armselig häßlichen Lehmgassen, die man durch das zerrissene Tor erblickt, herrschte nicht immer jene öde Stille, die nur dann und wann unterbrochen wird von schreienden Kindern, keifenden Weibern und brüllenden Kühen. Diese Mauern waren einst stolz und stark, und in diesen Gassen bewegte sich frisches, freies Leben, Macht und Pracht, Lust und Leid, viel Liebe und viel Haß. Bacherach gehörte einst zu jenen Munizipien, welche von den Römern während ihrer Herrschaft am Rhein gegründet worden, und die Einwohner, obgleich die folgenden Zeiten sehr stürmisch und obgleich sie späterhin unter Hohenstaufischer, und zuletzt unter Wittelsbacher Oberherrschaft gerieten, wußten dennoch, nach dem Beispiel andrer rheinischer Städte, ein ziemlich freies Gemeinwesen zu erhalten. Dieses bestand aus einer Verbindung einzelner Körperschaften, wovon die der patrizischen Altbürger und die der Zünfte, welche sich wieder nach ihren verschiedenen Gewerken unterabteilten, beiderseitig nach der Alleinmacht rangen: so daß sie sämtlich nach außen, zu Schutz und Trutz gegen den nachbarlichen Raubadel, fest verbunden standen, nach innen aber, wegen streitender Interessen, in beständiger Spaltung verharrten; und daher unter ihnen wenig Zusammenleben, viel Mißtrauen, oft sogar tätliche Ausbrüche der Leidenschaft. Der herrschaftliche Vogt saß auf der hohen Burg Sareck, und wie sein Falke schoß er herab, wenn man ihn rief, und auch manchmal ungerufen. Die Geistlichkeit herrschte im Dunkeln durch die Verdunkelung des Geistes. Eine am meisten vereinzelte, ohnmächtige und vom Bürgerrechte allmählig verdrängte Körperschaft war die kleine Judengemeinde, die schon zur Römerzeit in Bacherach sich nieder-

gelassen und späterhin, während der großen Judenverfolgung,
ganze Scharen flüchtiger Glaubensbrüder in sich aufgenommen
hatte.

Die große Judenverfolgung begann mit den Kreuzzügen und
wütete am grimmigsten um die Mitte des vierzehnten Jahrhunderts, am Ende der großen Pest, die, wie jedes andre öffent-
liche Unglück, durch die Juden entstanden sein sollte, indem
man behauptete, sie hätten den Zorn Gottes herabgeflucht und
mit Hülfe der Aussätzigen die Brunnen vergiftet. Der gereizte
Pöbel, besonders die Horden der Flagellanten, halbnackte Männer und Weiber, die zur Buße sich selbst geißelnd und ein tolles
Marienlied singend, die Rheingegend und das übrige Süd-
deutschland durchzogen, ermordeten damals viele tausend Juden, oder marterten sie, oder tauften sie gewaltsam. Eine andre
Beschuldigung, die ihnen schon in früherer Zeit, das ganze
Mittelalter hindurch bis Anfang des vorigen Jahrhunderts, viel
Blut und Angst kostete, das war das läppische, in Chroniken
und Legenden bis zum Ekel oft wiederholte Märchen: daß die
Juden geweihte Hostien stählen, die sie mit Messern durch-
stächen bis das Blut herausfließe, und daß sie an ihrem Paschafeste Christenkinder schlachteten, um das Blut derselben bei
ihrem nächtlichen Gottesdienste zu gebrauchen. Die Juden, hinlänglich verhaßt wegen ihres Glaubens, ihres Reichtums, und
ihrer Schuldbücher, waren an jenem Festtage ganz in den Händen ihrer Feinde, die ihr Verderben nur gar zu leicht bewirken
konnten, wenn sie das Gerücht eines solchen Kindermords verbreiteten, vielleicht gar einen blutigen Kinderleichnam in das
verfemte Haus eines Juden heimlich hineinschwärzten und dort
nächtlich die betende Judenfamilie überfielen; wo alsdann gemordet, geplündert und getauft wurde, und große Wunder ge-
schahen durch das vorgefundne tote Kind, welches die Kirche
am Ende gar kanonisierte. Sankt Werner ist ein solcher Heiliger,
und ihm zu Ehren ward zu Oberwesel jene prächtige Abtei gestiftet, die jetzt am Rhein eine der schönsten Ruinen bildet, und
mit der gotischen Herrlichkeit ihrer langen spitzbögigen Fenster, stolz emporschießender Pfeiler und Steinschnitzeleien uns
so sehr entzückt, wenn wir an einem heitergrünen Sommertage
vorbeifahren und ihren Ursprung nicht kennen. Zu Ehren die-

ses Heiligen wurden am Rhein noch drei andre große Kirchen errichtet, und unzählige Juden getötet oder mißhandelt. Dies geschah im Jahr 1287, und auch zu Bacherach, wo eine von diesen Sankt-Wernerskirchen gebaut wurde, erging damals über die Juden viel Drangsal und Elend. Doch zwei Jahrhunderte seitdem blieben sie verschont von solchen Anfällen der Volkswut, obgleich sie noch immer hinlänglich angefeindet und bedroht wurden.

Je mehr aber der Haß sie von außen bedrängte, desto inniger und traulicher wurde das häusliche Zusammenleben, desto tiefer wurzelte die Frömmigkeit und Gottesfurcht der Juden von Bacherach. Ein Muster gottgefälligen Wandels war der dortige Rabbiner, genannt Rabbi Abraham, ein noch jugendlicher Mann, der aber weit und breit wegen seiner Gelahrtheit berühmt war. Er war geboren in dieser Stadt, und sein Vater, der dort ebenfalls Rabbiner gewesen, hatte ihm in seinem letzten Willen befohlen, sich demselben Amt zu widmen und Bacherach nie zu verlassen, es seie denn wegen Lebensgefahr. Dieser Befehl und ein Schrank mit seltenen Büchern war alles was sein Vater, der bloß in Armut und Schriftgelahrtheit lebte, ihm hinterließ. Dennoch war Rabbi Abraham ein sehr reicher Mann; verheuratet mit der einzigen Tochter seines verstorbenen Vaterbruders, welcher den Juwelenhandel getrieben, erbte er dessen große Reichtümer. Einige Fuchsbärte in der Gemeinde deuteten darauf hin, als wenn der Rabbi eben des Geldes wegen seine Frau geheuratet habe. Aber sämtliche Weiber widersprachen und wußten alte Geschichten zu erzählen: wie der Rabbi, schon vor seiner Reise nach Spanien, verliebt gewesen in Sara – man hieß sie eigentlich die schöne Sara – und wie Sara sieben Jahre warten mußte, bis der Rabbi aus Spanien zurückkehrte, indem er sie gegen den Willen ihres Vaters und selbst gegen ihre eigne Zustimmung durch den Trauring geheuratet hatte. Jedweder Jude nämlich kann ein jüdisches Mädchen zu seinem rechtmäßigen Eheweibe machen, wenn es ihm gelang ihr einen Ring an den Finger zu stecken und dabei die Worte zu sprechen: »Ich nehme dich zu meinem Weibe nach den Sitten von Moses und Israel!« Bei der Erwähnung Spaniens pflegten die Fuchsbärte auf eine ganz eigne Weise zu lächeln; und das geschah wohl wegen eines dunkeln Gerüchts, daß Rabbi Abraham auf der hohen Schule zu Toledo zwar emsig genug das Studium des göttlichen Gesetzes getrieben, aber auch christliche Gebräuche nachgeahmt und freigeistige Denkungsart eingesogen habe, gleich jenen spanischen Juden, die damals auf einer außerordentlichen Höhe der Bildung standen. Im Innern ihrer Seele aber glaubten jene Fuchsbärte sehr wenig an die Wahrheit des angedeuteten Gerüchts. Denn überaus rein, fromm und ernst war seit seiner Rückkehr aus Spanien die Lebensweise des Rabbi, die kleinlichsten Glaubensgebräuche übte er mit ängstlicher Gewissenhaftigkeit, alle Montag und Donnerstag pflegte er zu fasten, nur am Sabbat oder anderen Feiertagen genoß er Fleisch und Wein, sein Tag verfloß in Gebet und Studium, des Tages erklärte er das göttliche Gesetz im Kreise der Schüler, die der Ruhm seines Namens nach Bacherach gezogen, und des Nachts betrachtete er die Sterne des Himmels oder die Augen der schönen Sara. Kinderlos war die Ehe des Rabbi; dennoch fehlte es nicht um ihn her an Leben und Bewegung. Der große Saal seines Hauses, welches neben der Synagoge lag, stand offen zum Gebrauche der ganzen Gemeinde: hier ging man aus und ein ohne Umstände, verrichtete schleunige Gebete, oder holte Neuigkeiten, oder hielt Beratung in allgemeiner Not; hier spielten die Kinder am Sabbatmorgen, während in der Synagoge der wöchentliche Abschnitt verlesen wurde; hier versammelte man sich bei Hochzeit- und Leichenzügen, und zankte sich und versöhnte sich; hier fand der Frierende einen warmen Ofen und der Hungrige einen gedeckten Tisch. Außerdem bewegten sich um den Rabbi noch eine Menge Verwandte, Brüder und Schwestern, mit ihren Weibern und Kindern, so wie auch seine und seiner Frau gemeinschaftliche Öhme und Muhmen, eine weitläuftige Sippschaft, die alle den Rabbi als Familienhaupt betrachteten, im Hause desselben früh und spät verkehrten, und an hohen Festtagen sämtlich dort zu speisen pflegten. Solche gemeinschaftliche Familienmahle im Rabbinerhause fanden ganz besonders statt bei der jährlichen Feier des Pascha, eines uralten, wunderbaren Festes, das noch jetzt die Juden in der ganzen Welt, am Vorabend des vierzehnten Tages im Monat Nissen, zum ewigen Gedächtnisse ihrer Befreiung aus ägyptischer Knechtschaft, folgendermaßen begehen:

Sobald es Nacht ist, zündet die Hausfrau die Lichter an, spreitet das Tafeltuch über den Tisch, legt in die Mitte desselben drei von den platten ungesäuerten Broten, verdeckt sie mit einer Serviette und stellt auf diesen erhöhten Platz sechs kleine Schüsseln, worin symbolische Speisen enthalten, nämlich ein Ei, Lattig, Mairettigwurzel, ein Lammknochen, und eine braune Mischung von Rosinen, Zimmet und Nüssen. An diesen Tisch setzt sich der Hausvater mit allen Verwandten und Genossen und liest ihnen vor aus einem abenteuerlichen Buche, das die Agade heißt, und dessen Inhalt eine seltsame Mischung ist von Sagen der Vorfahren, Wundergeschichten aus Ägypten, kuriosen Erzählungen, Streitfragen, Gebeten und Festliedern. Eine große Abendmahlzeit wird in die Mitte dieser Feier eingeschoben, und sogar während des Vorlesens wird zu bestimmten Zeiten etwas von den symbolischen Gerichten gekostet, so wie alsdann auch Stückchen von dem ungesäuerten Brote gegessen und vier Becher roten Weines getrunken werden. Wehmütig heiter, ernsthaft spielend und märchenhaft geheimnisvoll ist der Charakter dieser Abendfeier, und der herkömmlich singende Ton, womit die Agade von dem Hausvater vorgelesen und zuweilen chorartig von den Zuhörern nachgesprochen wird, klingt so schauervoll innig, so mütterlich einlullend, und zugleich so hastig aufweckend, daß selbst diejenigen Juden, die längst von dem Glauben ihrer Väter abgefallen und fremden Freuden und Ehren nachgejagt sind, im tiefsten Herzen erschüttert werden, wenn ihnen die alten, wohlbekannten Paschaklänge zufällig ins Ohr dringen.

Im großen Saale seines Hauses saß einst Rabbi Abraham, und mit seinen Anverwandten, Schülern und übrigen Gästen beging er die Abendfeier des Paschafestes. Im Saale war alles mehr als gewöhnlich blank; über den Tisch zog sich die buntgestickte Seidendecke, deren Goldfranzen bis auf die Erde hingen; traulich schimmerten die Tellerchen mit den symbolischen Speisen, so wie auch die hohen weingefüllten Becher, woran als Zierat lauter heilige Geschichten von getriebener Arbeit; die Männer saßen in ihren Schwarzmänteln und schwarzen Platthüten und

weißen Halsbergen; die Frauen, in ihren wunderlich glitzern-
den Kleidern von lombardischen Stoffen, trugen um Haupt und
Hals ihr Gold- und Perlengeschmeide; und die silberne Sabbat-
lampe goß ihr festlichstes Licht über die andächtig vergnügten
Gesichter der Alten und Jungen. Auf den purpurnen Sammetkissen eines mehr als die übrigen erhabenen Sessels und angelehnt, wie es der Gebrauch heischt, saß Rabbi Abraham und
las und sang die Agade, und der bunte Chor stimmte ein oder
antwortete bei den vorgeschriebenen Stellen. Der Rabbi trug
ebenfalls sein schwarzes Festkleid, seine edelgeformten, etwas
strengen Züge waren milder denn gewöhnlich, die Lippen
lächelten hervor aus dem braunen Barte, als wenn sie viel Holdes erzählen wollten, und in seinen Augen schwamm es wie
selige Erinnerung und Ahnung. Die schöne Sara, die auf einem
ebenfalls erhabenen Sammetsessel an seiner Seite saß, trug als
Wirtin nichts von ihrem Geschmeide, nur weißes Linnen umschloß ihren schlanken Leib und ihr frommes Antlitz. Dieses
Antlitz war rührend schön, wie denn überhaupt die Schönheit
der Jüdinnen von eigentümlich rührender Art ist; das Bewußtsein des tiefen Elends, der bittern Schmach und der schlimmen
Fahrnisse, worin ihre Verwandte und Freunde leben, verbreitet
über ihre holden Gesichtszüge eine gewisse leidende Innigkeit
und beobachtende Liebesangst, die unsere Herzen sonderbar
bezaubern. So saß heute die schöne Sara und sah beständig nach
den Augen ihres Mannes; dann und wann schaute sie auch nach
der vor ihr liegenden Agade, dem hübschen, in Gold und Samt
gebundenen Pergamentbuche, einem alten Erbstück mit ver-
jährten Weinflecken aus den Zeiten ihres Großvaters, und worin
so viele keck und bunt gemalten Bilder, die sie schon als kleines
Mädchen, am Pascha-Abend, so gerne betrachtete, und die
allerlei biblische Geschichten darstellten, als da sind: wie Abraham die steinernen Götzen seines Vaters mit dem Hammer ent-
zweiklopft, wie die Engel zu ihm kommen, wie Moses den
Mitzri totschlägt, wie Pharao prächtig auf dem Throne sitzt,
wie ihm die Frösche sogar bei Tisch keine Ruhe lassen, wie er
Gott sei Dank versäuft, wie die Kinder Israel vorsichtig durch
das Rote Meer gehen, wie sie offnen Maules, mit ihren Schafen,
Kühen und Ochsen vor dem Berge Sinai stehen, dann auch wie

der fromme König David die Harfe spielt, und endlich wie Jerusalem mit den Türmen und Zinnen seines Tempels bestrahlt wird vom Glanze der Sonne!

Der zweite Becher war schon eingeschenkt, die Gesichter und Stimmen wurden immer heller, und der Rabbi, indem er eins der ungesäuerten Osterbröte ergriff und heiter grüßend emporhielt, las er folgende Worte aus der Agade: »Siehe! das ist die Kost, die unsere Väter in Ägypten genossen! Jeglicher, den es hungert, er komme und genieße! Jeglicher, der da traurig, er komme und teile unsre Paschafreude! Gegenwärtigen Jahres feiern wir hier das Fest, aber zum kommenden Jahre im Lande Israels! Gegenwärtigen Jahres feiern wir es noch als Knechte, aber zum kommenden Jahre als Söhne der Freiheit!«

Da öffnete sich die Saaltüre, und hereintraten zwei große blasse Männer, in sehr weiten Mänteln gehüllt, und der eine sprach: »Friede sei mit Euch, wir sind reisende Glaubensgenossen und wünschen das Paschafest mit Euch zu feiern.« Und der Rabbi antwortete rasch und freundlich: »Mit Euch sei Frieden, setzt Euch nieder in meiner Nähe.« Die beiden Fremdlinge setzten sich alsbald zu Tische und der Rabbi fuhr fort im Vorlesen. Manchmal, während die übrigen noch im Zuge des Nachsprechens waren, warf er kosende Worte nach seinem Weibe, und anspielend auf den alten Scherz, daß ein jüdischer Hausvater sich an diesem Abend für einen König hält, sagte er zu ihr: »Freue dich, meine Königin!« Sie aber antwortete, wehmütig lächelnd: »Es fehlt uns ja der Prinz!« und damit meinte sie den Sohn des Hauses, der, wie eine Stelle in der Agade es verlangt, mit vorgeschriebenen Worten seinen Vater um die Bedeutung des Festes befragen soll. Der Rabbi erwiderte nichts und zeigte bloß mit dem Finger nach einem eben aufgeschlagenen Bilde in der Agade, wo überaus anmutig zu schauen war: wie die drei Engel zu Abraham kommen, um zu verkünden, daß ihm ein Sohn geboren werde von seiner Gattin Sara, welche unterdessen, weiblich pfiffig, hinter der Zelttüre steht um die Unterredung zu belauschen. Dieser leise Wink goß dreifaches Rot über die Wangen der schönen Frau, sie schlug die Augen nieder, und sah dann wieder freundlich empor nach ihrem Manne, der singend fortfuhr im Vorlesen der wunderbaren Geschichte: wie

Rabbi Jesua, Rabbi Elieser, Rabbi Asaria, Rabbi Akiba und
Rabbi Tarphen in Bona-Brak angelehnt saßen und sich die
ganze Nacht vom Auszuge der Kinder Israel aus Ägypten unter-
hielten, bis ihre Schüler kamen und ihnen zuriefen, es sei Tag
und in der Synagoge verlese man schon das große Morgen-
gebet.

Derweilen nun die schöne Sara andächtig zuhörte, und ihren
Mann beständig ansah, bemerkte sie wie plötzlich sein Antlitz
in grausiger Verzerrung erstarrte, das Blut aus seinen Wangen
und Lippen verschwand, und seine Augen wie Eiszapfen her-
vorglotzten; – aber fast im selben Augenblicke sah sie, wie seine
Züge wieder die vorige Ruhe und Heiterkeit annahmen, wie
seine Lippen und Wangen sich wieder röteten, seine Augen
munter umherkreisten, ja, wie sogar eine ihm sonst ganz fremde
tolle Laune sein ganzes Wesen ergriff. Die schöne Sara erschrak
wie sie noch nie in ihrem Leben erschrocken war, und ein
inneres Grauen stieg kältend in ihr auf, weniger wegen der
Zeichen von starrem Entsetzen, die sie einen Moment lang im
Gesichte ihres Mannes erblickt hatte, als wegen seiner jetzigen
Fröhlichkeit, die allmählig in jauchzende Ausgelassenheit überging. Der Rabbi schob sein Barett spielend von einem Ohre
nach dem andern, zupfte und kräuselte possierlich seine Bart-
locken, sang den Agadetext nach der Weise eines Gassenhauers,
und bei der Aufzählung der ägyptischen Plagen, wo man mehrmals den Zeigefinger in den vollen Becher eintunkt und den
anhängenden Weintropfen zur Erde wirft, bespritzte der Rabbi
die jüngern Mädchen mit Rotwein, und es gab großes Klagen
über verdorbene Halskrausen, und schallendes Gelächter.
Immer unheimlicher ward es der schönen Sara bei dieser
krampfhaft sprudelnden Lustigkeit ihres Mannes, und beklommen von namenloser Bangigkeit, schaute sie in das summende
Gewimmel der buntbeleuchteten Menschen, die sich behaglich
breit hin und her schaukelten, an den dünnen Paschabröten
knoperten, oder Wein schlürften, oder mit einander schwatzten,
oder laut sangen, überaus vergnügt.

Da kam die Zeit wo die Abendmahlzeit gehalten wird, alle
standen auf um sich zu waschen, und die schöne Sara holte das
große, silberne, mit getriebenen Goldfiguren reichverzierte

Waschbecken, das sie jedem der Gäste vorhielt, während ihm
Wasser über die Hände gegossen wurde. Als sie auch dem Rabbi
diesen Dienst erwies, blinzelte ihr dieser bedeutsam mit den
Augen, und schlich zur Türe hinaus. Die schöne Sara folgte ihm
auf dem Fuße; hastig ergriff der Rabbi die Hand seines Weibes,
eilig zog er sie fort, durch die dunkelen Gassen Bacherachs, eilig
zum Tor hinaus, auf die Landstraße, die den Rhein entlang,
nach Bingen führt.

Es war eine jener Frühlingsnächte, die zwar lau genug und
hellgestirnt sind, aber doch die Seele mit seltsamen Schauern
erfüllen. Leichenhaft dufteten die Blumen; schadenfroh und
zugleich selbstbeängstigt zwitscherten die Vögel; der Mond
warf heimtückisch gelbe Streiflichter über den dunkel hin-
murmelnden Strom; die hohen Felsenmassen des Ufers schienen bedrohlich wackelnde Riesenhäupter; der Turmwächter
auf Burg-Strahleck blies eine melancholische Weise; und dazwischen läutete, eifrig gellend, das Sterbeglöckchen der Sankt-
Wernerskirche. Die schöne Sara trug in der rechten Hand das
silberne Waschbecken, ihre linke hielt der Rabbi noch immer
gefaßt, und sie fühlte wie seine Finger eiskalt waren und wie
sein Arm zitterte; aber sie folgte schweigend, vielleicht weil sie
von jeher gewohnt, ihrem Manne blindlings und fragenlos zu
gehorchen, vielleicht auch weil ihre Lippen vor innerer Angst
verschlossen waren.

Unterhalb der Burg Sonneck, Lorch gegenüber, ungefähr
wo jetzt das Dörfchen Niederrheinbach liegt, erhebt sich eine
Felsenplatte, die bogenartig über das Rheinufer hinaushängt.
Diese erstieg Rabbi Abraham mit seinem Weibe, schaute sich
um nach allen Seiten, und starrte hinauf nach den Sternen. Zitternd und von Todesängsten durchfröstelt stand neben ihm die
schöne Sara, und betrachtete sein blasses Gesicht, das der Mond
gespenstisch beleuchtete, und worauf es hin und her zuckte
wie Schmerz, Furcht, Andacht und Wut. Als aber der Rabbi
plötzlich das silberne Waschbecken ihr aus der Hand riß und es
schollernd hinabwarf in den Rhein: da konnte sie das grausen-
hafte Angstgefühl nicht länger ertragen, und mit dem Ausrufe
»Schadai voller Genade!« stürzte sie zu den Füßen des Mannes
und beschwor ihn das dunkle Rätsel endlich zu enthüllen.

Der Rabbi, des Sprechens ohnmächtig, bewegte mehrmals lautlos die Lippen, und endlich rief er: »Siehst du den Engel des Todes? Dort unten schwebt er über Bacherach! Wir aber sind seinem Schwerte entronnen. Gelobt sei der Herr!« Und mit einer Stimme, die noch vor innerem Entsetzen bebte, erzählte er: wie er wohlgemut die Agade hinsingend und angelehnt saß, und zufällig unter den Tisch schaute, habe er dort, zu seinen Füßen, den blutigen Leichnam eines Kindes erblickt. »Da merkte ich« – setzte der Rabbi hinzu – »daß unsre zwei späte Gäste nicht von der Gemeinde Israels waren, sondern von der Versammlung der Gottlosen, die sich beraten hatten jenen Leichnam heimlich in unser Haus zu schaffen, um uns des Kindesmordes zu beschuldigen und das Volk aufzureizen uns zu plündern und zu ermorden. Ich durfte nicht merken lassen, daß ich das Werk der Finsternis durchschaut; ich hätte dadurch nur mein Verderben beschleunigt, und nur die List hat uns beide gerettet. Gelobt sei der Herr! Ängstige dich nicht, schöne Sara; auch unsre Freunde und Verwandte werden gerettet sein. Nur nach meinem Blute lechzten die Ruchlosen; ich bin ihnen entronnen und sie begnügen sich mit meinem Silber und Golde. Komm mit mir, schöne Sara, nach einem anderen Lande, wir wollen das Unglück hinter uns lassen, und damit uns das Unglück nicht verfolge, habe ich ihm das Letzte meiner Habe, das silberne Becken, zur Versöhnung hingeworfen. Der Gott unserer Väter wird uns nicht verlassen. – Komm herab, du bist müde; dort unten steht bei seinem Kahne der stille Wilhelm; er fährt uns den Rhein hinauf.«

Lautlos und wie mit gebrochenen Gliedern war die schöne Sara in die Arme des Rabbi hingesunken, und langsam trug er sie hinab nach dem Ufer. Hier stand der stille Wilhelm, ein taubstummer aber bildschöner Knabe, der zum Unterhalt seiner alten Pflegemutter, einer Nachbarin des Rabbi, den Fischfang trieb und hier seinen Kahn angelegt hatte. Es war aber als erriete er schon gleich die Absicht des Rabbi, ja es schien als habe er eben auf ihn gewartet, um seine geschlossenen Lippen zog sich das lieblichste Mitleid, bedeutungstief ruhten seine großen blauen Augen auf der schönen Sara, und sorgsam trug er sie in den Kahn.

Der Blick des stummen Knaben weckte die schöne Sara aus ihrer Betäubung, sie fühlte auf einmal, daß alles was ihr Mann ihr erzählt, kein bloßer Traum sei, und Ströme bitterer Tränen ergossen sich über ihre Wangen, die jetzt so weiß wie ihr Gewand. Da saß sie nun in der Mitte des Kahns, ein weinendes Marmorbild; neben ihr saßen ihr Mann und der stille Wilhelm, welche emsig ruderten.

Sei es nun durch den einförmigen Ruderschlag, oder durch das Schaukeln des Fahrzeugs, oder durch den Duft jener Bergesufer, worauf die Freude wächst, immer geschieht es, daß auch der Betrübteste seltsam beruhigt wird, wenn er in der Frühlingsnacht, in einem leichten Kahne, leicht dahin fährt auf dem lieben, klaren Rheinstrom. Wahrlich, der alte, gutherzige Vater Rhein kanns nicht leiden, wenn seine Kinder weinen; tränenstillend wiegt er sie auf seinen treuen Armen, und erzählt ihnen seine schönsten Märchen und verspricht ihnen seine goldigsten Schätze, vielleicht gar den uralt versunkenen Niblungshort. Auch die Tränen der schönen Sara flossen immer milder und milder, ihre gewaltigsten Schmerzen wurden fortgespielt von den flüsternden Wellen, die Nacht verlor ihr finstres Grauen, und die heimatlichen Berge grüßten wie zum zärtlichsten Lebewohl. Vor allen aber grüßte traulich ihr Lieblingsberg, der Kedrich, und in seiner seltsamen Mondbeleuchtung schien es, als stände wieder oben ein Fräulein mit ängstlich ausgestreckten Armen, als kröchen die flinken Zwerglein wimmelnd aus ihren Felsenspalten, und als käme ein Reuter den Berg hinaufgesprengt in vollem Galopp; – und der schönen Sara war zu Mute, als sei sie wieder ein kleines Mädchen und säße wieder auf dem Schoße ihrer Muhme aus Lorch, und diese erzähle ihr die hübsche Geschichte von dem kecken Reuter, der das arme, von den Zwergen geraubte Fräulein befreite, und noch andre wahre Geschichten, vom wunderlichen Wispertale drüben, wo die Vögel ganz vernünftig sprechen, und vom Pfefferkuchenland, wohin die folgsamen Kinder kommen, und von verwünschten Prinzessinnen, singenden Bäumen, gläsernen Schlössern, goldenen Brücken, lachenden Nixen ... Aber zwischen all diesen hübschen Märchen, die klingend und leuchtend zu leben begannen, hörte die schöne Sara die Stimme ihres Vaters, der ärgerlich die arme Muhme ausschalt, daß sie dem Kinde so viel Torheiten in den Kopf schwatze! Alsbald kams ihr vor, als setzte man sie auf das kleine Bänkchen, vor dem Sammetsessel ihres Vaters, der mit weicher Hand ihr langes Haar streichelte, gar vergnügt mit den Augen lachte, und sich behaglich hin und her wiegte in seinem weiten, blauseidenen Sabbatschlafrock... Es mußte wohl Sabbat sein, denn die geblümte Decke war über den Tisch gespreitet, alle Geräte im Zimmer leuchteten spiegelblank gescheuert, der weißbärtige Gemeindediener saß an der Seite des Vaters und kaute Rosinen und sprach Hebräisch, auch der kleine Abraham kam herein mit einem allmächtig großen Buche, und bat bescheidentlich seinen Oheim um die Erlaubnis einen Abschnitt der Heiligen Schrift erklären zu dürfen, damit der Oheim sich selber überzeuge, daß er in der verflossenen Woche viel gelernt habe und viel Lob und Kuchen verdiene... Nun legte der kleine Bursche das Buch auf die breite Armlehne des Sessels, und erklärte die Geschichte von Jakob und Rahel, wie Jakob seine Stimme erhoben und laut geweint, als er sein Mühmchen Rahel zuerst erblickte, wie er so traulich am Brunnen mit ihr gesprochen, wie er sieben Jahr um Rahel dienen mußte, und wie sie ihm so schnell verflossen, und wie er die Rahel geheuratet und immer und immer geliebt hat... Auf einmal erinnerte sich auch die schöne Sara, daß ihr Vater damals mit lustigem Tone ausrief: »willst du nicht eben so dein Mühmchen Sara heuraten?« worauf der kleine Abraham ernsthaft antwortete: »Das will ich, und sie soll sieben Jahr warten.« Dämmernd zogen diese Bilder durch die Seele der schönen Frau, sie sah, wie sie und ihr kleiner Vetter, der jetzt so groß und ihr Mann geworden, kindisch mit einander in der Lauberhütte spielten, wie sie sich dort ergötzten an den bunten Tapeten, Blumen, Spiegeln und vergoldeten Äpfeln, wie der kleine Abraham immer zärtlich mit ihr koste, bis er allmählig größer und mürrisch wurde, und endlich ganz groß und ganz mürrisch... Und endlich sitzt sie zu Hause allein in ihrer Kammer eines Samstags Abend, der Mond scheint hell durchs Fenster, und die Tür fliegt auf, und hastig stürmt herein ihr Vetter Abraham, in Reisekleidern und blaß wie der Tod, und er greift ihre Hand, steckt einen goldnen

Ring an ihren Finger und spricht feierlich: »Ich nehme dich hiermit zu meinem Weibe, nach den Gesetzen von Moses und Israel! Jetzt aber« – setzt er bebend hinzu – »jetzt muß ich fort nach Spanien. Lebewohl, sieben Jahre sollst du auf mich warten!« Und er stürzt fort, und weinend erzählt die schöne Sara das alles ihrem Vater... Der tobt und wütet: »Schneid ab dein Haar, denn du bist ein verheuratetes Weib!« – und er will dem Abraham nachreuten um einen Scheidebrief von ihm zu erzwingen; – aber der ist schon über alle Berge, der Vater kehrt schweigend nach Hause zurück, und wie die schöne Sara ihm die Reitstiefel ausziehen hilft und besänftigend äußert, daß der Abraham nach sieben Jahr zurückkehre, da flucht der Vater: »Sieben Jahr sollt ihr betteln gehn!« und bald stirbt er.

So zogen der schönen Sara die alten Geschichten durch den Sinn, wie ein hastiges Schattenspiel; die Bilder vermischten sich auch wunderlich, und zwischendurch schauten halb bekannte, halb fremde bärtige Gesichter und große Blumen mit fabelhaft breitem Blattwerk. Es war auch als murmelte der Rhein die Melodien der Agade, und die Bilder derselben stiegen daraus hervor, lebensgroß und verzerrt, tolle Bilder: der Erzvater Abraham zerschlägt ängstlich die Götzengestalten, die sich immer hastig wieder von selbst zusammensetzen; der Mitzri wehrt sich furchtbar gegen den ergrimmten Moses; der Berg Sinai blitzt und flammt; der König Pharao schwimmt im Roten Meere, mit den Zähnen im Maule die zackige Goldkrone festhaltend; Frösche mit Menschenantlitz schwimmen hintendrein, und die Wellen schäumen und brausen, und eine dunkle Riesenhand taucht drohend daraus hervor.

Das war Hattos Mäuseturm und der Kahn schoß eben durch den Binger Strudel. Die schöne Sara ward dadurch etwas aus ihren Träumereien gerüttelt, und schaute nach den Bergen des Ufers, auf deren Spitzen die Schloßlichter flimmerten, und an deren Fuß die mondbeleuchteten Nachtnebel sich hinzogen. Plötzlich aber glaubte sie dort ihre Freunde und Verwandte zu sehen, wie sie mit Leichengesichtern und in weißwallenden Totenhemden schreckenhastig vorüberliefen, den Rhein entlang... es ward ihr schwarz vor den Augen, ein Eisstrom ergoß sich in ihre Seele, und wie im Schlafe hörte sie nur noch, daß ihr der Rabbi das Nachtgebet vorbetete, langsam ängstlich, wie es bei totkranken Leuten geschieht, und träumerisch stammelte sie noch die Worte: »Zehntausend zur Rechten, zehntausend zur Linken; den König zu schützen vor nächtlichem Grauen...«

Da verzog sich plötzlich all das eindringende Dunkel und Grausen, der düstre Vorhang ward vom Himmel fortgerissen, es zeigte sich oben die heilige Stadt Jerusalem, mit ihren Türmen und Toren; in goldner Pracht leuchtete der Tempel; auf dem Vorhofe desselben erblickte die schöne Sara ihren Vater, in seinem gelben Sabbatschlafrock und vergnügt mit den Augen lachend; aus den runden Tempelfenstern grüßten fröhlich alle ihre Freunde und Verwandte; im Allerheiligsten kniete der fromme König David, mit Purpurmantel und funkelnder Krone, und lieblich ertönte sein Gesang und Saitenspiel, – und selig lächelnd entschlief die schöne Sara.

Zweites Kapitel

Als die schöne Sara die Augen aufschlug, ward sie fast geblendet von den Strahlen der Sonne. Die hohen Türme einer großen Stadt erhoben sich, und der stumme Wilhelm stand mit der Hakenstange aufrecht im Kahne und leitete denselben durch das lustige Gewühl vieler buntbewimpelten Schiffe, deren Mannschaft entweder müßig hinabschaute auf die Vorbeifahrenden, oder vielhändig beschäftigt war mit dem Ausladen von Kisten, Ballen und Fässern, die auf kleineren Fahrzeugen ans Land gebracht wurden; wobei ein betäubender Lärm, das beständige Hallorufen der Barkenführer, das Geschrei der Kaufleute vom Ufer her und das Keifen der Zöllner, die, in ihren roten Röcken, mit weißen Stäbchen und weißen Gesichtern, von Schiff zu Schiff hüpften.

»Ja, schöne Sara« – sagte der Rabbi zu seiner Frau, heiter lächelnd – »das ist hier die weltberühmte freie Reichs- und Handelstadt Frankfurt am Main, und das ist eben der Mainfluß worauf wir jetzt fahren. Da drüben die lachenden Häuser, umgeben von grünen Hügeln, das ist das Sachsenhausen, woher uns der lahme Gumpertz, zur Zeit des Lauberhüttenfestes, die

schönen Myrrhen holt. Hier siehst du auch die starke Main-
brücke mit ihren dreizehn Bögen, und gar viel Volk, Wagen
und Pferde, geht sicher darüberhin, und in der Mitte steht
das Häuschen, wovon die Mühmele Täubchen erzählt hat, daß
ein getaufter Jude darin wohnt, der jedem, der ihm eine tote
Ratte bringt, sechs Heller auszahlt für Rechnung der jüdischen
Gemeinde, die dem Stadtrate jährlich fünftausend Ratten-
schwänze abliefern soll!«

Über diesen Krieg, den die Frankfurter Juden mit den Ratten
zu führen haben, mußte die schöne Sara laut lachen; das klare
Sonnenlicht und die neue bunte Welt, die vor ihr auftauchte,
hatte alles Grauen und Entsetzen der vorigen Nacht aus ihrer
Seele verscheucht, und als sie, aus dem landenden Kahne, von
ihrem Manne und dem stummen Wilhelm aufs Ufer gehoben
worden, fühlte sie sich wie durchdrungen von freudiger
Sicherheit. Der stumme Wilhelm aber, mit seinen schönen,
tiefblauen Augen, sah ihr lange ins Gesicht, halb schmerzlich,
halb heiter, dann warf er noch einen bedeutenden Blick nach
dem Rabbi, sprang zurück in seinen Kahn, und bald war er
damit verschwunden.

»Der stumme Wilhelm hat doch viele Ähnlichkeit mit meinem verstorbenen Bruder« – bemerkte die schöne Sara. »Die
Engel sehen sich alle ähnlich« – erwiderte leichthin der Rabbi,
und sein Weib bei der Hand ergreifend, führte er sie durch das
Menschengewimmel des Ufers, wo jetzt, weil es die Zeit der
Ostermesse, eine Menge hölzerne Krambuden aufgebaut
standen. Als sie, durch das dunkle Maintor, in die Stadt gelangten, fanden sie nicht minder lärmigen Verkehr. Hier, in
einer engen Straße, erhob sich ein Kaufmannsladen neben dem
andern, und die Häuser, wie überall in Frankfurt, waren ganz
besonders zum Handel eingerichtet: im Erdgeschosse keine
Fenster, sondern lauter offne Bogentüren, so daß man tief
hineinschauen und jeder Vorübergehende die ausgestellten
Waren deutlich betrachten konnte. Wie staunte die schöne
Sara ob der Masse kostbarer Sachen und ihrer niegesehenen
Pracht! Da standen Venezianer, die allen Luxus des Morgenlands und Italiens feil boten, und die schöne Sara war wie festgebannt beim Anblick der aufgeschichteten Putzsachen und

Kleinodien, der bunten Mützen und Mieder, der güldnen Arm-
spangen und Halsbänder, des ganzen Flitterkrams, das die
Frauen sehr gern bewundern und womit sie sich noch lieber
schmücken. Die reichgestickten Samt- und Seidenstoffe schienen mit der schönen Sara sprechen und ihr allerlei Wunderliches ins Gedächtnis zurückfunkeln zu wollen, und es war ihr
wirklich zu Mute, als wäre sie wieder ein kleines Mädchen und
Mühmele Täubchen habe ihr Versprechen erfüllt, und sie nach
der Frankfurter Messe geführt, und jetzt eben stehe sie vor
den hübschen Kleidern, wovon ihr so viel erzählt worden. Mit
heimlicher Freude überlegte sie schon was sie nach Bacherach
mitbringen wolle, welchem von ihren beiden Bäschen, dem
kleinen Blümchen oder dem kleinen Vögelchen, der blauseidne
Gürtel am besten gefallen würde, ob auch die grünen Höschen
dem kleinen Gottschalk passen mögen, – doch plötzlich sagte
sie zu sich selber: »Ach Gott! die sind ja unterdessen groß-
gewachsen und gestern umgebracht worden!« Sie schrak heftig
zusammen und die Bilder der Nacht wollten schon mit all
ihrem Entsetzen wieder in ihr aufsteigen; doch die gold-
gestickten Kleider blinzelten nach ihr wie mit tausend Schelmen-
augen, und redeten ihr alles Dunkle aus dem Sinn, und wie sie
hinaufsah nach dem Antlitz ihres Mannes, so war dieses unum-
wölkt, und trug seine gewöhnliche ernste Milde. »Mach die
Augen zu, schöne Sara« – sagte der Rabbi, und führte seine Frau
weiter durch das Menschengedränge.

Welch ein buntes Treiben! Zumeist waren es Handelsleute,
die laut mit einander feilschten, oder auch mit sich selber
sprechend an den Fingern rechneten, oder auch von einigen
hochbepackten Markthelfern, die im kurzen Hundetrab hinter
ihnen herliefen, ihre Einkäufe nach der Herberge schleppen
ließen. Andere Gesichter ließen merken, daß bloß die Neugier
sie herbeigezogen. Am roten Mantel und der goldnen Halskette
erkannte man den breiten Ratsherrn. Das schwarze, wohl-
habend bauschichte Wams verriet den ehrsamen stolzen Altbürger. Die eiserne Pickelhaube, das gelblederne Wams und
die klirrenden Pfundsporen verkündigten den schweren Reu-
tersknecht. Unterm schwarzen Sammethäubchen, das in einer
Spitze auf der Stirne zusammenlief, barg sich ein rosiges Mäd-

chengesicht, und die jungen Gesellen, die gleich witternden Jagdhunden hinterdrein sprangen, zeigten sich als vollkommene Stutzer durch ihre keckbefiederten Barette, ihre klingelnden Schnabelschuhe und ihre seidnen Kleider von geteilter Farbe, wo die rechte Seite grün, die linke Seite rot, oder die eine regenbogenartig gestreift, die andre buntscheckig gewürfelt war, so daß die närrischen Burschen aussahen, als wären sie in der Mitte gespalten. Von der Menschenströmung fortgezogen, gelangte der Rabbi mit seinem Weibe nach dem Römer. Dieses ist der große mit hohen Giebelhäusern umgebene Marktplatz der Stadt, seinen Namen führend von einem ungeheuren Hause, das Zum Römer hieß und vom Magistrate angekauft und zu einem Rathause geweiht wurde. In diesem Gebäude wählte man Deutschlands Kaiser und vor dem selben wurden oft edle Ritterspiele gehalten. Der König Maximilian, der dergleichen leidenschaftlich liebte, war damals in Frankfurt anwesend, und tags zuvor hatte man ihm zu Ehren, vor dem Römer, ein großes Stechen veranstaltet. An den hölzernen Schranken, die jetzt von den Zimmerleuten abgebrochen wurden, standen noch viele Müßiggänger und erzählten sich, wie gestern der Herzog von Braunschweig und der Markgraf von Brandenburg unter Pauken- und Trompetenschall gegen einander gerannt, wie Herr Walter der Lump den Bärenritter so gewaltig aus dem Sattel gestoßen, daß die Lanzensplitter in die Luft flogen, und wie der lange blonde König Max, im Kreise seines Hofgesindes, auf dem Balkone stand und sich vor Freude die Hände rieb. Die Decken von goldnen Stoffen lagen noch auf der Lehne des Balkons und der spitzbögigen Rathausfenster. Auch die übrigen Häuser des Marktplatzes waren noch festlich geschmückt und mit Wappenschilden verziert, besonders das Haus Limburg, auf dessen Banner eine Jungfrau gemalt war, die einen Sperber auf der Hand trägt, während ihr ein Affe einen Spiegel vorhält. Auf dem Balkone dieses Hauses standen viele Ritter und Damen, in lächelnder Unterhaltung hinabblickend auf das Volk, das unten in tollen Gruppen und Aufzügen hin und her wogte. Welche Menge Müßiggänger von jedem Stande und Alter drängte sich hier, um ihre Schaulust zu befriedigen! Hier wurde gelacht, gegreint, gestohlen, in die

Lenden gekniffen, gejubelt, und zwischendrein schmetterte
gellend die Trompete des Arztes, der im roten Mantel, mit
seinem Hanswurst und Affen, auf einem hohen Gerüste stand,
seine eigne Kunstfertigkeit recht eigentlich ausposaunte, seine
Tinkturen und Wundersalben anpries, oder ernsthaft das Urin-
glas betrachtete, das ihm irgend ein altes Weib vorhielt, oder
sich anschickte einem armen Bauer den Backzahn auszureißen.
Zwei Fechtmeister, in bunten Bändern einherflatternd, ihre
Rapiere schwingend, begegneten sich hier wie zufällig und
stießen mit Scheinzorn auf einander; nach langem Gefechte
erklärten sie sich wechselseitig für unüberwindlich und sammel-
ten einige Pfennige. Mit Trommler und Pfeifer marschierte
jetzt vorbei die neu errichtete Schützengilde. Hierauf folgte,
angeführt von dem Stöcker, der eine rote Fahne trug, ein Rudel
fahrender Fräulein, die aus dem Frauenhause »zum Esel« von
Würzburg herkamen und nach dem Rosentale hinzogen, wo
die hochlöbliche Obrigkeit ihnen für die Meßzeit ihr Quartier
angewiesen. »Mach die Augen zu, schöne Sara!« – sagte der
Rabbi. Denn jene phantastisch und allzu knapp bekleideten
Weibsbilder, worunter einige sehr hübsche, gebärdeten auf die
unzüchtigste Weise, entblößten ihren weißen, frechen Busen,
neckten die Vorübergehenden mit schamlosen Worten,
schwangen ihre langen Wanderstöcke, und indem sie auf
letzteren, wie auf Steckenpferden, die Sankt-Katharinen-Pforte
hinabritten, sangen sie mit gellender Stimme das Hexenlied:

> »Wo ist der Bock, das Höllentier?
> Wo ist der Bock? Und fehlt der Bock,
> So reiten wir, so reiten wir,
> So reiten wir auf dem Stock!«

Dieser Singsang, den man noch in der Ferne hören konnte,
verlor sich am Ende in den kirchlich langgezogenen Tönen
einer herannahenden Prozession. Das war ein trauriger Zug von
kahlköpfigen und barfüßigen Mönchen, welche brennende
Wachslichter oder Fahnen mit Heilgenbildern, oder auch
große silberne Kruzifixe trugen. An ihrer Spitze gingen rot-
und weiß-geröckte Knaben mit dampfenden Weihrauchkesseln.
In der Mitte des Zuges unter einem prächtigen Baldachin, sah

man Geistliche in weißen Chorhemden von kostbaren Spitzen oder in buntseidnen Stolen, und einer derselben trug in der Hand ein sonnenartig goldnes Gefäß, das er, bei einer Heiligennische der Marktecke anlangend, hoch emporhob, während er lateinische Worte halb rief, halb sang... Zugleich erklingelte ein kleines Glöckchen und alles Volk ringsum verstummte, fiel auf die Knie und bekreuzte sich. Der Rabbi aber sprach zu seinem Weibe: »Mach die Augen zu, schöne Sara!« – und hastig zog er sie von hinnen, nach einem schmalen Nebengäßchen, durch ein Labyrinth von engen und krummen Straßen, und endlich über den unbewohnten, wüsten Platz, der das neue Judenquartier von der übrigen Stadt trennte.

Vor jener Zeit wohnten die Juden zwischen dem Dom und dem Mainufer, nämlich von der Brücke bis zum Lumpenbrunnen und von der Mehlwaage bis zu Sankt Bartholomäi. Aber die katholischen Priester erlangten eine päpstliche Bulle, die den Juden verwehrte in solcher Nähe der Hauptkirche zu wohnen, und der Magistrat gab ihnen einen Platz auf dem Wollgraben, wo sie das heutige Judenquartier erbauten. Dieses war mit starken Mauern versehen, auch mit eisernen Ketten vor den Toren, um sie gegen Pöbelandrang zu sperren. Denn hier lebten die Juden ebenfalls in Druck und Angst, und mehr als heut zu Tage in der Erinnerung früherer Nöten. Im Jahr 1240 hatte das entzügelte Volk ein großes Blutbad unter ihnen angerichtet, welches man die erste Judenschlacht nannte, und im Jahr 1349, als die Geißler, bei ihrem Durchzuge, die Stadt anzündeten und die Juden des Brandstiftens anklagten, wurden diese von dem aufgereizten Volke zum größten Teil ermordet oder sie fanden den Tod in den Flammen ihrer eignen Häuser, welches man die zweite Judenschlacht nannte. Später bedrohte man die Juden noch oft mit dergleichen Schlachten, und bei innern Unruhen Frankfurts, besonders bei einem Streite des Rates mit den Zünften, stand der Christenpöbel oft im Begriff das Judenquartier zu stürmen. Letzteres hatte zwei Tore, die an katholischen Feiertagen von außen, an jüdischen Feiertagen von innen geschlossen wurden, und vor jedem Tor befand sich ein Wachthaus mit Stadtsoldaten.

Als der Rabbi mit seinem Weibe an das Tor des Judenquartiers gelangte, lagen die Landsknechte, wie man durch die offnen Fenster sehen konnte, auf der Pritsche ihrer Wachtstube, und draußen, vor der Türe, im vollen Sonnenschein, saß der Trommelschläger und phantasierte auf seiner großen Trommel. Das war eine schwere dicke Gestalt; Wams und Hosen von feuergelbem Tuch, an Armen und Lenden weit aufgepufft, und als wenn unzählige Menschenzungen daraus hervorleckten, von oben bis unten besät mit kleinen eingenähten roten Wülstchen; Brust und Rücken gepanzert mit schwarzen Tuchpolstern, woran die Trommel hing; auf dem Kopfe eine platte runde schwarze Kappe; das Gesicht ebenso platt und rund, auch orangengelb und mit roten Schwärchen gespickt, und verzogen zu einem gähnenden Lächeln. So saß der Kerl und trommelte die Melodie des Liedes, das einst die Geißler bei der Judenschlacht gesungen, und mit seinem rauhen Biertone gurgelte er die Worte:

> »Unsre liebe Fraue,
> Die ging im Morgentaue,
> Kyrie Eleison!«

»Hans, das ist eine schlechte Melodie« – rief eine Stimme hinter dem verschlossenen Tore des Judenquartiers – »Hans, auch ein schlecht Lied, paßt nicht für die Trommel, paßt gar nicht, und bei Leibe nicht in der Messe und am Ostermorgen, schlecht Lied, gefährlich Lied, Hans, Hänschen, klein Trommel-hänschen, ich bin ein einzelner Mensch, und wenn du mich lieb hast, wenn du den Stern lieb hast, den langen Stern, den langen Nasenstern, so hör auf!«

Diese Worte wurden von dem ungesehenen Sprecher, teils angstvoll hastig, teils aufseufzend langsam hervorgestoßen, in einem Tone worin das ziehend Weiche und das heiser Harte schroff abwechselte, wie man ihn bei Schwindsüchtigen findet. Der Trommelschläger blieb unbewegt, und in der vorigen Melodie forttrommelnd sang er weiter:

> »Da kam ein kleiner Junge,
> Sein Bart war ihm entsprungen,
> Halleluja!«

»Hans« – rief wieder die Stimme des obenerwähnten Sprechers – »Hans, ich bin ein einzelner Mensch, und es ist ein gefährlich Lied, und ich hör es nicht gern, und ich hab meine Gründe, und wenn du mich lieb hast, singst du was anders, und morgen trinken wir…«

· Bei dem Wort »Trinken« hielt der Hans inne mit seinem Trommeln und Singen, und biedern Tones sprach er: »Der Teufel hole die Juden, aber du, lieber Nasenstern, bist mein Freund, ich beschütz dich, und wenn wir noch oft zusammen trinken, werde ich dich auch bekehren. Ich will dein Pate sein, wenn du getauft wirst, wirst du selig, und wenn du Genie hast und fleißig bei mir lernst, kannst du sogar noch Trommelschläger werden. Ja, Nasenstern, du kannst es noch weit bringen, ich will dir den ganzen Katechismus vortrommeln, wenn wir morgen zusammen trinken – aber jetzt mach mal das Tor auf, da stehen zwei Fremde und begehren Einlaß.«

»Das Tor auf?« – schrie der Nasenstern und die Stimme versagte ihm fast. »Das geht nicht so schnell, lieber Hans, man kann nicht wissen, man kann gar nicht wissen, und ich bin ein einzelner Mensch. Der Veitel Rindskopf hat den Schlüssel und steht jetzt still in der Ecke und brümmelt sein Achtzehn-Gebet; da darf man sich nicht unterbrechen lassen. Jäkel der Narr ist auch hier, aber er schlägt jetzt sein Wasser ab. Ich bin ein einzelner Mensch!«

»Der Teufel hole die Juden!« rief der Trommelhans, und über diesen eignen Witz laut lachend, trollte er sich nach der Wachtstube und legte sich ebenfalls auf die Pritsche.

Während nun der Rabbi mit seinem Weibe jetzt ganz allein vor dem großen verschlossenen Tore stand, erhub sich hinter demselben eine schnarrende, näselnde, etwas spöttisch gezogene Stimme: »Sternchen, dröhnle nicht so lange, nimm die Schlüssel aus Rindsköpfchens Rocktasche, oder nimm deine Nase, und schließe damit das Tor auf. Die Leute stehen schon lange und warten.«

»Die Leute?« – schrie ängstlich die Stimme des Mannes, den man den Nasenstern nannte – »ich glaubte es wäre nur Einer, und ich bitte dich, Narr, lieber Jäkel Narr, guck mal heraus wer da ist?«

Da öffnete sich im Tore ein kleines, wohlvergittertes Fensterlein, und zum Vorschein kam eine gelbe, zweihörnige Mütze und darunter das drollig verschnörkelte Lustigmachergesicht Jäkels des Narren. In demselben Augenblicke schloß sich wieder die Fensterluke und ärgerlich schnarrte es: »Mach auf, mach auf, draußen ist nur ein Mann und ein Weib.«

»Ein Mann und ein Weib!« – ächzte der Nasenstern – »Und wenn das Tor aufgemacht wird, wirft das Weib den Rock ab und es ist auch ein Mann, und es sind dann zwei Männer, und wir sind nur unserer drei!«

»Sei kein Hase« – erwiderte Jäkel der Narr – »und sei herzhaft und zeige Courage!«

»Courage!« – rief der Nasenstern und lachte mit verdrießlicher Bitterkeit – »Hase! Hase ist ein schlechter Vergleich, Hase ist ein unreines Tier. Courage! Man hat mich nicht der Courage wegen hierhergestellt, sondern der Vorsicht halber. Wenn zu viele kommen soll ich schreien. Aber ich selbst kann sie nicht zurückhalten. Mein Arm ist schwach, ich trage eine Fontenelle und ich bin ein einzelner Mensch. Wenn man auf mich schießt bin ich tot. Dann sitzt der reiche Mendel Reiß am Sabbat bei Tische, und wischt sich vom Maul die Rosinensauce, und streichelt sich den Bauch, und sagt vielleicht: ‚Das lange Nasensternchen war doch ein braves Kerlchen, wär Es nicht gewesen, so hätten sie das Tor gesprengt, Es hat sich doch für uns totschießen lassen, Es war ein braves Kerlchen, Schade daß es tot ist –‘«

Die Stimme wurde hier allmählig weich und weinerlich, aber plötzlich schlug sie über in einen hastigen, fast erbitterten Ton: »Courage! Und damit der reiche Mendel Reiß sich die Rosinensauce vom Maul abwischen, und sich den Bauch streicheln, und mich braves Kerlchen nennen möge, soll ich mich totschießen lassen? Courage! Herzhaft! Der kleine Strauß war herzhaftig, und hat gestern auf dem Römer dem Stechen zugesehen, und hat geglaubt man kennte ihn nicht, weil er einen violetten Rock trug, von Samt, drei Gulden die Elle, mit Fuchsschwänzchen, ganz goldgestickt, ganz prächtig – und sie haben ihm den violetten Rock so lange geklopft bis er abfärbte und auch sein Rücken violett geworden ist und nicht mehr menschenähnlich sieht. Courage! Der krumme Leser war herzhaftig, nannte unseren lumpigen Schultheiß einen Lump, und sie haben ihn an den Füßen aufgehängt, zwischen zwei Hunden, und der Trommelhans trommelte. Courage! Sei kein Hase! Unter den vielen Hunden ist der Hase verloren, ich bin ein einzelner Mensch, und ich habe wirklich Furcht!«

»Schwör mal!« – rief Jäkel der Narr.

»Ich habe wirklich Furcht!« – wiederholte seufzend der Nasenstern – »ich weiß die Furcht liegt im Geblüt und ich habe es von meiner seligen Mutter –«

»Ja, ja!« – unterbrach ihn Jäkel der Narr – »und deine Mutter hatte es von ihrem Vater, und der hatte es wieder von dem seinigen, und so hatten es deine Voreltern einer vom andern, bis auf deinen Stammvater, welcher unter König Saul gegen die Philister zu Felde zog und der erste war welcher Reißaus nahm. – Aber sieh mal, Rindsköpfchen ist gleich fertig, er hat sich bereits zum viertenmal gebückt, schon hüpft er wie ein Floh bei dem dreimaligen Worte Heilig, und jetzt greift er vorsichtig in die Tasche...«

In der Tat, die Schlüssel rasselten, knarrend öffnete sich ein Flügel des Tores, und der Rabbi und sein Weib traten in die ganz menschenleere Judengasse. Der Aufschließer aber, ein kleiner Mann mit gutmütig sauerm Gesicht, nickte träumerisch wie einer, der in seinen Gedanken nicht gern gestört sein möchte, und nachdem er das Tor wieder sorgsam verschlossen, schlappte er, ohne ein Wort zu reden, nach einem Winkel hinter dem Tore, beständig Gebete vor sich hinmurmelnd. Minder schweigsam war Jäkel der Narr, ein untersetzter, etwas krummbeinigter Gesell, mit einem lachend vollroten Antlitz und einer unmenschlich großen Fleischhand, die er, aus den weiten Ärmeln seiner buntscheckigen Jacke, zum Willkomm hervorstreckte. Hinter ihm zeigte oder vielmehr barg sich eine lange, magere Gestalt, der schmale Hals weißbefiedert von einer feinen batistnen Krause, und das dünne, blasse Gesicht gar wundersam geziert mit einer fast unglaublich langen Nase, die sich neugierig angstvoll hin und her bewegte.

»Gott willkommen! zum guten Festtag!« – rief Jäkel der Narr – »wundert Euch nicht daß jetzt die Gasse so leer und still ist. Alle unsere Leute sind jetzt in der Synagoge und Ihr kommt eben zur rechten Zeit, um dort die Geschichte von der Opferung Isaaks vorlesen zu hören. Ich kenne sie, es ist eine interessante Geschichte, und wenn ich sie nicht schon dreiunddreißigmal angehört hätte, so würde ich sie gern dies Jahr noch einmal hören. Und es ist eine wichtige Geschichte, denn wenn Abraham den Isaak wirklich geschlachtet hätte, und nicht den Ziegenbock, so wären jetzt mehr Ziegenböcke und weniger Juden auf der Welt.« – Und mit wahnsinnig lustiger Grimasse fing der Jäkel an, folgendes Lied aus der Agade zu singen:

»Ein Böcklein, ein Böcklein, das gekauft Väterlein, er gab dafür zwei Suslein; ein Böcklein! ein Böcklein!

Es kam ein Kätzlein und aß das Böcklein, das gekauft Väterlein, er gab dafür zwei Suslein; ein Böcklein, ein Böcklein!

Es kam ein Hündlein und biß das Kätzlein, das gefressen das Böcklein, das gekauft Väterlein, er gab dafür zwei Suslein; ein Böcklein, ein Böcklein!

Es kam ein Stöcklein und schlug das Hündlein, das gebissen das Kätzlein, das gefressen das Böcklein, das gekauft Väterlein, er gab dafür zwei Suslein; ein Böcklein, ein Böcklein!

Es kam ein Feuerlein und verbrannte das Stöcklein, das geschlagen das Hündlein, das gebissen das Kätzlein, das gefressen das Böcklein, das gekauft Väterlein, er gab dafür zwei Suslein; ein Böcklein, ein Böcklein!

Es kam ein Wässerlein und löschte das Feuerlein, das verbrannt das Stöcklein, das geschlagen das Hündlein, das gebissen das Kätzlein, das gefressen das Böcklein, das gekauft Väterlein, er gab dafür zwei Suslein; ein Böcklein, ein Böcklein!

Es kam ein Öchslein und soff das Wässerlein, das gelöscht das Feuerlein, das verbrannt das Stöcklein, das geschlagen das Hündlein, das gebissen das Kätzlein, das gefressen das Böcklein, das gekauft Väterlein, er gab dafür zwei Suslein; ein Böcklein, ein Böcklein!

Es kam ein Schlächterlein und schlachtete das Öchslein, das gesoffen das Wässerlein, das gelöscht das Feuerlein, das verbrannt das Stöcklein, das geschlagen das Hündlein, das gebissen das Kätzlein, das gefressen das Böcklein, das gekauft Väterlein, er gab dafür zwei Suslein; ein Böcklein, ein Böcklein!

Es kam ein Todesenglein und schlachtete das Schlächterlein, das geschlachtet das Öchslein, das gesoffen das Wässerlein, das gelöscht das Feuerlein, das verbrannt das Stöcklein, das geschlagen das Hündlein, das gebissen das Kätzlein, das gefressen das Böcklein, das gekauft Väterlein, er gab dafür zwei Suslein; ein Böcklein, ein Böcklein!

Ja, schöne Frau« – fügte der Sänger hinzu –»einst kommt der Tag, wo der Engel des Todes den Schlächter schlachten wird, und all unser Blut kommt über Edom; denn Gott ist ein rächender Gott – – –«

Aber plötzlich den Ernst, der ihn unwillkürlich beschlichen, gewaltsam abstreifend, stürzte sich Jäkel der Narr wieder in seine Possenreißerein und fuhr fort mit schnarrendem Lustigmachertone: »Fürchtet Euch nicht, schöne Frau, der Nasenstern tut Euch nichts zu Leid. Nur für die alte Schnapper-Elle ist er gefährlich. Sie hat sich in seine Nase verliebt, aber die verdient es auch. Sie ist schön wie der Turm der gen Damaskus schaut, und erhaben wie die Zeder des Libanons. Auswendig glänzt sie wie Glimmgold und Syrop, und inwendig ist lauter Musik und Lieblichkeit. Im Sommer blüht sie, im Winter ist sie zugefroren, und Sommer und Winter wird sie gehätschelt von Schnapper-Elles weißen Händen. Ja, die Schnapper-Elle ist verliebt in ihn, ganz vernarrt. Sie pflegt ihn, sie füttert ihn, und sobald er fett genug ist, wird sie ihn heuraten, und für ihr Alter ist sie noch jung genug, und wer mal nach dreihundert Jahren hierher nach Frankfurt kömmt, wird den Himmel nicht sehen können vor lauter Nasensternen!«

»Ihr seid Jäkel der Narr« – rief lachend der Rabbi – »ich merk es an Euren Worten. Ich habe oft von Euch sprechen gehört.«

»Ja, ja« – erwiderte jener mit drolliger Bescheidenheit – »ja, ja, das macht der Ruhm. Man ist oft weit und breit für einen größern Narren bekannt als man selbst weiß. Doch ich gebe mir viele Mühe ein Narr zu sein und springe und schüttle mich, damit die Schellen klingeln. Andre habens leichter... Aber sagt mir, Rabbi, warum reiset Ihr am Feiertage?«

»Meine Rechtfertigung« – versetzte der Befragte – »steht im Talmud, und es heißt: Gefahr vertreibt den Sabbat.«

»Gefahr!« – schrie plötzlich der lange Nasenstern und gebärdete sich wie in Todesangst – »Gefahr! Gefahr! Trommelhans, trommel, trommle, Gefahr! Gefahr! Trommelhans…«

Draußen aber rief der Trommelhans mit seiner dicken Bierstimme: »Tausend Donner Sakrament! Der Teufel hole die Juden! Das ist schon das dritte Mal, daß du mich heute aus dem Schlafe weckst, Nasenstern! Mach mich nicht rasend! Wenn ich rase, werde ich wie der leibhaftige Satanas, und dann, so wahr ich ein Christ bin, dann schieße ich mit der Büchse durch die Gitterluke des Tores, und dann hüte jeder seine Nase!«

»Schieß nicht! Schieß nicht! ich bin ein einzelner Mensch« – wimmerte angstvoll der Nasenstern und drückte sein Gesicht fest an die nächste Mauer, und in dieser Stellung verharrte er zitternd und leise betend.

»Sagt, sagt, was ist passiert?« – rief jetzt auch Jäkel der Narr, mit all jener hastigen Neugier, die schon damals den Frankfurter Juden eigentümlich war.

Der Rabbi aber riß sich von ihm los und ging mit seinem Weibe weiter die Judengasse hinauf. »Sieh, schöne Sara« – sprach er seufzend – »wie schlecht geschützt ist Israel! Falsche Freunde hüten seine Tore von außen, und drinnen sind seine Hüter Narrheit und Furcht!«

Langsam wanderten die beiden durch die lange, leere Straße, wo nur hie und da ein blühender Mädchenkopf zum Fenster hinausguckte, während sich die Sonne in den blanken Scheiben festlich heiter bespiegelte. Damals nämlich waren die Häuser des Judenviertels noch neu und nett, auch niedriger wie jetzt, indem erst späterhin die Juden, als sie in Frankfurt sich sehr vermehrten und doch ihr Quartier nicht erweitern durften, dort immer ein Stockwerk über das andere bauten, sardellenartig zusammenrückten und dadurch an Leib und Seele verkrüppelten. Der Teil des Judenquartiers, der nach dem großen Brande stehen geblieben und den man die alte Gasse nennt, jene hohen schwarzen Häuser, wo ein grinsendes, feuchtes Volk umherschachert, ist ein schauderhaftes Denkmal des Mittelalters. Die ältere Synagoge existiert nicht mehr; sie war minder geräumig als die jetzige, die später erbaut wurde, nachdem die Nüremberger Vertriebenen in die Gemeinde aufgenommen worden. Sie lag nördlicher. Der Rabbi brauchte ihre Lage nicht erst zu erfragen. Schon aus der Ferne vernahm er die vielen verworrenen und überaus lauten Stimmen. Im Hofe des Gotteshauses trennte er sich von seinem Weibe. Nachdem er an dem Brunnen, der dort steht, seine Hände gewaschen, trat er in jenen untern Teil der Synagoge, wo die Männer beten; die schöne Sara hingegen erstieg eine Treppe und gelangte oben nach der Abteilung der Weiber.

Diese obere Abteilung war eine Art Galerie mit drei Reihen hölzerner, braunrot angestrichener Sitze, deren Lehne oben mit einem hängenden Brette versehen war, das, um das Gebetbuch darauf zu legen, sehr bequem aufgeklappt werden konnte. Die Frauen saßen hier schwatzend neben einander oder standen aufrecht, inbrünstig betend; manchmal auch traten sie neugierig an das große Gitter, das sich längs der Morgenseite hinzog und durch dessen dünne grüne Latten man hinabschauen konnte in die untere Abteilung der Synagoge. Dort, hinter hohen Betpulten, standen die Männer in ihren schwarzen Mänteln, die spitzen Bärte herabschießend über die weißen Halskrausen, und die plattbedeckten Köpfe mehr oder minder verhüllt von einem viereckigen, mit den gesetzlichen Schaufäden versehenen Tuche, das aus weißer Wolle oder Seide bestand, mitunter auch mit goldnen Tressen geschmückt war. Die Wände der Synagoge waren ganz einförmig geweißt, und man sah dort keine andre Zierat als etwa das vergüldete Eisengütter um die viereckige Bühne, wo die Gesetzabschnitte verlesen werden, und die heilige Lade, ein kostbar gearbeiteter Kasten, scheinbar getragen von marmornen Säulen mit üppigen Kapitälern, deren Blumen- und Laubwerk gar lieblich emporrankte, und bedeckt mit einem Vorhang von kornblauem Sammet, worauf mit Goldflittern, Perlen und bunten Steinen eine fromme Inschrift gestickt war. Hier hing die silberne Gedächtnis-Ampel und erhob sich ebenfalls eine vergitterte Bühne, auf deren Geländer sich allerlei heilige Geräte befanden, unter andern der siebenarmige Tempel-Leuchter, und vor demselben, das Antlitz gegen die Lade, stand der Vorsänger, dessen Gesang instrumentenartig begleitet wurde von den Stimmen seiner beiden Gehülfen, des Bassisten und des Diskantsingers. Die Juden haben nämlich alle wirkliche Instrumentalmusik aus

ihrer Kirche verbannt, wähnend, daß der Lobgesang Gottes
erbaulicher aufsteige aus der warmen Menschenbrust als aus
kalten Orgelpfeifen. Recht kindlich freute sich die schöne
Sara, als jetzt der Vorsänger, ein trefflicher Tenor, seine Stimme
erhob und die uralten, ernsten Melodien, die sie so gut kannte,
in noch nie geahndeter junger Lieblichkeit aufblüheten, während der Bassist, zum Gegensatze, die tiefen, dunkeln Töne
hineinbrummte, und in den Zwischenpausen der Diskantsänger
fein und süß trillerte. Solchen Gesang hatte die schöne Sara in
der Synagoge von Bacherach niemals gehört, denn der Ge-
meindevorsteher, David Lewi, machte dort den Vorsänger,
und wenn dieser schon bejahrte zitternde Mann, mit seiner
zerbröckelten, meckernden Stimme wie ein junges Mädchen
trillern wollte, und in solch gewaltsamer Anstrengung seinen
schlaff herabhängenden Arm fieberhaft schüttelte, so reizte
dergleichen wohl mehr zum Lachen als zur Andacht.

Ein frommes Behagen, gemischt mit weiblicher Neugier,
zog die schöne Sara ans Gitter, wo sie hinabschauen konnte in
die untere Abteilung, die sogenannte Männerschule. Sie hatte
noch nie eine so große Anzahl Glaubensgenossen gesehen, wie
sie da unten erblickte, und es ward ihr noch heimlich wohler
ums Herz in der Mitte so vieler Menschen, die ihr so nahe verwandt durch gemeinschaftliche Abstammung, Denkweise und
Leiden. Aber noch viel bewegter wurde die Seele des Weibes,
als drei alte Männer ehrfurchtsvoll vor die heilige Lade traten,
den glänzenden Vorhang an die Seite schoben, den Kasten auf-
schlossen und sorgsam jenes Buch herausnahmen, das Gott mit
heilig eigner Hand geschrieben und für dessen Erhaltung die
Juden so viel erduldet, so viel Elend und Haß, Schmach und
Tod, ein tausendjähriges Martyrtum. Dieses Buch, eine große
Pergamentrolle, war wie ein fürstliches Kind in einem bunt-
gestickten Mäntelchen von rotem Sammet gehüllt; oben, auf
den beiden Rollhölzern, stecken zwei silberne Gehäuschen,
worin allerlei Granaten und Glöckchen sich zierlich bewegten
und klingelten, und vorn, an silbernen Kettchen, hingen goldne
Schilde mit bunten Edelsteinen. Der Vorsänger nahm das Buch,
und als sei es ein wirkliches Kind, ein Kind um dessentwillen
man große Schmerzen erlitten und das man nur desto mehr liebt,

wiegte er es in seinen Armen, tänzelte damit hin und her, drückte es an seine Brust, und durchschauert von solcher Berührung, erhub er seine Stimme zu einem so jauchzend frommen Dankliede, daß es der schönen Sara bedünkte, als ob die Säulen der heiligen Lade zu blühen begönnen, und die wunderbaren Blumen und Blätter der Kapitäler immer höher hinaufwüchsen, und die Töne des Diskanten sich in lauter Nachtigallen verwandelten, und die Wölbung der Synagoge gesprengt würde von den gewaltigen Tönen des Bassisten, und die Freudigkeit Gottes herabströmte aus dem blauen Himmel. Das war ein schöner Psalm. Die Gemeinde wiederholte chorartig die Schlußverse, und nach der erhöhten Bühne in der Mitte der Synagoge schritt langsam der Vorsänger mit dem heiligen Buche, während Männer und Knaben sich hastig hinzudrängten um die Sammethülle desselben zu küssen oder auch nur zu berühren. Auf der erwähnten Bühne zog man von dem heiligen Buche das samtne Mäntelchen, so wie auch die mit bunten Buchstaben beschriebenen Windeln, womit es umwickelt war, und aus der geöffneten Pergamentrolle, in jenem singenden Tone, der am Paschafest noch gar besonders moduliert wird, las der Vorsänger die erbauliche Geschichte von der Versuchung Abrahams.

Die schöne Sara war bescheiden vom Gitter zurückgewichen, und eine breite, putzbeladene Frau von mittlerem Alter und gar gespreizt wohlwollendem Wesen, hatte ihr, mit stummen Nicken, die Miteinsicht in ihrem Gebetbuche vergönnt. Diese Frau mochte wohl keine große Schriftgelehrtin sein; denn als sie die Gebete murmelnd vor sich hinlas, wie die Weiber, da sie nicht laut mitsingen dürfen, zu tun pflegen, so bemerkte die schöne Sara, daß sie viele Worte allzusehr nach Gutdünken aussprach und manche gute Zeile ganz überschlupperte. Nach einer Weile aber hoben sich schmachtend langsam die wasserklaren Augen der guten Frau, ein flaches Lächeln glitt über das porzellanhaft rot und weiße Gesicht, und mit einem Tone, der so vornehm als möglich hinschmelzen wollte, sprach sie zur schönen Sara: »Er singt sehr gut. Aber ich habe doch in Holland noch viel besser singen hören. Sie sind fremd und wissen vielleicht nicht, daß es der Vorsänger aus Worms ist, und daß man

ihn hier behalten will wenn er mit jährlichen vierhundert
Gulden zufrieden. Es ist ein lieber Mann und seine Hände sind
wie Alabaster. Ich halte viel von einer schönen Hand. Eine
schöne Hand ziert den ganzen Menschen!« – Dabei legte die
gute Frau selbstgefällig ihre Hand, die wirklich noch schön war,
auf die Lehne des Betpultes, und mit einer graziösen Beugung
des Hauptes andeutend, daß sie sich im Sprechen nicht gern
unterbrechen lasse, setzte sie hinzu: »Das Singerchen ist noch
ein Kind und sieht sehr abgezehrt aus. Der Baß ist gar zu häßlich und unser Stern hat mal sehr witzig gesagt: ‚Der Baß ist
ein größerer Narr, als man von einem Baß zu verlangen
braucht!‘ Alle drei speisen in meiner Garküche, und Sie wissen
vielleicht nicht, daß ich Elle Schnapper bin.«

Die schöne Sara dankte für diese Mitteilung, wogegen wieder
die Schnapper-Elle ihr ausführlich erzählte, wie sie einst in
Amsterdam gewesen, dort wegen ihrer Schönheit gar vielen
Nachstellungen unterworfen war, und wie sie drei Tage vor
Pfingsten nach Frankfurt gekommen und den Schnapper geheuratet, wie dieser am Ende gestorben, wie er auf dem Todbette die rührendsten Dinge gesprochen, und wie es schwer sei
als Vorsteherin einer Garküche die Hände zu konservieren.
Manchmal sah sie nach der Seite, mit wegwerfendem Blicke,
der wahrscheinlich einigen spöttischen jungen Weibern galt, die
ihren Anzug musterten. Merkwürdig genug war diese Kleidung: ein weitausgebauschter Rock von weißem Atlas, worin
alle Tierarten der Arche Noäh grellfarbig gestickt, ein Wams
von Goldstoff wie ein Küraß, die Ärmel von rotem Samt, gelb
geschlitzt, auf dem Haupte eine unmenschlich hohe Mütze,
um den Hals eine allmächtige Krause von weißem Steif linnen,
so wie auch eine silberne Kette, woran allerlei Schaupfennige,
Kameen und Raritäten, unter andern ein großes Bild der Stadt
Amsterdam, bis über den Busen herabhingen. Aber die Kleidung der übrigen Frauen war nicht minder merkwürdig und
bestand wohl aus einem Gemische von Moden verschiedener
Zeiten, und manches Weiblein, bedeckt mit Gold und Diamanten, glich einem wandelnden Juwelierladen. Es war freilich den
Frankfurter Juden damals eine bestimmte Kleidung gesetzlich
vorgeschrieben, und zur Unterscheidung von den Christen,

sollten die Männer an ihren Mänteln gelbe Ringe und die Weiber an ihren Mützen hochaufstehende blaugestreifte Schleier tragen. Jedoch im Judenquartier wurde diese obrigkeitliche Verordnung wenig beachtet, und dort, besonders an Festtagen, und zumal in der Synagoge, suchten die Weiber so viel Kleiderpracht als möglich gegen einander auszukramen, teils um sich beneiden zu lassen, teils auch um den Wohlstand und die Kreditfähigkeit ihrer Eheherrn darzutun.

Während nun unten in der Synagoge die Gesetzabschnitte aus den Büchern Mosis vorgelesen werden, pflegt dort die Andacht etwas nachzulassen. Mancher macht es sich bequem und setzt sich nieder, flüstert auch wohl mit einem Nachbar über weltliche Angelegenheiten, oder geht hinaus auf den Hof, um frische Luft zu schöpfen. Kleine Knaben nehmen sich unterdessen die Freiheit ihre Mütter in der Weiberabteilung zu besuchen, und hier hat alsdann die Andacht wohl noch größere Rückschritte gemacht: hier wird geplaudert, geruddelt, gelacht, und, wie es überall geschieht, die jüngeren Frauen scherzen über die alten, und diese klagen wieder über Leichtfertigkeit der Jugend und Verschlechterung der Zeiten. Gleichwie es aber unten in der Synagoge zu Frankfurt einen Vorsänger gab, so gab es in der obern Abteilung eine Vorklatscherin. Das war Hündchen Reiß, eine platte grünliche Frau, die jedes Unglück witterte und immer eine skandalose Geschichte auf der Zunge trug. Die gewöhnliche Zielscheibe ihrer Spitzreden war die arme Schnapper-Elle, sie wußte gar drollig die erzwungen vornehmen Gebärden derselben nachzuäffen, so wie auch den schmachtenden Anstand womit sie die schalkhaften Huldigungen der Jugend entgegen nimmt.

»Wißt ihr wohl« – rief jetzt Hündchen Reiß –»die Schnapper-Elle hat gestern gesagt: Wenn ich nicht schön und klug und geliebt wäre, so möchte ich nicht auf der Welt sein!«

Da wurde etwas laut gekichert, und die nahstehende Schnapper-Elle, merkend daß es auf ihre Kosten geschah, hob verachtungsvoll ihr Auge empor, und wie ein stolzes Prachtschiff segelte sie nach einem entfernteren Platze. Die Vögele Ochs, eine runde, etwas täppische Frau, bemerkte mitleidig: die Schnapper-Elle sei zwar eitel und beschränkt, aber

sehr bravmütig, und sie tue sehr viel Gutes an Leute, die es
nötig hätten.

»Besonders an den Nasenstern« – zischte Hündchen Reiß.
Und alle die das zarte Verhältnis kannten, lachten um so lauter.

»Wißt ihr wohl« – setzte Hündchen hämisch hinzu – »der
Nasenstern schläft jetzt auch im Hause der Schnapper-Elle…
Aber seht mal, dort unten die Süschen Flörsheim trägt die Hals-
kette die Daniel Fläsch bei ihrem Manne versetzt hat. Der
Fläsch ärgert sich… Jetzt spricht sie mit der Flörsheim… Wie
sie sich so freundlich die Hand drücken! Und hassen sich doch
wie Midian und Moab! Wie sie sich so liebevoll anlächeln!
Freßt euch nur nicht vor lauter Zärtlichkeit! Ich will mir das
Gespräch anhören.«

Und nun, gleich einem lauernden Tiere, schlich Hündchen
Reiß hinzu und hörte, daß die beiden Frauen teilnehmend einander klagten, wie sehr sie sich verflossene Woche abgearbeitet,
um in ihren Häusern aufzuräumen und das Küchengeschirr zu
scheuern, was vor dem Paschafeste geschehen muß, damit kein
einziges Brosämchen der gesäuerten Bröte daran kleben bleibe.
Auch von der Mühseligkeit beim Backen der ungesäuerten
Bröte sprachen die beiden Frauen. Die Fläsch hatte noch besondere Beklagnisse: im Backhause der Gemeinde mußte sie
viel Ärger erleiden, nach der Entscheidung des Loses konnte
sie dort erst in den letzten Tagen, am Vorabend des Festes, und
erst spät nachmittags zum Backen gelangen, die alte Hanne
hatte den Teig schlecht geknetet, die Mägde rollten mit ihren
Wergelhölzern den Teig viel zu dünn, die Hälfte der Bröte verbrannte im Ofen, und außerdem regnete es so stark, daß es durch
das bretterne Dach des Backhauses beständig tröpfelte, und sie
mußten sich dort, naß und müde, bis tief in die Nacht abarbeiten.

»Und daran, liebe Flörsheim« – setzte die Fläsch hinzu mit
einer schonenden Freundlichkeit, die keineswegs echt war –
»daran waren Sie auch ein bißchen schuld, weil Sie mir nicht
Ihre Leute zur Hülfleistung beim Backen geschickt haben.«

»Ach Verzeihung« – erwiderte die andre – »meine Leute
waren zu sehr beschäftigt, die Meßwaren müssen verpackt
werden, wir haben jetzt so viel zu tun, mein Mann…«

»Ich weiß« – fiel ihr die Fläsch mit schneidend hastigem Tone in die Rede – »ich weiß, ihr habt viel zu tun, viel Pfänder und gute Geschäfte, und Halsketten…«

Eben wollte ein giftiges Wort den Lippen der Sprecherin entgleiten und die Flörsheim war schon rot wie ein Krebs, als plötzlich Hündchen Reiß laut aufkreischte: »Um Gotteswillen, die fremde Frau liegt und stirbt… Wasser! Wasser!«

Die schöne Sara lag in Ohnmacht, blaß wie der Tod, und um sie herum drängte sich ein Schwarm von Weibern, geschäftig und jammernd. Die eine hielt ihr den Kopf, eine zweite hielt ihr den Arm; einige alte Frauen bespritzten sie mit den Wassergläschen, die hinter ihren Betpulten hängen, zum Behufe des Händewaschens, im Fall sie zufällig ihren eignen Leib berührten; andre hielten unter die Nase der Ohnmächtigen eine alte Zitrone, die, mit Gewürznägelchen durchstochen, noch vom letzten Fasttage herrührte, wo sie zum nervenstärkenden Anriechen diente. Ermattet und tief seufzend schlug endlich die schöne Sara die Augen auf, und mit stummen Blicken dankte sie für die gütige Sorgfalt. Doch jetzt ward unten das Achtzehn-Gebet, welches niemand versäumen darf, feierlich angestimmt, und die geschäftigen Weiber eilten zurück nach ihren Plätzen, und verrichteten jenes Gebet, wie es geschehen muß, stehend und das Gesicht gewendet gegen Morgen, welches die Himmelsgegend wo Jerusalem liegt. Vögele Ochs, Schnapper-Elle und Hündchen Reiß verweilten am längsten bei der schönen Sara; die beiden ersteren indem sie ihr eifrigst ihre Dienste anboten, die letztere, nachdem sie sich nochmals bei ihr erkundigte: weshalb sie so plötzlich ohnmächtig geworden?

Die Ohnmacht der schönen Sara hatte aber eine ganz besondere Ursache. Es ist nämlich Gebrauch in der Synagoge, daß jemand, welcher einer großen Gefahr entronnen, nach der Verlesung der Gesetzabschnitte, öffentlich hervortritt und der göttlichen Vorsicht für seine Rettung dankt. Als nun Rabbi Abraham zu solcher Danksagung unten in der Synagoge sich erhob, und die schöne Sara die Stimme ihres Mannes erkannte, merkte sie wie der Ton derselben allmählig in das trübe Gemurmel des Totengebetes überging, sie hörte die Namen ihrer Lieben und Verwandten, und zwar begleitet von jenem seg-

nenden Beiwort, das man den Verstorbenen erteilt: und die
letzte Hoffnung schwand aus der Seele der schönen Sara, und
ihre Seele ward zerrissen von der Gewißheit, daß ihre Lieben
und Verwandte wirklich ermordet worden, daß ihre kleine
Nichte tot sei, daß auch ihre Bäschen, Blümchen und Vögelchen, tot seien, auch der kleine Gottschalk tot sei, alle ermordet
und tot! Von dem Schmerze dieses Bewußtseins wäre sie schier
selber gestorben, hätte sich nicht eine wohltätige Ohnmacht
über ihre Sinne ergossen.

Drittes Kapitel

Als die schöne Sara, nach beendigtem Gottesdienste, in den
Hof der Synagoge hinabstieg, stand dort der Rabbi, harrend
seines Weibes. Er nickte ihr mit heiterem Antlitz und geleitete
sie hinaus auf die Straße, wo die frühere Stille ganz verschwunden und ein lärmiges Menschengewimmel zu schauen war.
Bärtige Schwarzröcke, wie Ameisenhaufen; Weiber, glanzreich
hinflatternd, wie Goldkäfer; neugekleidete Knaben, die den
Alten die Gebetbücher nachtrugen; junge Mädchen, die, weil
sie nicht in die Synagoge gehen dürfen, jetzt aus den Häusern
ihren Eltern entgegen hüpfen, vor ihnen die Lockenköpfchen
beugen, um den Segen zu empfangen: alle heiter und freudig,
und die Gasse auf und ab spazierend, im seligen Vorgefühl
eines guten Mittagmahls, dessen lieblicher Duft schon mund-
wässernd hervorstieg aus den schwarzen, mit Kreide bezeich-
neten Töpfen, die eben von den lachenden Mägden aus dem
großen Gemeinde-Ofen geholt worden.

In diesem Gewirre war besonders bemerkbar die Gestalt eines
spanischen Ritters, auf dessen jugendlichen Gesichtszügen jene
reizende Blässe lag, welche die Frauen gewöhnlich einer unglücklichen Liebe, die Männer hingegen einer glücklichen zuschreiben. Sein Gang, obschon gleichgültig hinschlendernd,
hatte dennoch eine etwas gesuchte Zierlichkeit; die Federn
seines Barettes bewegten sich mehr durch das vornehme Wiegen
des Hauptes, als durch das Wehen des Windes; mehr als eben
notwendig klirrten seine goldenen Sporen und das Wehr-

gehänge seines Schwertes, welches er im Arme zu tragen schien, und dessen Griff kostbar hervorblitzte aus dem weißen Reutermantel, der seine schlanken Glieder scheinbar nachlässig umhüllte und dennoch den sorgfältigsten Faltenwurf verriet. Hin und wieder, teils mit Neugier, teils mit Kennermiene nahte er sich den vorüberwandelnden Frauenzimmern, sah ihnen seelenruhig fest ins. Antlitz, verweilte bei solchem Anschaun wenn die Gesichter der Mühe lohnten, sagte auch manchem liebenswürdigen Kinde einige rasche Schmeichelworte, und schritt sorglos weiter ohne die Wirkung zu erwarten. Die schöne Sara hatte er schon mehrmals umkreist, jedesmal wieder zurückgescheucht von dem gebietenden Blick derselben oder auch von der rätselhaft lächelnden Miene ihres Mannes, aber endlich, in stolzem Abstreifen aller scheuen Befangenheit, trat er beiden keck in den Weg, und mit stutzerhafter Sicherheit und süßlich galantem Tone hielt er folgende Anrede:

»Sennora, ich schwöre! Hört, Sennora, ich schwöre! Bei den Rosen beider Kastilien, bei den aragonesischen Hyazinthen und andalusischen Granatblüten! Bei der Sonne die ganz Spanien mit all seinen Blumen, Zwiebeln, Erbsensuppen, Wäldern, Bergen, Mauleseln, Ziegenböcken und Alt-Christen beleuchtet! Bei der Himmelsdecke, woran diese Sonne nur ein goldner Quast ist! Und bei dem Gott, der auf der Himmelsdecke sitzt, und Tag und Nacht über neue Bildungen holdseliger Frauengestalten nachsinnt... Ich schwöre, Sennora, Ihr seid das schönste Weib, das ich in deutschen Landen gesehen habe, und so Ihr gewillet seid meine Dienste anzunehmen, so bitte ich Euch um die Gunst, Huld und Erlaubnis mich Euren Ritter nennen zu dürfen, und in Schimpf und Ernst Eure Farben zu tragen!«

Ein errötender Schmerz glitt über das Antlitz der schönen Sara, und mit einem Blicke, der um so schneidender wirkt, je sanfter die Augen sind die ihn versenden, und mit einem Tone, der um so vernichtender je bebend weicher die Stimme, antwortete die tief gekränkte Frau:

»Edler Herr! Wenn Ihr mein Ritter sein wollt, so müßt Ihr gegen ganze Völker kämpfen, und in diesem Kampfe gibt es wenig Dank und noch weniger Ehre zu gewinnen! Und wenn Ihr gar meine Farben tragen wollt, so müßt Ihr gelbe Ringe

auf Euren Mantel nähen oder eine blaugestreifte Schärpe um-
binden: denn dieses sind meine Farben, die Farben meines Hauses, des Hauses welches Israel heißt, und sehr elend ist, und auf
den Gassen verspottet wird von den Söhnen des Glücks!«

Plötzliche Purpurröte bedeckte die Wangen des Spaniers, eine
unendliche Verlegenheit arbeitete in allen seinen Zügen und
fast stotternd sprach er:

»Sennora ... Ihr habt mich mißverstanden ... unschuldiger
Scherz ... aber, bei Gott, kein Spott, kein Spott über Israel...
Ich stamme selber aus dem Hause Israel ... mein Großvater war
ein Jude, vielleicht sogar mein Vater...«

»Und ganz sicher, Sennor, ist Eur Oheim ein Jude« – fiel
ihm der Rabbi, der dieser Szene ruhig zugesehen, plötzlich in
die Rede, und mit einem fröhlich neckenden Blicke setzte er
hinzu: – »und ich will mich selbst dafür verbürgen, daß Don
Isaak Abarbanel, Neffe des großen Rabbi, dem besten Blute
Israels entsprossen ist, wo nicht gar dem königlichen Geschlechte Davids!«

Da klirrte das Schwertgehänge unter dem Mantel des Spaniers, seine Wangen erblichen wieder bis zur fahlsten Blässe,
auf seiner Oberlippe zuckte es wie Hohn der mit dem Schmerze
ringt, aus seinen Augen grinste der zornigste Tod, und in einem
ganz verwandelten, eiskalten, scharfgehackten Tone, sprach er:

»Sennor Rabbi! Ihr kennt mich. Nun wohlan, so wißt Ihr
auch wer ich bin. Und weiß der Fuchs, daß ich der Brut des
Löwen angehöre, so wird er sich hüten, und seinen Fuchsbart
nicht in Lebensgefahr bringen und meinen Zorn nicht reizen!
Wie will der Fuchs den Löwen richten? Nur wer wie der Löwe
fühlt, kann seine Schwächen begreifen...«

»O, ich begreife es wohl« – antwortete der Rabbi und weh-
mütiger Ernst zog über seine Stirne – »ich begreife es wohl, wie
der stolze Leu aus Stolz seinen fürstlichen Pelz abwirft und sich
in den bunten Schuppenpanzer des Krokodils verkappt, weil
es Mode ist ein greinendes, schlaues, gefräßiges Krokodil zu
sein! Was sollen erst die geringeren Tiere beginnen, wenn sich
der Löwe verleugnet? Aber hüte dich, Don Isaak, du bist nicht
geschaffen für das Element des Krokodils. Das Wasser – (du
weißt wohl wovon ich rede) – ist dein Unglück, und du wirst

untergehen. Nicht im Wasser ist dein Reich; die schwächste Forelle kann besser darin gedeihen als der König des Waldes. Weißt du noch, wie dich die Strudel des Tago verschlingen wollten...«

In ein lautes Gelächter ausbrechend, fiel Don Isaak plötzlich dem Rabbi um den Hals, verschloß seinen Mund mit Küssen, sprang sporenklirrend vor Freude in die Höhe, daß die vorbeigehenden Juden zurückschraken, und in seinem natürlich herzlich heiteren Tone rief er:

»Wahrhaftig, du bist Abraham von Bacherach! Und es war ein guter Witz und obendrein ein Freundschaftsstück, als du zu Toledo von der Alkantara-Brücke ins Wasser sprangest und deinen Freund, der besser trinken als schwimmen konnte, beim Schopf faßtest und aufs Trockene zogest! Ich war nahe dran, recht gründliche Untersuchungen anzustellen: ob auf dem Grunde des Tago wirklich Goldkörner zu finden, und ob ihn mit Recht die Römer den goldenen Fluß genannt haben? Ich sage dir, ich erkälte mich noch heute durch die bloße Erinnerung an jene Wasserpartie.«

Bei diesen Worten gebärdete sich der Spanier, als wollte er anhängende Wassertropfen von sich abschütteln. Das Antlitz des Rabbi aber war gänzlich aufgeheitert. Er drückte seinem Freunde wiederholentlich die Hand und jedesmal sagte er: »Ich freue mich!«

»Und ich freue mich ebenfalls« – sprach der andre – »wir haben uns seit sieben Jahren nicht gesehen; bei unserem Abschied war ich noch ein ganz junger Gelbschnabel, und du, du warst schon so gesetzt und ernsthaft ... Was ward aber aus der schönen Donna, die dir damals so viele Seufzer kostete, wohlgereimte Seufzer, die du mit Lautenklang begleitet hast...«

»Still, still! die Donna hört uns, sie ist mein Weib, und du selbst hast ihr heute eine Probe deines Geschmackes und Dichtertalentes dargebracht.«

Nicht ohne Nachwirkung der früheren Verlegenheit, begrüßte der Spanier die schöne Frau, welche mit anmutiger Güte jetzt bedauerte, daß sie durch Äußerungen des Unmuts einen Freund ihres Mannes betrübt habe.

»Ach, Sennora« – antwortete Don Isaak – »wer mit täppischer

Hand nach einer Rose griff, darf sich nicht beklagen, daß ihn die Dornen verletzten! Wenn der Abendstern sich im blauen Strome goldfunkelnd abspiegelt ...«

»Ich bitte dich um Gotteswillen« – unterbrach ihn der Rabbi – »hör auf ... Wenn wir so lange warten sollen bis der Abendstern sich im blauen Strome goldfunkelnd abspiegelt, so verhungert meine Frau; sie hat seit gestern nichts gegessen und seitdem viel Ungemach und Mühsal erlitten.«

»Nun, so will ich Euch nach der besten Garküche Israels führen« – rief Don Isaak – »nach dem Hause meiner Freundin Schnapper-Elle, das hier in der Nähe. Schon rieche ich ihren holden Duft, nämlich der Garküche. O wüßtest du, Abraham, wie dieser Duft mich anspricht! Er ist es, der mich, seit ich in dieser Stadt verweile, so oft hinlockt nach den Zelten Jakobs. Der Verkehr mit dem Volke Gottes ist sonst nicht meine Liebhaberei, und wahrlich nicht um hier zu beten, sondern um zu essen besuche ich die Judengasse...«

»Du hast uns nie geliebt, Don Isaak...«

»Ja« – fuhr der Spanier fort – »ich liebe Eure Küche weit mehr als Euren Glauben; es fehlt ihm die rechte Sauce. Euch selber habe ich nie ordentlich verdauen können. Selbst in Euren besten Zeiten, selbst unter der Regierung meines Ahnherrn Davids, welcher König war über Juda und Israel, hätte ich es nicht unter Euch aushalten können, und ich wäre gewiß eines frühen Morgens aus der Burg Sion entsprungen und nach Phönizien emigriert, oder nach Babylon, wo die Lebenslust schäumte im Tempel der Götter...«

»Du lästerst, Isaak, den einzigen Gott« – murmelte finster der Rabbi – »du bist weit schlimmer als ein Christ, du bist ein Heide, ein Götzendiener...«

»Ja, ich bin ein Heide, und eben so zuwider wie die dürren, freudlosen Hebräer sind mir die trüben, qualsüchtigen Nazarener. Unsre liebe Frau von Sidon, die heilige Astarte, mag es mir verzeihen, daß ich vor der schmerzenreichen Mutter des Gekreuzigten niederknie und bete... Nur mein Knie und meine Zunge huldigt dem Tode, mein Herz blieb treu dem Leben!...«

»Aber schau nicht so sauer« – fuhr der Spanier fort in seiner

Rede, als er sah wie wenig dieselbe den Rabbi zu erbauen schien – »schau mich nicht an mit Abscheu. Meine Nase ist nicht abtrünnig geworden. Als mich einst der Zufall um Mittagzeit in diese Straße führte, und aus den Küchen der Juden mir die wohlbekannten Düfte in die Nase stiegen: da erfaßte mich jene Sehnsucht, die unsere Väter empfanden, als sie zurückdachten an die Fleischtöpfe Ägyptens; wohlschmeckende Jugenderinnerungen stiegen in mir auf; ich sah wieder im Geiste die Karpfen mit brauner Rosinensauce, die meine Tante für den Freitagabend so erbaulich zu bereiten wußte; ich sah wieder das gedämpfte Hammelfleisch mit Knoblauch und Mairettig, womit man die Toten erwecken kann, und die Suppe mit schwärmerisch schwimmenden Klößchen ... und meine Seele schmolz, wie die Töne einer verliebten Nachtigall, und seitdem esse ich in der Garküche meiner Freundin Donna Schnapper-Elle!«

Diese Garküche hatte man unterdessen erreicht; Schnapper-Elle selbst stand an der Türe ihres Hauses, die Meßfremden, die sich hungrig hineindrängten, freundlich begrüßend. Hinter ihr, den Kopf über ihre Schulter hinauslehnend, stand der lange Nasenstern und musterte neugierig ängstlich die Ankömmlinge. Mit übertriebener Grandezza nahte sich Don Isaak unserer Gastwirtin, die seine schalkhaft tiefen Verbeugungen mit unendlichen Knicksen erwiderte; drauf zog er den Handschuh ab von seiner rechten Hand, umwickelte sie mit dem Zipfel seines Mantels, ergriff damit die Hand der Schnapper-Elle, strich sie langsam über die Haare seines Stutzbartes und sprach:

»Sennora! Eure Augen wetteifern mit den Gluten der Sonne! Aber obgleich die Eier, je länger sie gekocht werden, sich desto mehr verhärten, so wird dennoch mein Herz nur um so weicher je länger es von den Flammenstrahlen Eurer Augen gekocht wird! Aus der Dotter meines Herzens flattert hervor der geflügelte Gott Amur und sucht ein trauliches Nestchen in Eurem Busen ... Diesen Busen, Sennora, womit soll ich ihn vergleichen? Es gibt in der weiten Schöpfung keine Blume, keine Frucht, die ihm ähnlich wäre! Dieses Gewächs ist einzig in seiner Art. Obgleich der Sturm die zartesten Röslein entblättert, so ist doch Eur Busen eine Winterrose, die allen Winden trotzt!

Obgleich die saure Zitrone, je mehr sie altert, nur desto gelber und runzlichter wird, so wetteifert dennoch Eur Busen mit der Farbe und Zartheit der süßesten Ananas! O Sennora, ist auch die Stadt Amsterdam so schön, wie Ihr mir gestern und vorgestern und alle Tage erzählt habt, so ist doch der Boden, worauf sie ruht, noch tausendmal schöner...«

Der Ritter sprach diese letztern Worte mit erheuchelter Befangenheit und schielte schmachtend nach dem großen Bilde, das an Schnapper-Elles Halse hing; der Nasenstern schaute von oben herab mit suchenden Augen, und der belobte Busen setzte sich in eine so wogende Bewegung, daß die Stadt Amsterdam hin und her wackelte.

»Ach!« – seufzte die Schnapper-Elle – »Tugend ist mehr wert als Schönheit. Was nützt mir die Schönheit? Meine Jugend geht vorüber, und seit Schnapper tot ist – er hat wenigstens schöne Hände gehabt – was hilft mir da die Schönheit?«

Und dabei seufzte sie wieder, und wie ein Echo, fast unhörbar, seufzte hinter ihr der Nasenstern.

»Was Euch die Schönheit nützt« – rief Don Isaak – »O, Donna Schnapper-Elle, versündigt Euch nicht an der Güte der schaffenden Natur! Schmäht nicht ihre holdesten Gaben! Sie würde sich furchtbar rächen. Diese beseligenden Augen würden blöde verglasen, diese anmutigen Lippen würden sich bis ins Abgeschmackte verplatten, dieser keusche, liebesuchende Leib würde sich in eine schwerfällige Talgtonne verwandeln, die Stadt Amsterdam würde auf einen muffigen Morast zu ruhen kommen –«

Und so schilderte er Stück vor Stück das jetzige Aussehn der Schnapper-Elle, so daß der armen Frau sonderbar beängstigend zu Mute ward, und sie den unheimlichen Reden des Ritters zu entrinnen suchte. In diesem Augenblicke war sie doppelt froh, als sie der schönen Sara ansichtig ward und sich angelegentlichst erkundigen konnte, ob sie ganz von ihrer Ohnmacht genesen. Sie stürzte sich dabei in ein lebhaftes Gespräch, worin sie alle ihre falsche Vornehmtuerei und echte Herzensgüte entwickelte, und mit mehr Weitläuftigkeit als Klugheit die fatale Geschichte erzählte, wie sie selbst vor Schrecken fast in Ohnmacht gefallen wäre, als sie wildfremd mit der Trekschuite zu Amsterdam ankam, und der spitzbübische Träger ihres Koffers sie nicht in ein ehrbares Wirtshaus, sondern in ein freches Frauenhaus brachte, was sie bald gemerkt an dem vielen Brannteweingesöffe und den unsittlichen Zumutungen ... und sie wäre, wie gesagt, wirklich in Ohnmacht gefallen, wenn sie es, während den sechs Wochen, die sie in jenem verfänglichen Hause zubrachte, nur einen Augenblick wagen durfte die Augen zu schließen...

»Meiner Tugend wegen« – setzte sie hinzu – »durfte ich es nicht wagen. Und das alles passierte mir wegen meiner Schönheit! Aber Schönheit vergeht und Tugend besteht.«

Don Isaak war schon im Begriff die Einzelheiten dieser Geschichte kritisch zu beleuchten, als glücklicherweise der scheele Aaron Hirschkuh, von Homburg an der Lahn, mit der weißen Serviette im Maule, aus dem Hause hervorkam, und ärgerlich klagte, daß schon längst die Suppe aufgetragen sei und die Gäste zu Tische säßen und die Wirtin fehle. – – – – –

(Der Schluß und die folgenden Kapitel sind, ohne Verschulden des Autors, verloren gegangen.)

AUS DEN MEMOIREN DES HERREN
VON SCHNABELEWOPSKI

ERSTES BUCH

Kapitel *I*

Mein Vater hieß Schnabelewopski; meine Mutter hieß Schnabelewopska; als beider ehelicher Sohn wurde ich geboren den ersten April 1795 zu Schnabelewops. Meine Großtante, die alte Frau von Pipitzka, pflegte meine erste Kindheit, und erzählte mir viele schöne Märchen, und sang mich oft in den Schlaf mit einem Liede, dessen Worte und Melodie meinem Gedächtnisse entfallen. Ich vergesse aber nie die geheimnisvolle Art, wie sie mit dem zitternden Kopfe nickte, wenn sie es sang, und wie wehmütig ihr großer einziger Zahn, der Einsiedler ihres Mundes, alsdann zum Vorschein kam. Auch erinnere ich mich noch manchmal des Papagois, über dessen Tod sie so bitterlich weinte. Die alte Großtante ist jetzt ebenfalls tot, und ich bin in der ganzen weiten Welt wohl der einzige Mensch, der an ihren lieben Papagoi noch denkt. Unsere Katze hieß Mimi und unser Hund hieß Joli. Er hatte viel Menschenkenntnis und ging mir immer aus dem Wege wenn ich zur Peitsche griff. Eines Morgens sagte unser Bedienter: der Hund trage den Schwanz etwas eingekniffen zwischen den Beinen und lasse die Zunge länger als gewöhnlich hervorhängen; und der arme Joli wurde, nebst einigen Steinen, die man ihm an den Hals festband, ins Wasser geworfen. Bei dieser Gelegenheit ertrank er. Unser Bedienter hieß Prrschtzztwitsch. Man muß dabei niesen, wenn man diesen Namen ganz richtig aussprechen will. Unsere Magd hieß Swurtszska, welches im Deutschen etwas rauh, im Polnischen aber äußerst melodisch klingt. Es war eine dicke untersetzte Person mit weißen Haaren und blonden Zähnen. Außerdem liefen noch zwei schöne schwarze Augen im Hause herum, welche man Seraphine nannte. Es war mein schönes herzliebes Mühmelein, und wir spielten zusammen im Garten und belauschten die Haushaltung der Ameisen, und haschten Schmetterlinge, und pflanzten Blumen. Sie lachte einst wie toll, als ich meine kleinen Strümpfchen in die Erde pflanzte, in der Meinung, daß ein paar große Hosen für meinen Vater daraus hervorwachsen würden.

Mein Vater war die gütigste Seele von der Welt und war lange Zeit ein wunderschöner Mann; der Kopf gepudert, hinten ein niedlich geflochtenes Zöpfchen, das nicht herabhing, sondern mit einem Kämmchen von Schildkröte auf dem Scheitel befestigt war. Seine Hände waren blendend weiß und ich küßte sie oft. Es ist mir als röche ich noch ihren süßen Duft und er dränge mir stechend ins Auge. Ich habe meinen Vater sehr geliebt; denn ich habe nie daran gedacht, daß er sterben könne.

Mein Großvater, väterlicher Seite, war der alte Herr von Schnabelewopski; ich weiß gar nichts von ihm, außer daß er ein Mensch und daß mein Vater sein Sohn war. Mein Großvater, mütterlicher Seite, war der alte Herr von Wlrssrnski, und er ist abgemalt in einem scharlachroten Sammetrock und einem langen Degen, und meine Mutter erzählte mir oft, daß er einen Freund hatte, der einen grünseidenen Rock, rosaseidne Hosen und weißseidne Strümpfe trug, und wütend den kleinen Chapeaubas hin- und herschwenkte, wenn er vom König von Preußen sprach.

Meine Mutter, Frau von Schnabelewopska, gab mir, als ich heranwuchs, eine gute Erziehung. Sie hatte viel gelesen; als sie mit mir schwanger ging las sie fast ausschließlich den Plutarch; und hat sich vielleicht an einem von dessen großen Männern versehen; wahrscheinlich an einem von den Gracchen. Daher meine mystische Sehnsucht, das agrarische Gesetz in moderner Form zu verwirklichen. Mein Freiheits- und Gleichheitssinn ist vielleicht solcher mütterlicher Vorlektüre beizumessen. Hätte meine Mutter damals das Leben des Cartuch gelesen, so wäre ich vielleicht ein großer Bankier geworden. Wie oft, als Knabe, versäumte ich die Schule, um auf den schönen Wiesen von Schnabelewops einsam darüber nachzudenken, wie man die ganze Menschheit beglücken könnte. Man hat mich deshalb oft einen Müßiggänger gescholten und als solchen bestraft; und für meine Weltbeglückungsgedanken mußte ich schon damals viel Leid und Not erdulden. Die Gegend um Schnabelewops ist übrigens sehr schön, es fließt dort ein Flüßchen, worin man des Sommers sehr angenehm badet, auch gibt es allerliebste Vogelnester in den Gehölzen des Ufers. Das alte Gnesen, die ehemalige Hauptstadt von Polen, ist nur drei Meilen davon entfernt. Dort im Dom ist der heilige Adalbert begraben. Dort steht sein silberner Sarkophag, und darauf liegt sein eignes Konterfei, in Lebensgröße, mit Bischofsmütze und Krummstab, die Hände fromm gefaltet, und alles von gegossenem Silber. Wie oft muß ich deiner gedenken du silberner Heiliger! Ach, wie oft schleichen meine Gedanken nach Polen zurück, und ich stehe wieder in dem Dome von Gnesen, an den Pfeiler gelehnt, bei dem Grabmal Adalberts! Dann rauscht auch wieder die Orgel, als probiere der Organist ein Stück aus Allegris Miserere; in einer fernen Kapelle wird eine Messe gemurmelt; die letzten Sonnenlichter fallen durch die bunten Fensterscheiben; die Kirche ist leer; nur vor dem silbernen Grabmal des Heiligen liegt eine betende Gestalt, ein wunderholdes Frauenbild, das mir einen raschen Seitenblick zuwirft, aber ebenso rasch sich wieder gegen den Heiligen wendet und mit ihren sehnsüchtig schlauen Lippen die Worte flüstert: »Ich bete dich an!«

In demselben Augenblick, als ich diese Worte hörte, klingelte in der Ferne der Mesner, die Orgel rauschte mit schwellendem Ungestüm, das holde Frauenbild erhob sich von den Stufen des Grabmals, warf ihren weißen Schleier über das errötende Antlitz, und verließ den Dom.

»Ich bete dich an!« Galten diese Worte mir oder dem silbernen Adalbert? Gegen diesen hatte sie sich gewendet, aber nur mit dem Antlitz. Was bedeutete jener Seitenblick, den sie mir vorher zugeworfen und dessen Strahlen sich über meine Seele ergossen, gleich einem langen Lichtstreif, den der Mond über das nächtliche Meer dahingießt, wenn er aus dem Wolkendunkel hervortritt und sich schnell wieder dahinter verbirgt. In meiner Seele, die ebenso düster wie das Meer, weckte jener Lichtstreif alle die Ungetüme, die im tiefen Grunde schliefen, und die tollsten Haifische und Schwertfische der Leidenschaft schossen plötzlich empor, und tummelten sich, und bissen sich vor Wonne in den Schwänzen, und dabei brauste und kreischte immer gewaltiger die Orgel, wie Sturmgetöse auf der Nordsee.

Den anderen Tag verließ ich Polen.

Kapitel II

Meine Mutter packte selbst meinen Koffer; mit jedem Hemde hat sie auch eine gute Lehre hineingepackt. Die Wäscherinnen haben mir späterhin alle diese Hemde mitsamt den guten Lehren vertauscht. Mein Vater war tief bewegt; und er gab mir einen langen Zettel, worin er artikelweis aufgeschrieben, wie ich mich in dieser Welt zu verhalten habe. Der erste Artikel lautete: daß ich jeden Dukaten zehnmal herumdrehen solle, ehe ich ihn ausgäbe. Das befolgte ich auch im Anfang; nachher wurde mir das beständige Herumdrehen viel zu mühsam. Mit jenem Zettel überreichte mir mein Vater auch die dazu gehörigen Dukaten. Dann nahm er eine Schere, schnitt damit das Zöpfchen von seinem lieben Haupte, und gab mir das Zöpfchen zum Andenken. Ich besitze es noch und weine immer wenn ich die gepuderten feinen Härchen betrachte – –

Die Nacht vor meiner Abreise hatte ich folgenden Traum:

Ich ging einsam spazieren in einer heiter schönen Gegend am Meer. Es war Mittag und die Sonne schien auf das Wasser, daß es wie lauter Diamanten funkelte. Hie und da, am Gestade, erhob sich eine große Aloe, die sehnsüchtig ihre grünen Arme nach dem sonnigen Himmel emporstreckte. Dort stand auch eine Trauerweide, mit lang herabhängenden Tressen, die sich jedesmal emporhoben, wenn die Wellen heranspielten, so daß sie alsdann wie eine junge Nixe aussah, die ihre grünen Locken in die Höhe hebt, um besser hören zu können, was die verliebten Luftgeister ihr ins Ohr flüstern. In der Tat, das klang manchmal wie Seufzer und zärtliches Gekose. Das Meer erstrahlte immer blühender und lieblicher, immer wohllautender rauschten die Wellen, und auf den rauschenden glänzenden Wellen schritt einher der silberne Adalbert, ganz wie ich ihn im Gnesener Dome gesehen, den silbernen Krummstab in der silbernen Hand, die silberne Bischofmütze auf dem silbernen Haupte, und er winkte mir mit der Hand und er nickte mir mit dem Haupte, und endlich, als er mir gegenüberstand, rief er mir zu, mit unheimlicher Silberstimme: – – –

Ja, die Worte habe ich wegen des Wellengeräusches nicht hören können. Ich glaube aber mein silberner Nebenbuhler hat

mich verhöhnt. Denn ich stand noch lange am Strande und
weinte, bis die Abenddämmerung heranbrach, und Himmel
und Meer trüb und blaß wurden, und traurig über alle Maßen.
Es stieg die Flut. Aloe und Weide krachten und wurden fort-
geschwemmt von den Wogen, die manchmal hastig zurück-
liefen und desto ungestümer wieder heranschwollen, tosend,
schaurig, in schaumweißen Halbkreisen. Dann aber auch hörte
ich ein taktförmiges Geräusch, wie Ruderschlag, und endlich
sah ich einen Kahn mit der Brandung herantreiben. Vier weiße
Gestalten, fahle Totengesichter, eingehüllt in Leichentüchern,
saßen darin und ruderten mit Anstrengung. In der Mitte des
Kahnes stand ein blasses aber unendlich schönes Frauenbild, unendlich zart, wie geformt aus Liljenduft – und sie sprang ans
Ufer. Der Kahn mit seinen gespenstischen Ruderknechten
schoß pfeilschnell wieder zurück ins hohe Meer, und in meinen
Armen lag Panna Jadviga und weinte und lachte: ich bete dich
an.

Kapitel III

Mein erster Ausflug, als ich Schnabelewops verließ, war nach
Deutschland, und zwar nach Hamburg, wo ich sechs Monat
blieb, statt gleich nach Leiden zu reisen und mich dort nach
dem Wunsche meiner Eltern, dem Studium der Gottesgelahrtheit
zu ergeben. Ich muß gestehen, daß ich während jenes Semesters
mich mehr mit weltlichen Dingen abgab als mit göttlichen.

Die Stadt Hamburg ist eine gute Stadt; lauter solide Häuser.
Hier herrscht nicht der schändliche Macbeth, sondern hier
herrscht Banko. Der Geist Bankos herrscht überall in diesem
kleinen Freistaate, dessen sichtbares Oberhaupt ein hoch- und
wohlweiser Senat. In der Tat, es ist ein Freistaat und hier findet
man die größte politische Freiheit. Die Bürger können hier tun
was sie wollen und der hoch- und wohlweise Senat kann hier
ebenfalls tun was er will; jeder ist hier freier Herr seiner Handlungen. Es ist eine Republik. Hätte Lafayette nicht das Glück
gehabt den Ludwig Philipp zu finden, so würde er gewiß seinen
Franzosen die hamburgischen Senatoren und Oberalten empfohlen haben. Hamburg ist die beste Republik. Seine Sitten

sind englisch und sein Essen ist himmlisch. Wahrlich, es gibt
Gerichte zwischen den Wandrahmen und dem Dreckwall, wovon unsere Philosophen keine Ahnung haben. Die Hamburger
sind gute Leute und essen gut. Über Religion, Politik und Wissenschaft sind ihre respektiven Meinungen sehr verschieden,
aber in Betreff des Essens herrscht das schönste Einverständnis.
Mögen die christlichen Theologen dort noch so sehr streiten
über die Bedeutung des Abendmahls; über die Bedeutung des
Mittagmahls sind sie ganz einig. Mag es unter den Juden dort
eine Partei geben, die das Tischgebet auf deutsch spricht, während eine andere es auf hebräisch absingt; beide Parteien essen
und essen gut und wissen das Essen gleich richtig zu beurteilen.
Die Advokaten, die Bratenwender der Gesetze, die so lange die
Gesetze wenden und anwenden bis ein Braten für sie dabei ab-
fällt, diese mögen noch so sehr streiten: ob die Gerichte öffentlich sein sollen oder nicht; darüber sind sie einig, daß alle Gerichte gut sein müssen, und jeder von ihnen hat sein Leibgericht.
Das Militär denkt gewiß ganz tapfer spartanisch, aber von der
schwarzen Suppe will es doch nichts wissen. Die Ärzte, die in
der Behandlung der Krankheiten so sehr uneinig sind und die
dortige Nationalkrankheit (nämlich Magenbeschwerden), als
Braunianer durch noch größere Portionen Rauchfleisch, oder
als Homöopathen durch $^1/_{10,000}$ Tropfen Absinth in einer großen
Kumpe Mockturtelsuppe zu kurieren pflegen, diese Ärzte sind
ganz einig wenn von dem Geschmacke der Suppe und des
Rauchfleisches selbst die Rede ist. Hamburg ist die Vaterstadt
des letztern, des Rauchfleisches, und rühmt sich dessen, wie
Mainz sich seines Johann Fausts und Eisleben sich seines Luthers
zu rühmen pflegt. Aber was bedeutet die Buchdruckerei und
die Reformation in Vergleichung mit Rauchfleisch? Ob beide
ersteren genutzt oder geschadet, darüber streiten zwei Parteien
in Deutschland; aber sogar unsere eifrigsten Jesuiten sind einge-
ständig, daß das Rauchfleisch eine gute, für den Menschen heil-
same Erfindung ist.

Hamburg ist erbaut von Karl dem Großen und wird bewohnt
von 80,000 kleinen Leuten, die alle mit Karl dem Großen, der
in Aachen begraben liegt, nicht tauschen würden. Vielleicht
beträgt die Bevölkerung von Hamburg gegen 100,000; ich weiß

es nicht genau, obgleich ich ganze Tage lang auf den Straßen ging um mir dort die Menschen zu betrachten. Auch habe ich gewiß manchen Mann übersehen, indem die Frauen meine besondere Aufmerksamkeit in Anspruch nahmen. Letztere fand ich durchaus nicht mager, sondern meistens sogar korpulent, mitunter reizend schön, und im Durchschnitt, von einer gewissen wohlhabenden Sinnlichkeit, die mir bei Leibe! nicht mißfiel. Wenn sie in der romantischen Liebe sich nicht allzuschwärmerisch zeigen und von der großen Leidenschaft des Herzens wenig ahnen: so ist das nicht ihre Schuld, sondern die Schuld Amors, des kleinen Gottes, der manchmal die schärfsten Liebespfeile auf seinen Bogen legt, aber aus Schalkheit oder Ungeschick viel zu tief schießt, und statt des Herzens der Hamburgerinnen nur ihren Magen zu treffen pflegt. Was die Männer betrifft, so sah ich meistens untersetzte Gestalten, verständige kalte Augen, kurze Stirn, nachlässig herabhängende, rote Wangen, die Eßwerkzeuge besonders ausgebildet, der Hut wie festgenagelt auf dem Kopfe, und die Hände in beiden Hosentaschen, wie einer der eben fragen will: was hab ich zu bezahlen?

Zu den Merkwürdigkeiten der Stadt gehören: 1) Das alte Rathaus, wo die großen Hamburger Bankiers, aus Stein gemeißelt und mit Zepter und Reichsapfel in Händen, abkonterfeit stehen. 2) Die Börse, wo sich täglich die Söhne Hammonias versammeln, wie einst die Römer auf dem Forum, und wo über ihren Häuptern eine schwarze Ehrentafel hängt mit den Namen ausgezeichneter Mitbürger. 3) Die schöne Marianne, ein außerordentlich schönes Frauenzimmer, woran der Zahn der Zeit schon seit zwanzig Jahren kaut – nebenbei gesagt, »der Zahn der Zeit« ist eine schlechte Metapher, denn sie ist so alt, daß sie gewiß keine Zähne mehr hat, nämlich die Zeit – die schöne Marianne hat vielmehr jetzt noch alle ihre Zähne und noch immer Haare darauf, nämlich auf den Zähnen. 4) Die ehemalige Zentralkassa. 5) Altona. 6) Die Originalmanuskripte von Marrs Tragödien. 7) Der Eigentümer des Rödingschen Kabinetts. 8) Die Börsenhalle. 9) Die Bacchushalle, und endlich 10) das Stadttheater. Letzteres verdient besonders gepriesen zu werden, seine Mitglieder sind lauter gute Bürger, ehrsame Hausväter, die sich nicht verstellen können und niemanden täuschen, Männer die das Theater zum Gotteshause machen, indem sie den Unglücklichen, der an der Menschheit verzweifelt, aufs wirksamste überzeugen, daß nicht alles in der Welt eitel Heuchelei und Verstellung ist.

Bei Aufzählung der Merkwürdigkeiten der Republik Hamburg kann ich nicht umhin zu erwähnen, daß, zu meiner Zeit, der Apollosaal auf der Drehbahn sehr brillant war. Jetzt ist er sehr heruntergekommen, und es werden dort philharmonische Konzerte gegeben, Taschenspielerkünste gezeigt und Naturforscher gefüttert. Einst war es anders! Es schmetterten die Trompeten, es wirbelten die Pauken, es flatterten die Straußfedern, und Heloise und Minka rannten durch die Reihen der Oginskipolonäse, und alles war sehr anständig. Schöne Zeit, wo mir das Glück lächelte! Und das Glück hieß Heloise! Es war ein süßes, liebes, beglückendes Glück mit Rosenwangen, Liliennäschen, heißduftigen Nelkenlippen, Augen wie der blaue Bergsee, aber etwas Dummheit lag auf der Stirne, wie ein trüber Wolkenflor über einer prangenden Frühlingslandschaft. Sie war schlank wie eine Pappel und lebhaft wie ein Vogel, und ihre Haut war so zart, daß sie zwölf Tage geschwollen blieb durch den Stich einer Haarnadel. Ihr Schmollen, als ich sie gestochen hatte, dauerte aber nur zwölf Sekunden, und dann lächelte sie – schöne Zeit, als das Glück mir lächelte! Minka lächelte seltener, denn sie hatte keine schöne Zähne. Desto schöner aber waren ihre Tränen, wenn sie weinte, und sie weinte bei jedem fremden Unglück und sie war wohltätig über alle Begriffe. Den Armen gab sie ihren letzten Schilling; sie war sogar oft in der Lage wo sie ihr letztes Hemd weggab, wenn man es verlangte. Sie war so seelengut. Sie konnte nichts abschlagen, ausgenommen ihr Wasser. Dieser weiche, nachgiebige Charakter kontrastierte gar lieblich mit ihrer äußeren Erscheinung. Eine kühne, junonische Gestalt; weißer frecher Nacken, umringelt von wilden schwarzen Locken, wie von wollüstigen Schlangen; Augen, die unter ihren düsteren Siegesbogen so weltbeherrschend strahlten; purpurstolze, hochgewölbte Lippen; marmorne, gebietende Hände, worauf leider einige Sommersprossen; auch hatte sie, in der Form eines kleinen Dolchs, ein braunes Muttermal an der linken Hüfte.

Wenn ich dich in sogenannte schlechte Gesellschaft gebracht, lieber Leser, so tröste dich damit, daß sie dir wenigstens nicht so viel gekostet wie mir. Doch wird es später in diesem Buche nicht an idealischen Frauenspersonen fehlen, und schon jetzt will ich dir, zur Erholung, zwei Anstandsdamen vorführen, die ich damals kennen und verehren lernte. Es ist Madame Pieper und Madame Schnieper. Erstere war eine schöne Frau in ihren reifsten Jahren, große schwärzliche Augen, eine große weiße Stirne, schwarze falsche Locken, eine kühne altrömische Nase, und ein Maul das eine Guillotine war für jeden guten Namen. In der Tat, für einen guten Namen gab es keine leichtere Hinrichtungsmaschine als Madame Piepers Maul; sie ließ ihn nicht lange zappeln, sie machte keine langwichtige Vorbereitungen; war der beste gute Name zwischen ihre Zähne geraten, so lächelte sie nur – aber dieses Lächeln war wie ein Fallbeil, und die Ehre war abgeschnitten und fiel in den Sack. Sie war immer ein Muster von Anstand, Ehrsamkeit, Frömmigkeit und Tugend. Von Madame Schnieper ließ sich dasselbe rühmen. Es war eine zarte Frau, kleine ängstliche Brüste, gewöhnlich mit einem wehmütig dünnen Flor umgeben, hellblonde Haare, hellblaue Augen, die entsetzlich klug hervorstachen aus dem weißen Gesichte. Es hieß man könne ihren Tritt nie hören, und wirklich, ehe man sich dessen versah, stand sie oft neben einem, und verschwand dann wieder ebenso geräuschlos. Ihr Lächeln war ebenfalls tödlich für jeden guten Namen, aber minder wie ein Beil, als vielmehr wie jener afrikanische Giftwind, von dessen Hauch schon alle Blumen verwelken; elendiglich verwelken mußte jeder gute Namen, über den sie nur leise hinlächelte. Sie war immer ein Muster von Anstand, Ehrsamkeit, Frömmigkeit und Tugend.

Ich würde nicht ermangeln mehre von den Söhnen Hammonias ebenfalls hervorzuloben und einige Männer, die man ganz besonders hochschätzt – namentlich diejenigen, welche man auf einige Millionen Mark Banko zu schätzen pflegt – aufs prächtigste zu rühmen; aber ich will in diesem Augenblick meinen Enthusiasmus unterdrücken, damit er späterhin in desto helleren Flammen emporlodere. Ich habe nämlich nichts Geringeres im Sinn, als einen Ehrentempel Hamburgs herauszugeben, ganz nach demselben Plane, welchen schon vor zehn Jahren ein berühmter Schriftsteller entworfen hat, der in dieser Absicht jeden Hamburger aufforderte, ihm ein spezifiziertes Inventarium seiner speziellen Tugenden, nebst einem Speziestaler, aufs schleunigste einzusenden. Ich habe nie recht erfahren können, warum dieser Ehrentempel nicht zur Ausführung kam; denn die einen sagten, der Unternehmer, der Ehrenmann, sei, als er kaum von Aaron bis Abendrot gekommen und gleichsam die ersten Klötze eingerannt, von der Last des Materials schon ganz erdrückt worden; die anderen sagten, der hoch- und wohlweise Senat habe aus allzugroßer Bescheidenheit das Projekt hintertrieben, indem er dem Baumeister seines eignen Ehrentempels plötzlich die Weisung gab, binnen vierundzwanzig Stunden das hamburgische Gebiet mit allen seinen Tugenden zu verlassen. Aber gleichviel aus welchem Grunde, das Werk ist nicht zu Stande gekommen; und da ich ja doch einmal, aus angeborener Neigung, etwas Großes tun wollte in dieser Welt und immer gestrebt habe das Unmögliche zu leisten: so habe ich jenes ungeheure Projekt wieder aufgefaßt und ich liefere einen Ehrentempel Hamburgs, ein unsterbliches Riesenbuch, worin ich die Herrlichkeit aller seiner Einwohner ohne Ausnahme beschreibe, worin ich edle Züge von geheimer Mildtätigkeit mitteile, die noch gar nicht in der Zeitung gestanden, worin ich Großtaten erzähle, die keiner glauben wird, und worin mein eignes Bildnis, wie ich auf dem Jungfernsteg vor dem Schweizerpavillon sitze und über Hamburgs Verherrlichung nachdenke, als Vignette paradieren soll.

Kapitel IV

Für Leser denen die Stadt Hamburg nicht bekannt ist – und es gibt deren vielleicht in China und Oberbayern – für diese muß ich bemerken: daß der schönste Spaziergang der Söhne und Töchter Hammonias den rechtmäßigen Namen Jungfernsteg führt; daß er aus einer Lindenallee besteht, die auf der einen Seite von einer Reihe Häuser, auf der anderen Seite von dem großen Alsterbassin begrenzt wird; und daß vor letzterem, ins

Wasser hineingebaut, zwei zeltartige lustige Kaffeehäuslein stehen, die man Pavillons nennt. Besonders vor dem einem, dem sogenannten Schweizerpavillon, läßt sich gut sitzen wenn es Sommer ist und die Nachmittagssonne nicht zu wild glüht, sondern nur heiter lächelt und mit ihrem Glanze die Linden, die Häuser, die Menschen, die Alster und die Schwäne, die sich darauf wiegen, fast märchenhaft lieblich übergießt. Da läßt sich gut sitzen, und da saß ich gut, gar manchen Sommernachmittag, und dachte, was ein junger Mensch zu denken pflegt, nämlich gar nichts, und betrachtete, was ein junger Mensch zu betrachten pflegt, nämlich die jungen Mädchen, die vorübergingen – und da flatterten sie vorüber jene holden Wesen mit ihren geflügelten Häubchen und ihren verdeckten Körbchen, worin nichts enthalten ist – da trippelten sie dahin, die bunten Vierlanderinnen, die ganz Hamburg mit Erdbeeren und eigener Milch versehen, und deren Röcke noch immer viel zu lang sind – da stolzierten die schönen Kaufmannstöchter, mit deren Liebe man auch so viel bares Geld bekömmt – da hüpft eine Amme, auf den Armen ein rosiges Knäbchen, das sie beständig küßt, während sie an ihren Geliebten denkt – da wandeln Priesterinnen der schaumentstiegenen Göttin, hanseatische Vestalen, Dianen die auf die Jagd gehn, Najaden, Dryaden, Hamadryaden und sonstige Predigerstöchter – ach! da wandelt auch Minka und Heloisa! Wie oft saß ich vor dem Pavillon und sah sie vorüberwandeln in ihren rosagestreiften Roben – die Elle kostet 4 Mark und 3 Schilling und Herr Seligmann hat mir versichert, die Rosastreifen würden im Waschen die Farbe behalten – Prächtige Dirnen! riefen dann die tugendhaften Jünglinge, die neben mir saßen – Ich erinnere mich, ein großer Assekuradeur, der immer wie ein Pfingstochs geputzt ging, sagte einst: die eine möcht ich mir mal als Frühstück und die andere als Abendbrot zu Gemüte führen, und ich würde an solchem Tage gar nicht zu Mittag speisen – Sie ist ein Engel! sagte einst ein Seekapitän ganz laut, so daß sich beide Mädchen zu gleicher Zeit umsahen, und sich dann einander eifersüchtig anblickten – Ich selber sagte nie etwas, und ich dachte meine süßesten Garnichtsgedanken, und betrachtete die Mädchen, und den heiter sanften Himmel, und den langen Petriturm mit der schlanken

Taille, und die stille blaue Alster, worauf die Schwäne so stolz und so lieblich und so sicher umherschwammen. Die Schwäne! Stundenlang konnte ich sie betrachten, diese holden Geschöpfe mit ihren sanften langen Hälsen, wie sie sich üppig auf den weichen Fluten wiegten, wie sie zuweilen selig untertauchten und wieder auftauchten und übermütig plätscherten, bis der Himmel dunkelte, und die goldenen Sterne hervortraten, verlangend, verheißend, wunderbar zärtlich, verklärt. Die Sterne! Sind es goldne Blumen am bräutlichen Busen des Himmels? Sind es verliebte Engelsaugen, die sich sehnsüchtig spiegeln in den blauen Gewässern der Erde und mit den Schwänen buhlen?

– – – Ach! das ist nun lange her. Ich war damals jung und törigt. Jetzt bin ich alt und törigt. Manche Blume ist unterdessen verwelkt und manche sogar zertreten worden. Manches seidne Kleid ist unterdessen zerrissen, und sogar der rosagestreifte Kattun des Herren Seligmann hat unterdessen die Farbe verloren. Er selbst aber ist ebenfalls verblichen – die Firma ist jetzt »Seligmanns selige Witwe« – und Heloisa, das sanfte Wesen, das geschaffen schien nur auf weichbeblümte indische Teppiche zu wandeln und mit Pfauenfedern gefächelt zu werden, sie ging unter in Matrosenlärm, Punsch, Tabaksrauch und schlechter Musik. Als ich Minka wiedersah – sie nannte sich jetzt Kathinka und wohnte zwischen Hamburg und Altona – da sah sie aus wie der Tempel Salomonis als ihn Nebukadnezar zerstört hatte und roch nach assyrischem Knaster – und als sie mir Heloisas Tod erzählte, weinte sie bitterlich und riß sich verzweiflungsvoll die Haare aus, und wurde schier ohnmächtig, und mußte ein großes Glas Branntewein austrinken, um zur Besinnung zu kommen.

Und die Stadt selbst, wie war sie verändert! Und der Jungfernsteg! Der Schnee lag auf den Dächern und es schien als hätten sogar die Häuser gealtert und weiße Haare bekommen. Die Linden des Jungfernstegs waren nur tote Bäume mit dürren Ästen, die sich gespenstisch im kalten Winde bewegten. Der Himmel war schneidend blau und dunkelte hastig. Es war Sonntag, fünf Uhr, die allgemeine Fütterungsstunde, und die Wagen rollten, Herren und Damen stiegen aus, mit einem gefrorenen Lächeln auf den hungrigen Lippen – Entsetzlich! in diesem

Augenblick durchschauerte mich die schreckliche Bemerkung, daß ein unergründlicher Blödsinn auf allen diesen Gesichtern lag, und daß alle Menschen die eben vorbeigingen in einem wunderbaren Wahnwitz befangen schienen. Ich hatte sie schon vor zwölf Jahren, um dieselbe Stunde, mit denselben Mienen, wie die Puppen einer Rathausuhr, in derselben Bewegung gesehen, und sie hatten seitdem ununterbrochen in derselben Weise gerechnet, die Börse besucht, sich einander eingeladen, die Kinnbacken bewegt, ihre Trinkgelder bezahlt, und wieder gerechnet: zweimal zwei ist vier – Entsetzlich! rief ich, wenn einem von diesen Leuten, während er auf dem Contoirbock säße, plötzlich einfiele, daß zweimal zwei eigentlich fünf sei, und daß er also sein ganzes Leben verrechnet und sein ganzes Leben in einem schauderhaften Irrtum vergeudet habe! Auf einmal aber ergriff mich selbst ein närrischer Wahnsinn, und als ich die vorüberwandlende Menschen genauer betrachtete, kam es mir vor als seien sie selber nichts anders als Zahlen, als arabische Chiffern; und da ging eine krummfüßige Zwei neben einer fatalen Drei, ihrer schwangeren und vollbusigen Frau Gemahlin; dahinter ging Herr Vier auf Krücken; einherwatschelnd kam eine fatale Fünf, rundbäuchig mit kleinem Köpfchen; dann kam eine wohlbekannte kleine Sechse und eine noch wohlbekanntere böse Sieben – doch als ich die unglückliche Acht, wie sie vorüberschwankte ganz genau betrachtete, erkannte ich den Assekuradeur der sonst wie ein Pfingstochs geputzt ging, jetzt aber wie die magerste von Pharaos mageren Kühen aussah – blasse hohle Wangen, wie ein leerer Suppenteller, kaltrote Nase wie eine Winterrose, abgeschabter schwarzer Rock der einen kümmerlich weißen Widerschein gab, ein Hut worin Saturn mit der Sense einige Luftlöcher geschnitten, doch die Stiefel noch immer spiegelblank gewichst – und er schien nicht mehr daran zu denken, Heloisa und Minka als Frühstück und Abendbrot zu verzehren, er schien sich vielmehr nach einem Mittagessen von gewöhnlichem Rindfleisch zu sehnen. Unter den vorüberrollenden Nullen erkannte ich noch manchen alten Bekannten. Diese und die anderen Zahlenmenschen rollten vorüber, hastig und hungrig, während unfern, längst den Häusern des Jungfernstegs, noch grauenhafter drollig, ein Leichenzug sich hinbewegte. Ein trübsinniger Mummenschanz! hinter den Trauerwagen, einherstelzend auf ihren dünnen schwarzseidenen Beinchen, gleich Marionetten des Todes, gingen die wohlbekannten Ratsdiener, privilegierte Leidtragende in parodiert altburgundischem Kostüm; kurze schwarze Mäntel und schwarze Pluderhosen, weiße Perücken und weiße Halsbergen, wozwischen die roten bezahlten Gesichter gar possenhaft hervorgucken, kurze Stahldegen an den Hüften, unterm Arm ein grüner Regenschirm.

Aber noch unheimlicher und verwirrender als diese Bilder, die sich, wie ein chinesisches Schattenspiel, schweigend vorbeibewegten, waren die Töne, die von einer anderen Seite in mein Ohr drangen. Es waren heisere, schnarrende, metallose Töne, ein unsinniges Kreischen, ein ängstliches Plätschern und verzweifelndes Schlürfen, ein Keichen und Schollern, ein Stöhnen und Ächzen, ein unbeschreibbar eiskalter Schmerzlaut. Das Bassin der Alster war zugefroren, nur nahe am Ufer war ein großes breites Viereck in der Eisdecke ausgehauen, und die entsetzlichen Töne, die ich eben vernommen, kamen aus den Kehlen der armen weißen Geschöpfe, die darin herumschwammen und in entsetzlicher Todesangst schrieen, und ach! es waren dieselben Schwäne, die einst so weich und heiter meine Seele bewegten. Ach! die schönen weißen Schwäne, man hatte ihnen die Flügel gebrochen, damit sie im Herbst nicht auswandern konnten, nach dem warmen Süden, und jetzt hielt der Norden sie festgebannt in seinen dunkeln Eisgruben – und der Markeur des Pavillons meinte, sie befänden sich wohl darin und die Kälte sei ihnen gesund. Das ist aber nicht wahr, es ist einem nicht wohl, wenn man ohnmächtig in einem kalten Pfuhl eingekerkert ist, fast eingefroren, und einem die Flügel gebrochen sind, und man nicht fortfliegen kann nach dem schönen Süden, wo die schönen Blumen, wo die goldnen Sonnenlichter, wo die blauen Bergseen – Ach! auch mir erging es einst nicht viel besser, und ich verstand die Qual dieser armen Schwäne; und als es gar immer dunkler wurde, und die Sterne oben hell hervortraten, dieselben Sterne die einst, in schönen Sommernächten, so liebeheiß mit den Schwänen gebuhlt, jetzt aber so winterkalt, so frostig klar und fast verhöhnend auf sie herabblickten – wohl begriff ich jetzt, daß die Sterne keine liebende mitfühlende Wesen sind, sondern nur glänzende Täuschungen der Nacht, ewige Trugbilder in einem erträumten Himmel, goldne Lügen im dunkelblauen Nichts – – –

Kapitel V

Während ich das vorige Kapitel hinschrieb, dacht ich unwillkürlich an ganz etwas anders. Ein altes Lied summte mir beständig im Gedächtnis, und Bilder und Gedanken verwirrten sich aufs unleidlichste; ich mag wollen oder nicht, ich muß von jenem Liede sprechen. Vielleicht auch gehört es hierher und es drängt sich mit Recht in mein Geschreibsel hinein. Ja, ich fange jetzt sogar an es zu verstehen, und ich verstehe jetzt auch den verdüsterten Ton, womit der Claas Hinrichson es sang; er war ein Jütländer und diente bei uns als Pferdeknecht. Er sang es noch den Abend vorher ehe er sich in unserem Stall erhenkte. Bei dem Refrain »Schau dich um, Herr Vonved!« lachte er manchmal gar bitterlich; die Pferde wieherten dabei sehr angstvoll und der Hofhund bellte, als stürbe jemand. Es ist das altdänische Lied von dem Herrn Vonved, der in die Welt ausreitet und sich so lange darin herumschlägt bis man seine Fragen beantwortet, und der endlich, wenn alle seine Rätsel gelöst sind, gar verdrießlich nach Hause reitet. Die Harfe klingt von Anfang bis zu Ende. Was sang er im Anfang? was sang er am Ende? Ich hab oft drüber nachgedacht. Claas Hinrichsons Stimme war manchmal tränenweich wenn er das Lied anfing und wurde allmählig rauh und grollend, wie das Meer wenn ein Sturm heranzieht. Es beginnt:

> Herr Vonved sitzt im Kämmerlein,
> Er schlägt die Goldharf an so rein,
> Er schlägt die Goldharf unterm Kleid,
> Da kommt seine Mutter gegangen herein.
>   Schau dich um, Herr Vonved!

Das war seine Mutter Adelin, die Königin, die spricht zu ihm: Mein junger Sohn, laß andere die Harfe spielen, gürt um das

Schwert, besteige dein Roß, reit aus, versuche deinen Mut,
kämpfe und ringe, schau dich um in der Welt, schau dich um,
Herr Vonved! Und

> Herr Vonved bindet sein Schwert an die Seite,
> Ihn lüstet mit Kämpfern zu streiten;
> So wunderlich ist seine Fahrt:
> Gar keinen Mann er drauf gewahrt.
> Schau dich um, Herr Vonved!

> Sein Helm war blinkend,
> Sein Sporn war klingend,
> Sein Roß war springend,
> Selbst war der Herr so schwingend.
> Schau dich um, Herr Vonved!

> Ritt einen Tag, ritt drei darnach,
> Doch nimmer eine Stadt er sah;
> Eia, sagte der junge Mann,
> Ist keine Stadt in diesem Land?
> Schau dich um, Herr Vonved!

> Er ritt wohl auf dem Weg dahin,
> Herr Thule Vang begegnet ihm;
> Herr Thule mit seinen zwölf Söhnen zumal,
> Die waren gute Ritter all.
> Schau dich um, Herr Vonved!

> Mein jüngster Sohn, hör du mein Wort:
> Den Harnisch tausch mit mir sofort,
> Unter uns tauschen wir das Panzerkleid,
> Eh wir schlagen diesen Helden frei.
> Schau dich um, Herr Vonved!

> Herr Vonved reißt sein Schwert von der Seite,
> Es lüstet ihn mit Kämpfern zu streiten:
> Erst schlägt er den Herren Thule selbst,
> Darnach all seine Söhne zwölf.
> Schau dich um, Herr Vonved!

Herr Vonved bindet sein Schwert an die Seite, es lüstet ihn
weiter auszureiten. Da kommt er zu dem Weidmann und verlangt von ihm die Hälfte seiner Jagdbeute; der aber will nicht
teilen und muß mit ihm kämpfen und wird erschlagen. Und

> Herr Vonved bindet sein Schwert an die Seite,
> Ihn lüstet weiter auszureiten;
> Zum großen Berge der Held hinreit't,
> Sieht wie der Hirte das Vieh da treibt.
> Schau dich um, Herr Vonved!

> Und hör du, Hirte, sag du mir:
> Wes ist das Vieh, das du treibst vor dir?
> Und was ist runder als ein Rad?
> Wo wird getrunken fröhliche Weihnacht?
> Schau dich um, Herr Vonved!

> Sag: wo steht der Fisch in der Flut?
> Und wo ist der rote Vogel gut?
> Wo mischet man den besten Wein?
> Wo trinkt Vidrich mit den Kämpfern sein?
> Schau dich um, Herr Vonved!

> Da saß der Hirt, so still sein Mund,
> Davon er gar nichts sagen kunnt.
> Er schlug nach ihm mit der Zunge,
> Da fiel heraus Leber und Lunge.
> Schau dich um, Herr Vonved!

Und er kommt zu einer anderen Herde und da sitzt wieder
ein Hirt an den er seine Fragen richtet. Dieser aber gibt ihm
Bescheid und Herr Vonved nimmt einen Goldring und steckt
ihn dem Hirten an den Arm. Dann reitet er weiter und kommt
zu Tyge Nold und erschlägt ihn mitsamt seinen zwölf Söhnen.
Und wieder

> Er warf herum sein Pferd,
> Herr Vonved, der junge Edelherr;
> Er tät über Berg und Tale dringen,
> Doch konnt er niemand zur Rede bringen.
> Schau dich um, Herr Vonved!

So kam er zu der dritten Schar.
Da saß ein Hirt mit silbernem Haar:
Hör du, guter Hirte mit deiner Herd,
Du gibst mir gewißlich Antwort wert.
   Schau dich um, Herr Vonved!

Was ist runder als ein Rad?
Wo wird getrunken die beste Weihnacht?
Wo geht die Sonne zu ihrem Sitz?
Und wo ruhn eines toten Mannes Füß?
   Schau dich um, Herr Vonved!

Was füllet aus alle Tale?
Was kleidet am besten im Königssaale?
Was ruft lauter als der Kranich kann?
Und was ist weißer als ein Schwan?
   Schau dich um, Herr Vonved!

Wer trägt den Bart auf seinem Rück?
Wer trägt die Nas unter seinem Kinn?
Als ein Riegel, was ist schwärzer noch mehr?
Und was ist rascher als ein Reh?
   Schau dich um, Herr Vonved!

Wo ist die allerbreiteste Brück?
Was ist am meisten zuwider der Menschen Blick?
Wo wird gefunden der höchste Gang?
Wo wird getrunken der kälteste Trank?
   Schau dich um, Herr Vonved!

»Die Sonn ist runder als ein Rad,
Im Himmel begeht man die fröhliche Weihnacht,
Gen Westen geht die Sonne zu ihrem Sitz.
Gen Osten ruhn eines toten Mannes Füß.«
   Schau dich um, Herr Vonved!

»Der Schnee füllt aus alle Tale,
Am herrlichsten kleidet der Mut im Saale,
Der Donner ruft lauter als der Kranich kann,
Und Engel sind weißer als der Schwan.«
   Schau dich um, Herr Vonved!

»Der Kiebitz trägt den Bart in dem Nacken sein,
Der Bär hat die Nas unterm Kinn allein,
Die Sünde schwärzer ist als ein Riegel noch mehr,
Und der Gedanke rascher als ein Reh.«
    Schau dich um, Herr Vonved!

»Das Eis macht die allerbreiteste Brück,
Die Kröt ist am meisten zuwider des Menschen Blick,
Zum Paradies geht der höchste Gang,
Da unten, da trinkt man den kältesten Trank.«
    Schau dich um, Herr Vonved!

»Weisen Spruch und Rat hast du nun hier,
So wie ich ihn habe gegeben dir.«
Nun hab ich so gutes Vertrauen auf dich,
Viel Kämpfer zu finden bescheidest du mich.
    Schau dich um, Herr Vonved!

»Ich weis dich zu der Sonderburg,
Da trinken die Helden den Met ohne Sorg,
Dort findest du viel Kämpfer und Rittersleut,
Die können viel gut sich wehren im Streit.«
    Schau dich um, Herr Vonved!

Er zog einen Goldring von der Hand,
Der wog wohl fünfzehn goldne Pfund;
Den tät er dem alten Hirten reichen,
Weil er ihm durft die Helden anzeigen.
    Schau dich um, Herr Vonved!

Und er reitet ein in die Burg und er erschlägt zuerst den Ran-
dulf, hernach den Strandulf,

    Er schlug den starken Ege Under,
    Er schlug den Ege Karl seinen Bruder,
    So schlug er in die Kreuz und Quer,
    Er schlug die Feinde vor sich her.
      Schau dich um, Herr Vonved!

Herr Vonved steckt sein Schwert in die Scheide,
Er denkt noch weiter fort zu reiten.

Er findet da in der wilden Mark
Einen Kämpfer und der war viel stark.
    Schau dich um, Herr Vonved!

Sag mir, du edler Ritter gut,
Wo steht der Fisch in der Flut?
Wo wird geschenkt der beste Wein?
Und wo trinkt Vidrich mit den Kämpfern sein?
    Schau dich um, Herr Vonved!

»In Osten steht der Fisch in der Flut,
In Norden wird getrunken der Wein so gut,
In Halland findst du Vidrich daheim
Mit Kämpfern und vielen Gesellen sein.«
    Schau dich um, Herr Vonved!

Von der Brust Vonved einen Goldring nahm,
Den steckt er dem Kämpfer an seinen Arm:
Sag, du wärst der letzte Mann,
Der Gold vom Herr Vonved gewann.
    Schau dich um, Herr Vonved!

Herr Vonved vor die hohe Zinne tät reiten,
Bat die Wächter ihn hineinzuleiten;
Als aber keiner heraus zu ihm ging,
Da sprang er über die Mauer dahin.
    Schau dich um, Herr Vonved!

Sein Roß an einen Strick er band,
Darauf er sich zur Burgstube gewandt;
Er setzte sich oben an die Tafel sofort,
Dazu sprach er kein einziges Wort.
    Schau dich um, Herr Vonved!

Er aß, er trank, nahm Speise sich,
Den König fragt er darum nicht;
Gar nimmer bin ich ausgefahren,
Wo so viel verfluchte Zungen waren.
    Schau dich um, Herr Vonved!

Der König sprach zu den Kämpfern sein:
»Der tolle Gesell muß gebunden sein:
Bindet Ihr den fremden Gast nicht fest,
So dienet Ihr mir nicht aufs best.«
     Schau dich um, Herr Vonved!

Nimm du fünf, nimm du zwanzig auch dazu
Und komm zum Spiel du selbst herzu:
Ein Huren-Sohn, so nenn ich dich,
Außer, du bindest mich.
     Schau dich um, Herr Vonved!

König Esmer, mein lieber Vater,
Und stolz Adelin, meine Mutter,
Haben mir gegeben das strenge Verbot,
Mit 'nem Schalk nicht zu verzehren mein Gold.
     Schau dich um, Herr Vonved!

»War Esmer der König dein Vater,
Und Frau Adelin deine liebe Mutter,
So bist du Herr Vonved, ein Kämpfer schön,
Dazu meiner liebsten Schwester Sohn.«
     Schau dich um, Herr Vonved!

»Herr Vonved, willst du bleiben bei mir,
Beides Ruhm und Ehre soll werden dir,
Und willst du zu Land ausfahren,
Meine Ritter sollen dich bewahren.«
     Schau dich um, Herr Vonved!

»Mein Gold soll werden für dich gespart,
Wenn du willst halten deine Heimfahrt.«
Doch das zu tun lüstet ihn nicht,
Er wollt fahren zu seiner Mutter zurück.
     Schau dich um, Herr Vonved!

Herr Vonved ritt auf dem Weg dahin,
Er war so gram in seinem Sinn;
Und als er zur Burg geritten kam,

Da standen zwölf Zauberweiber daran.
  Schau dich um, Herr Vonved!

Standen mit Rocken und Spindeln vor ihm,
Schlugen ihn übers weiße Schienbein hin;
Herr Vonved mit seinem Roß herumdringt,
Die zwölf Zauberweiber schlägt er in einen Ring.
  Schau dich um, Herr Vonved!

Schlägt die Zauberweiber, die stehen da,
Sie finden bei ihm so kleinen Rat.
Seine Mutter genießt dasselbe Glück,
Er haut sie in fünftausend Stück.
  Schau dich um, Herr Vonved!

So geht er in den Saal hinein,
Er ißt, und trinkt den klaren Wein,
Dann schlägt er die Goldharfe so lang,
Daß springen entzwei alle die Strang.
  Schau dich um, Herr Vonved!

Kapitel VI

Es war aber ein gar lieblicher Frühlingstag, als ich zum erstenmal die Stadt Hamburg verlassen. Noch sehe ich wie im Hafen die goldnen Sonnenlichter auf die beteerten Schiffsbäuche spielen, und ich höre noch das heitre langhingesungene Hoiho! der Matrosen. So ein Hafen im Frühling hat überdies die freundlichste Ähnlichkeit mit dem Gemüt eines Jünglings, der zum erstenmal in die Welt geht, sich zum erstenmal auf die hohe See des Lebens hinauswagt – noch sind alle seine Gedanken buntbewimpelt, Übermut schwellt alle Segel seiner Wünsche, Hoiho! – aber bald erheben sich die Stürme, der Horizont verdüstert sich, die Windsbraut heult, die Planken krachen, die Wellen zerbrechen das Steuer, und das arme Schiff zerschellt an romantischen Klippen oder strandet auf seicht-prosaischem Sand – oder vielleicht morsch und gebrochen, mit gekapptem

Mast, ohne ein einziges Anker der Hoffnung, gelangt es wieder
heim in den alten Hafen, und vermodert dort, abgetakelt kläglich, als ein elendes Wrack!

Aber es gibt auch Menschen, die nicht mit gewöhnlichen
Schiffen verglichen werden dürfen, sondern mit Dampfschif-
fen. Diese tragen ein dunkles Feuer in der Brust und sie fahren
gegen Wind und Wetter – Ihre Rauchflagge flattert wie der
schwarze Federbusch des nächtlichen Reuters, ihre Zackenräder
sind wie kolossale Pfundsporen, womit sie das Meer in die
Wellenrippen stacheln, und das widerspenstisch schäumende
Element muß ihrem Willen gehorchen, wie ein Roß – aber sehr
oft platzt der Kessel, und der innere Brand verzehrt uns.

Doch ich will mich aus der Metapher wieder herausziehn
und auf ein wirkliches Schiff setzen, welches von Hamburg
nach Amsterdam fährt. Es war ein schwedisches Fahrzeug,
hatte außer den Helden dieser Blätter auch Eisenbarren geladen,
und sollte wahrscheinlich als Rückfracht eine Ladung Stock-
fische nach Hamburg, oder Eulen nach Athen bringen.

Die Ufergegenden der Elbe sind wunderlieblich. Besonders
hinter Altona, bei Rainville. Unfern liegt Klopstock begraben.
Ich kenne keine Gegend wo ein toter Dichter so gut begraben
liegen kann wie dort. Als lebendiger Dichter dort zu leben, ist
schon weit schwerer. Wie oft hab ich dein Grab besucht, Sänger des Messias, der du so rührend wahr die Leiden Jesu besungen! Du hast aber auch lang genug auf der Königstraße hinter
dem Jungfernsteg gewohnt, um zu wissen, wie Propheten gekreuzigt werden.

Den zweiten Tag gelangten wir nach Kuxhaven, welches
eine hamburgische Kolonie. Die Einwohner sind Untertanen
der Republik und haben es sehr gut. Wenn sie im Winter frieren werden ihnen aus Hamburg wollene Decken geschickt, und
in allzuheißen Sommertagen schickt man ihnen auch Limonade.
Als Prokonsul residiert dort ein hoch- und wohlweiser Senator.
Er hat jährlich ein Einkommen von 20,000 Mark und regiert
über 5000 Seelen. Es ist dort auch ein Seebad, welches vor anderen Seebädern den Vorteil bietet, daß es zu gleicher Zeit ein
Elbbad ist. Ein großer Damm, worauf man spazieren gehn
kann, führt nach Ritzebüttel, welches ebenfalls zu Kuxhaven

gehört. Das Wort kommt aus dem Phönizischen; die Worte »Ritze« und »Büttel« heißen auf phönizisch: Mündung der Elbe. Manche Historiker behaupten, Karl der Große habe Hamburg nur erweitert, die Phönizier aber hätten Hamburg und Altona gegründet und zwar zu derselben Zeit als Sodom und Gomorra zu Grunde gingen. Vielleicht haben sich Flüchtlinge aus diesen Städten nach der Mündung der Elbe gerettet. Man hat zwischen der Fuhlentwiete und der Kaffemacherei einige alte Münzen ausgegraben, die noch unter der Regierung von Bera XVI. und Birsa X. geschlagen worden. Nach meiner Meinung ist Hamburg das alte Tharsis, woher Salomo ganze Schiffsladungen voll Gold, Silber, Elfenbein, Pfauen und Affen erhalten hat. Salomo, nämlich der König von Juda und Israel, hatte immer eine besondere Liebhaberei für Gold und Affen.

Unvergeßlich bleibt mir diese erste Seereise. Meine alte Großmuhme hatte mir so viele Wassermärchen erzählt, die jetzt alle wieder in meinem Gedächtnis aufblühten. Ich konnte ganze Stunden lang auf dem Verdecke sitzen und an die alten Geschichten denken, und wenn die Wellen murmelten, glaubte ich die Großmuhme sprechen zu hören. Wenn ich die Augen schloß, dann sah ich sie wieder leibhaftig vor mir sitzen, mit dem einzigen Zahn in dem Munde, und hastig bewegte sie wieder die Lippen und erzählte die Geschichte vom fliegenden Holländer.

Ich hätte gern die Meernixen gesehen, die auf weißen Klippen sitzen und ihr grünes Haar kämmen; aber ich konnte sie nur singen hören.

Wie angestrengt ich auch manchmal in die klare See hinabschaute, so konnte ich doch nicht die versunkenen Städte sehen, worin die Menschen in allerlei Fischgestalten verwünscht, ein tiefes, wundertiefes Wasserleben führen. Es heißt, die Lachse und alte Rochen sitzen dort, wie Damen geputzt, am Fenster und fächern sich und gucken hinab auf die Straße, wo Schellfische in Ratsherrentracht vorbeischwimmen, wo junge Modeheringe nach ihnen hinauflorgnieren, und wo Krabben, Hummer, und sonstig niedriges Krebsvolk umherwimmelt. Ich habe aber nicht so tief hinabsehen können, und nur die Glocken hörte ich unten läuten.

In der Nacht sah ich mal ein großes Schiff mit ausgespannten blutroten Segeln vorbeifahren, daß es aussah wie ein dunkler Riese in einem weiten Scharlachmantel. War das der fliegende Holländer?

In Amsterdam aber, wo ich bald darauf anlangte, sah ich ihn leibhaftig selbst, den graunhaften Myn Heer, und zwar auf der Bühne. Bei dieser Gelegenheit, im Theater zu Amsterdam, lernte ich auch eine von jenen Nixen kennen, die ich auf dem Meere selbst vergeblich gesucht. Ich will ihr, weil sie gar zu lieblich war, ein besonderes Kapitel weihen.

Kapitel VII

Die Fabel von dem fliegenden Holländer ist Euch gewiß bekannt. Es ist die Geschichte von dem verwünschten Schiffe, das nie in den Hafen gelangen kann, und jetzt schon seit undenklicher Zeit auf dem Meere herumfährt. Begegnet es einem anderen Fahrzeuge, so kommen einige von der unheimlichen Mannschaft, in einem Boote, herangefahren, und bitten ein Paket Briefe gefälligst mitzunehmen. Diese Briefe muß man an den Mastbaum festnageln, sonst widerfährt dem Schiffe ein Unglück, besonders wenn keine Bibel an Bord oder kein Hufeisen am Fockmaste befindlich ist. Die Briefe sind immer an Menschen adressiert, die man gar nicht kennt, oder die längst verstorben, so daß zuweilen der späte Enkel einen Liebesbrief in Empfang nimmt, der an seine Urgroßmutter gerichtet ist, die schon seit hundert Jahr im Grabe liegt. Jenes hölzerne Gespenst, jenes grauenhafte Schiff, führt seinen Namen von seinem Kapitän, einem Holländer, der einst bei allen Teufeln geschworen, daß er irgend ein Vorgebirge, dessen Namen mir entfallen, trotz des heftigsten Sturms, der eben wehte, umschiffen wolle, und sollte er auch bis zum jüngsten Tage segeln müssen. Der Teufel hat ihn beim Wort gefaßt, er muß bis zum jüngsten Tage auf dem Meere herumirren, es sei denn, daß er durch die Treue eines Weibes erlöst werde. Der Teufel, dumm wie er ist, glaubt nicht an Weibertreue, und erlaubte daher dem verwünschten Kapitän alle sieben Jahr einmal ans Land zu steigen, und zu heuraten, und bei dieser Gelegenheit seine Erlösung zu betreiben. Armer Holländer! Er ist oft froh genug von der Ehe selbst wieder erlöst und seine Erlöserin los zu werden, und er begibt sich dann wieder an Bord.

Auf diese Fabel gründete sich das Stück, das ich im Theater zu Amsterdam gesehen. Es sind wieder sieben Jahr verflossen, der arme Holländer ist des endlosen Umherirrens müder als jemals, steigt ans Land, schließt Freundschaft mit einem schottischen Kaufmann, den er begegnet, verkauft ihm Diamanten zu spottwohlfeilem Preise, und wie er hört, daß sein Kunde eine schöne Tochter besitzt, verlangt er sie zur Gemahlin. Auch dieser Handel wird abgeschlossen. Nun sehen wir das Haus des Schotten, das Mädchen erwartet den Bräutigam, zagen Herzens. Sie schaut oft mit Wehmut nach einem großen verwitterten Gemälde, welches in der Stube hängt und einen schönen Mann in spanisch niederländischer Tracht darstellt; es ist ein altes Erbstück und nach der Aussage der Großmutter ist es ein getreues Konterfei des fliegenden Holländers, wie man ihn vor hundert Jahr in Schottland gesehen, zur Zeit König Wilhelms von Oranien. Auch ist mit diesem Gemälde eine überlieferte Warnung verknüpft, daß die Frauen der Familie sich vor dem Originale hüten sollten. Eben deshalb hat das Mädchen, von Kind auf, sich die Züge des gefährlichen Mannes ins Herz geprägt. Wenn nun der wirkliche fliegende Holländer leibhaftig hereintritt, erschrickt das Mädchen; aber nicht aus Furcht. Auch jener ist betroffen bei dem Anblick des Porträts. Als man ihm bedeutet, wen es vorstelle, weiß er jedoch jeden Argwohn von sich fern zu halten; er lacht über den Aberglauben, er spöttelt selber über den fliegenden Holländer den ewigen Juden des Ozeans; jedoch unwillkürlich in einen wehmütigen Ton übergehend, schildert er, wie Myn Heer auf der unermeßlichen Wasserwüste die unerhörtesten Leiden erdulden müsse, wie sein Leib nichts anders sei als ein Sarg von Fleisch, worin seine Seele sich langweilt, wie das Leben ihn von sich stößt und auch der Tod ihn abweist: gleich einer leeren Tonne, die sich die Wellen einander zuwerfen und sich spottend einander zurückwerfen, so werde der arme Holländer zwischen Tod und Leben hin und hergeschleudert, keins von beiden wolle ihn behalten; sein

Schmerz sei tief wie das Meer, worauf er herumschwimmt, sein Schiff sei ohne Anker und sein Herz ohne Hoffnung.

Ich glaube dieses waren ungefähr die Worte womit der Bräutigam schließt. Die Braut betrachtet ihn ernsthaft und wirft manchmal Seitenblicke nach seinem Konterfei. Es ist als ob sie sein Geheimnis erraten habe, und wenn er nachher fragt: Katharina, willst du mir treu sein? antwortet sie entschlossen: Treu bis in den Tod.

Bei dieser Stelle, erinnere ich mich, hörte ich lachen, und dieses Lachen kam nicht von unten, aus der Hölle, sondern von oben, vom Paradiese. Als ich hinaufschaute, erblickte ich eine wunderschöne Eva, die mich mit ihren großen blauen Augen verführerisch ansah. Ihr Arm hing über der Galerie herab, und in der Hand hielt sie einen Apfel, oder vielmehr eine Apfelsine. Statt mir aber symbolisch die Hälfte anzubieten, warf sie mir bloß metaphorisch die Schalen auf den Kopf. War es Absicht oder Zufall? Das wollte ich wissen. Ich war aber als ich ins Paradies hinaufstieg, um die Bekanntschaft fortzusetzen, nicht wenig befremdet, ein weißes sanftes Mädchen zu finden, eine überaus weiblich weiche Gestalt, nicht schmächtig aber doch kristallig zart, ein Bild häuslicher Zucht und beglückender Holdseligkeit. Nur um die linke Oberlippe zog sich etwas, oder vielmehr ringelte sich etwas, wie das Schwänzchen einer fortschlüpfenden Eidechse. Es war ein geheimnisvoller Zug, wie man ihn just nicht bei den reinen Engeln, aber auch nicht bei häßlichen Teufeln zu finden pflegt. Dieser Zug bedeutete weder das Gute noch das Böse, sondern bloß ein schlimmes Wissen; es ist ein Lächeln welches vergiftet worden von jenem Apfel der Erkenntnis, den der Mund genossen. Wenn ich diesen Zug auf weichen vollrosigen Mädchenlippen sehe, dann fühl ich in den eigenen Lippen ein krampfhaftes Zucken, ein zuckendes Verlangen jene Lippen zu küssen; es ist Wahlverwandtschaft.

Ich flüsterte daher dem schönen Mädchen ins Ohr: Juffrow! ich will deinen Mund küssen.

Bei Gott, Myn Heer, das ist ein guter Gedanke! war die Antwort, die hastig und mit entzückendem Wohllaut aus dem Herzen hervorklang.

Aber nein – die ganze Geschichte, die ich hier zu erzählen dachte, und wozu der fliegende Holländer nur als Rahmen dienen sollte, will ich jetzt unterdrücken. Ich räche mich dadurch an die Prüden, die dergleichen Geschichten mit Wonne einschlürfen, und bis an den Nabel, ja noch tiefer, davon entzückt sind, und nachher den Erzähler schelten, und in Gesellschaft über ihn die Nase rümpfen, und ihn als unmoralisch verschreien. Es ist eine gute Geschichte, köstlich wie eingemachte Ananas, oder wie frischer Kaviar, oder wie Trüffel in Burgunder, und wäre eine angenehme Lektüre nach der Betstunde; aber aus Ranküne, zur Strafe für frühere Unbill, will ich sie unterdrücken. Ich mache daher hier einen langen Gedankenstrich ――

Dieser Strich bedeutet ein schwarzes Sofa, und darauf passierte die Geschichte, die ich nicht erzähle. Der Unschuldige muß mit dem Schuldigen leiden, und manche gute Seele schaut mich jetzt an mit einem bittenden Blick. Jenun, diesen Besseren will ich im Vertrauen gestehn, daß ich noch nie so wild geküßt worden, wie von jener holländischen Blondine, und daß diese das Vorurteil, welches ich bisher gegen blonde Haare und blaue Augen hegte, aufs siegreichste zerstört hat. Jetzt erst begriff ich, warum ein englischer Dichter solche Damen mit gefrorenem Champagner verglichen hat. In der eisigen Hülle lauert der heißeste Extrakt. Es gibt nichts Pikanteres als der Kontrast jener äußeren Kälte und der inneren Glut, die bacchantisch emporlodert und den glücklichen Zecher unwiderstehlich berauscht. Ja, weit mehr als in Brünetten, zehrt der Sinnenbrand in manchen scheinstillen Heiligenbildern, mit goldenem Glorienhaar und blauen Himmelsaugen und frommen Liljenhänden. Ich weiß eine Blondine aus einem der besten niederländischen Häuser, die zuweilen ihr schönes Schloß am Züdersee verließ, und inkognito nach Amsterdam und dort ins Theater ging, jedem der ihr gefiel Apfelsinenschalen auf den Kopf warf, zuweilen gar in Matrosenherbergen die wüsten Nächte zubrachte, eine holländische Messaline.

– – Als ich ins Theater noch einmal zurückkehrte, kam ich eben zur letzten Szene des Stücks, wo auf einer hohen Meerklippe das Weib des fliegenden Holländers, die Frau fliegende Holländerin, verzweiflungsvoll die Hände ringt, während auf

dem Meere, auf dem Verdeck seines unheimlichen Schiffes, ihr
unglücklicher Gemahl zu schauen ist. Er liebt sie und will sie
verlassen, um sie nicht ins Verderben zu ziehen, und er gesteht
ihr sein grauenhaftes Schicksal, und den schrecklichen Fluch,
der auf ihm lastet. Sie aber ruft mit lauter Stimme: Ich war dir
treu bis zu dieser Stunde, und ich weiß ein sicheres Mittel wodurch ich dir meine Treue erhalte bis in den Tod!

Bei diesen Worten stürzt sich das treue Weib ins Meer, und
nun ist auch die Verwünschung des fliegenden Holländers zu
Ende, er ist erlöst, und wir sehen wie das gespenstische Schiff in
den Abgrund des Meeres versinkt.

Die Moral des Stückes ist für die Frauen, daß sie sich in acht
nehmen müssen, keinen fliegenden Holländer zu heuraten; und
wir Männer ersehen aus diesem Stücke, wie wir durch die Weiber, im günstigsten Falle, zu Grunde gehn.

Kapitel VIII

Aber nicht bloß in Amsterdam haben die Götter sich gütigst
bemüht, mein Vorurteil gegen Blondinen zu zerstören. Auch
im übrigen Holland hatte ich das Glück meine früheren Irr-
tümer zu berichtigen. Ich will bei Leibe die Holländerinnen
nicht auf Kosten der Damen anderer Länder hervorstreichen.
Bewahre mich der Himmel vor solchem Unrecht, welches von
meiner Seite zugleich der größte Undank wäre. Jedes Land hat
seine besondere Küche und seine besondere Weiblichkeiten,
und hier ist alles Geschmacksache. Der eine liebt gebratene
Hühner, der andere gebratene Enten; was mich betrifft, ich liebe
gebratene Hühner und gebratene Enten und noch außerdem gebratene Gänse. Von hohem idealischen Standpunkte betrachtet,
haben die Weiber überall eine gewisse Ähnlichkeit mit der
Küche des Landes. Sind die britischen Schönen nicht ebenso gesund, nahrhaft, solide, konsistent, kunstlos und doch so vortrefflich wie Altenglands einfach gute Kost: Rostbeaf, Hammelbraten, Pudding in flammendem Kognak, Gemüse in Wasser
gekocht, nebst zwei Saucen, wovon die eine aus gelassener Butter besteht? Da lächelt kein Frikassee, da täuscht kein flatterndes

Vol-au-vent, da seufzt kein geistreiches Ragout, da tändeln nicht jene tausendartig gestopften, gesottenen, aufgehüpften, gerösteten, durchzückerten, pikanten, deklamatorischen und sentimentalen Gerichte, die wir bei einem französischen Restaurant finden, und die mit den schönen Französinnen selbst die größte Ähnlichkeit bieten! Merken wir doch nicht selten, daß bei diesen ebenfalls der eigentliche Stoff nur als Nebensache betrachtet wird, daß der Braten selber manchmal weniger wert ist als die Sauce, daß hier Geschmack, Grazie und Eleganz die Hauptsache sind. Italiens gelbfette, leidenschaftgewürzte, humoristisch garnierte, aber doch schmachtend idealische Küche trägt ganz den Charakter der italienischen Schönen. O, wie sehne ich mich manchmal nach den lombardischen Stuffados, nach den Tagliarinis und Broccolis des holdseligen Toskana! Alles schwimmt in Öl, träge und zärtlich, und trillert Rossinis süße Melodieen, und weint vor Zwiebelduft und Sehnsucht! Den Makkaroni mußt du aber mit den Fingern essen, und dann heißt er: Beatrice!

Nur gar zu oft denke ich an Italien und am öftersten des Nachts. Vorgestern träumte mir: ich befände mich in Italien und sei ein bunter Harlekin und läge, recht faulenzerisch unter einer Trauerweide. Die herabhängenden Zweige dieser Trauerweide waren aber lauter Makkaroni, die mir lang und lieblich bis ins Maul hineinfielen; zwischen diesem Laubwerk von Makkaroni flossen, statt Sonnenstrahlen, lauter gelbe Butterströme, und endlich fiel von oben herab ein weißer Regen von geriebenem Parmesankäse.

Ach! von geträumtem Makkaroni wird man nicht satt – Beatrice!

Von der deutschen Küche kein Wort. Sie hat alle möglichen Tugenden und nur einen einzigen Fehler; ich sage aber nicht welchen. Da gibts gefühlvolles, jedoch unentschlossenes Backwerk, verliebte Eierspeisen, tüchtige Dampfnudeln, Gemütssuppe mit Gerste, Pfannkuchen mit Äpfel und Speck, tugendhafte Hausklöße, Sauerkohl – wohl dem, der es verdauen kann.

Was die holländische Küche betrifft, so unterscheidet sie sich von letzterer, erstens durch die Reinlichkeit, zweitens durch die eigentliche Leckerkeit. Besonders ist die Zubereitung der Fische unbeschreibbar liebenswürdig. Rührend inniger, und doch zugleich tiefsinnlicher Sellerieduft. Selbstbewußte Naivität und Knoblauch. Tadelhaft jedoch ist es, daß sie Unterhosen von Flanell tragen; nicht die Fische, sondern die schönen Töchter des meerumspülten Hollands.

Aber zu Leiden, als ich ankam, fand ich das Essen fürchterlich schlecht. Die Republik Hamburg hatte mich verwöhnt; ich muß die dortige Küche nachträglich noch einmal loben, und bei dieser Gelegenheit preise ich noch einmal Hamburgs schöne Mädchen und Frauen. O Ihr Götter! in den ersten vier Wochen, wie sehnte ich mich zurück nach den Rauchfleischlichkeiten und nach den Mockturteltauben Hammonias! Ich schmachtete an Herz und Magen. Hätte sich nicht endlich die Frau Wirtin zur roten Kuh in mich verliebt, ich wäre vor Sehnsucht gestorben.

Heil dir, Wirtin zur roten Kuh!

Es war eine untersetzte Frau, mit einem sehr großen runden Bauche und einem sehr kleinen runden Kopfe. Rote Wängelein, blaue Äugelein; Rosen und Veilchen. Stundenlang saßen wir beisammen im Garten, und tranken Tee, aus echtchinesischen Porzellantassen. Es war ein schöner Garten, viereckige und dreieckige Beete, symmetrisch bestreut mit Goldsand, Zinnober und kleinen blanken Muscheln. Die Stämme der Bäume hübsch rot und blau angestrichen. Kupferne Käfige voll Kanarienvögel. Die kostbarsten Zwiebelgewächse in buntbemalten, glasierten Töpfen. Der Taxus allerliebst künstlich geschnitten, mancherlei Obelisken, Pyramiden, Vasen, auch Tiergestalten bildend. Da stand ein aus Taxus geschnittener grüner Ochs, welcher mich fast eifersüchtig ansah, wenn ich sie umarmte, die holde Wirtin zur roten Kuh.

Heil dir, Wirtin zur roten Kuh!

Wenn Myfrau den Oberteil des Kopfes mit den friesischen Goldplatten umschildet, den Bauch mit ihrem buntgeblümten Damastrock eingepanzert, und die Arme mit der weißen Fülle ihrer Brabanter Spitzen gar kostbar belastet hatte: dann sah sie aus wie eine fabelhafte chinesische Puppe, wie etwa die Göttin des Porzellans. Wenn ich alsdann in Begeisterung geriet und sie auf beide Backen laut küßte, so blieb sie ganz porzellanig steif stehen und seufzte ganz porzellanig: Myn Heer! Alle Tulpen des Gartens schienen dann mitgerührt und mitbewegt zu sein und schienen mitzuseufzen: Myn Heer!

Dieses delikate Verhältnis schaffte mir manchen delikaten Bissen. Denn jede solche Liebesszene influenzierte auf den Inhalt der Eßkörbe, welche mir die vortreffliche Wirtin alle Tage ins Haus schickte. Meine Tischgenossen, sechs andere Studenten, die auf meiner Stube mit mir aßen, konnten an der Zubereitung des Kalbsbratens oder des Ochsenfilets jedesmal schmekken, wie sehr sie mich liebte, die Frau Wirtin zur roten Kuh. Wenn das Essen einmal schlecht war, mußte ich viele demütigende Spötteleien ertragen, und es hieß dann: Seht wie der Schnabelewopski miserabel aussieht, wie gelb und runzlicht sein Gesicht, wie katzenjämmerlich seine Augen, als wollte er sie sich aus dem Kopfe herauskotzen, es ist kein Wunder, daß unsere Wirtin seiner überdrüssig wird und uns jetzt schlechtes Essen schickt. Oder man sagte auch: Um Gottes willen, der Schnabelewopski wird täglich schwächer und matter, und verliert am Ende ganz die Gunst unserer Wirtin, und wir kriegen dann immer schlechtes Essen wie heut – wir müssen ihn tüchtig füttern, damit er wieder ein feuriges Äußere gewinnt. Und dann stopften sie mir just die allerschlechtesten Stücke ins Maul, und nötigten mich übergebührlich viel Sellerie zu essen. Gab es aber magere Küche mehrere Tage hintereinander, dann wurde ich mit den ernsthaftesten Bitten bestürmt; für besseres Essen zu sorgen, das Herz unserer Wirtin aufs neue zu entflammen, meine Zärtlichkeit für sie zu erhöhen, kurz, mich fürs allgemeine Wohl aufzuopfern. In langen Reden wurde mir dann vorgestellt, wie edel, wie herrlich es sei, wenn jemand für das Heil seiner Mitbürger sich heroisch resigniert, gleich dem Regulus, welcher sich in eine alte vernagelte Tonne stecken ließ, oder auch gleich dem Theseus, welcher sich in die Höhle des Minotaurs freiwillig begeben hat – und dann wurde der Livius zitiert und der Plutarch usw. Auch sollte ich bildlich zur Nacheiferung gereizt werden, indem man jene Großtaten auf die Wand zeichnete, und zwar mit grotesken Anspielungen; denn der Minotaur sah aus wie die rote Kuh auf dem wohlbekannten Wirtshausschilde, und die karthaginensische vernagelte Tonne sah aus wie meine Wirtin selbst. Überhaupt hatten jene undankbaren Menschen die äußere Gestalt der vortrefflichen Frau zur beständigen Zielscheibe ihres Witzes gewählt. Sie pflegten gewöhnlich ihre Figur aus Äpfeln zusammenzusetzen, oder aus Brotkrumen zu kneten. Sie nahmen dann ein kleines Äpfelchen, welches der Kopf sein sollte, setzten dieses auf einen ganz großen Apfel, welcher den Bauch vorstellte, und dieser stand wieder auf zwei Zahnstochern, welche sich für Beine ausgaben. Sie formten auch wohl aus Brotkrumen das Bild unserer Wirtin und kneteten dann ein ganz winziges Püppchen, welches mich selber vorstellen sollte, und dieses setzten sie dann auf die große Figur, und rissen dabei die schlechtesten Vergleiche. Z. B. der eine bemerkte, die kleine Figur sei Hannibal, welcher über die Alpen steigt. Ein anderer meinte hingegen, es sei Marius, welcher auf den Ruinen von Karthago sitzt. Dem sei nun wie ihm wolle, wäre ich nicht manchmal über die Alpen gestiegen, oder hätte ich mich nicht manchmal auf die Ruinen von Karthago gesetzt, so würden meine Tischgenossen beständig schlechtes Essen bekommen haben.

Kapitel IX

Wenn der Braten ganz schlecht war disputierten wir über die Existenz Gottes. Der liebe Gott hatte aber immer die Majorität. Nur drei von der Tischgenossenschaft waren atheistisch gesinnt; aber auch diese ließen sich überreden, wenn wir wenigstens guten Käse zum Dessert bekamen. Der eifrigste Deist war der kleine Simson, und wenn er mit dem langen Vanpitter über die Existenz Gottes disputierte, wurde er zuweilen höchst ärgerlich, lief im Zimmer auf und ab, und schrie beständig: Das ist bei Gott nicht erlaubt! Der lange Vanpitter, ein magerer Friese, dessen Seele so ruhig wie das Wasser in einem holländischen Kanal, und dessen Worte sich ruhig hinzogen wie eine Trekschuite, holte seine Argumente aus der deutschen Philosophie, womit man sich damals in Leiden stark beschäftigte. Er spöt-

telte über die engen Köpfe, die dem lieben Gott eine Privat-
existenz zuschreiben, er beschuldigte sie sogar der Blasphemie,
indem sie Gott mit Weisheit, Gerechtigkeit, Liebe und ähn-
lichen menschlichen Eigenschaften versähen, die sich gar nicht
für ihn schickten; denn diese Eigenschaften seien gewissermaßen
die Negation von menschlichen Gebrechen, da wir sie nur als
Gegensatz zu menschlicher Dummheit, Ungerechtigkeit und
Haß aufgefaßt haben. Wenn aber Vanpitter seine eigenen pan-
theistischen Ansichten entwickelte, so trat der dicke Fichteaner,
ein gewisser Driksen aus Uetrecht, gegen ihn auf, und wußte
seinen vagen, in der Natur verbreiteten, also immer im Raume
existierenden Gott gehörig durchzuhecheln, ja er behauptete:
es sei Blasphemie, wenn man auch nur von einer Existenz Gottes spricht, indem »Existieren« ein Begriff sei, der einen gewissen
Raum, kurz etwas Substantielles voraussetze. Ja, es sei Blasphemie von Gott zu sagen: »er ist«; das reinste Sein könne nicht
ohne sinnliche Beschränkung gedacht werden; wenn man Gott
denken wolle müsse man von aller Substanz abstrahieren, man
müsse ihn nicht denken als eine Form der Ausdehnung, sondern
als eine Ordnung der Begebenheiten; Gott sei kein Sein, sondern ein reines Handeln, er sei nur Prinzip einer übersinnlichen
Weltordnung.

Bei diesen Worten aber wurde der kleine Simson immer ganz
wütend, und lief noch toller im Zimmer herum, und schrie
noch lauter: O Gott! Gott! das ist bei Gott nicht erlaubt, o
Gott! Ich glaube er hätte den dicken Fichteaner geprügelt, zur
Ehre Gottes, wenn er nicht gar zu dünne Ärmchen hatte.
Manchmal stürmte er auch wirklich auf ihn los; dann aber
nahm der Dicke die beiden Ärmchen des kleinen Simson, hielt
ihn ruhig fest, setzte ihm sein System ganz ruhig auseinander,
ohne die Pfeife aus dem Munde zu nehmen, und blies ihm dann
seine dünnen Argumente mitsamt dem dicksten Tabaksdampf
ins Gesicht; so daß der Kleine fast erstickte vor Rauch und Ärger, und immer leiser und hülfeflehend wimmerte: O Gott! O
Gott! Aber der half ihm nie, obgleich er dessen eigene Sache
verfocht.

Trotz dieser göttlichen Indifferenz, trotz diesem fast menschlichen Undank Gottes, blieb der kleine Simson doch der be-

ständige Champion des Deismus, und ich glaube aus angeborener Neigung. Denn seine Väter gehörten zu dem auserwählten Volke Gottes, einem Volke, das Gott einst mit seiner besonderen Liebe protegiert, und das daher bis auf diese Stunde eine gewisse Anhänglichkeit für den lieben Gott bewahrt hat. Die Juden sind immer die gehorsamsten Deisten, namentlich diejenigen, welche, wie der kleine Simson, in der freien Stadt Frankfurt geboren sind. Diese können, bei politischen Fragen, so republikanisch als möglich denken, ja sich sogar sansculottisch im Kote wälzen; kommen aber religiöse Begriffe ins Spiel, dann bleiben sie untertänige Kammerknechte ihres Jehovah, des alten Fetischs, der doch von ihrer ganzen Sippschaft nichts mehr wissen will und sich zu einem Gott-reinen Geist umtaufen lassen.

Ich glaube, dieser Gott-reiner Geist, dieser Parvenü des Himmels, der jetzt so moralisch, so kosmopolitisch und universell gebildet ist, hegt ein geheimes Mißwollen gegen die armen Juden, die ihn noch in seiner ersten rohen Gestalt gekannt haben und ihn täglich in ihren Synagogen, an seine ehemaligen obskuren Nationalverhältnisse erinnern. Vielleicht will es der alte Herr gar nicht mehr wissen, daß er palästinschen Ursprungs und einst der Gott Abrahams, Isaaks und Jakobs gewesen und damals Jehovah geheißen hat.

Kapitel X

Mit dem kleinen Simson hatte ich zu Leiden sehr vielen Umgang und er wird in diesen Denkblättern noch oft erwähnt werden. Außer ihn, sah ich am öftersten einen anderen meiner Tischgenossen, den jungen van Moeulen, ich konnte ganze Stunden lang sein schönes Gesicht betrachten und dabei an seine Schwester denken, die ich nie gesehen, und wovon ich nur wußte, daß sie die schönste Frau im Waterland sei. Van Moeulen war ebenfalls ein schönes Menschenbild, ein Apollo, aber kein Apollo von Marmor, sondern viel eher von Käse. Er war der vollendetste Holländer, den ich je gesehn. Ein sonderbares Gemisch von Mut und Phlegma. Als er einst im Kaffeehause einen Irländer so sehr erzürnt, daß dieser eine Pistole aus der Tasche zog, auf ihn losdrückte, und statt ihn zu treffen, ihm nur die irdene Pfeife vom Munde wegschoß; da blieb van Moeulens Gesicht so bewegungslos wie Käse, und im gleichgültig ruhigsten Tone rief er: Jan e nüe Piep! Fatal war mir an ihm sein Lächeln; denn alsdann zeigte er eine Reihe ganz kleiner weißer Zähnchen, die eher wie Fischgräte aussahen. Auch mißfiel mir, daß er große goldene Ohrringe trug. Er hatte die sonderbare Gewohnheit alle Tage in seiner Wohnung die Aufstellung der Möbeln zu verändern, und wenn man zu ihm kam, fand man ihn entweder beschäftigt, die Kommode an die Stelle des Bettes, oder den Schreibtisch an die Stelle des Sofas zu setzen.

Der kleine Simson bildete, in dieser Beziehung, den ängstlichsten Gegensatz. Er konnte nicht leiden, daß man in seinem Zimmer das Mindeste verrückte; er wurde sichtbar unruhig wenn man dort auch nur das Mindeste, sei es auch nur eine Lichtschere, zur Hand nahm. Alles mußte liegen bleiben wie es lag. Denn seine Möbel und sonstige Effekten dienten ihm als Hülfsmittel, nach den Vorschriften der Mnemonik, allerlei historische Daten oder philosophische Sätze in seinem Gedächtnisse zu fixieren. Als einst die Hausmagd, in seiner Abwesenheit, einen alten Kasten aus seinem Zimmer fortgeschafft und seine Hemde und Strümpfe aus den Schubladen der Kommode genommen, um sie waschen zu lassen: da war er untröstlich als er nach Hause kam, und er behauptete: er wisse jetzt gar nichts mehr von der assyrischen Geschichte, und alle seine Beweise für die Unsterblichkeit der Seele, die er so mühsam, in den verschiedenen Schubladen, ganz systematisch geordnet, seien jetzt in die Wäsche gegeben.

Zu den Originalen, die ich in Leiden kennen gelernt, gehört auch Myn Heer van der Pissen, ein Vetter van Moeulens, der mich bei ihm eingeführt. Er war Professor der Theologie an der Universität und ich hörte bei ihm das Hohelied Salomonis und die Offenbarung Johannis. Er war ein schöner blühender Mann, etwa fünfunddreißig Jahr alt, und auf dem Katheder sehr ernst und gesetzt. Als ich ihn aber einst besuchen wollte, und in seinem Wohnzimmer niemanden fand, sah ich durch die halbgeöffneteTür eines Seitenkabinetts ein gar merkwürdiges Schauspiel. Dieses Kabinett war halb chinesisch, halb pompadourisch französisch verziert; an den Wänden goldig schillernde Damasttapeten; auf dem Boden der kostbarste persische Teppich; überall wunderliche Porzellanpagoden, Spielsachen von Perlmutter, Blumen, Straußfedern, und Edelsteine; die Sessel von rotem Sammet mit Goldtroddeln, und darunter ein besonders erhöhter Sessel, der wie ein Thron aussah, und worauf ein kleines Mädchen saß, das etwa drei Jahr alt sein mochte, und in blauem silbergestickten Atlas, jedoch sehr altfränkisch, gekleidet war, und in der einen Hand, gleich einem Zepter, einen bunten Pfauenwedel, und in der andern einen welken Lorbeerkranz emporhielt. Vor ihr aber, auf dem Boden, wälzten sich Myn Heer van der Pissen, sein kleiner Mohr, sein Pudel und sein Affe. Diese vier zausten sich und bissen sich untereinander, während das Kind und der grüne Papagoi, welcher auf der Stange saß, beständig Bravo! riefen. Endlich erhob sich Myn Heer vom Boden, kniete vor dem Kinde nieder, rühmte in einer ernsthaften lateinischen Rede den Mut womit er seine Feinde bekämpft und besiegt, ließ sich von der Kleinen den welken Lorbeerkranz auf das Haupt setzen;–und Bravo! Bravo! rief das Kind und der Papagoi und ich, welcher jetzt ins Zimmer trat.

Myn Heer schien etwas bestürzt, daß ich ihn in seinen Wunderlichkeiten überrascht. Diese, wie man mir später sagte, trieb er alle Tage; alle Tage besiegte er den Mohr, den Pudel und den Affen; alle Tage ließ er sich belorbeeren von dem kleinen Mädchen, welches nicht sein eignes Kind, sondern ein Fündling aus dem Waisenhause von Amsterdam war.

Kapitel XI

Das Haus worin ich zu Leiden logierte, bewohnte einst Jan Steen, der große Jan Steen, den ich für ebenso groß halte wie Raffael. Auch als religiöser Maler war Jan ebenso groß, und das wird man einst ganz klar einsehn, wenn die Religion des Schmerzes erloschen ist, und die Religion der Freude den trüben Flor von den Rosenbüschen dieser Erde fortreißt, und die Nachtigallen endlich ihre lang verheimlichten Entzückungen hervorjauchzen dürfen.

Aber keine Nachtigall wird je so heiter und jubelnd singen, wie Jan Steen gemalt hat. Keiner hat so tief wie er begriffen, daß auf dieser Erde ewig Kirmes sein sollte; er begriff, daß unser Leben nur ein farbiger Kuß Gottes sei, und er wußte, daß der Heilige Geist sich am herrlichsten offenbart im Licht und Lachen.

Sein Auge lachte ins Licht hinein und das Licht spiegelte sich in seinem lachenden Auge.

Und Jan blieb immer ein gutes, liebes Kind. Als der alte strenge Prädikant von Leiden sich neben ihm an den Herd setzte, und eine lange Vermahnung hielt über sein fröhliches Leben, seinen lachend unchristlichen Wandel, seine Trunkliebe, seine ungeregelte Wirtschaft und seine verstockte Lustigkeit; da hat Jan ihm zwei Stunden lang ganz ruhig zugehört, und er verriet nicht die mindeste Ungeduld über die lange Strafpredigt, und nur einmal unterbrach er sie mit den Worten: »Ja, Domine, die Beleuchtung wäre dann viel besser, ja ich bitte Euch, Domine, dreht Euren Stuhl ein klein wenig dem Kamine zu, damit die Flamme ihren roten Schein über Eur ganzes Gesicht wirft und der übrige Körper im Schatten bleibt – –«

Der Domine stand wütend auf und ging davon. Jan aber griff sogleich nach der Palette, und malte den alten strengen Herren ganz wie er ihm in jener Strafpredigtpositur, ohne es zu ahnen, Modell gesessen. Das Bild ist vortrefflich und hing in meinem Schlafzimmer zu Leiden.

Nachdem ich in Holland so viele Bilder von Jan Steen gesehen, ist mir als kennte ich das ganze Leben des Mannes. Ja, ich kenne seine sämtliche Sippschaft, seine Frau, seine Kinder, seine Mutter, alle seine Vettern, seine Hausfeinde und sonstige Angehörigen, ja, ich kenne sie von Angesicht zu Angesicht. Grüßen uns doch diese Gesichter aus allen seinen Gemälden hervor, und eine Sammlung derselben wäre eine Biographie des Malers. Er hat oft mit einem einzigen Pinselstrich die tiefsten Geheimnisse seiner Seele darin eingezeichnet. So glaube ich, seine Frau hat ihm allzuoft Vorwürfe gemacht über sein vieles Trinken. Denn auf dem Gemälde, welches das Bohnenfest vorstellt, und wo Jan mit seiner ganzen Familie zu Tische sitzt, da sehen wir seine Frau mit einem gar großen Weinkrug in der Hand, und ihre Augen leuchten wie die einer Bacchantin. Ich bin aber überzeugt, die gute Frau hat nie zuviel Wein genossen, und der Schalk hat uns weis machen wollen, nicht er, sondern seine Frau liebe den Trunk. Deshalb lacht er desto vergnügter aus dem Bilde hervor. Er ist glücklich: er sitzt in der Mitte der Seinigen; sein Söhnchen ist Bohnenkönig und steht mit der Krone von Flittergold auf einem Stuhle; seine alte Mutter, in ihren Gesichtsfalten das seligste Schmunzeln, trägt das jüngste Enkelchen auf dem Arm; die Musikanten spielen ihre närrisch lustigsten Hopsamelodieen; und die sparsam bedächtige, ökonomisch schmollende Hausfrau ist bei der ganzen Nachwelt in den Verdacht hineingemalt als sei sie besoffen.

Wie oft, in meiner Wohnung zu Leiden, konnte ich mich ganze Stunden lang in die häuslichen Szenen zurückdenken, die der vortreffliche Jan dort erlebt und erlitten haben mußte. Manchmal glaubte ich, ich sähe ihn leibhaftig selber an seiner Staffelei sitzen, dann und wann nach dem großen Henkelkrug greifen, »überlegen und dabei trinken, und dann wieder trinken ohne zu überlegen«. Das war kein trübkatholischer Spuk, sondern ein modern heller Geist der Freude, der nach dem Tode noch sein altes Atelier besucht, um lustige Bilder zu malen und zu trinken. Nur solche Gespenster werden unsere Nachkommen zuweilen schauen, am lichten Tage, während die Sonne durch die blanken Fenster schaut, und vom Turme herab keine schwarz dumpfe Glocken, sondern rotjauchzende Trompetentöne die liebliche Mittagsstunde ankündigen.

Die Erinnerung an Jan Steen war aber das Beste, oder vielmehr das einzig Gute an meiner Wohnung zu Leiden. Ohne diesen gemütlichen Reiz hätte ich darin keine acht Tage ausgehalten. Das Äußere des Hauses war elend und kläglich und mürrisch, ganz unholländisch. Das dunkle morsche Haus stand dicht am Wasser, und wenn man an der anderen Seite des Kanals vorbeiging, glaubte man eine alte Hexe zu sehen, die sich in einem glänzenden Zauberspiegel betrachtet. Auf dem

Dache standen immer ein paar Störche, wie auf allen holländischen Dächern. Neben mir logierte die Kuh, deren Milch ich des Morgens trank, und unter meinem Fenster war ein Hühnersteig. Meine gefiederte Nachbarinnen lieferten gute Eier; aber da ich immer, ehe sie deren zur Welt brachten, ein langes Gackern, gleichsam die langweilige Vorrede zu den Eiern, anhören mußte, so wurde mir der Genuß derselben ziemlich verleidet. Zu den eigentlichen Unannehmlichkeiten meiner Wohnung gehörten aber zwei der fatalsten Mißstände: erstens das Violinspielen womit man meine Ohren während des Tags belästigte, und dann die Störungen des Nachts, wenn meine Wirtin ihren armen Mann mit ihrer sonderbaren Eifersucht verfolgte.

Wer das Verhältnis meines Hauswirts zu meiner Frau Wirtin kennen lernen wollte, brauchte nur beide zu hören, wenn sie miteinander Musik machten. Der Mann spielte das Violoncello und die Frau spielte das sogenannte Violon d'Amour; aber sie hielt nie Tempo, und war dem Manne immer einen Takt voraus, und wußte ihrem unglücklichen Instrumente die grellfeinsten Keiflaute abzuquälen; wenn das Cello brummte und die Violine greinte, glaubte man ein zankendes Ehepaar zu hören. Auch spielte die Frau noch immer weiter, wenn der Mann längst fertig war, daß es schien, als wollte sie das Wort behalten. Es war ein großes aber sehr mageres Weib, nichts als Haut und Knochen, ein Maul worin einige falsche Zähne klapperten, eine kurze Stirn, fast gar kein Kinn und eine desto längere Nase, deren Spitze wie ein Schnabel sich herabzog, und womit sie zuweilen, wenn sie Violine spielte den Ton einer Saite zu dämpfen schien.

Mein Hauswirt war etwa fünfzig Jahr alt und ein Mann von sehr dünnen Beinen, abgezehrt bleichem Antlitz und ganz kleinen grünen Äuglein, womit er beständig blinzelte, wie eine Schildwache, welcher die Sonne ins Gesicht scheint. Er war seines Gewerbes ein Bruchbandmacher und seiner Religion nach ein Wiedertäufer. Er las sehr fleißig in der Bibel. Diese Lektüre schlich in seine nächtliche Träume und mit blinzelnden Äuglein erzählte er seiner Frau des Morgens beim Kaffee: wie er wieder hochbegnadigt worden, wie die heiligsten Personen

ihn ihres Gespräches gewürdigt, wie er sogar mit der aller-
höchst heiligen Majestät Jehovahs verkehrt, und wie alle
Frauen des Alten Testamentes ihn mit der freundlichsten und
zärtlichsten Aufmerksamkeit behandelt. Letzterer Umstand
war meiner Hauswirtin gar nicht lieb, und nicht selten bezeugte
sie die eifersüchtigste Mißlaune über ihres Mannes nächtlichen
Umgang mit den Weibern des Alten Testamentes. Wäre es
noch, sagte sie, die keusche Mutter Maria, oder die alte Marthe,
oder auch meinethalb die Magdalene, die sich ja gebessert hat –
aber ein nächtliches Verhältnis mit den Sauftöchtern des alten
Lot, mit der sauberen Madam Judith, mit der verlaufenen
Königin von Saba und dergleichen zweideutigen Weibsbildern,
darf nicht geduldet werden. Nichts glich aber ihrer Wut, als
eines Morgens ihr Mann, im Übergeschwätze seiner Seligkeit,
eine begeisterte Schilderung der schönen Esther entwarf, welche
ihn gebeten, ihr bei ihrer Toilette behülflich zu sein, indem sie,
durch die Macht ihrer Reize, den König Ahasverus für die
gute Sache gewinnen wollte. Vergebens beteuerte der arme
Mann, daß Herr Mardachai selber ihn bei seiner schönen
Pflegetochter eingeführt, daß diese schon halb bekleidet war,
daß er ihr nur die langen schwarzen Haare ausgekämmt – vergebens! die erboste Frau schlug den armen Mann mit seinen
eignen Bruchbändern, goß ihm den heißen Kaffee ins Gesicht,
und sie hätte ihn gewiß umgebracht, wenn er nicht aufs heiligste
versprach, allen Umgang mit den alttestamentarischen Weibern aufzugeben, und künftig nur mit Erzvätern und männlichen
Propheten zu verkehren.

   Die Folge dieser Mißhandlung war, daß Myn Heer von nun
an sein nächtliches Glück gar ängstlich verschwieg; er wurde
jetzt erst ganz ein heiliger Roué; wie er mir gestand, hatte er
den Mut sogar der nackten Susanna die unsittlichsten Anträge
zu machen; ja, er war am Ende frech genug, sich in den Harem
des König Salomon hineinzuträumen und mit dessen tausend
Weibern Tee zu trinken.

Kapitel XII

Unglückselige Eifersucht! durch diese ward einer meiner schönsten Träume und mittelbar vielleicht das Leben des kleinen Simson unterbrochen!

Was ist Traum? Was ist Tod? Ist dieser nur eine Unterbrechung des Lebens? oder gänzliches Aufhören desselben? Ja, für Leute, die nur Vergangenheit und Zukunft kennen und nicht in jedem Momente der Gegenwart eine Ewigkeit leben können, ja für solche muß der Tod schrecklich sein! Wenn ihnen die beiden Krücken, Raum und Zeit, entfallen, dann sinken sie ins ewige Nichts.

Und der Traum? Warum fürchten wir uns vor dem Schlafengehn nicht weit mehr als vor dem Begrabenwerden? Ist es nicht furchtbar, daß der Leib eine ganze Nacht leichentot sein kann, während der Geist in uns das bewegteste Leben führt, ein Leben mit allen Schrecknissen jener Scheidung, die wir eben zwischen Leib und Geist gestiftet? Wenn einst, in der Zukunft, beide wieder in unserem Bewußtsein vereinigt sind, dann gibt es vielleicht keine Träume mehr, oder nur kranke Menschen, Menschen deren Harmonie gestört, werden träumen. Nur leise und wenig träumten die Alten; ein starker, gewaltiger Traum war bei ihnen wie ein Ereignis und wurde in die Geschichtsbücher eingetragen. Das rechte Träumen beginnt erst bei den Juden, dem Volke des Geistes, und erreichte seine höchste Blüte bei den Christen, dem Geistervolk. Unsere Nachkommen werden schaudern, wenn sie einst lesen, welch ein gespenstisches Dasein wir geführt, wie der Mensch in uns gespalten war und nur die eine Hälfte ein eigentliches Leben geführt. Unsere Zeit – und sie beginnt am Kreuze Christi – wird als eine große Krankheitsperiode der Menschheit betrachtet werden.

Und doch, welche süße Träume haben wir träumen können! Unsere gesunden Nachkommen werden es kaum begreifen. Um uns her verschwanden alle Herrlichkeiten der Welt, und wir fanden sie wieder in unserer inneren Seele – in unsere Seele flüchtete sich der Duft der zertretenen Rosen und der lieblichste Gesang der verscheuchten Nachtigallen –

Ich weiß das alles und sterbe an den unheimlichen Ängsten

und grauenhaften Süßigkeiten unserer Zeit. Wenn ich des
Abends mich auskleide, und zu Bette lege, und die Beine lang
ausstrecke, und mich bedecke mit dem weißen Laken: dann
schaudre ich manchmal unwillkürlich, und mir kommt in den
Sinn, ich sei eine Leiche und ich begrübe mich selbst. Dann
schließe ich aber hastig die Augen um diesem schauerlichen
Gedanken zu entrinnen, um mich zu retten in das Land der
Träume.

Es war ein süßer, lieber, sonniger Traum. Der Himmel
himmelblau und wolkenlos, das Meer meergrün und still.
Unabsehbar weite Wasserfläche, und darauf schwamm ein
buntgewimpeltes Schiff, und auf dem Verdeck saß ich kosend
zu den Füßen Jadvigas. Schwärmerische Liebeslieder, die ich
selber auf rosige Papierstreifen geschrieben, las ich ihr vor,
heiter seufzend, und sie horchte mit ungläubig hingeneigtem
Ohr, und sehnsüchtigem Lächeln, und riß mir zuweilen hastig
die Blätter aus der Hand und warf sie ins Meer. Aber die schönen Nixen, mit ihren schneeweißen Busen und Armen, tauchten
jedesmal aus dem Wasser empor, und erhaschten die flatternden
Lieder der Liebe. Als ich mich über Bord beugte, konnte ich
ganz klar bis in die Tiefe des Meeres hinabschaun, und da
saßen, wie in einem gesellschaftlichen Kreise, die schönen
Nixen, und in ihrer Mitte stand ein junger Nix, der, mit ge-
fühlvoll belebtem Angesicht, meine Liebeslieder deklamierte.
Ein stürmischer Beifall erscholl bei jeder Strophe; die grün-
lockigten Schönen applaudierten so leidenschaftlich, daß Brust
und Nacken erröteten, und sie lobten mit einer freudigen, aber
doch zugleich mitleidigen Begeisterung: »Welche sonderbare
Wesen sind diese Menschen! Wie sonderbar ist ihr Leben! Wie
tragisch ihr ganzes Schicksal! Sie lieben sich und dürfen es
meistens nicht sagen, und dürfen sie es einmal sagen, so können
sie doch einander selten verstehn! Und dabei leben sie nicht
ewig wie wir, sie sind sterblich, nur eine kurze Spanne Zeit ist
ihnen vergönnt das Glück zu suchen, sie müssen es schnell
erhaschen, hastig ans Herz drücken, ehe es entflieht – deshalb
sind ihre Liebeslieder auch so zart, so innig, so süßängstlich, so
verzweiflungsvoll lustig, ein so seltsames Gemisch von Freude
und Schmerz. Der Gedanke des Todes wirft seinen melancho-

lischen Schatten über ihre glücklichsten Stunden und tröstet sie lieblich im Unglück. Sie können weinen. Welche Poesie in so einer Menschenträne!«

Hörst du, sagte ich zu Jadviga, wie die da unten über uns urteilen? – wir wollen uns umarmen, damit sie uns nicht mehr bemitleiden, damit sie sogar neidisch werden! Sie aber, die Geliebte, sah mich an mit unendlicher Liebe, und ohne ein Wort zu reden. Ich hatte sie stumm geküßt. Sie erblich, und ein kalter Schauer überflog die holde Gestalt. Sie lag endlich starr, wie weißer Marmor, in meinen Armen, und ich hätte sie für tot gehalten, wenn sich nicht zwei große Tränenströme unaufhaltsam aus ihren Augen ergossen – und diese Tränen überfluteten mich, während ich das holde Bild immer gewaltiger mit meinen Armen umschlang –

Da hörte ich plötzlich die keifende Stimme meiner Hauswirtin und erwachte aus meinem Traum. Sie stand vor meinem Bette, mit der Blendlaterne in der Hand, und bat mich schnell aufzustehn und sie zu begleiten. Nie hatte ich sie so häßlich gesehn. Sie war im Hemde und ihre verwitterten Brüste vergoldete der Mondschein, der eben durchs Fenster fiel; sie sahen aus wie zwei getrocknete Zitronen. Ohne zu wissen was sie begehrte, fast noch schlummertrunken, folgte ich ihr nach dem Schlafgemach ihres Gatten, und da lag der arme Mann, die Nachtmütze über die Augen gezogen, und schien heftig zu träumen. Manchmal zuckte sichtbar sein Leib unter der Bettdecke, seine Lippen lächelten vor überschwenglichster Wonne, spitzten sich manchmal krampfhaft, wie zu einem Kusse, und er röchelte und stammelte: Vasthi! Königin Vasthi! Majestät! Fürchte keinen Ahasveros! Geliebte Vasthi!

Mit zornglühenden Augen beugte sich nun das Weib über den schlafenden Gatten, legte ihr Ohr an sein Haupt, als ob sie seine Gedanken erlauschen könnte, und flüsterte mir zu: Haben Sie sich nun überzeugt, Myn Heer Schnabelewopski? Er hat jetzt eine Buhlschaft mit der Königin Vasthi! Der schändliche Ehebrecher! Ich habe dieses unzüchtige Verhältnis schon gestern Nacht entdeckt. Sogar eine Heidin hat er mir vorgezogen! Aber ich bin Weib und Christin, und Sie sollen sehen wie ich mich räche.

Bei diesen Worten riß sie erst die Bettdecke von dem Leibe des armen Sünders – er lag im Schweiß – alsdann ergriff sie ein hirschledernes Bruchband, und schlug damit gottlästerlich los auf die dünnen Gliedmaßen des armen Sünders. Dieser, also unangenehm geweckt aus seinem biblischen Traum, schrie so laut, als ob die Hauptstadt Susa in Feuer und Holland in Wasser stünde, und brachte mit seinem Geschrei die Nachbarschaft in Aufruhr.

Den andern Tag hieß es in ganz Leiden, mein Hauswirt habe solch großes Geschrei erhoben, weil er mich des Nachts in der Gesellschaft seiner Gattin gesehen. Man hatte letztere halb nackt am Fenster erblickt; und unsere Hausmagd, die mir gram war, und von der Wirtin zur roten Kuh über dieses Ereignis befragt worden, erzählte, daß sie selber gesehen, wie Myfrau mir in meinem Schlafzimmer einen nächtlichen Besuch abgestattet.

Ich kann nicht ohne gewaltigen Kummer an dieses Ereignis denken. Welche fürchterliche Folgen!

Kapitel XIII

Wäre die Wirtin zur roten Kuh eine Italienerin gewesen, so hätte sie vielleicht mein Essen vergiftet; da sie aber eine Holländerin war, so schickte sie mir sehr schlechtes Essen. Schon des anderen Mittags erduldeten wir die Folgen ihres weiblichen Unwillens. Das erste Gericht war: keine Suppe. Das war schrecklich, besonders für einen wohlerzogenen Menschen wie ich, der von Jugend auf alle Tage Suppe gegessen, der sich bis jetzt gar keine Welt denken konnte, wo nicht des Morgens die Sonne aufgeht und des Mittags die Suppe aufgetragen wird. Das zweite Gericht bestand aus Rindfleisch, welches kalt und hart war wie Myrons Kuh. Drittens kam ein Schellfisch, der aus dem Hals roch wie ein Mensch. Viertens kam ein großes Huhn, das, weit entfernt unseren Hunger stillen zu wollen, so mager und abgezehrt aussah, als ob es selber Hunger hätte: so daß man fast vor Mitleid nichts davon essen konnte.

Und nun, kleiner Simson, rief der dicke Driksen, glaubst du

noch an Gott? Ist das Gerechtigkeit? Die Frau Bandagistin besucht den Schnabelewopski in der dunkeln Nacht, und wir müssen dafür schlecht essen am hellen lichten Tag?

O Gott! Gott! seufzte der Kleine, gar verdrießlich wegen solcher atheistischer Ausbrüche und vielleicht auch wegen des schlechten Essens. Seine Verdrießlichkeit stieg, als auch der lange Vanpitter seine Witze gegen die Anthropomorphisten losließ und die Ägypter lobte, die einst Ochsen und Zwiebel verehrten: denn erstere, wenn sie gebraten, und letztere, wenn sie gestovt, schmeckten ganz göttlich.

Des kleinen Simsons Gemüt wurde aber durch solche Spöttereien immer bitterer gestimmt, und er schloß endlich folgendermaßen seine Apologie des Deismus: Was die Sonne für die Blumen ist, das ist Gott für die Menschen. Wenn die Strahlen jenes himmlischen Gestirns die Blumen berühren, dann wachsen sie heiter empor und öffnen ihre Kelche und entfalten ihren buntesten Farbenschmuck. Des Nachts, wenn ihre Sonne entfernt ist, stehen sie traurig, mit geschlossenen Kelchen, und schlafen, oder träumen von den goldenen Strahlenküssen der Vergangenheit. Diejenigen Blumen, die immer im Schatten stehen, verlieren Farbe und Wuchs, verkrüppeln und erbleichen, und welken mißmütig, glücklos. Die Blumen aber, die ganz im Dunkeln wachsen, in alten Burgkellern, unter Klosterruinen, die werden häßlich und giftig, sie ringeln am Boden wie Schlangen, schon ihr Duft ist unheilbringend, boshaft betäubend, tödlich –

O, du brauchst deine biblische Parabel nicht weiter auszuspinnen, schrie der dicke Driksen, indem er sich ein großes Glas Schiedammer Genever in den Schlund goß; du, kleiner Simson, bist eine fromme Blume, die im Sonnenschein Gottes die heiligen Strahlen der Tugend und Liebe so trunken einsaugt, daß deine Seele wie ein Regenbogen blüht, während die unsrige, abgewendet von der Gottheit, farblos und häßlich verwelkt, wo nicht gar pestilenzialische Düfte verbreitet –

Ich habe einmal zu Frankfurt, sagte der kleine Simson, eine Uhr gesehen, die an keinen Uhrmacher glaubte; sie war von Tombak und ging sehr schlecht –

Ich will dir wenigstens zeigen, daß so eine Uhr wenigstens

gut schlagen kann, versetzte Driksen, indem er plötzlich ganz ruhig wurde und den Kleinen nicht weiter molestierte.

Da letzterer, trotz seiner schwachen Ärmchen, ganz vortrefflich stieß, so ward beschlossen, daß sich die beiden noch denselben Tag auf Parisiens schlagen sollten. Sie stachen aufeinander los mit großer Erbitterung. Die schwarzen Augen des kleinen Simson glänzten feurig groß, und kontrastierten um so wunderbarer mit seinen Ärmchen, die aus den aufgeschürzten Hemdärmeln gar kläglich dünn hervortraten. Er wurde immer heftiger; er schlug sich ja für die Existenz Gottes, des alten Jehovah, des Königs der Könige. Dieser aber gewährte seinem Champion nicht die mindeste Unterstützung und im sechsten Gang bekam der Kleine einen Stich in die Lunge.

O Gott! seufzte er und stürzte zu Boden.

Kapitel XIV

Diese Szene hatte mich furchtbar erschüttert. Gegen das Weib aber, das mittelbar solches Unglück verursacht, wandte sich der ganze Ungestüm meiner Empfindungen; das Herz voll Zorn und Kummer, stürmte ich nach dem roten Ochsen.

Ungeheur, warum hast du keine Suppe geschickt? Dieses waren die Worte womit ich die erbleichende Wirtin anredete, als ich sie in der Küche antraf. Das Porzellan auf dem Kamine zitterte bei dem Tone meiner Stimme. Ich war so entsetzlich, wie der Mensch es nur immer sein kann, wenn er keine Suppe gegessen und sein bester Freund einen Stich in die Lunge bekommen.

Ungeheur, warum hast du keine Suppe geschickt? Diese Worte wiederholte ich, während das schuldbewußte Weib starr und sprachlos vor mir stand. Endlich aber, wie aus geöffneten Schleusen, stürzten aus ihren Augen die Tränen. Sie überschwemmten ihr ganzes Antlitz und tröpfelten bis in den Kanal ihres Busens. Dieser Anblick konnte jedoch meinen Zorn nicht erweichen, und mit verstärkter Bitterkeit sprach ich: O Ihr Weiber, ich weiß daß Ihr weinen könnt; aber Tränen sind keine Suppe. Ihr seid erschaffen zu unserem Unheil.

Eur Blick ist Lug und Eur Hauch ist Trug. Wer hat zuerst vom Apfel der Sünde gegessen? Gänse haben das Kapitol gerettet, aber durch ein Weib ging Troja zu Grunde. O Troja! Troja! des Priamos heilige Veste, du bist gefallen durch die Schuld eines Weibes! Wer hat den Markus Antonius ins Verderben gestürzt? Wer verlangte den Kopf Johannis des Täufers? Wer war Ursache von Abälards Verstümmelung? Ein Weib! Die Geschichte ist voll Beispiele, wie wir durch Euch zu Grunde gehn. All Eur Tun ist Torheit und all Eur Denken ist Undank. Wir geben Euch das Höchste, die heiligste Flamme des Herzens, unsere Liebe – was gebt Ihr uns als Ersatz? Fleisch, schlechtes Rindfleisch, noch schlechteres Hühnerfleisch – Ungeheur, warum hast du keine Suppe geschickt!

Vergebens begann Myfrau jetzt eine Reihe von Entschuldigungen herzustammeln und mich bei allen Seligkeiten unserer genossenen Liebe zu beschwören, ihr diesmal zu verzeihen. Sie wollte mir von nun an noch besseres Essen schicken als früher, und noch immer nur sechs Gulden die Portion anrechnen, obgleich der groote Dohlenwirt für sein ordinäres Essen sich acht Gulden bezahlen läßt. Sie ging so weit, mir für den folgenden Tag Austerpastete zu versprechen; ja, in dem weichen Tone ihrer Stimme dufteten sogar Trüffel. Aber ich blieb standhaft, ich war entschlossen auf immer zu brechen und verließ die Küche mit den tragischen Worten: Adieu, für dieses Leben haben wir ausgekocht!

Im Fortgehn hörte ich etwas zu Boden fallen. War es irgend ein Küchentopf oder Myfrau selber? Ich nahm mir nicht einmal die Mühe nachzusehen, und ging direkt nach der grooten Dohlen, um sechs Portion Essen für den nächsten Tag zu bestellen.

Nach diesem wichtigsten Geschäft, eilte ich nach der Wohnung des kleinen Simson, den ich in einem sehr schlechten Zustande fand. Er lag in einem großen altfränkischen Bette, das keine Vorhänge hatte, und an dessen Ecken vier große marmorierte Holzsäulen befindlich waren, die oben einen reichvergoldeten Betthimmel trugen. Das Antlitz des Kleinen war leidend blaß, und in dem Blick, den er mir zuwarf, lag so viel Wehmut, Güte und Elend, daß ich davon bis in die Tiefe meiner Seele gerührt wurde. Der Arzt hatte ihn eben verlassen und

seine Wunde für bedenklich erklärt. Van Moeulen, der allein
dort geblieben, um die Nacht bei ihm zu wachen, saß vor
seinem Bette und las ihm vor aus der Bibel.

Schnabelewopski, seufzte der Kleine, es ist gut, daß du
kommst. Kannst zuhören, und es wird dir wohltun. Das ist ein
liebes Buch. Meine Vorfahren haben es in der ganzen Welt
mit sich herumgetragen, und gar viel Kummer und Unglück
und Schimpf und Haß dafür erduldet, oder sich gar dafür totschlagen lassen. Jedes Blatt darin hat Tränen und Blut gekostet,
es ist das aufgeschriebene Vaterland der Kinder Gottes, es ist
das heilige Erbe Jehovahs –

Rede nicht zu viel, rief van Moeulen, es bekömmt dir
schlecht.

Und gar, setzte ich hinzu, rede nicht von Jehovah, dem un-
dankbarsten der Götter, für dessen Existenz du dich heute geschlagen –

O Gott! seufzte der Kleine und Tränen fielen aus seinen
Augen – O Gott, du hilfst unseren Feinden!

Rede nicht so viel, wiederholte van Moeulen. Und du,
Schnabelewopski, flüsterte er mir zu, entschuldige wenn ich
dich langweile; der Kleine wollte durchaus, daß ich ihm die
Geschichte seines Namensvetters, des Simson, vorlese – wir sind
am vierzehnten Kapitel, hör zu:

»Simson ging hinab gegen Thimnath, und sahe ein Weib
zu Thimnath unter den Töchtern der Philister –«

Nein, rief der Kleine, mit geschlossenen Augen, wir sind
schon am sechszehnten Kapitel. Ist mir doch als lebte ich das
alles mit, was du da vorliest, als hörte ich die Schafe blöken, die
am Jordan weiden, als hätte ich selber den Füchsen die Schwänze angezündet und sie in die Felder der Philister gejagt, als hätte
ich mit einem Eselskinnbacken tausend Philister erschlagen –
O, die Philister! sie hatten uns unterjocht und verspottet und
ließen uns wie Schweine Zoll bezahlen, und haben mich zum
Tanzsaal hinausgeschmissen, auf dem Roß, und zu Bocken-
heim mit Füßen getreten – hinausgeschmissen, mit Füßen getreten, auf dem Roß, o Gott, das ist nicht erlaubt!

Er liegt im Wundfieber und phantasiert, bemerkte leise van
Moeulen, und begann das sechszehnte Kapitel:

»Simson ging hin gen Gasa und sahe daselbst eine Hure, und lag bei ihr.

Da ward den Gasitern gesagt: Simson ist herein kommen. Und sie umgaben ihn, und ließen auf ihn lauern die ganze Nacht in der Stadt Tor, und waren die ganze Nacht stille, und sprachen: Harre, morgen, wenn es Licht wird, wollen wir ihn erwürgen.

Simson aber lag bis zu Mitternacht. Da stund er auf zu Mitternacht, und ergriff beide Türen an der Stadt Tor, samt den beiden Pfosten, und hub sie aus mit den Riegeln, und legte sie auf seine Schultern, und trug sie hinauf auf die Höhe des Berges von Hebron.

Darnach gewann er ein Weib lieb, am Bach Sorek, die hieß Delila.

Zu der kamen der Philister Fürsten hinauf, und sprachen zu ihr: Überrede ihn, und besiehe, worin er so große Kraft hat, und womit wir ihn übermögen, daß wir ihn binden und zwingen, so wollen wir dir geben ein jeglicher tausend und hundert Silberlinge.

Und Delila sprach zu Simson: Lieber, sage mir worinnen deine große Kraft sei, und womit man dich binden möge, damit man dich zwinge?

Simson sprach zu ihr: Wenn man mich bünde mit sieben Seilen von frischem Bast, die noch nicht verdorret waren: und sie band ihn damit.

(Man hielt aber auf ihn bei ihr in der Kammer.) Und sie sprach zu ihm: Die Philister über dir, Simson. Er aber zerriß die Seile, wie eine flächsene Schnur zerreißet, wenn sie ans Feuer reucht: und ward nicht kund wo seine Kraft wäre.«

O dumme Philister! rief jetzt der Kleine, und lächelte vergnügt, wollten mich auch auf die Konstablerwacht setzen –

Van Moeulen aber las weiter:

»Da sprach Delila zu Simson: Siehe du hast mich getäuschet, mir gelogen; nun, so sage mir doch, womit kann man dich binden?

Er antwortete ihr: Wenn sie mich bünden mit neuen Stricken, damit nie keine Arbeit geschehen ist; so würde ich schwach und wie ein ander Mensch.

Da nahm Delila neue Stricke, und band ihn damit, und sprach: Philister über dir, Simson; (man hielt aber auf ihn in der Kammer;) und er zerriß sie von seinen Armen, wie einen Faden.«

O, dumme Philister! rief der Kleine im Bette.

»Delila aber sprach zu ihm: Noch hast du mich getäuschet, und mir gelogen. Lieber, sage mir doch, womit kann man dich binden? Er antwortete ihr: Wenn du sieben Locken meines Hauptes flöchtest mit einem Flechtbande, und heftetest sie mit einem Nagel ein.

Und sie sprach zu ihm: Philister über dir, Simson. Er aber wachte auf von seinem Schlaf, und zog die geflochtenen Locken mit Nagel und Flechtband heraus.«

Der Kleine lachte: Das war auf der Eschenheimer Gasse. Van Moeulen aber fuhr fort:

»Da sprach sie zu ihm: Wie kannst du sagen, du habest mich lieb, so dein Herz doch nicht mit mir ist? Dreimal hast du mich getäuschet, und mir nicht gesaget, worinnen deine große Kraft sei.

Da sie ihn aber trieb mit ihren Worten alle Tage, und zerplagte ihn, ward seine Seele matt bis an den Tod.

Und sagte ihr sein ganzes Herz, und sprach zu ihr: Es ist nie kein Schermesser auf mein Haupt kommen, denn ich bin ein Verlobter Gottes von Mutterleib an. Wenn du mich beschörest, so wiche meine Kraft von mir, daß ich schwach würde, und wie alle andre Menschen.

Da nun Delila sahe, daß er ihr alle sein Herz offenbaret hatte, sandte sie hin, und ließ der Philister Fürsten rufen, und sagen: Kommet noch einmal herauf, denn er hat mir alle sein Herz offenbaret. Da kamen der Philister Fürsten zu ihr herauf, und brachten das Geld mit sich in ihrer Hand.

Und sie ließ ihn entschlafen auf ihrem Schoß, und rief einem, der ihm die sieben Locken seines Hauptes abschöre. Und sie fing an ihn zu zwingen. Da war seine Kraft von ihm gewichen.

Und sie sprach zu ihm: Philister über dir, Simson. Da er nun von seinem Schlaf erwachte, gedachte er: ich will ausgehen, wie ich mehrmals getan habe, ich will mich ausreißen, und wußte nicht, daß der Herr von ihm gewichen war.

Aber die Philister griffen ihn, und stachen ihm die Augen aus, und führten ihn hinab gen Gasa, und bunden ihn mit zwo ehernen Ketten, und er mußte mahlen im Gefängnis.«

O Gott! Gott! wimmerte und weinte beständig der Kranke. Sei still, sagte van Moeulen, und las weiter:

»Aber das Haar seines Hauptes fing wieder an zu wachsen, wo es beschoren war.

Da aber der Philister Fürsten sich versammleten, ihrem Gott Dagon ein groß Opfer zu tun, und sich zu freuen, sprachen sie: Unser Gott hat uns unsern Feind Simson in unsere Hände gegeben.

Desselbigengleichen als ihn das Volk sahe, lobeten sie ihren Gott; denn sie sprachen: Unser Gott hat uns unsern Feind in unsere Hände gegeben, der unser Land verderbete, und unserer viele erschlug.

Da nun ihr Herz guter Dinge war, sprachen sie: Lasset Simson holen, daß er vor uns spiele. Da holeten sie Simson aus dem Gefängnis, und er spielete vor ihnen, und sie stelleten ihn zwischen zwo Säulen.

Simson aber sprach zu dem Knaben, der ihn bei der Hand leitete: Laß mich, daß ich die Säulen taste, auf welchen das Haus stehet, daß ich mich daran lehne.

Das Haus aber war voll Männer und Weiber. Es waren auch der Philister Fürsten alle da, und auf dem Dach bei dreitausend, Mann und Weib, die da zusahen, wie Simson spielete.

Simson aber rief den Herren an, und sprach: Herr, Herr, gedenke mein, und stärke mich doch, Gott, diesmal, daß ich für meine beide Augen mich einst räche an den Philistern.

Und er fassete die zwo Mittelsäulen, auf welchen das Haus gesetzet war, und darauf sich hielt, eine in seine rechte, und die andere in seine linke Hand.

Und sprach: Meine Seele sterbe mit den Philistern; und neigte sich kräftiglich. Da fiel das Haus auf die Fürsten, und auf alles Volk, das drinnen war, daß der Toten mehr waren, die in seinem Tode sturben, denn die bei seinem Leben sturben.«

Bei dieser Stelle öffnete der kleine Simson seine Augen, geisterhaft weit; hob sich krampfhaft in die Höhe; ergriff, mit seinen dünnen Ärmchen, die beiden Säulen, die zu Füßen seines

Bettes; rüttelte daran, während er zornig stammelte: Es sterbe
meine Seele mit den Philistern. Aber die starken Bettsäulen
blieben unbeweglich, ermattet und wehmütig lächelnd fiel der
Kleine zurück auf seine Kissen, und aus seiner Wunde, deren
Verband sich verschoben, quoll ein roter Blutstrom.

FLORENTINISCHE NÄCHTE

Im Vorzimmer fand Maximilian den Arzt, wie er eben seine schwarzen Handschuhe anzog. Ich bin sehr pressiert, rief ihm dieser hastig entgegen. Signora Maria hat den ganzen Tag nicht geschlafen und nur in diesem Augenblick ist sie ein wenig eingeschlummert. Ich brauche Ihnen nicht zu empfehlen, sie durch kein Geräusch zu wecken; und wenn sie erwacht, darf sie bei Leibe nicht reden. Sie muß ruhig liegen, darf sich nicht rühren, nicht im mindesten bewegen, darf nicht reden, und nur geistige Bewegung ist ihr heilsam. Bitte, erzählen Sie ihr wieder allerlei närrische Geschichten, so daß sie ruhig zuhören muß.

Seien Sie unbesorgt, Doktor, erwiderte Maximilian mit einem wehmütigen Lächeln. Ich habe mich schon ganz zum Schwätzer ausgebildet und lasse sie nicht zu Worte kommen. Und ich will ihr schon genug phantastisches Zeug erzählen, so viel Sie nur begehren... Aber wie lange wird sie noch leben können?

Ich bin sehr pressiert, antwortete der Arzt und entwischte.

Die schwarze Debora, feinöhrig wie sie ist, hatte schon am Tritte den Ankommenden erkannt, und öffnete ihm leise die Türe. Auf seinen Wink verließ sie eben so leise das Gemach und Maximilian befand sich allein bei seiner Freundin. Nur dämmernd war das Zimmer von einer einzigen Lampe erhellt. Diese warf, dann und wann, halb furchtsame halb neugierige Lichter über das Antlitz der kranken Frau, welche, ganz angekleidet, in weißem Musselin, auf einem grünseidnen Sofa hingestreckt lag und ruhig schlief.

Schweigend, mit verschränkten Armen, stand Maximilian einige Zeit vor der Schlafenden und betrachtete die schönen Glieder, die das leichte Gewand mehr offenbarte als verhüllte, und jedesmal wenn die Lampe einen Lichtstreif über das blasse Antlitz warf, erbebte sein Herz. Um Gott! sprach er leise vor sich hin, was ist das? Welche Erinnerung wird in mir wach? Ja, jetzt weiß ichs. Dieses weiße Bild auf dem grünen Grunde, ja, jetzt...

In diesem Augenblick erwachte die Kranke, und wie aus der Tiefe eines Traumes hervorschauend, blickten auf den Freund die sanften, dunkelblauen Augen, fragend, bittend… An was dachten Sie eben, Maximilian? sprach sie mit jener schauerlich weichen Stimme, wie sie bei Lungenkranken gefunden wird, und worin wir zugleich das Lallen eines Kindes, das Zwitschern eines Vogels und das Geröchel eines Sterbenden zu vernehmen glauben. An was dachten Sie eben, Maximilian? wiederholte sie nochmals und erhob sich so hastig in die Höhe, daß die langen Locken, wie aufgeschreckte Goldschlangen, ihr Haupt umringelten.

Um Gott! rief Maximilian, indem er sie sanft wieder aufs Sofa niederdrückte, bleiben Sie ruhig liegen, sprechen Sie nicht; ich will Ihnen alles sagen, alles was ich denke, was ich empfinde, ja was ich nicht einmal selber weiß!

In der Tat, fuhr er fort, ich weiß nicht genau was ich eben dachte und fühlte. Bilder aus der Kindheit zogen mir dämmernd durch den Sinn, ich dachte an das Schloß meiner Mutter, an den wüsten Garten dort, an die schöne Marmorstatue, die im grünen Grase lag… Ich habe »das Schloß meiner Mutter« gesagt, aber ich bitte Sie, bei Leibe, denken Sie sich darunter nichts Prächtiges und Herrliches! An diese Benennung habe ich mich nun einmal gewöhnt; mein Vater legte immer einen ganz besonderen Ausdruck auf die Worte »das Schloß!« und er lächelte dabei immer so eigentümlich. Die Bedeutung dieses Lächelns begriff ich erst später, als ich, ein etwa zwölfjähriges Bübchen, mit meiner Mutter nach dem Schlosse reiste. Es war meine erste Reise. Wir fuhren den ganzen Tag durch einen dicken Wald, dessen dunkle Schauer mir immer unvergeßlich bleiben, und erst gegen Abend hielten wir still vor einer langen Querstange, die uns von einer großen Wiese trennte. Wir mußten fast eine halbe Stunde warten, ehe, aus der nahegelegenen Lehmhütte, der Junge kam, der die Sperre wegschob und uns einließ. Ich sage »der Junge«, weil die alte Marthe ihren vierzigjährigen Neffen noch immer den Jungen nannte; dieser hatte, um die gnädige Herrschaft würdig zu empfangen, das alte Livreekleid seines verstorbenen Oheims angezogen, und da er es vorher ein bißchen ausstäuben mußte, ließ er uns so lange warten. Hätte man ihm Zeit gelassen, würde er auch Strümpfe angezogen haben; die langen, nackten, roten Beine

stachen aber nicht sehr ab von dem grellen Scharlachrock. Ob
er darunter eine Hose trug, weiß ich nicht mehr. Unser Bedienter, der Johann, der ebenfalls die Benennung Schloß oft vernommen, machte ein sehr verwundertes Gesicht, als der Junge
uns zu dem kleinen gebrochenen Gebäude führte, wo der selige
Herr gewohnt. Er ward aber schier bestürzt, als meine Mutter
ihm befahl die Betten hineinzubringen. Wie konnte er ahnden,
daß auf dem »Schlosse« keine Betten befindlich! und die Ordre
meiner Mutter, daß er Bettung für uns mitnehmen solle, hatte
er entweder ganz überhört oder als überflüssige Mühe unbeach-
tet gelassen.

Das kleine Haus, das, nur eine Etage hoch, in seinen besten
Zeiten höchstens fünf bewohnbare Zimmer enthalten, war ein
kummervolles Bild der Vergänglichkeit. Zerschlagene Möbel,
zerfetzte Tapeten, keine einzige Fensterscheibe ganz verschont,
hie und da der Fußboden aufgerissen, überall die häßlichen
Spuren der übermütigsten Soldatenwirtschaft. »Die Einquartierung hat sich immer bei uns sehr amüsiert« sagte der Junge
mit einem blödsinnigen Lächeln. Die Mutter aber winkte, daß
wir sie allein lassen möchten, und während der Junge mit
Johann sich beschäftigte, ging ich den Garten besehen. Dieser
bot ebenfalls den trostlosesten Anblick der Zerstörnis. Die
großen Bäume waren zum Teil verstümmelt, zum Teil nieder-
gebrochen, und höhnische Wucherpflanzen erhoben sich über
die gefallenen Stämme. Hie und da, an den aufgeschossenen
Taxusbüschen, konnte man die ehemaligen Wege erkennen.
Hie und da standen auch Statuen, denen meistens die Köpfe,
wenigstens die Nasen, fehlten. Ich erinnere mich einer Diana,
deren untere Hälfte von dunklem Efeu aufs lächerlichste um-
wachsen war, so wie ich mich auch einer Göttin des Über-
flusses erinnere, aus deren Füllhorn lauter mißduftendes Unkraut hervorblühte. Nur eine Statue war, Gott weiß wie, von
der Bosheit der Menschen und der Zeit verschont geblieben;
von ihrem Postamente freilich hatte man sie herabgestürzt ins
hohe Gras, aber da lag sie unverstümmelt, die marmorne Göttin, mit den reinschönen Gesichtszügen und mit dem straff-
geteilten, edlen Busen, der, wie eine griechische Offenbarung,
aus dem hohen Grase hervorglänzte. Ich erschrak fast als ich sie

sah; dieses Bild flößte mir eine sonderbar schwüle Scheu ein, und eine geheime Blödigkeit ließ mich nicht lange bei seinem holden Anblick verweilen.

Als ich wieder zu meiner Mutter kam, stand sie am Fenster, verloren in Gedanken, das Haupt gestützt auf ihrem rechten Arm, und die Tränen flossen ihr unaufhörlich über die Wangen. So hatte ich sie noch nie weinen sehen. Sie umarmte mich mit hastiger Zärtlichkeit und bat mich um Verzeihung, daß ich, durch Johanns Nachlässigkeit, kein ordentliches Bett bekommen werde. »Die alte Marthe, sagte sie, ist schwer krank und kann dir, liebes Kind, ihr Bett nicht abtreten. Johann soll dir aber die Kissen aus dem Wagen so zurecht legen, daß du darauf schlafen kannst, und er mag dir auch seinen Mantel zur Decke geben. Ich selber schlafe hier auf Stroh; es ist das Schlafzimmer meines seligen Vaters; es sah sonst hier viel besser aus. Laß mich allein!« Und die Tränen schossen ihr noch heftiger aus den Augen.

War es nun das ungewohnte Lager, oder das aufgeregte Herz, es ließ mich nicht schlafen. Der Mondschein drang so unmittelbar durch die gebrochenen Fensterscheiben, und es war mir als wolle er mich hinauslocken in die helle Sommernacht. Ich mochte mich rechts oder links wenden auf meinem Lager, ich mochte die Augen schließen oder wieder ungeduldig öffnen, immer mußte ich an die schöne Marmorstatue denken, die ich im Grase liegen sehen. Ich konnte mir die Blödigkeit nicht erklären die mich bei ihrem Anblick erfaßt hatte, ich ward verdrießlich ob dieses kindischen Gefühls, und »morgen« sagte ich leise zu mir selber: »morgen küssen wir dich, du schönes Marmorgesicht, wir küssen dich eben auf die schönen Mundwinkel, wo die Lippen in ein so holdseliges Grübchen zusammenschmelzen!« Eine Ungeduld, wie ich sie noch nie gefühlt, rieselte dabei durch alle meine Glieder, ich konnte dem wunderbaren Drange nicht länger gebieten, und endlich sprang ich auf mit keckem Mute und sprach: »Was gilts und ich küsse dich noch heute, du liebes Bildnis!« Leise, damit die Mutter meine Tritte nicht höre, verließ ich das Haus, was um so leichter, da das Portal zwar noch mit einem großen Wappenschild aber mit keinen Türen mehr versehen war; und hastig arbeitete ich mich durch das Laubwerk des wüsten Gartens. Auch kein Laut regte sich, und alles ruhte, stumm und ernst, im stillen Mondschein. Die Schatten der Bäume waren wie angenagelt auf der Erde. Im grünen Grase lag die schöne Göttin ebenfalls regungslos, aber kein steinerner Tod, sondern nur ein stiller Schlaf schien ihre lieblichen Glieder gefesselt zu halten, und als ich ihr nahete, fürchtete ich schier, daß ich sie durch das geringste Geräusch aus ihrem Schlummer erwecken könnte. Ich hielt den Atem zurück als ich mich über sie hinbeugte, um die schönen Gesichtszüge zu betrachten; eine schauerliche Beängstigung stieß mich von ihr ab, eine knabenhafte Lüsternheit zog mich wieder zu ihr hin, mein Herz pochte, als wollte ich eine Mordtat begehen, und endlich küßte ich die schöne Göttin, mit einer Inbrunst, mit einer Zärtlichkeit, mit einer Verzweiflung, wie ich nie mehr geküßt habe in diesem Leben. Auch nie habe ich diese grauenhaft süße Empfindung vergessen können, die meine Seele durchflutete, als die beseligende Kälte jener Marmorlippen meinen Mund berührte... Und sehen Sie, Maria, als ich eben vor Ihnen stand und ich Sie, in Ihrem weißen Musselinkleide, auf dem grünen Sofa liegen sah, da mahnte mich Ihr Anblick an das weiße Marmorbild im grünen Grase. Hätten Sie länger geschlafen, meine Lippen würden nicht widerstanden haben...

Max! Max! schrie das Weib aus der Tiefe ihrer Seele – Entsetzlich! Sie wissen, daß ein Kuß von Ihrem Munde...

O, schweigen Sie nur, ich weiß, das wäre für Sie etwas Entsetzliches! Sehen Sie mich nur nicht so flehend an. Ich mißdeute nicht Ihre Empfindungen, obgleich die letzten Gründe derselben mir verborgen bleiben. Ich habe nie meinen Mund auf Ihre Lippen drücken dürfen...

Aber Maria ließ ihn nicht ausreden, sie hatte seine Hand erfaßt, bedeckte diese Hand mit den heftigsten Küssen, und sagte dann lächelnd: Bitte, bitte, erzählen Sie mir noch mehr von Ihren Liebschaften. Wie lange liebten Sie die marmorne Schöne, die Sie im Schloßgarten Ihrer Mutter geküßt?

Wir reisten den andern Tag ab, antwortete Maximilian, und ich habe das holde Bildnis nie wiedergesehen. Aber fast vier Jahre beschäftigte es mein Herz. Eine wunderbare Leidenschaft

für marmorne Statuen hat sich seitdem in meiner Seele entwickelt, und noch diesen Morgen empfand ich ihre hinreißende
Gewalt. Ich kam aus der Laurenziana, der Bibliothek der Medi-
zäer, und geriet, ich weiß nicht mehr wie, in die Kapelle, wo
jenes prachtvollste Geschlecht Italiens sich eine Schlafstelle von
Edelsteinen gebaut hat, und ruhig schlummert. Eine ganze
Stunde blieb ich dort versunken in dem Anblick eines marmornen Frauenbilds, dessen gewaltiger Leibesbau von der kühnen
Kraft des Michel Angelo zeugt, während doch die ganze Gestalt von einer ätherischen Süßigkeit umflossen ist, die man bei
jenem Meister eben nicht zu suchen pflegt. In diesen Marmor ist
das ganze Traumreich gebannt, mit allen seinen stillen Seligkeiten, eine zärtliche Ruhe wohnt in diesen schönen Gliedern,
ein besänftigendes Mondlicht scheint durch ihre Adern zu
rinnen... es ist die Nacht des Michel Angelo Buonarotti. O wie
gerne möchte ich schlafen des ewigen Schlafes in den Armen
dieser Nacht...

Gemalte Frauenbilder, fuhr Maximilian fort nach einer Pause,
haben mich immer minder heftig interessiert als Statuen. Nur
einmal war ich in ein Gemälde verliebt. Es war eine wunderschöne Madonna, die ich in einer Kirche zu Köln am Rhein
kennen lernte. Ich wurde damals ein sehr eifriger Kirchengänger und mein Gemüt versenkte sich in die Mystik des
Katholizismus. Ich hätte damals gern, wie ein spanischer Ritter,
alle Tage auf Leben und Tod gekämpft für die inmakulierte
Empfängnis Mariä, der Königin der Engel, der schönsten Dame
des Himmels und der Erde! Für die ganze heilige Familie interessierte ich mich damals, und ganz besonders freundlich zog ich
jedesmal den Hut ab, wenn ich einem Bilde des heiligen Josephs
vorbei kam. Dieser Zustand dauerte jedoch nicht lange, und
fast ohne Umstände verließ ich die Mutter Gottes, als ich in
einer Antiken-Galerie mit einer griechischen Nymphe bekannt
wurde, die mich lange Zeit in ihren Marmorfesseln gefangen
hielt.

Und Sie liebten immer nur gemeißelte oder gemalte Frauen?
kicherte Maria.

Nein, ich habe auch tote Frauen geliebt, antwortete Maximilian, über dessen Gesicht sich wieder ein großer Ernst ver-

breitete. Er bemerkte nicht, daß bei diesen Worten Maria erschreckend zusammenfuhr, und ruhig sprach er weiter:

Ja, es ist höchst sonderbar, daß ich mich einst in ein Mädchen verliebte, nachdem sie schon seit sieben Jahren verstorben war. Als ich die kleine Very kennen lernte, gefiel sie mir ganz außerordentlich gut. Drei Tage lang beschäftigte ich mich mit dieser jungen Person, und fand das höchste Ergötzen an allem was sie tat und sprach, an allen Äußerungen ihres reizend wunderlichen Wesens, jedoch ohne daß mein Gemüt dabei in überzärtliche Bewegung geriet. Auch wurde ich einige Monate drauf nicht allzu tief ergriffen, als ich die Nachricht empfing, daß sie, in Folge eines Nervenfiebers, plötzlich gestorben sei. Ich vergaß sie ganz gründlich, und ich bin überzeugt, daß ich jahrelang auch nicht ein einziges Mal an sie gedacht habe. Ganze sieben Jahre waren seitdem verstrichen, und ich befand mich in Potsdam, um in ungestörter Einsamkeit den schönen Sommer zu genießen. Ich kam dort mit keinem einzigen Menschen in Berührung, und mein ganzer Umgang beschränkte sich auf die Statuen, die sich im Garten von Sanssouci befinden. Da geschah es eines Tages, daß mir Gesichtszüge und eine seltsam liebenswürdige Art des Sprechens und Bewegens ins Gedächtnis trat, ohne daß ich mich dessen entsinnen konnte welcher Person dergleichen angehörten. Nichts ist quälender als solches Herumstöbern in alten Erinnerungen, und ich war deshalb wie freudig überrascht, als ich nach einigen Tagen mich auf einmal der kleinen Very erinnerte und jetzt merkte, daß es ihr liebes vergessenes Bild war, was mir so beunruhigend vorgeschwebt hatte. Ja, ich freute mich dieser Entdeckung wie einer, der seinen intimsten Freund ganz unerwartet wieder gefunden; die verblichenen Farben belebten sich allmählig, und endlich stand die süße kleine Person wieder leibhaftig vor mir, lächelnd, schmollend, witzig, und schöner noch als jemals. Von nun an wollte mich dieses holde Bild nimmermehr verlassen, es füllte meine ganze Seele, wo ich ging und stand, stand und ging es an meiner Seite, sprach mit mir, lachte mit mir, jedoch harmlos und ohne große Zärtlichkeit. Ich aber wurde täglich mehr und mehr bezaubert von diesem Bilde das täglich mehr und mehr Realität für mich gewann. Es ist leicht Geister zu beschwören, doch ist es schwer sie wieder zurück zu schicken in ihr dunkles Nichts; sie sehen uns dann so flehend an, unser eigenes Herz leiht ihnen so mächtige Fürbitte… Ich konnte mich nicht mehr losreißen, und ich verliebte mich in die kleine Very, nachdem sie schon seit sieben Jahren verstorben. So lebte ich sechs Monate in Potsdam, ganz versunken in dieser Liebe. Ich hütete mich noch sorgfältiger als vorher vor jeder Berührung mit der Außenwelt, und wenn irgend jemand auf der Straße etwas nahe an mir vorbeistreifte, empfand ich die mißbehaglichste Beklemmung. Ich hegte vor allen Begegnissen eine tiefe Scheu, wie solche vielleicht die nachtwandelnden Geister der Toten empfinden; denn diese, wie man sagt, wenn sie einem lebenden Menschen begegnen, erschrecken sie eben so sehr wie der Lebende erschrickt, wenn er einem Gespenst begegnet. Zufällig kam damals ein Reisender durch Potsdam, dem ich nicht ausweichen konnte, nämlich mein Bruder. Bei seinem Anblick und bei seinen Erzählungen von den letzten Vorfällen der Tagesgeschichte, erwachte ich wie aus einem tiefen Traume und zusammenschreckend fühlte ich plötzlich in welcher grauenhaften Einsamkeit ich so lange für mich hingelebt. Ich hatte in diesem Zustande nicht einmal den Wechsel der Jahrzeiten gemerkt, und mit Verwunderung betrachtete ich jetzt die Bäume, die, längst entblättert, mit herbstlichem Reife bedeckt standen. Ich verließ alsbald Potsdam und die kleine Very, und in einer anderen Stadt, wo mich wichtige Geschäfte erwarteten, wurde ich, durch sehr eckige Verhältnisse und Beziehungen, sehr bald wieder in die rohe Wirklichkeit hineingequält.

Lieber Himmel! fuhr Maximilian fort, indem ein schmerzliches Lächeln um seine Oberlippe zuckte: lieber Himmel! die lebendigen Weiber mit denen ich damals in unabweisliche Berührungen kam, wie haben sie mich gequält, zärtlich gequält, mit ihrem Schmollen, Eifersüchteln und beständigem in Atem halten! Auf wie vielen Bällen mußte ich mit ihnen herumtraben, in wie viele Klatschereien mußte ich mich mischen! Welche rastlose Eitelkeit, welche Freude an der Lüge, welche küssende Verräterei, welche giftige Blumen! Jene Damen wußten mir alle Lust und Liebe zu verleiden und ich wurde auf einige Zeit ein Weiberfeind, der das ganze Geschlecht verdammte. Es erging mir fast wie dem französischen Offiziere, der im russischen Feldzuge sich nur mit Mühe aus den Eisgruben der Beresina gerettet hatte, aber seitdem gegen alles Gefrorene eine solche Antipathie bekommen, daß er jetzt sogar die süße - sten und angenehmsten Eissorten von Tortoni mit Abscheu von sich wies. Ja, die Erinnerung an die Beresina der Liebe, die ich damals passierte, verleidete mir einige Zeit sogar die köstlichsten Damen, Frauen wie Engel, Mädchen wie Vanillensorbett.

Ich bitte Sie, rief Maria, schmähen Sie nicht die Weiber. Das sind abgedroschene Redensarten der Männer. Am Ende, um glücklich zu sein, bedürft Ihr dennoch der Weiber.

O, seufzte Maximilian, das ist freilich wahr. Aber die Weiber haben leider nur eine einzige Art wie sie uns glücklich machen können, während sie uns auf dreißigtausend Arten unglücklich zu machen wissen.

Teurer Freund, erwiderte Maria, indem sie ein leises Lächeln verbiß: ich spreche von dem Einklange zweier gleichgestimmten Seelen. Haben Sie dieses Glück nie empfunden? ... Aber ich sehe eine ungewöhnte Röte über Ihre Wangen ziehen... Sprechen Sie... Max?

Es ist wahr, Maria, ich fühle mich fast knabenhaft befangen, da ich Ihnen die glückliche Liebe gestehen soll, die mich einst unendlich beseligt hat! Diese Erinnerung ist mir noch nicht verloren, und in ihren kühlen Schatten flüchtet sich noch oft meine Seele, wenn der brennende Staub und die Tageshitze des Lebens unerträglich wird. Ich bin aber nicht im Stande Ihnen von dieser Geliebten einen richtigen Begriff zu geben. Sie war so ätherischer Natur, daß sie sich mir nur im Traume offenbaren konnte. Ich denke, Maria, Sie hegen kein banales Vorurteil gegen Träume; diese nächtlichen Erscheinungen haben wahrlich eben so viel Realität, wie jene roheren Gebilde des Tages, die wir mit Händen antasten können und woran wir uns nicht selten beschmutzen. Ja, es war im Traume, wo ich sie sah, jenes holde Wesen, das mich am meisten auf dieser Welt beglückt hat. Über ihre Äußerlichkeit weiß ich wenig zu sagen. Ich bin nicht im Stande die Form ihrer Gesichtszüge ganz genau anzugeben. Es war ein Gesicht, das ich nie vorher gesehen, und das ich nachher nie wieder im Leben erblickte. So viel erinnere ich mich, es war nicht weiß und rosig, sondern ganz einfarbig, ein sanft angerötetes Blaßgelb und durchsichtig wie Kristall. Die Reize dieses Gesichtes bestanden weder im strengen Schönheitsmaß, noch in der interessanten Beweglichkeit; sein Charakter bestand vielmehr in einer bezaubernden, entzückenden, fast erschreckenden Wahrhaftigkeit. Es war ein Gesicht voll bewußter Liebe und graziöser Güte, es war mehr eine Seele als ein Gesicht, und deshalb habe ich die äußere Form mir nie ganz vergegenwärtigen können. Die Augen waren sanft wie Blumen. Die Lippen etwas bleich, aber anmutig gewölbt. Sie trug ein seidnes Peignoir von kornblauer Farbe; aber hierin bestand auch ihre ganze Bekleidung; Hals und Füße waren nackt, und durch das weiche, dünne Gewand lauschte manchmal, wie verstohlen, die schlanke Zartheit der Glieder. Die Worte, die wir mit einander gesprochen, kann ich mir ebenfalls nicht mehr verdeutlichen; soviel weiß ich, daß wir uns verlobten, und daß wir heiter und glücklich, offenherzig und traulich, wie Bräutgam und Braut, ja fast wie Bruder und Schwester, mit einander kosten. Manchmal aber sprachen wir gar nicht mehr und sahen uns einander an, Aug in Auge, und in diesem beseligenden Anschauen verharrten wir ganze Ewigkeiten... Wodurch ich erwacht bin, kann ich ebenfalls nicht sagen, aber ich schwelgte noch lange Zeit in dem Nachgefühle dieses Liebesglücks. Ich war lange wie getränkt von unerhörten Wonnen, die schmachtende Tiefe meines Herzens war wie gefüllt mit Seligkeit, eine mir unbekannte Freude schien über alle meine Empfindungen ausgegossen, und ich blieb froh und heiter, obgleich ich die Geliebte in meinen Träumen niemals wiedersah. Aber hatte ich nicht in ihrem Anblick ganze Ewigkeiten genossen? Auch kannte sie mich zu gut um nicht zu wissen, daß ich keine Wiederholungen liebe.

Wahrhaftig, rief Maria, Sie sind ein homme à bonne fortune... Aber sagen Sie mir, war Mademoiselle Laurence eine Marmorstatue oder ein Gemälde? eine Tote oder ein Traum?

Vielleicht alles dieses zusammen, antwortete Maximilian sehr ernsthaft.

Ich konnte mirs vorstellen, teurer Freund, daß diese Geliebte von sehr zweifelhaftem Fleische sein mußte. Und wann werden Sie mir diese Geschichte erzählen?

Morgen. Sie ist lang und ich bin heute müde. Ich komme aus der Oper und habe zu viel Musik in den Ohren.

Sie gehen jetzt oft in die Oper, und ich glaube, Max, Sie gehen dorthin mehr um zu sehen als um zu hören.

Sie irren sich nicht, Maria, ich gehe wirklich in die Oper, um die Gesichter der schönen Italienerinnen zu betrachten. Freilich, sie sind schon außerhalb dem Theater schön genug, und ein Geschichtsforscher konnte an der Idealität ihrer Züge sehr leicht den Einfluß der bildenden Künste auf die Leiblichkeit des italienischen Volkes nachweisen. Die Natur hat hier den Künstlern das Kapital zurückgenommen, das sie ihnen einst geliehen, und siehe! es hat sich aufs entzückendste verzinst. Die Natur welche einst den Künstlern ihre Modelle lieferte, sie kopiert heute ihrer Seits die Meisterwerke die dadurch entstanden. Der Sinn für das Schöne hat das ganze Volk durchdrungen, und wie einst das Fleisch auf den Geist, so wirkt jetzt der Geist auf das Fleisch. Und nicht fruchtlos ist die Andacht vor jenen schönen Madonnen, den lieblichen Altarbildern, die sich dem Gemüte des Bräutigams einprägen, während die Braut einen schönen Heiligen im brünstigen Sinne trägt. Durch solche Wahlverwandtschaft ist hier ein Menschengeschlecht entstanden, das noch schöner ist als der holde Boden, worauf es blüht, und der sonnige Himmel, der es, wie ein goldner Rahmen, umstrahlt. Die Männer interessieren mich nie viel, wenn sie nicht entweder gemalt oder gemeißelt sind, und Ihnen, Maria, überlasse ich allen möglichen Enthusiasmus in Betreff jener schönen, geschmeidigen Italiener, die so wildschwarze Backenbärte und so kühn edle Nasen und so sanft kluge Augen haben. Man sagt die Lombarden seien die schönsten Männer. Ich habe nie darüber Untersuchungen angestellt, nur über die Lombardinnen habe ich ernsthaft nachgedacht, und diese, das habe ich wohl gemerkt, sind wirklich so schön wie der Ruhm meldet. Aber auch schon im Mittelalter müssen sie ziemlich schön gewesen sein. Sagt man doch von Franz I. daß das Gerücht von der Schönheit der Mailänderinnen ein heimlicher Antrieb gewesen, der ihn zu seinem italienischen Feldzuge bewogen habe; der ritterliche

König war gewiß neugierig, ob seine geistlichen Mühmchen, die Sippschaft seines Taufpaten, so hübsch seien, wie er rühmen hörte... Armer Schelm! zu Pavia mußte er für diese Neugier sehr teuer büßen!

Aber wie schön sind sie erst diese Italienerinnen, wenn die Musik ihre Gesichter beleuchtet. Ich sage beleuchtet, denn die Wirkung der Musik, die ich, in der Oper, auf den Gesichtern der schönen Frauen bemerke, gleicht ganz jenen Licht- und Schatteneffekten, die uns in Erstaunen setzen, wenn wir Statuen in der Nacht bei Fackelschein betrachten. Diese Marmorbilder offenbaren uns dann, mit erschreckender Wahrheit, ihren innewohnenden Geist und ihre schauerlichen stummen Geheimnisse. In derselben Weise gibt sich uns auch das ganze Leben der schönen Italienerinnen kund, wenn wir sie in der Oper sehen; die wechselnden Melodien wecken alsdann in ihrer Seele eine Reihe von Gefühlen, Erinnerungen, Wünschen und Ärgernissen, die sich alle augenblicklich in den Bewegungen ihrer Züge, in ihrem Erröten, in ihrem Erbleichen, und gar in ihren Augen aussprechen. Wer zu lesen versteht, kann alsdann auf ihren schönen Gesichtern sehr viel süße und intressante Dinge lesen, Geschichten die so merkwürdig wie die Novellen des Boccaccio, Gefühle die so zart wie die Sonette des Petrarcha, Launen die so abenteuerlich wie die Ottaverime des Ariosto, manchmal auch furchtbare Verräterei und erhabene Bosheit, die so poetisch wie die Hölle des großen Dante. Da ist es der Mühe wert, hinaufzuschauen nach den Logen. Wenn nur die Männer unterdessen ihre Begeisterung nicht mit so fürchterlichem Lärm aussprächen! Dieses allzutolle Geräusch in einem italienischen Theater wird mir manchmal lästig. Aber die Musik ist die Seele dieser Menschen, ihr Leben, ihre Nationalsache. In anderen Ländern gibt es gewiß Musiker, die den größten italienischen Renommeen gleichstehen, aber es gibt dort kein musikalisches Volk. Die Musik wird hier in Italien nicht durch Individuen repräsentiert, sondern sie offenbart sich in der ganzen Bevölkerung, die Musik ist Volk geworden. Bei uns im Norden ist es ganz anders; da ist die Musik nur Mensch geworden und heißt Mozart oder Meyerbeer; und obendrein wenn man das Beste was solche nordische Musiker uns bieten genau untersucht, so findet sich darin italienischer Sonnenschein und Orangenduft, und viel eher als unserem Deutschland gehören sie dem schönen Italien, der Heimat der Musik. Ja, Italien wird immer die Heimat der Musik sein, wenn auch seine großen Maestri frühe ins Grab steigen oder verstummen, wenn auch Bellini stirbt und Rossini schweigt.

Wahrlich, bemerkte Maria, Rossini behauptet ein sehr strenges Stillschweigen. Wenn ich nicht irre, schweigt er schon seit zehn Jahren.

Das ist vielleicht ein Witz von ihm, antwortete Maximilian. Er hat zeigen wollen, daß der Name »Schwan von Pesaro«, den man ihm erteilt, ganz unpassend sei. Die Schwäne singen am Ende ihres Lebens, Rossini aber hat in der Mitte des Lebens zu singen aufgehört. Und ich glaube er hat wohl daran getan und eben dadurch gezeigt, daß er ein Genie ist. Ein Künstler, welcher nur Talent hat, behält bis an sein Lebensende den Trieb dieses Talent auszuüben, der Ehrgeiz stachelt ihn, er fühlt daß er sich beständig vervollkommnet, und es drängt ihn das Höchste zu erstreben. Der Genius aber hat das Höchste bereits geleistet, er ist zufrieden, er verachtet die Welt und den kleinen Ehrgeiz, und geht nach Hause, nach Stratford am Avon, wie William Shakespeare, oder promeniert sich lachend und witzelnd auf dem Boulevard des Italiens zu Paris, wie Joachim Rossini. Hat der Genius keine ganz schlechte Leibeskonstitution, so lebt er in solcher Weise noch eine gute Weile fort, nachdem er seine Meisterwerke geliefert, oder, wie man sich auszudrücken pflegt, nachdem er seine Mission erfüllt hat. Es ist ein Vorurteil, wenn man meint, das Genie müsse früh sterben; ich glaube man hat das dreißigste bis zum vierunddreißigsten Jahr als die gefährliche Zeit für die Genies bezeichnet. Wie oft habe ich den armen Bellini damit geneckt, und ihm aus Scherz prophezeit, daß er, in seiner Eigenschaft als Genie, bald sterben müsse, indem er das gefährliche Alter erreiche. Sonderbar! Trotz des scherzenden Tones, ängstigte er sich doch ob dieser Prophezeiung, er nannte mich seinen Jettatore und machte immer das Jettatorezeichen... Er wollte so gern leben bleiben, er hatte eine fast leidenschaftliche Abneigung gegen den Tod, er wollte nichts vom Sterben hören, er fürchtete sich davor wie ein Kind, das sich fürchtet im Dunkeln zu schlafen… Es war ein gutes, liebes Kind, manchmal etwas unartig, aber dann brauchte man ihm nur mit seinem baldigen Tode zu drohen, und er ward dann gleich kleinlaut und bittend und machte mit den zwei erhobenen Fingern das Jettatorezeichen… Armer Bellini!

Sie haben ihn also persönlich gekannt? War er hübsch?

Er war nicht häßlich. Sie sehen, auch wir Männer können nicht bejahend antworten, wenn man uns über jemand von unserem Geschlechte eine solche Frage vorlegt. Es war eine hoch aufgeschossene, schlanke Gestalt, die sich zierlich, ich möchte sagen kokett bewegte; immer à quatre épingles; ein regelmäßiges Gesicht, länglich, blaßrosig; hellblondes, fast goldiges Haar, in dünnen Löckchen frisiert; hohe, sehr hohe, edle Stirne; grade Nase; bleiche, blaue Augen; schöngemessener Mund; rundes Kinn. Seine Züge hatten etwas Vages, Charakterloses, etwas wie Milch, und in diesem Milchgesichte quirlte manchmal süßsäuerlich ein Ausdruck von Schmerz. Dieser Ausdruck von Schmerz ersetzte in Bellinis Gesichte den mangelnden Geist; aber es war ein Schmerz ohne Tiefe; er flimmerte poesielos in den Augen, er zuckte leidenschaftslos um die Lippen des Mannes. Diesen flachen, matten Schmerz schien der junge Maestro in seiner ganzen Gestalt veranschaulichen zu wollen. So schwärmerisch wehmütig waren seine Haare frisiert, die Kleider saßen ihm so schmachtend an dem zarten Leibe, er trug sein spanisches Röhrchen so idyllisch, daß er mich immer an die jungen Schäfer erinnerte, die wir in unseren Schäferspielen mit bebänderten Stäben, und hellfarbigen Jäckchen und Höschen, minaudieren sehen. Und sein Gang war so jungfräulich, so elegisch, so ätherisch. Der ganze Mensch sah aus wie ein Seufzer en escarpins. Er hat bei den Frauen vielen Beifall gefunden, aber ich zweifle ob er irgendwo eine starke Leidenschaft geweckt hat. Für mich selber hatte seine Erscheinung immer etwas spaßhaft Ungenießbares, dessen Grund wohl zunächst in seinem Französischsprechen zu finden war. Obgleich Bellini schon mehre Jahre in Frankreich gelebt, sprach er doch das Französische so schlecht, wie es vielleicht kaum in England gesprochen werden kann. Ich sollte dieses Sprechen nicht mit dem Beiwort »schlecht« bezeichnen; schlecht ist hier viel zu gut. Man muß entsetzlich sagen, blutschänderisch, weltuntergangsmäßig. Ja, wenn man mit ihm in Gesellschaft war, und er die armen französischen Worte wie ein Henker radebrach und unerschütterlich seine kolossalen Coq-à-l'âne auskramte, so meinte man manchmal die Welt müsse mit einem Donnergekrache untergehen... Eine Leichenstille herrschte dann im ganzen Saale; Todesschreck malte sich auf allen Gesichtern, mit Kreidefarbe oder mit Zinnober; die Frauen wußten nicht ob sie in Ohnmacht fallen oder entfliehen sollten; die Männer sahen bestürzt nach ihren Beinkleidern, um sich zu überzeugen, daß sie wirklich dergleichen trugen; und was das Furchtbarste war, dieser Schreck erregte zu gleicher Zeit eine konvulsive Lachlust, die sich kaum verbeißen ließ. Wenn man daher mit Bellini in Gesellschaft war, mußte seine Nähe immer eine gewisse Angst einflößen, die, durch einen grauenhaften Reiz, zugleich abstoßend und anziehend war. Manchmal waren seine unwillkürlichen Calembours bloß belustigender Art, und in ihrer possierlichen Abgeschmacktheit, erinnerten sie an das Schloß seines Landsmannes, des Prinzen Pallagonien, welches Goethe, in seiner italienischen Reise, als ein Museum von barocken Verzerrtheiten und ungereimt zusammengekoppelten Mißgestalten schildert. Da Bellini, bei solchen Gelegenheiten, immer etwas ganz Harmloses und Ernsthaftes gesagt zu haben glaubte, so bildete sein Gesicht mit seinem Worte eben den allertollsten Kontrast. Das was mir an seinem Gesichte mißfallen konnte, trat dann um so schneidender hervor. Das was mir da mißfiel, war aber nicht von der Art, daß es just als ein Mangel bezeichnet werden könnte, und am wenigsten mag es wohl den Damen ebenfalls unerfreusam gewesen sein. Bellinis Gesicht, wie seine ganze Erscheinung, hatte jene physische Frische, jene Fleischblüte, jene Rosenfarbe, die auf mich einen unangenehmen Eindruck macht, auf mich, der ich vielmehr das Totenhafte und das Marmorne liebe. Erst späterhin, als ich Bellini schon lange kannte, empfand ich für ihn einige Neigung. Dieses entstand namentlich als ich bemerkte, daß sein Charakter durchaus edel und gut war. Seine Seele ist gewiß rein und unbefleckt geblieben von allen häßlichen Berührungen. Auch fehlte ihm nicht die harmlose Gutmütigkeit, das Kindliche, das wir bei genialen Menschen nie vermissen, wenn sie auch dergleichen nicht für jedermann zur Schau tragen.

Ja, ich erinnere mich – fuhr Maximilian fort, indem er sich auf den Sessel niederließ, an dessen Lehne er sich bis jetzt aufrecht gestützt hatte – ich erinnere mich eines Augenblicks, wo mir Bellini in einem so liebenswürdigen Lichte erschien, daß ich ihn mit Vergnügen betrachtete und mir vornahm ihn näher kennen zu lernen. Aber es war leider der letzte Augenblick wo ich ihn in diesem Leben sehen sollte. Dieses war eines Abends, nachdem wir im Hause einer großen Dame, die den kleinsten Fuß in Paris hat, mit einander gespeist und sehr heiter geworden, und am Fortepiano die süßesten Melodieen erklangen... Ich sehe ihn noch immer, den guten Bellini, wie er endlich erschöpft von den vielen tollen Bellinismen die er geschwatzt, sich auf einen Sessel niederließ... Dieser Sessel war sehr niedrig, fast wie ein Bänkchen, so daß Bellini dadurch gleichsam zu den Füßen einer schönen Dame zu sitzen kam, die sich, ihm gegenüber, auf ein Sofa hingestreckt hatte und mit süßer Schadenfreude auf Bellini hinabsah, während dieser sich abarbeitete, sie mit einigen französischen Redensarten zu unterhalten, und er immer in die Notwendigkeit geriet, das was er eben gesagt hatte, in seinem sizilianischen Jargon zu kommentieren, um zu beweisen, daß es keine Sottise, sondern im Gegenteil die feinste Schmeichelei gewesen sei. Ich glaube, daß die schöne Dame auf Bellinis Redensarten gar nicht viel hinhörte; sie hatte ihm sein spanisches Röhrchen, womit er seiner schwachen Rhetorik manchmal zu Hülfe kommen wollte, aus den Händen genommen, und bediente sich dessen um den zierlichen Lockenbau an den beiden Schläfen des jungen Maestro ganz ruhig zu zerstören. Diesem mutwilligen Geschäfte galt wohl jenes Lächeln, das ihrem Gesichte einen Ausdruck gab, wie ich ihn nie auf einem lebenden Menschenantlitz gesehen. Nie kommt mir dieses Gesicht aus dem Gedächtnisse! Es war eins jener Gesichter, die mehr dem Traumreich der Poesie als der rohen Wirklichkeit des Lebens zu gehören scheinen; Konturen die an Da Vinci erinnern, jenes edle Oval mit den naiven Wangengrübchen und dem sentimental spitzzulaufenden Kinn der lombardischen Schule. Die Färbung mehr römisch sanft, matter Perlenglanz, vornehme Blässe, Morbidezza. Kurz es war ein Gesicht, wie es nur auf irgend einem altitalienischen Porträte gefunden wird, das etwa eine von jenen großen Damen vorstellt, worin die italienischen Künstler des sechzehnten Jahrhunderts verliebt waren, wenn sie ihre Meisterwerke schufen, woran die Dichter jener Zeit dachten, wenn sie sich unsterblich sangen, und wonach die deutschen und französischen Kriegshelden Verlangen trugen, wenn sie sich das Schwert umgürteten und tatensüchtig über die Alpen stürzten... Ja, ja, so ein Gesicht war es, worauf ein Lächeln der süßesten Schadenfreude und des vornehmsten Mutwillens spielte, während sie, die schöne Dame, mit der Spitze des spanischen Rohrs den blonden Lockenbau des guten Bellini zerstörte. In diesem Augenblick erschien mir Bellini wie berührt von einem Zauberstäbchen, wie umgewandelt zu einer durchaus befreundeten Erscheinung, und er wurde meinem Herzen auf einmal verwandt. Sein Gesicht erglänzte im Widerschein jenes Lächelns, es war vielleicht der blühendste Moment seines Lebens... Ich werde ihn nie vergessen... Vierzehn Tage nachher las ich in der Zeitung, daß Italien einen seiner rühmlichsten Söhne verloren!

Sonderbar! Zu gleicher Zeit wurde auch der Tod Paganinis angezeigt. An diesem Todesfall zweifelte ich keinen Augenblick, da der alte, fahle Paganini immer wie ein Sterbender aussah; doch der Tod des jungen, rosigen Bellini kam mir unglaublich vor. Und doch war die Nachricht vom Tode des ersteren nur ein Zeitungsirrtum, Paganini befindet sich frisch und gesund zu Genua und Bellini liegt im Grabe zu Paris!

Lieben Sie Paganini? frug Maria.

Dieser Mann, antwortete Maximilian, ist eine Zierde seines Vaterlandes und verdient gewiß die ausgezeichnetste Erwähnung, wenn man von den musikalischen Notabilitäten Italiens sprechen will.

Ich habe ihn nie gesehen, bemerkte Maria, aber dem Rufe nach, soll sein Äußeres den Schönheitssinn nicht vollkommen befriedigen. Ich habe Porträte von ihm gesehen...

Die alle nicht ähnlich sind, fiel ihr Maximilian in die Rede; sie verhäßlichen oder verschönern ihn, nie geben sie seinen wirklichen Charakter. Ich glaube es ist nur einem einzigen Menschen gelungen, die wahre Physiognomie Paganinis aufs Papier zu bringen; es ist ein tauber Maler, namens Lyser, der, in seiner geistreichen Tollheit, mit wenigen Kreidestrichen den Kopf Paganinis so gut getroffen hat, daß man ob der Wahrheit der Zeichnung zugleich lacht und erschrickt. »Der Teufel hat mir die Hand geführt« sagte mir der taube Maler, geheimnisvoll kichernd und gutmütig ironisch mit dem Kopfe nickend, wie er bei seinen genialen Eulenspiegeleien zu tun pflegte. Dieser Maler war immer ein wunderlicher Kauz; trotz seiner Taubheit, liebte er enthusiastisch die Musik und er soll es verstanden haben, wenn er sich nahe genug am Orchester befand, den Musikern die Musik auf dem Gesichte zu lesen, und an ihren Fingerbewegungen die mehr oder minder gelungene Exekution zu beurteilen; auch schrieb er die Operkritiken in einem schätzbaren Journale zu Hamburg. Was ist eigentlich da zu verwundern? In der sichtbaren Signatur der Spieles konnte der taube Maler die Töne sehen. Gibt es doch Menschen, denen die Töne selber nur unsichtbare Signaturen sind, worin sie Farben und Gestalten hören.

Ein solcher Mensch sind Sie! rief Maria.

Es ist mir leid, daß ich die kleine Zeichnung von Lyser nicht mehr besitze; sie würde Ihnen vielleicht von Paganinis Äußerem einen Begriff verleihen. Nur in grell schwarzen, flüchtigen Strichen konnten jene fabelhaften Züge erfaßt werden, die mehr dem schweflichten Schattenreich, als der sonnigen Lebenswelt zu gehören scheinen. »Wahrhaftig, der Teufel hat mir die Hand geführt« beteuerte mir der taube Maler, als wir zu Hamburg vor dem Alsterpavillon standen, an dem Tage wo Paganini dort sein erstes Konzert gab. »Ja, mein Freund, fuhr er fort, es ist wahr, was die ganze Welt behauptet, daß er sich dem Teufel verschrieben hat, Leib und Seele, um der beste Violinist zu werden, um Millionen zu erfiedeln, und zunächst um von der verdammten Galeere loszukommen, wo er schon viele Jahre geschmachtet. Denn sehen Sie, Freund, als er zu Lukka Kapellenmeister war, verliebte er sich in eine Theaterprinzessin, ward eifersüchtig auf irgend einen kleinen Abbate, ward vielleicht kokü, erstach auf gut italienisch seine ungetreue Amata, kam

auf die Galeere zu Genua, und wie gesagt, verschrieb sich endlich dem Teufel um loszukommen, um der beste Violinspieler
zu werden, und um jeden von uns diesen Abend eine Brand-
schatzung von zwei Talern auferlegen zu können... Aber, sehen
Sie! Alle gute Geister loben Gott! sehen Sie, dort in der Allee
kommt er selber mit seinem zweideutigen Famulo!«

In der Tat, es war Paganini selber, den ich alsbald zu Gesicht
bekam. Er trug einen dunkelgrauen Oberrock, der ihm bis zu
den Füßen reichte, wodurch seine Gestalt sehr hoch zu sein
schien. Das lange schwarze Haar fiel in verzerrten Locken auf
seine Schulter herab und bildete wie einen dunklen Rahmen
um das blasse, leichenartige Gesicht, worauf Kummer, Genie
und Hölle ihre unverwüstlichen Zeichen eingegraben hatten.
Neben ihm tänzelte eine niedrige, behagliche Figur, putzig pro-
saisch: rosig verrunzeltes Gesicht, hellgraues Röckchen mit
Stahlknöpfen, unausstehlich freundlich nach allen Seiten hin-
grüßend, mitunter aber, voll besorglicher Scheu, nach der düsteren Gestalt hinaufschielend, die ihm ernst und nachdenklich
zur Seite wandelte. Man glaubte das Bild von Retzsch zu sehen,
wo Faust mit Wagner vor den Toren von Leipzig spazieren
geht. Der taube Maler kommentierte mir aber die beiden Gestalten in seiner tollen Weise, und machte mich besonders auf-
merksam auf den gemessenen breiten Gang des Paganini. »Ist es
nicht, sagte er, als trüge er noch immer die eiserne Querstange
zwischen den Beinen? Er hat sich nun einmal diesen Gang auf
immer angewöhnt. Sehen Sie auch wie verächtlich ironisch er
auf seinen Begleiter manchmal hinabschaut, wenn dieser ihm
mit seinen prosaischen Fragen lästig wird; er kann ihn aber
nicht entbehren, ein blutiger Kontrakt bindet ihn an diesen
Diener, der eben kein andrer ist als Satan. Das unwissende Volk
meint freilich, dieser Begleiter sei der Komödien- und Anekdo-
tenschreiber Harrys aus Hannover, den Paganini auf Reisen
mitgenommen habe, um die Geldgeschäfte bei seinen Konzer-
ten zu verwalten. Das Volk weiß nicht, daß der Teufel dem
Herrn Georg Harrys bloß seine Gestalt abgeborgt hat und daß
die arme Seele dieses armen Menschen unterdessen, neben ande-
rem Lumpenkram, in einem Kasten zu Hannover solange einge-
sperrt sitzt, bis der Teufel ihr wieder ihre Fleisch-Enveloppe

zurückgibt und er vielleicht seinen Meister Paganini in einer würdigeren Gestalt, nämlich als schwarzer Pudel, durch die Welt begleiten wird.«

War mir aber Paganini, als ich ihn am hellen Mittage, unter den grünen Bäumen des Hamburger Jungfernstiegs einherwandeln sah, schon hinlänglich fabelhaft und abenteuerlich erschienen: wie mußte mich erst des Abends im Konzerte seine schauerlich bizarre Erscheinung überraschen. Das Hamburger Komödienhaus war der Schauplatz dieses Konzertes, und das kunstliebende Publikum hatte sich schon frühe und in solcher Anzahl eingefunden, daß ich kaum noch ein Plätzchen für mich am Orchester erkämpfte. Obgleich es Posttag war, erblickte ich doch, in den ersten Ranglogen, die ganze gebildete Handelswelt, einen ganzen Olymp von Bankiers und sonstigen Millionären, die Götter des Kaffees und des Zuckers, nebst deren dicken Ehegöttinnen, Junonen vom Wandrahm und Aphroditen vom Dreckwall. Auch herrschte eine religiöse Stille im ganzen Saal. Jedes Auge war nach der Bühne gerichtet. Jedes Ohr rüstete sich zum Hören. Mein Nachbar, ein alter Pelzmakler, nahm seine schmutzige Baumwolle aus den Ohren, um bald die kostbaren Töne, die zwei Taler Entreegeld kosteten, besser einsaugen zu können. Endlich aber, auf der Bühne, kam eine dunkle Gestalt zum Vorschein, die der Unterwelt entstiegen zu sein schien. Das war Paganini in seiner schwarzen Gala. Der schwarze Frack und die schwarze Weste von einem entsetzlichen Zuschnitt, wie er vielleicht am Hofe Proserpinens von der höllischen Etikette vorgeschrieben ist. Die schwarzen Hosen ängstlich schlotternd um die dünnen Beine. Die langen Arme schienen noch verlängert, indem er in der einen Hand die Violine und in der anderen den Bogen gesenkt hielt und damit fast die Erde berührte, als er vor dem Publikum seine unerhörten Verbeugungen auskramte. In den eckigen Krümmungen seines Leibes lag eine schauerliche Hölzernheit und zugleich etwas närrisch Tierisches, daß uns bei diesen Verbeugungen eine sonderbare Lachlust anwandeln mußte; aber sein Gesicht, das durch die grelle Orchesterbeleuchtung noch leichenartig weißer erschien, hatte alsdann so etwas Flehendes, so etwas blödsinnig Demütiges, daß ein grauenhaftes Mitleid unsere Lachlust niederdrückte. Hat er diese Komplimente einem Automaten abgelernt oder einem Hunde? Ist dieser bittende Blick der eines Todkranken, oder lauert dahinter der Spott eines schlauen Geizhalses? Ist das ein Lebender der im Verscheiden begriffen ist und der das Publikum in der Kunstarena, wie ein sterbender Fechter, mit seinen Zukkungen ergötzen soll? Oder ist es ein Toter, der aus dem Grabe gestiegen, ein Vampir mit der Violine, der uns, wo nicht das Blut aus dem Herzen, doch auf jeden Fall das Geld aus den Taschen saugt?

Solche Fragen kreuzten sich in unserem Kopfe, während Paganini seine unaufhörlichen Komplimente schnitt; aber alle dergleichen Gedanken mußten stracks verstummen, als der wunderbare Meister seine Violine ans Kinn setzte und zu spielen begann. Was mich betrifft, so kennen Sie ja mein musikalisches zweites Gesicht, meine Begabnis, bei jedem Tone, den ich erklingen höre, auch die adäquate Klangfigur zu sehen; und so kam es, daß mir Paganini mit jedem Striche seines Bogens auch sichtbare Gestalten und Situationen vor die Augen brachte, daß er mir in tönender Bilderschrift allerlei grelle Geschichten erzählte, daß er vor mir gleichsam ein farbiges Schattenspiel hingaukeln ließ, worin er selber immer mit seinem Violinspiel als die Hauptperson agierte. Schon bei seinem ersten Bogenstrich hatten sich die Kulissen um ihn her verändert; er stand mit seinem Musikpult plötzlich in einem heitern Zimmer, welches lustig unordentlich dekoriert, mit verschnörkelten Möbeln im Pompadurgeschmack: überall kleine Spiegel, vergoldete Amoretten, chinesisches Porzellan, ein allerliebstes Chaos von Bändern, Blumengirlanden, weißen Handschuhen, zerrissenen Blonden, falschen Perlen, Diademen von Goldblech und sonstigem Götterflitterkram, wie man dergleichen im Studierzimmer einer Primadonna zu finden pflegt. Paganinis Äußeres hatte sich ebenfalls, und zwar aufs allervorteilhafteste, verändert: er trug kurze Beinkleider von lilafarbigem Atlas, eine silbergestickte, weiße Weste, einen Rock von hellblauem Sammet mit goldumsponnenen Knöpfen; und die sorgsam in kleinen Löckchen frisierten Haare umspielten sein Gesicht, das ganz jung und rosig blühete, und von süßer Zärtlichkeit erglänzte, wenn er nach dem hübschen Dämchen hinäugelte, das neben ihm am Notenpult stand, während er Violine spielte.

In der Tat, an seiner Seite erblickte ich ein hübsches junges
Geschöpf, altmodisch gekleidet, der weiße Atlas ausgebauscht
unterhalb den Hüften, die Taille um so reizender schmal, die
gepuderten Haare hochauffrisiert, das hübsch runde Gesicht um
so freier hervorglänzend mit seinen blitzenden Augen, mit
seinen geschminkten Wänglein, Schönpflästerchen und imper-
tinent süßem Näschen. In der Hand trug sie eine weiße Papier-
rolle, und sowohl nach ihren Lippenbewegungen, als nach dem
kokettierenden Hin- und Herwiegen ihres Oberleibchens zu
schließen, schien sie zu singen; aber vernehmlich ward mir kein
einziger ihrer Triller, und nur aus dem Violinspiel, womit der
junge Paganini das holde Kind begleitete, erriet ich was sie sang
und was er selber während ihres Singens in der Seele fühlte. O,
das waren Melodieen, wie die Nachtigall sie flötet, in der Abenddämmerung, wenn der Duft der Rose ihr das ahnende Früh-
lingsherz mit Sehnsucht berauscht! O, das war eine schmelzende, wollüstig hinschmachtende Seligkeit! Das waren Töne
die sich küßten, dann schmollend einander flohen, und endlich
wieder lachend sich umschlangen, und eins wurden, und in
trunkener Einheit dahinstarben. Ja, die Töne trieben ein heiteres Spiel, wie Schmetterlinge, wenn einer dem anderen neckend
ausweicht, sich hinter eine Blume verbirgt, endlich erhascht
wird, und dann mit dem anderen, leichtsinnig beglückt, im
goldnen Sonnenlichte hinaufflattert. Aber eine Spinne, eine
schwarze Spinne kann solchen verliebten Schmetterlingen mal
plötzlich ein tragisches Schicksal bereiten. Ahnte dergleichen
das junge Herz? Ein wehmütig seufzender Ton, wie Vorgefühl
eines heranschleichenden Unglücks, glitt leise durch die ent-
zücktesten Melodieen, die aus Paganinis Violine hervorstrahl-
ten... Seine Augen werden feucht... Anbetend kniet er nieder
vor seiner Amata... Aber ach! indem er sich beugt, um ihre
Füße zu küssen, erblickt er unter dem Bette einen kleinen Abbate! Ich weiß nicht was er gegen den armen Menschen haben
mochte, aber der Genueser wurde blaß wie der Tod, er erfaßt
den Kleinen mit wütenden Händen, gibt ihm diverse Ohrfeigen,
so wie auch eine beträchtliche Anzahl Fußtritte, schmeißt ihn
gar zur Tür hinaus, zieht alsdann ein langes Stilet aus der Tasche
und stößt es in die Brust der jungen Schöne...

In diesem Augenblick aber erscholl von allen Seiten: Bravo!
Bravo! Hamburgs begeisterte Männer und Frauen zollten ihren
rauschendsten Beifall dem großen Künstler, welcher eben die
erste Abteilung seines Konzertes beendigt hatte und sich mit
noch mehr Ecken und Krümmungen als vorher verbeugte. Auf
seinem Gesichte, wollte mich bedünken, winselte ebenfalls eine
noch flehsamere Demut als vorher. In seinen Augen starrte eine
grauenhafte Ängstlichkeit, wie die eines armen Sünders.

»Göttlich!« rief mein Nachbar, der Pelzmakler, indem er sich
in den Ohren kratzte, »dieses Stück war allein schon zwei Taler
wert.«

Als Paganini aufs neue zu spielen begann, ward es mir düster
vor den Augen. Die Töne verwandelten sich nicht in helle Formen und Farben; die Gestalt des Meisters umhüllte sich vielmehr in finstere Schatten, aus deren Dunkel seine Musik mit
den schneidendsten Jammertönen hervorklagte. Nur manchmal, wenn eine kleine Lampe, die über ihm hing, ihr kümmer-
liches Licht auf ihn warf, erblickte ich sein erbleichtes Antlitz,
worauf aber die Jugend noch immer nicht erloschen war. Sonderbar war sein Anzug, gespalten in zwei Farben, wovon die
eine gelb und die andre rot. An den Füßen lasteten ihm schwere
Ketten. Hinter ihm bewegte sich ein Gesicht, dessen Physiognomie auf eine lustige Bocksnatur hindeutete, und lange haarigte
Hände, die, wie es schien, dazu gehörten, sah ich zuweilen hülf-
reich in die Saiten der Violine greifen, worauf Paganini spielte.
Sie führten ihm auch manchmal die Hand womit er den Bogen
hielt, und ein meckerndes Beifallachen akkompagnierte dann
die Töne, die immer schmerzlicher und blutender aus der Violine hervorquollen. Das waren Töne gleich dem Gesang der gefallenen Engel, die mit den Töchtern der Erde gebuhlt hatten,
und, aus dem Reiche der Seligen verwiesen, mit schamglühen-
den Gesichtern in die Unterwelt hinabstiegen. Das waren Töne
in deren bodenloser Untiefe weder Trost noch Hoffnung
glimmte. Wenn die Heiligen im Himmel solche Töne hören,
erstirbt das Lob Gottes auf ihren erbleichenden Lippen und sie
verhüllen weinend ihre frommen Häupter! Zuweilen, wenn in
die melodischen Qualnisse dieses Spiels das obligate Bocks-
lachen hineinmeckerte, erblickte ich auch im Hintergrunde

eine Menge kleiner Weibsbilder, die boshaft lustig mit den häßlichen Köpfen nickten und mit den gekreuzten Fingern, in neckender Schadenfreude, ihre Rübchen schabten. Aus der Violine drangen alsdann Angstlaute und ein entsetzliches Seufzen und ein Schluchzen, wie man es noch nie gehört auf Erden, und wie man es vielleicht nie wieder auf Erden hören wird, es seie denn im Tale Josaphat, wenn die kolossalen Posaunen des Gerichts erklingen und die nackten Leichen aus ihren Gräbern hervorkriechen und ihres Schicksals harren... Aber der gequälte Violinist tat plötzlich einen Strich, einen so wahnsinnig verzweifelten Strich, daß seine Ketten rasselnd entzweisprangen und sein unheimlicher Gehülfe, mitsamt den verhöhnenden Unholden, verschwanden.

In diesem Augenblick sagte mein Nachbar, der Pelzmakler: »Schade, schade, eine Saite ist ihm gesprungen, das kommt von dem beständigen Pizzikati!«

War wirklich die Saite auf der Violine gesprungen? Ich weiß nicht. Ich bemerkte nur die Transfiguration der Töne, und da schien mir Paganini und seine Umgebung plötzlich wieder ganz verändert. Jenen konnte ich kaum wiedererkennen in der braunen Mönchstracht, die ihn mehr versteckte als bekleidete. Das verwilderte Antlitz halb verhüllt von der Kapuze, einen Strick um die Hüfte, barfüßig, eine einsam trotzige Gestalt, stand Paganini auf einem felsigen Vorsprung am Meere und spielte Violine. Es war, wie mich dünkte, die Zeit der Dämmerung, das Abendrot überfloß die weiten Meeresfluten, die immer röter sich färbten und immer feierlicher rauschten, im geheimnisvollsten Einklang mit den Tönen der Violine. Je röter aber das Meer wurde, desto fahler erbleichte der Himmel, und als endlich die wogenden Wasser wie lauter scharlachgrelles Blut aussahen, da ward droben der Himmel ganz gespenstischhell, ganz leichenweiß, und groß und drohend traten daraus hervor die Sterne... und diese Sterne waren schwarz, schwarz wie glänzende Steinkohlen. Aber die Töne der Violine wurden immer stürmischer und kecker, in den Augen des entsetzlichen Spielmanns funkelte eine so spöttische Zerstörungslust, und seine dünnen Lippen bewegten sich so grauenhaft hastig, daß es aussah als murmelte er uralt verruchte Zaubersprüche, womit man den Sturm beschwört und jene bösen Geister entfesselt, die in den Abgründen des Meeres gefangen liegen. Manchmal, wenn er, den nackten Arm aus dem weiten Mönchsärmel lang mager hervorstreckend, mit dem Fiedelbogen in den Lüften fegte: dann erschien er erst recht wie ein Hexenmeister, der mit dem Zauberstab den Elementen gebietet, und es heulte dann wie wahnsinnig in der Meerestiefe und die entsetzten Blutwellen sprangen dann so gewaltig in die Höhe, daß sie fast die bleiche Himmelsdecke und die schwarzen Sterne dort mit ihrem roten Schaume bespritzten. Das heulte, das kreischte, das krachte, als ob die Welt in Trümmer zusammenbrechen wollte, und der Mönch strich immer hartnäckiger seine Violine. Er wollte durch die Gewalt seines rasenden Willens die sieben Siegel brechen, womit Salomon die eisernen Töpfe versiegelt, nachdem er darin die überwundenen Dämonen verschlossen. Jene Töpfe hat der weise König ins Meer versenkt, und eben die Stimmen der darin verschlossenen Geister glaubte ich zu vernehmen, während Paganinis Violine ihre zornigsten Baßtöne grollte. Aber endlich glaubte ich gar wie Jubel der Befreiung zu vernehmen, und aus den roten Blutwellen sah ich hervortauchen die Häupter der entfesselten Dämonen: Ungetüme von fabelhafter Häßlichkeit, Krokodylle mit Fledermausflügeln, Schlangen mit Hirschgeweihen, Affen bemützt mit Trichtermuscheln, Seehunde mit patriarchalisch langen Bärten, Weibergesichter mit Brüsten an die Stellen der Wangen, grüne Kamelsköpfe, Zwittergeschöpfe von unbegreiflicher Zusammensetzung, alle mit kalt klugen Augen hinglotzend und mit langen Floßtatzen hingreifend nach dem fiedelnden Mönche... Diesem aber, in dem rasenden Beschwörungseifer, fiel die Kapuze zurück, und die lockigen Haare, im Winde dahinflatternd, umringelten sein Haupt wie schwarze Schlangen.

Diese Erscheinung war so sinneverwirrend, daß ich, um nicht wahnsinnig zu werden, die Ohren mir zuhielt und die Augen schloß. Da war nun der Spuk verschwunden, und als ich wieder aufblickte sah ich den armen Genueser, in seiner gewöhnlichen Gestalt, seine gewöhnlichen Komplimente schneiden, während das Publikum aufs entzückteste applaudierte.

»Das ist also das berühmte Spiel auf der G-Saite, bemerkte

mein Nachbar; ich spiele selber die Violine und weiß was es heißt dieses Instrument so zu bemeistern!« Zum Glück war die Pause nicht groß, sonst hätte mich der musikalische Pelzkenner gewiß in ein langes Kunstgespräch eingemufft. Paganini setzte wieder ruhig seine Violine ans Kinn und mit dem ersten Strich seines Bogens begann auch wieder die wunderbare Transfiguration der Töne. Nur gestaltete sie sich nicht mehr so grellfarbig und leiblich bestimmt. Diese Töne entfalteten sich ruhig, majestätisch wogend und anschwellend, wie die eines Orgelchorals in einem Dome; und alles umher hatte sich immer weiter und höher ausgedehnt zu einem kolossalen Raume, wie nicht das körperliche Auge, sondern nur das Auge des Geistes ihn fassen kann. In der Mitte dieses Raumes schwebte eine leuchtende Kugel, worauf riesengroß und stolzerhaben ein Mann stand, der die Violine spielte. Diese Kugel war sie die Sonne? Ich weiß nicht. Aber in den Zügen des Mannes erkannte ich Paganini, nur idealisch verschönert, himmlisch verklärt, versöhnungsvoll lächelnd. Sein Leib blühte in kräftigster Männlichkeit, ein hellblaues Gewand umschloß die veredelten Glieder, um seine Schulter wallte, in glänzenden Locken, das schwarze Haar; und wie er da fest und sicher stand, ein erhabenes Götterbild, und die Violine strich: da war es als ob die ganze Schöpfung seinen Tönen gehorchte. Er war der Mensch-Planet um den sich das Weltall bewegte, mit gemessener Feierlichkeit und in seligen Rhythmen erklingend. Diese großen Lichter, die, so ruhig glänzend, um ihn her schwebten, waren es die Sterne des Himmels, und jene tönende Harmonie, die aus ihren Bewegungen entstand, war es der Sphärengesang, wovon Poeten und Seher so viel Verzückendes berichtet haben? Zuweilen, wenn ich angestrengt weithinausschaute in die dämmernde Ferne, da glaubte ich lauter weiße wallende Gewänder zu sehen, worin kolossale Pilgrime vermummt einherwandelten, mit weißen Stäben in den Händen, und sonderbar! die goldnen Knöpfe jener Stäbe waren eben jene großen Lichter, die ich für Sterne gehalten hatte. Diese Pilgrime zogen, in weiter Kreisbahn, um den großen Spielmann umher, von den Tönen seiner Violine erglänzten immer heller die goldnen Knöpfe ihrer Stäbe, und die Choräle, die von ihren Lippen erschollen und die ich für Sphärengesang halten konnte, waren eigentlich nur das verhallende Echo jener Violinentöne. Eine unnennbare heilige Inbrunst wohnte in diesen Klängen, die manchmal kaum hörbar erzitterten, wie geheimnisvolles Flüstern auf dem Wasser, dann wieder süßschauerlich anschwollen, wie Waldhorntöne im Mondschein, und dann endlich mit ungezügeltem Jubel dahinbrausten, als griffen tausend Barden in die Saiten ihrer Harfen und erhüben ihre Stimmen zu einem Siegeslied. Das waren Klänge, die nie das Ohr hört, sondern nur das Herz träumen kann, wenn es des Nachts am Herzen der Geliebten ruht. Vielleicht auch begreift sie das Herz am hellen lichten Tage, wenn es sich jauchzend versenkt in die Schönheitslinien und Ovalen eines griechischen Kunstwerks....

»Oder wenn man eine Bouteille Champagner zuviel getrunken hat!« ließ sich plötzlich eine lachende Stimme vernehmen, die unseren Erzähler wie aus einem Traume weckte. Als er sich umdrehte, erblickte er den Doktor, der, in Begleitung der schwarzen Debora, ganz leise ins Zimmer getreten war, um sich zu erkundigen, wie seine Medizin auf die Kranke gewirkt habe.

Dieser Schlaf gefällt mir nicht, sprach der Doktor, indem er nach dem Sofa zeigte.

Maximilian, welcher, versunken in den Phantasmen seiner eignen Rede, gar nicht gemerkt hatte, daß Maria schon lange eingeschlafen war, biß sich verdrießlich in die Lippen.

Dieser Schlaf, fuhr der Doktor fort, verleiht ihrem Antlitz schon ganz den Charakter des Todes. Sieht es nicht schon aus wie jene weißen Masken, jene Gipsabgüsse, worin wir die Züge der Verstorbenen zu bewahren suchen?

Ich möchte wohl, flüsterte ihm Maximilian ins Ohr, von dem Gesichte unserer Freundin einen solchen Abguß aufbewahren. Sie wird auch als Leiche noch sehr schön sein.

Ich rate Ihnen nicht dazu, entgegnete der Doktor. Solche Masken verleiden uns die Erinnerung an unsere Lieben. Wir glauben in diesem Gipse sei noch etwas von ihrem Leben enthalten, und was wir darin aufbewahrt haben, ist doch ganz eigentlich der Tod selbst. Regelmäßig schöne Züge bekommen hier etwas grauenhaft Starres, Verhöhnendes, Fatales, wodurch sie uns mehr erschrecken als erfreuen. Wahre Karikaturen aber sind die Gipsabgüsse von Gesichtern, deren Reiz mehr von geistiger Art war, deren Züge weniger regelmäßig als interessant gewesen; denn sobald die Grazien des Lebens darin erloschen sind, werden die wirklichen Abweichungen von den idealen Schönheitslinien nicht mehr durch geistige Reize ausgeglichen. Gemeinsam ist aber allen diesen Gipsgesichtern ein gewisser rätselhafter Zug, der uns, bei längerer Betrachtung, aufs unleidlichste die Seele durchfröstelt; sie sehen alle aus wie Menschen, die im Begriffe sind einen schweren Gang zu gehen.

Wohin? frug Maximilian, als der Doktor seinen Arm ergriff und ihn aus dem Zimmer fortführte.

ZWEITE NACHT

Und warum wollen Sie mich noch mit dieser häßlichen Medizin quälen, da ich ja doch so bald sterbe!

Es war Maria welche eben, als Maximilian ins Zimmer trat, diese Worte gesprochen. Vor ihr stand der Arzt, in der einen Hand eine Medizinflasche, in der anderen einen kleinen Becher, worin ein bräunlicher Saft widerwärtig schäumte. Teuerster Freund, rief er, indem er sich zu dem Eintretenden wandte. Ihre Anwesenheit ist mir jetzt sehr lieb. Suchen Sie doch Signora dahin zu bewegen, daß sie nur diese wenigen Tropfen einschlürft; ich habe Eile.

Ich bitte Sie, Maria! flüsterte Maximilian mit jener weichen Stimme, die man nicht sehr oft an ihm bemerkt hat, und die aus einem so wunden Herzen zu kommen schien, daß die Kranke, sonderbar gerührt, fast ihres eigenen Leides vergessend, den Becher in die Hand nahm; ehe sie ihn aber zum Munde führte, sprach sie lächelnd: Nicht wahr, zur Belohnung erzählen Sie mir dann auch die Geschichte von der Laurenzia?

Alles was Sie wünschen soll geschehen! nickte Maximilian.

Die blasse Frau trank alsbald den Inhalt des Bechers, halb lächelnd, halb schaudernd.

Ich habe Eile, sprach der Arzt, indem er seine schwarzen

Handschuhe anzog. Legen Sie sich ruhig nieder, Signora, und bewegen Sie sich so wenig als möglich. Ich habe Eile.

Begleitet von der schwarzen Debora, die ihm leuchtete, verließ er das Gemach. – Als nun die beiden Freunde allein waren, sahen sie sich lange schweigend an. In beider Seele wurden Gedanken laut, die eins dem anderen zu verhehlen suchte. Das Weib aber ergriff plötzlich die Hand des Mannes und bedeckte sie mit glühenden Küssen.

Um Gotteswillen, sprach Maximilian, bewegen Sie sich nicht so gewaltsam und legen Sie sich wieder ruhig aufs Sofa.

Als Maria diesen Wunsch erfüllte, bedeckte er ihre Füße sehr sorgsam mit dem Shawl, den er vorher mit seinen Lippen berührt hatte. Sie mochte es wohl bemerkt haben, denn sie zwinkte vergnügt mit den Augen, wie ein glückliches Kind.

War Mademoiselle Laurence sehr schön?

Wenn Sie mich nie unterbrechen wollen, teure Freundin, und mir angeloben, ganz schweigsam und ruhig zuzuhören, so will ich alles was Sie zu wissen begehren, umständlich berichten.

Dem bejahenden Blicke Marias mit Freundlichkeit zulächelnd, setzte sich Maximilian auf den Sessel, der vor dem Sofa stand, und begann folgendermaßen seine Erzählung:

Es sind nun acht Jahre, daß ich nach London reiste, um die Sprache und das Volk dort kennen zu lernen. Hol der Teufel das Volk mitsamt seiner Sprache! Da nehmen sie ein Dutzend einsilbiger Worte ins Maul, kauen sie, knatschen sie, spucken sie wieder aus, und das nennen sie Sprechen! Zum Glück sind sie ihrer Natur nach ziemlich schweigsam, und obgleich sie uns immer mit aufgesperrtem Maule ansehen, so verschonen sie uns jedoch mit langen Konversationen. Aber wehe uns, wenn wir einem Sohne Albions in die Hände fallen, der die große Tour gemacht und auf dem Kontinente Französisch gelernt hat. Dieser will dann die Gelegenheit benutzen die erlangten Sprachkenntnisse zu üben und überschüttet uns mit Fragen über alle möglichen Gegenstände, und kaum hat man die eine Frage beantwortet, so kommt er mit einer neuen herangezogen, entweder über Alter oder Heimat oder Dauer unseres Aufenthalts und mit diesem unaufhörlichen Inquirieren glaubt er uns aufs allerbeste zu unterhalten. Einer meiner Freunde in Paris hatte vielleicht recht, als er behauptete: daß die Engländer ihre französische Konversation auf dem Bureau des passeports erlernen. Am nützlichsten ist ihre Unterhaltung bei Tische, wenn sie ihre kolossalen Roastbeefe tranchieren und mit den ernsthaftesten Mienen uns abfragen: welch ein Stück wir verlangen? ob stark oder schwach gebraten? ob aus der Mitte oder aus der braunen Rinde? ob fett oder mager? Diese Roastbeefe und ihre Hammelbraten sind aber auch alles was sie Gutes haben. Der Himmel bewahre jeden Christenmensch vor ihren Saucen, die aus $^1/_3$ Mehl und $^2/_3$ Butter, oder, je nachdem die Mischung eine Abwechselung bezweckt, aus $^1/_3$ Butter und $^2/_3$ Mehl bestehen. Der Himmel bewahre auch jeden vor ihren naiven Gemüsen, die sie, in Wasser abgekocht, ganz wie Gott sie erschaffen hat, auf den Tisch bringen. Entsetzlicher noch als die Küche der Engländer sind ihre Toaste und ihre obligaten Standreden, wenn das Tischtuch aufgehoben wird und die Damen sich von der Tafel wegbegeben, und statt ihrer eben so viele Bouteillen Portwein aufgetragen werden... denn durch letztere glauben sie die Abwesenheit des schönen Geschlechtes aufs beste zu ersetzen. Ich sage des schönen Geschlechtes, denn die Engländerinnen verdienen diesen Namen. Es sind schöne, weiße, schlanke Leiber. Nur der allzubreite Raum zwischen der Nase und dem Munde, der bei ihnen eben so häufig wie bei den englischen Männern gefunden wird, hat mir oft in England die schönsten Gesichter verleidet. Diese Abweichung von dem Typus des Schönen, wirkt auf mich noch fataler, wenn ich die Engländer hier in Italien sehe, wo ihre kärglich gemessenen Nasen und die breite Fleischfläche, die sich darunter bis zum Maule erstreckt, einen desto schrofferen Kontrast bildet mit den Gesichtern der Italiener, deren Züge mehr von antiker Regelmäßigkeit sind, und deren Nasen, entweder römisch gebogen oder griechisch gesenkt, nicht selten ins Allzulängliche ausarten. Sehr richtig ist die Bemerkung eines deutschen Reisenden, daß die Engländer, wenn sie hier unter den Italienern wandeln, alle wie Statuen aussehen, denen man die Nasenspitze abgeschlagen hat.

Ja, wenn man den Engländern in einem fremden Lande begegnet, kann man, durch den Kontrast, ihre Mängel erst recht grell hervortreten sehen. Es sind die Götter der Langeweile, die, in blanklackierten Wagen, mit Extrapost durch alle Länder jagen und überall eine graue Staubwolke von Traurigkeit hinter sich lassen. Dazu kommt ihre Neugier ohne Interesse, ihre geputzte Plumpheit, ihre freche Blödigkeit, ihr eckiger Egoismus, und ihre öde Freude an allen melancholischen Gegenständen. Schon seit drei Wochen sieht man hier auf der Piazza di Gran Duca alle Tage einen Engländer, welcher stundenlang mit offenem Maule jenem Charlatane zuschaut, der dort, zu Pferde sitzend, den Leuten die Zähne ausreißt. Dieses Schauspiel soll den edlen Sohn Albions vielleicht schadlos halten für die Exekutionen, die er in seinem teuern Vaterlande versäumt ... Denn nächst Boxen und Hahnenkampf, gibt es für einen Britten keinen köstlicheren Anblick, als die Agonie eines armen Teufels, der ein Schaf gestohlen oder eine Handschrift nachgeahmt hat, und vor der Fassade von Old-Baylie eine Stunde lang, mit einem Strick um den Hals, ausgestellt wird, ehe man ihn in die Ewigkeit schleudert. Es ist keine Übertreibung, wenn ich sage, daß Schafdiebstahl und Fälschung in jenem häßlich grausamen Lande gleich den abscheulichsten Verbrechen, gleich Vatermord und Blutschande, bestraft werden. Ich selber, den ein trister Zufall vorbeiführte, ich sah in London einen Menschen hängen, weil er ein Schaf gestohlen, und seitdem verlor ich alle Freude an Hammelbraten; das Fett erinnert mich immer an die weiße Mütze des armen Sünders. Neben ihm ward ein Irländer gehenkt, der die Handschrift eines reichen Bankiers nachgeahmt; noch immer sehe ich die naive Todesangst des armen Paddy, welcher vor den Assisen nicht begreifen konnte, daß man ihn einer nachgeahmten Handschrift wegen so hart bestrafe, ihn, der doch jedem Menschenkind erlaube, seine eigne Handschrift nachzuahmen! Und dieses Volk spricht beständig von Christentum, und versäumt des Sonntags keine Kirche, und überschwemmt die ganze Welt mit Bibeln.

Ich will es Ihnen gestehen, Maria, wenn mir in England nichts munden wollte, weder Menschen noch Küche, so lag auch wohl zum Teil der Grund in mir selber. Ich hatte einen guten Vorrat von Mißlaune mit hinübergebracht aus der Heimat, und ich suchte Erheiterung bei einem Volke, das selber nur im Strudel der politischen und merkantilischen Tätigkeit seine Langeweile zu töten weiß. Die Vollkommenheit der Maschinen die hier überall angewendet werden, und so viele menschliche Verrichtungen übernommen, hatte ebenfalls für mich etwas Unheimliches; dieses künstliche Getriebe von Rädern, Stangen, Cylindern und tausenderlei kleinen Häkchen, Stiftchen und Zähnchen, die sich fast leidenschaftlich bewegen, erfüllte mich mit Grauen. Das Bestimmte, das Genaue, das Ausgemessene und die Pünktlichkeit im Leben der Engländer beängstigte mich nicht minder; denn gleichwie die Maschinen in England uns wie Menschen vorkommen, so erscheinen uns dort die Menschen wie Maschinen. Ja, Holz, Eisen und Messing scheinen dort den Geist des Menschen usurpiert zu haben und vor Geistesfülle fast wahnsinnig geworden zu sein, während der entgeistete Mensch, als ein hohles Gespenst, ganz maschinenmäßig seine Gewohnheitsgeschäfte verrichtet, zur bestimmten Minute Beefsteake frißt, Parlamentsreden hält, seine Nägel bürstet, in die Stage-Coach steigt oder sich aufhängt.

Wie mein Mißbehagen in diesem Lande sich täglich steigerte, können Sie sich wohl vorstellen. Nichts aber gleicht der schwarzen Stimmung, die mich einst befiel, als ich, gegen Abendzeit, auf der Waterloo-Brücke stand und in die Wasser der Themse hineinblickte. Mir war als spiegelte sich darin meine Seele, als schaute sie mir aus dem Wasser entgegen mit allen ihren Wundenmalen... Dabei kamen mir die kummervollsten Geschichten ins Gedächtnis... Ich dachte an die Rose, die immer mit Essig begossen worden und dadurch ihre süßesten Düfte einbüßte und frühzeitig verwelkte... Ich dachte an den verirrten Schmetterling, den ein Naturforscher, der den Montblanc bestieg, dort ganz einsam zwischen den Eiswänden umherflattern sah... Ich dachte an die zahme Äffin, die mit den Menschen so vertraut war, mit ihnen spielte, mit ihnen speiste, aber einst, bei Tische, in dem Braten, der in der Schüssel lag, ihr eignes junges Äffchen erkannte, es hastig ergriff, damit in den Wald eilte, und sich nie mehr unter ihren Freunden, den Menschen, sehen ließ... Ach, mir ward so weh zu Mute, daß mir gewaltsam die heißen Tropfen aus den Augen stürzten... Sie fielen hinab in die Themse, und schwammen fort ins große

Meer, das schon so manche Menschenträne verschluckt hat, ohne es zu merken!

In diesem Augenblick geschah es, daß eine sonderbare Musik mich aus meinen dunklen Träumen weckte, und als ich mich umsah, bemerkte ich am Ufer einen Haufen Menschen, die um irgend ein ergötzliches Schauspiel einen Kreis gebildet zu haben schienen. Ich trat näher und erblickte eine Künstlerfamilie, welche aus folgenden vier Personen bestand:

Erstens, eine kleine untersetzte Frau, die ganz schwarz gekleidet war, einen sehr kleinen Kopf und einen mächtig dick hervortretenden Bauch hatte. Über diesen Bauch hing ihr eine ungeheuer große Trommel, worauf sie ganz unbarmherzig lostrommelte.

Zweitens, ein Zwerg, der wie ein altfranzösischer Marquis ein brodiertes Kleid trug, einen großen gepuderten Kopf, aber übrigens sehr dünne, winzige Gliedmaßen hatte und hin- und hertänzelnd den Triangel schlug.

Drittens, ein etwa fünfzehnjähriges junges Mädchen, welches eine kurze, enganliegende Jacke von blaugestreifter Seide, und weite, ebenfalls blaugestreifte Pantalons trug. Es war eine luftiggebaute, anmutige Gestalt. Das Gesicht griechisch schön. Edel grade Nase, lieblich geschürzte Lippen, träumerisch weich gerundetes Kinn, die Farbe sonnig gelb, die Haare glänzend schwarz um die Schläfen gewunden: so stand sie, schlank und ernsthaft, ja mißlaunig, und schaute auf die vierte Person der Gesellschaft, welche eben ihre Kunststücke produzierte.

Diese vierte Person war ein gelehrter Hund, ein sehr hoffnungsvoller Pudel, und er hatte eben, zur höchsten Freude des englischen Publikums, aus den Holzbuchstaben die man ihm vorgelegt, den Namen des Lord Wellington zusammengesetzt und ein sehr schmeichelhaftes Beiwort, nämlich Heros, hinzugefügt. Da der Hund, was man schon seinem geistreichen Äußern anmerken konnte, kein englisches Vieh war, sondern, nebst den anderen drei Personen, aus Frankreich hinübergekommen: so freuten sich Albions Söhne, daß ihr großer Feldherr wenigstens bei französischen Hunden jene Anerkennung erlangt habe, die ihm von den übrigen Kreaturen Frankreichs so schmählig versagt wird.

In der Tat, diese Gesellschaft bestand aus Franzosen, und der Zwerg, welcher sich hiernächst als Monsieur Türlütü ankündigte, fing an in französischer Sprache und mit so leidenschaftlichen Gesten zu bramarbasieren, daß die armen Engländer, noch weiter als gewöhnlich, ihre Mäuler und Nasen aufsperrten. Manchmal, nach einer langen Phrase, krähte er wie ein Hahn, und diese Kikerikis, so wie auch die Namen von vielen Kaisern, Königen und Fürsten, die er seiner Rede einmischte, waren wohl das Einzige was die armen Zuschauer verstanden. Jene Kaiser, Könige und Fürsten rühmte er nämlich als seine Gönner und Freunde. Schon als Knabe von acht Jahren, wie er versicherte, hatte er eine lange Unterredung mit der höchstseligen Majestät Ludwig XVI., welcher auch späterhin, bei wichtigen Gelegenheiten, ihn immer um Rat fragte. Den Stürmen der Revolution war er, so wie viele andre, durch die Flucht entgangen, und erst unter dem Kaisertum war er ins geliebte Vaterland zurückgekehrt, um teilzunehmen an dem Ruhm der großen Nation. Napoleon, sagte er, habe ihn nie geliebt, dagegen von Sr. Heiligkeit dem Papste Pius VII. sei er fast vergöttert worden. Der Kaiser Alexander gab ihm Bonbons, und die Prinzessin Wilhelm von Kyritz nahm ihn immer auf den Schoß. Ja, von Kindheit auf, sagte er, habe er unter lauter Souveränen gelebt, die jetzigen Monarchen seien gleichsam mit ihm aufgewachsen, und er betrachte sie wie Seinesgleichen, und er lege auch jedesmal Trauer an, wenn einer von ihnen das Zeitliche segne. Nach diesen gravitätischen Worten krähte er wie ein Hahn.

Monsieur Türlütü war in der Tat einer der kuriosesten Zwerge, die ich je gesehen; sein verrunzelt altes Gesicht bildete einen so putzigen Kontrast mit seinem kindisch schmalen Leibchen und seine ganze Person kontrastierte wieder so putzig mit den Kunststücken die er produzierte. Er warf sich nämlich in die kecksten Posituren, und mit einem unmenschlich langen Rapiere durchstach er die Luft die Kreuz und die Quer, während er beständig bei seiner Ehre schwur, daß diese Quarte oder jene Terze von niemanden zu parieren sei, daß hingegen seine Parade von keinem sterblichen Menschen durchgeschlagen werden könne, und daß er jeden im Publikum auffordere sich mit ihm

in der edlen Fechtkunst zu messen. Nachdem der Zwerg dieses
Spiel einige Zeit getrieben und niemanden gefunden hatte, der
sich zu einem öffentlichen Zweikampfe mit ihm entschließen
wollte, verbeugte er sich mit altfranzösischer Grazie, dankte
für den Beifall, den man ihm gespendet, und nahm sich die Freiheit einem hochzuverehrenden Publiko das außerordentlichste
Schauspiel anzukündigen, das jemals auf englischem Boden bewundert worden. »Sehen Sie, diese Person« – rief er, nachdem
er schmutzige Glacéhandschuh angezogen und das junge Mädchen, das zur Gesellschaft gehörte, mit ehrfurchtsvoller Galan-
terie bis in die Mitte des Kreises geführt – »diese Person ist
Mademoiselle Laurence, die einzige Tochter der ehrbaren und
christlichen Dame, die Sie dort mit der großen Trommel sehen
und die jetzt noch Trauer trägt wegen des Verlustes ihres innigst-
geliebten Gatten, des größten Bauchredners Europas! Mademoiselle Laurence wird jetzt tanzen! Bewundern Sie jetzt den
Tanz von Mademoiselle Laurence!« Nach diesen Worten krähte
er wieder wie ein Hahn.

Das junge Mädchen schien weder auf diese Reden, noch auf
die Blicke der Zuschauer im mindesten zu achten; verdrießlich
in sich selbst versunken harrte sie bis der Zwerg einen großen
Teppich zu ihren Füßen ausgebreitet und wieder, in Begleitung
der großen Trommel, seinen Triangel zu spielen begann. Es
war eine sonderbare Musik, eine Mischung von täppischer
Brummigkeit und wollüstigem Gekitzel, und ich vernahm eine
pathetisch närrische, wehmütig freche, bizarre Melodie, die
dennoch von der sonderbarsten Einfachheit. Dieser Musik aber
vergaß ich bald, als das junge Mädchen zu tanzen begann.

Tanz und Tänzerin nahmen fast gewaltsam meine ganze Aufmerksamkeit in Anspruch. Das war nicht das klassische Tanzen, das wir noch in unseren großen Balletten finden, wo, eben
so wie in der klassischen Tragödie, nur gespreizte Einheiten und
Künstlichkeiten herrschen; das waren nicht jene getanzten Alex-
andriner, jene deklamatorischen Sprünge, jene antithetischen
Entrechats, jene edle Leidenschaft, die so wirbelnd auf einem
Fuße herumpirouettiert, daß man nichts sieht als Himmel und
Trikot, nichts als Idealität und Lüge! Es ist mir wahrlich nichts
so sehr zuwider, wie das Ballett in der Großen Oper zu Paris, wo

sich die Tradition jenes klassischen Tanzens am reinsten erhalten
hat, während die Franzosen in den übrigen Künsten, in der Poesie,
in der Musik, und in der Malerei, das klassische System umge-
stürzt haben. Es wird ihnen aber schwer werden eine ähnliche
Revolution in der Tanzkunst zu vollbringen; es sei denn, daß
sie hier wieder, wie in ihrer politischen Revolution, zum Ter-
rorismus ihre Zuflucht nehmen und den verstockten Tänzern
und Tänzerinnen des alten Regimes die Beine guillotinieren.
Mademoiselle Laurence war keine große Tänzerin, ihre Fuß-
spitzen waren nicht sehr biegsam, ihre Beine waren nicht geübt
zu allen möglichen Verrenkungen, sie verstand nichts von der
Tanzkunst wie sie Vestris lehrt, aber sie tanzte wie die Natur den
Menschen zu tanzen gebietet: ihr ganzes Wesen war im Einklang mit ihren Pas, nicht bloß ihre Füße, sondern ihr ganzer
Leib tanzte, ihr Gesicht tanzte... sie wurde manchmal blaß,
fast totenblaß, ihre Augen öffneten sich gespenstisch weit, um
ihre Lippen zuckten Begier und Schmerz, und ihre schwarzen
Haare, die in glatten Ovalen ihre Schläfen umschlossen, bewegten sich wie zwei flatternde Rabenflügel. Das war in der Tat
kein klassischer Tanz, aber auch kein romantischer Tanz, in
dem Sinne wie ein junger Franzose von der Eugène Renduel-
schen Schule sagen würde. Dieser Tanz hatte weder etwas
Mittelalterliches, noch etwas Venezianisches, noch etwas Buck-
lichtes, noch etwas Makabrisches, es war weder Mondschein
darin noch Blutschande... Es war ein Tanz, welcher nicht durch
äußere Bewegungsformen zu amüsieren strebte, sondern die
äußeren Bewegungsformen schienen Worte einer besonderen
Sprache, die etwas Besonderes sagen wollte. Was aber sagte
dieser Tanz? Ich konnte es nicht verstehen, so leidenschaftlich
auch diese Sprache sich gebärdete. Ich ahnte nur manchmal, daß
von etwas grauenhaft Schmerzlichem die Rede war. Ich der
sonst die Signatur aller Erscheinungen so leicht begreift, ich
konnte dennoch dieses getanzte Rätsel nicht lösen, und daß ich
immer vergeblich nach dem Sinn desselben tappte, daran war
auch wohl die Musik Schuld, die mich gewiß absichtlich auf
falsche Fährten leitete, mich listig zu verwirren suchte und mich
immer störte. Monsieur Türlütüs Triangel kicherte manchmal
so hämisch! Madame Mutter aber schlug auf ihre große Trom-

mel so zornig, daß ihr Gesicht, aus dem Gewölke der schwarzen Mütze, wie ein blutrotes Nordlicht hervorglühte.

Als die Truppe sich wieder entfernt hatte, blieb ich noch lange auf demselben Platze stehen, und dachte drüber nach, was dieser Tanz bedeuten mochte? War es ein südfranzösischer oder spanischer Nationaltanz? An dergleichen mahnte wohl der Ungestüm, womit die Tänzerin ihr Leibchen hin und her schleuderte, und die Wildheit womit sie manchmal ihr Haupt rückwärts warf, in der frevelhaft kühnen Weise jener Bacchantinnen, die wir auf den Reliefs der antiken Vasen mit Erstaunen betrachten. Ihr Tanz hatte dann etwas trunken Willenloses, etwas finster Unabwendbares, etwas Fatalistisches, sie tanzte dann wie das Schicksal. Oder waren es Fragmente einer uralten verschollenen Pantomime? Oder war es getanzte Privatgeschichte? Manchmal beugte sich das Mädchen zur Erde, wie mit lauerndem Ohre, als hörte sie eine Stimme, die zu ihr heraufspräche ... sie zitterte dann wie Espenlaub, bog rasch nach einer anderen Seite, entlud sich dort ihrer tollsten, ausgelassensten Sprünge, beugte dann wieder das Ohr zur Erde, horchte noch ängstlicher als zuvor, nickte mit dem Kopfe, ward rot, ward blaß, schauderte, blieb eine Weile kerzengrade stehen, wie erstarrt, und machte endlich eine Bewegung wie jemand der sich die Hände wäscht. War es Blut, was sie so sorgfältig lange, so grauenhaft sorgfältig von ihren Händen abwusch? Sie warf dabei seitwärts einen Blick, der so bittend, so flehend, so seelenschmelzend ... und dieser Blick fiel zufällig auf mich.

Die ganze folgende Nacht dachte ich an diesen Blick, an diesen Tanz, an das abenteuerliche Akkompagnement; und als ich des anderen Tages, wie gewöhnlich, durch die Straßen von London schlenderte, empfand ich den sehnlichsten Wunsch der hübschen Tänzerin wieder zu begegnen, und ich spitzte immer die Ohren, ob ich nicht irgend eine Trommel- und Triangelmusik hörte. Ich hatte endlich in London etwas gefunden, wofür ich mich interessierte, und ich wanderte nicht mehr zwecklos einher in seinen gähnenden Straßen.

Ich kam eben aus dem Tower und hatte mir dort die Axt, womit Anna Boleyn geköpft worden, genau betrachtet, so wie auch die Diamanten der englischen Krone und die Löwen, als ich auf dem Towerplatze, inmitten eines großen Menschenkreises, wieder Madame Mutter mit der großen Trommel erblickte und Monsieur Türlütü wie einen Hahn krähen hörte. Der gelehrte Hund scharrte wieder das Heldentum des Lord Wellington zusammen, der Zwerg zeigte wieder seine unparierbaren Terzen und Quarten, und Mademoiselle Laurence begann wieder ihren wunderbaren Tanz. Es waren wieder dieselben rätselhaften Bewegungen, dieselbe Sprache die etwas sagte was ich nicht verstand, dasselbe ungestüme Zurückwerfen des schönen Kopfes, dasselbe Lauschen nach der Erde, die Angst die sich durch immer tollere Sprünge beschwichtigen will, und wieder das Horchen mit nach dem Boden geneigtem Ohr, das Zittern, das Erblassen, das Erstarren, dann auch das furchtbar geheimnisvolle Händewaschen, und endlich der bittende, flehende Seitenblick, der diesmal noch länger auf mich verweilte.

Ja, die Weiber, die jungen Mädchen eben so gut wie die Frauen, merken es gleich, sobald sie die Aufmerksamkeit eines Mannes erregen. Obgleich Mademoiselle Laurence, wenn sie nicht tanzte, immer regungslos verdrießlich vor sich hinsah, und während sie tanzte manchmal nur einen einzigen Blick auf das Publikum warf: so war es von jetzt an doch nie mehr bloßer Zufall, daß dieser Blick immer auf mich fiel, und je öfter ich sie tanzen sah, desto bedeutungsvoller strahlte er, aber auch desto unbegreiflicher. Ich war wie verzaubert von diesem Blicke, und drei Wochen lang, von Morgen bis Abend, trieb ich mich umher in den Straßen von London, überall verweilend, wo Mademoiselle Laurence tanzte. Trotz des größten Volksgeräusches, konnte ich schon in der weitesten Entfernung die Töne der Trommel und des Triangels vernehmen, und Monsieur Türlütü, sobald er mich heraneilen sah, erhub sein freundlichstes Krähen. Ohne daß ich mit ihm, noch mit Mademoiselle Laurence, noch mit Madame Mutter, noch mit dem gelehrten Hund, jemals ein Wort sprach, so schien ich doch am Ende ganz zu ihrer Gesellschaft zu gehören. Wenn Monsieur Türlütü Geld einsammelte, betrug er sich immer mit dem feinsten Takt, sobald er mir nahete, und er schaute immer nach einer entgegengesetzten Seite, wenn ich in sein dreieckiges Hütchen ein kleines Geldstück warf. Er besaß wirklich einen vornehmen Anstand, er erinnerte an die guten Manieren der Vergangenheit, man konnte es dem kleinen Manne anmerken, daß er mit Monarchen aufgewachsen, und um so befremdlicher war es, wenn er zuweilen, ganz und gar seiner Würde vergessend, wie ein Hahn krähete.

Ich kann Ihnen nicht beschreiben, wie sehr ich verdrießlich wurde, als ich einst drei Tage lang vergebens die kleine Gesellschaft in allen Straßen Londons gesucht, und endlich wohl merkte, daß sie die Stadt verlassen habe. Die lange Weile nahm mich wieder in ihre bleiernen Arme und preßte mir wieder das Herz zusammen. Ich konnte es endlich nicht länger aushalten, sagte ein Lebewohl dem Mob, den Blackguards, den Gentlemen und den Fashionables von England, den vier Ständen des Reichs, und reiste zurück nach dem zivilisierten festen Lande, wo ich vor der weißen Schürze des ersten Kochs, dem ich dort begegnete, anbetend niederkniete. Hier konnte ich wieder einmal wie ein vernünftiger Mensch zu Mittag essen und an der Gemütlichkeit uneigennütziger Gesichter meine Seele erquicken. Aber Mademoiselle Laurence konnte ich nimmermehr vergessen, sie tanzte lange Zeit in meinem Gedächtnisse, in einsamen Stunden mußte ich noch oft nachdenken über die rätselhaften Pantomimen des schönen Kindes, besonders über das Lauschen mit nach der Erde gebeugtem Ohre. Es dauerte auch eine gute Weile ehe die abenteuerlichen Triangel- und Trommelmelodien in meiner Erinnerung verhallten.

Und das ist die ganze Geschichte? schrie auf einmal Maria, indem sie sich leidenschaftlich emporrichtete.

Maximilian aber drückte sie wieder sanft nieder, legte bedeutungsvoll den Zeigefinger auf seinen Mund und flüsterte: Still! still! nur kein Wort gesprochen, liegen Sie wieder hübsch ruhig, und ich werde Ihnen den Schwanz der Geschichte erzählen. Nur bei Leibe unterbrechen Sie mich nicht.

Indem er sich noch etwas gemächlicher in seinem Sessel zurücklehnte, fuhr Maximilian folgendermaßen fort in seiner Erzählung:

Fünf Jahre nach diesem Begebnis kam ich zum erstenmale nach Paris und zwar in einer sehr merkwürdigen Periode. Die Franzosen hatten so eben ihre Juliusrevolution aufgeführt, und die ganze Welt applaudierte. Dieses Stück war nicht so gräßlich wie die früheren Tragödien der Republik und des Kaiserreichs. Nur einige tausend Leichen blieben auf dem Schauplatz. Auch waren die politischen Romantiker nicht sehr zufrieden und kündigten ein neues Stück an, worin mehr Blut fließen würde und wo der Henker mehr zu tun bekäme.

Paris ergötzte mich sehr, durch die Heiterkeit, die sich in allen Erscheinungen dort kund gibt und auch auf ganz verdüsterte Gemüter ihren Einfluß ausübt. Sonderbar! Paris ist der Schauplatz, wo die größten Tragödien der Weltgeschichte aufgeführt werden, Tragödien bei deren Erinnerung sogar in den entferntesten Ländern die Herzen zittern und die Augen naß werden; aber dem Zuschauer dieser großen Tragödien ergeht es hier in Paris, wie es mir einst an der Porte Saint-Martin erging, als ich die »Tour-de-Nesle« aufführen sah. Ich kam nämlich hinter eine Dame zu sitzen, die einen Hut von rosaroter Gaze trug, und dieser Hut war so breit, daß er mir die ganze Aussicht auf die Bühne versperrte, daß ich alles was dort tragiert wurde, nur durch die rote Gaze dieses Hutes sah, und daß mir also alle Greuel der »Tour-de-Nesle« im heitersten Rosenlichte erschienen. Ja, es gibt in Paris ein solches Rosenlicht, welches alle Tragödien für den nahen Zuschauer erheitert, damit ihm dort der Lebensgenuß nicht verleidet wird. Sogar die Schrecknisse, die man im eignen Herzen mitgebracht hat nach Paris, verlieren dort ihre beängstigende Schauer. Die Schmerzen werden sonderbar gesänftigt. In dieser Luft von Paris heilen alle Wunden viel schneller als irgendanderswo; es ist in dieser Luft etwas so Großmütiges, so Mildreiches, so Liebenswürdiges wie im Volke selbst.

Was mir am besten an diesem Pariser Volke gefiel, das war sein höfliches Wesen und sein vornehmes Ansehen. Süßer Ananasduft der Höflichkeit! wie wohltätig erquicktest du meine kranke Seele, die in Deutschland so viel Tabaksqualm, Sauerkrautsgeruch und Grobheit eingeschluckt! Wie Rossinische Melodien erklangen in meinem Ohr die artigen Entschuldigungsreden eines Franzosen, der am Tage meiner Ankunft, mich auf der Straße nur leise gestoßen hatte. Ich erschrak fast vor solcher süßen Höflichkeit, ich, der ich an deutschflegelhaften Rippenstößen ohne Entschuldigung gewöhnt war. Während der ersten Woche meines Aufenthalts in Paris suchte ich vorsätzlich einigemal gestoßen zu werden, bloß um mich an dieser Musik der Entschuldigungsreden zu erfreuen. Aber nicht bloß wegen dieser Höflichkeit, sondern auch schon seiner Sprache wegen, hatte für mich das französische Volk einen gewissen Anstrich von Vornehmheit. Denn wie Sie wissen, bei uns im Norden gehört die französische Sprache zu den Attributen des hohen Adels, mit Französisch-Sprechen hatte ich von Kindheit an die Idee der Vornehmheit verbunden. Und so eine Pariser Dame-de-la-halle sprach besser französisch als eine deutsche Stiftsdame von vierundsechzig Ahnen.

Wegen dieser Sprache, die ihm ein vornehmes Ansehen verleiht, hatte das französische Volk in meinen Augen etwas allerliebst Fabelhaftes. Dieses entsprang aus einer anderen Reminiszenz meiner Kindheit. Das erste Buch nämlich, worin ich französisch Lesen lernte, waren die Fabeln von Lafontaine; die naiv vernünftigen Redensarten derselben hatten sich meinem Gedächtnisse am unauslöschlichsten eingeprägt, und als ich nun nach Paris kam und überall Französisch sprechen hörte, erinnerte ich mich beständig der lafontaineschen Fabeln, ich glaubte immer die wohlbekannten Tierstimmen zu hören: jetzt sprach der Löwe, dann wieder sprach der Wolf, dann das Lamm, oder der Storch, oder die Taube, nicht selten vermeinte ich auch den Fuchs zu vernehmen, und in meiner Erinnerung erwachten manchmal die Worte:

Hé! bon jour, monsieur le corbeau!

Que vous êtes joli, que vous me semblez beau!

Solche fabelhafte Reminiszenzen erwachten aber in meiner Seele noch viel öfter, wenn ich zu Paris in jene höhere Region geriet, welche man die Welt nennt. Dieses war ja eben jene Welt, die dem seligen Lafontaine die Typen seiner Tiercharaktere geliefert hatte. Die Wintersaison begann bald nach meiner Ankunft in Paris, und ich nahm teil an dem Salonleben, worin sich jene Welt mehr oder minder lustig herumtreibt. Als das Interessanteste dieser Welt frappierte mich nicht sowohl die Gleichheit der feinen Sitten, die dort herrscht, sondern vielmehr die Verschiedenheit ihrer Bestandteile. Manchmal, wenn ich mir in einem großen Salon die Menschen betrachtete, die sich dort friedlich versammelt, glaubte ich mich in jenen Raritätenbutiken zu befinden, wo die Reliquien aller Zeiten kunterbunt neben einander ruhen: ein griechischer Apollo neben einer chinesischen Pagode, ein mexikanischer Vitzliputzli neben einem gotischen Ecce-homo, egyptische Götzen mit Hundköpfchen, heilige Fratzen von Holz, von Elfenbein, von Metall usw. Da sah ich alte Musketairs, die einst mit Maria Antoinette getanzt, Republikaner von der gelinden Observanz, die in der Assemblee-Nationale vergöttert wurden, Montagnards ohne Barmherzigkeit und ohne Flecken, ehemalige Direktorialmänner, die im Luxemburg gethront, Großwürdenträger des Empires, vor denen ganz Europa gezittert, herrschende Jesuiten der Restauration, kurz lauter abgefärbte, verstümmelte Gottheiten aus allen Zeitaltern, und woran niemand mehr glaubt. Die Namen heulen wenn sie sich berühren, aber die Menschen sieht man friedsam und freundlich neben einander stehen, wie die Antiquitäten in den erwähnten Butiken des Quai Voltaire. In germanischen Landen, wo die Leidenschaften weniger disziplinierbar sind, wäre ein gesellschaftliches Zusammenleben so heterogener Personen etwas ganz Unmögliches. Auch ist bei uns, im kalten Norden, das Bedürfnis des Sprechens nicht so stark wie im wärmeren Frankreich, wo die größten Feinde, wenn sie sich in einem Salon begegnen, nicht lange ein finsteres Stillschweigen beobachten können. Auch ist in Frankreich die Gefallsucht so groß, daß man eifrig dahin strebt nicht bloß den Freunden, sondern auch den Feinden zu gefallen. Da ist ein beständiges Drapieren und Minaudieren und die Weiber haben hier ihre liebe Mühe die Männer in der Koketterie zu übertreffen; aber es gelingt ihnen dennoch.

Ich will mit dieser Bemerkung nichts Böses gemeint haben, bei Leibe nichts Böses in Betreff der französischen Frauen, und am allerwenigsten in Betreff der Pariserinnen. Bin ich doch der größte Verehrer derselben, und ich verehre sie ihrer Fehler wegen noch weit mehr als wegen ihrer Tugenden. Ich kenne nichts Treffenderes als die Legende, daß die Pariserinnen mit allen möglichen Fehlern zur Welt kommen, daß aber eine holde Fee sich ihrer erbarmt und jedem ihrer Fehler einen Zauber verleiht, wodurch er sogar als ein neuer Liebreiz wirkt. Diese holde

Fee ist die Grazie. Sind die Pariserinnen schön? Wer kann das wissen! Wer kann alle Intrigen der Toilette durchschauen, wer kann entziffern ob das echt ist, was der Tüll verrät, oder ob das falsch ist, was das bauschige Seidenzeug vorprahlt! Und ist es dem Auge gelungen durch die Schale zu dringen und sind wir eben im Begriff den Kern zu erforschen, dann hüllt er sich gleich in eine neue Schale und nachher wieder in eine neue, und durch diesen unaufhörlichen Modewechsel spotten sie des männlichen Scharfblicks. Sind ihre Gesichter schön? Auch dieses wäre schwierig zu ermitteln. Denn alle ihre Gesichtszüge sind in beständiger Bewegung, jede Pariserin hat tausend Gesichter, eins lachender, geistreicher, holdseliger als das andere, und setzt denjenigen in Verlegenheit, der darunter das schönste Gesicht auswählen oder gar das wahre Gesicht erraten will. Sind ihre Augen groß? Was weiß ich! Wir untersuchen nicht lange das Kaliber der Kanone, wenn ihre Kugel uns den Kopf entführt. Und wen sie nicht treffen, diese Augen, den blenden sie wenigstens durch ihr Feuer, und er ist froh genug sich in sicherer Schußweite zu halten. Ist der Raum zwischen Nase und Mund bei ihnen breit oder schmal? Manchmal ist er breit, wenn sie die Nase rümpfen; manchmal ist er schmal, wenn ihre Oberlippe sich übermütig bäumt. Ist ihr Mund groß oder klein? Wer kann wissen wo der Mund aufhört und das Lächeln beginnt? Damit ein richtiges Urteil gefällt werde, muß der Beurteilende und der Gegenstand der Beurteilung sich im Zustande der Ruhe befinden. Aber wer kann ruhig bei einer Pariserin sein und welche Pariserin ist jemals ruhig? Es gibt Leute, welche glauben, sie könnten den Schmetterling ganz genau betrachten, wenn sie ihn mit einer Nadel aufs Papier festgestochen haben. Das ist eben so törigt wie grausam. Der angeheftete, ruhige Schmetterling ist kein Schmetterling mehr. Den Schmetterling muß man betrachten wenn er um die Blumen gaukelt... und die Pariserin muß man betrachten, nicht in ihrer Häuslichkeit, wo sie mit der Nadel in die Brust befestigt ist, sondern im Salon, bei Soireen und Bällen, wenn sie mit den gestickten Gaze- und Seidenflügeln dahinflattert, unter den blitzenden Kristallkronen der Freude! Dann offenbart sich bei ihnen eine hastige Lebenssucht, eine Begier nach süßer Betäubung, ein Lechzen nach Trunkenheit, wodurch sie fast grauenhaft verschönert werden und einen Reiz gewinnen, der unsere Seele zugleich entzückt und erschüttert. Dieser Durst das Leben zu genießen, als wenn in der nächsten Stunde der Tod sie schon abriefe von der sprudelnden Quelle des Genusses, oder als wenn diese Quelle in der nächsten Stunde schon versiegt sein würde, diese Hast, diese Wut, dieser Wahnsinn der Pariserinnen, wie er sich besonders auf Bällen zeigt, mahnt mich immer an die Sage von den toten Tänzerinnen, die man bei uns die Willis nennt. Diese sind nämlich junge Bräute, die vor dem Hochzeittage gestorben sind, aber die unbefriedigte Tanzlust so gewaltig im Herzen bewahrt haben, daß sie nächtlich aus ihren Gräbern hervorsteigen, sich scharenweis an den Landstraßen versammeln, und sich dort, während der Mitternachtsstunde, den wildesten Tänzen überlassen. Geschmückt mit ihren Hochzeitkleidern, Blumenkränze auf den Häuptern, funkelnde Ringe an den bleichen Händen, schauerlich lachend, unwiderstehlich schön, tanzen die Willis im Mondschein, und sie tanzen immer um so tobsüchtiger und ungestümer, je mehr sie fühlen, daß die vergönnte Tanzstunde zu Ende rinnt, und sie wieder hinabsteigen müssen in die Eiskälte des Grabes.

Es war auf einer Soiree in der Chaussée d'Antin, wo mir diese Betrachtung recht tief die Seele bewegte. Es war eine glänzende Soiree, und nichts fehlte an den herkömmlichen Ingredienzen des gesellschaftlichen Vergnügens: genug Licht um beleuchtet zu werden, genug Spiegel um sich betrachten zu können, genug Menschen um sich heiß zu drängen, genug Zuckerwasser und Eis um sich abzukühlen. Man begann mit Musik. Franz Liszt hatte sich ans Fortepiano drängen lassen, strich seine Haare aufwärts über die geniale Stirne, und lieferte eine seiner brilliantesten Schlachten. Die Tasten schienen zu bluten. Wenn ich nicht irre, spielte er eine Passage aus den »Palingenesieen« von Ballanche, dessen Ideen er in Musik übersetzte, was sehr nützlich für diejenigen, welche die Werke dieses berühmten Schriftstellers nicht im Originale lesen können. Nachher spielte er den »Gang nach der Hinrichtung«, »La marche au supplice«, von Berlioz, das treffliche Stück, welches dieser junge Musiker, wenn ich nicht irre, am Morgen seines Hochzeitstages komponiert hat.

Im ganzen Saale erblassende Gesichter, wogende Busen, leises
Atmen während den Pausen, endlich tobender Beifall. Die
Weiber sind immer wie berauscht, wenn Liszt ihnen etwas vor-
gespielt hat. Mit tollerer Freude überließen sie sich jetzt dem
Tanz, die Willis des Salon, und ich hatte Mühe mich aus dem
Getümmel in ein Nebenzimmer zu retten. Hier wurde gespielt
und auf großen Sesseln ruheten einige Damen, die den Spielenden zuschauten, oder sich wenigstens das Ansehen gaben, als
interessierten sie sich für das Spiel. Als ich einer dieser Damen
vorbeistreifte und ihre Robe meinen Arm berührte, fühlte ich
von der Hand bis hinauf zur Schulter ein leises Zucken, wie von
einem sehr schwachen elektrischen Schlage. Ein solcher Schlag
durchfuhr aber mit der größten Stärke mein ganzes Herz, als
ich das Antlitz der Dame betrachtete. Ist sie es oder ist sie es
nicht? Es war dasselbe Gesicht, das an Form und sonniger Färbung einer Antike gleich; nur war es nicht mehr so marmorrein
und marmorglatt wie ehemals. Dem geschärften Blicke waren
auf Stirn und Wange einige kleine Brüche, vielleicht Pocken-
narben, bemerkbar, die hier ganz an jene feinen Witterungs-
flecken mahnten, wie man sie auf dem Gesichte von Statuen,
die einige Zeit dem Regen ausgesetzt standen, zu finden pflegt.
Es waren auch dieselben schwarzen Haare, die in glatten Ovalen, wie Rabenflügel, die Schläfen bedeckten. Als aber ihr Auge
dem meinigen begegnete, und zwar mit jenem wohlbekannten
Seitenblick, dessen rascher Blitz mir immer so rätselhaft durch
die Seele schoß, da zweifelte ich nicht länger: es war Mademoiselle Laurence.

Vornehm hingestreckt in ihrem Sessel, in der einen Hand einen
Blumenstrauß, mit der anderen gestützt auf der Armlehne, saß
Mademoiselle Laurence unfern eines Spieltisches und schien
dort dem Wurf der Karten ihre ganze Aufmerksamkeit zu widmen. Vornehm und zierlich war ihr Anzug, aber dennoch ganz
einfach, von weißem Atlas. Außer Armbändern und Brust-
nadeln von Perlen trug sie keinen Schmuck. Eine Fülle von
Spitzen bedeckte den jugendlichen Busen, bedeckte ihn fast
puritanisch bis am Halse, und in dieser Einfachheit und Zucht
der Bekleidung, bildete sie einen rührend lieblichen Kontrast
mit einigen älteren Damen, die, buntgeputzt und diamanten-

blitzend, neben ihr saßen und die Ruinen ihrer ehemaligen Herrlichkeit, die Stelle, wo einst Troja stand, melancholisch nackt zur Schau trugen. Sie sah noch immer wunderschön und entzückend verdrießlich aus, und es zog mich unwiderstehbar zu ihr hin, und endlich stand ich hinter ihrem Sessel, brennend vor Begier mit ihr zu sprechen, jedoch zurückgehalten von zagender Delikatesse.

Ich mochte wohl schon einige Zeit schweigend hinter ihr gestanden haben, als sie plötzlich aus ihrem Bouquet eine Blume zog, und ohne sich nach mir umzusehen, über ihre Schulter hinweg, mir diese Blume hinreichte. Sonderbar war der Duft dieser Blume und er übte auf mich eine eigentümliche Verzauberung. Ich fühlte mich entrückt aller gesellschaftlichen Förmlichkeit, und mir war wie in einem Traume, wo man allerlei tut und spricht, worüber man sich selber wundert und wo unsere Worte einen gar kindisch traulichen und einfachen Charakter tragen. Ruhig gleichgültig, nachlässig, wie man es bei alten Freunden zu tun pflegt, beugte ich mich über die Lehne des Sessels, und flüsterte der jungen Dame ins Ohr:

Mademoiselle Laurence, wo ist denn die Mutter mit der Trommel?

»Sie ist tot«, anwortete sie, in demselben Tone, eben so ruhig, gleichgültig, nachlässig.

Nach einer kurzen Pause beugte ich mich wieder über die Lehne des Sessels und flüsterte der jungen Dame ins Ohr: Mademoiselle Laurence, wo ist denn der gelehrte Hund?

»Er ist fortgelaufen in die weite Welt!« antwortete sie wieder in demselben ruhigen, gleichgültigen, nachlässigen Tone.

Und wieder nach einer kurzen Pause, beugte ich mich über die Lehne des Sessels und flüsterte der jungen Dame ins Ohr: Mademoiselle Laurence, wo ist denn Monsieur Türlütü, der Zwerg?

»Er ist bei den Riesen auf dem Boulevard du Temple«, antwortete sie. Sie hatte aber kaum diese Worte gesprochen, und zwar wieder in demselben ruhigen, gleichgültigen, nachlässigen Tone, als ein ernster alter Mann, von hoher militärischer Gestalt, zu ihr hintrat und ihr meldete, daß ihr Wagen vorgefahren sei. Langsam von ihrem Sitze sich erhebend hing sie sich jenem

an den Arm, und ohne auch nur einen Blick auf mich zurückzu-
werfen, verließ sie mit ihm die Gesellschaft.

Als ich die Dame des Hauses, die den ganzen Abend am Ein-
gange des Hauptsaales stand und den Ankommenden und Fort-
gehenden ihr Lächeln präsentierte, um den Namen der jungen
Person befragte, die so eben mit dem alten Manne fortgegangen,
lachte sie mir heiter ins Gesicht und rief: »Mein Gott! wer kann
alle Menschen kennen! ich kenne ihn eben so wenig...« Sie
stockte, denn sie wollte gewiß sagen, eben so wenig wie mich
selber, den sie ebenfalls an jenem Abende zum erstenmale gesehen. Vielleicht, bemerkte ich ihr, kann mir Ihr Herr Gemahl
einige Auskunft geben; wo finde ich ihn?

»Auf der Jagd bei Saint-Germain«, antwortete die Dame mit
noch stärkerem Lachen, »er ist heute in der Frühe abgereist und
kehrt erst morgen Abend zurück... Aber warten Sie, ich kenne
jemanden, der mit der Dame wonach Sie sich erkundigen viel
gesprochen hat; ich weiß nicht seinen Namen, aber Sie können
ihn leicht erfragen, wenn Sie sich nach dem jungen Menschen
erkundigen, dem Herr Casimir Périer einen Fußtritt gegeben
hat, ich weiß nicht wo.«

So schwer es auch ist, einen Menschen daran zu erkennen,
daß er vom Minister einen Fußtritt erhalten, so hatte ich doch
meinen Mann bald ausfindig gemacht, und ich verlangte von
ihm nähere Aufklärung über das sonderbare Geschöpf, das
mich so sehr interessierte und das ich ihm deutlich genug zu
bezeichnen wußte. »Ja, sagte der junge Mensch, ich kenne sie
ganz genau, ich habe auf mehren Soireen mit ihr gesprochen« —
und er wiederholte mir eine Menge nichtssagender Dinge, womit er sie unterhalten. Was ihm besonders aufgefallen, war ihr
ernsthafter Blick, jedesmal wenn er ihr eine Artigkeit sagte.
Auch wunderte er sich nicht wenig, daß sie seine Einladung zu
einer Contredanse immer abgelehnt, und zwar mit der Versiche-
rung: sie verstünde nicht zu tanzen. Namen und Verhältnisse
kannte er nicht. Und niemand, so viel ich mich auch erkundigte,
wußte mir hierüber etwas Näheres mitzuteilen. Vergebens
rann ich durch alle möglichen Soireen, nirgends konnte ich
Mademoiselle Laurence wiederfinden.

Und das ist die ganze Geschichte? – rief Maria, indem sie sich langsam umdrehte und schläfrig gähnte – das ist die ganze merkwürdige Geschichte? Und Sie haben weder Mademoiselle Laurence, noch die Mutter mit der Trommel, noch den Zwerg Türlütü und auch nicht den gelehrten Hund jemals wiedergesehn?

Bleiben Sie ruhig liegen, versetzte Maximilian. Ich habe sie alle wiedergesehen, sogar den gelehrten Hund. Er befand sich freilich in einer sehr schlimmen Not, der arme Schelm, als ich ihm zu Paris begegnete. Es war im Quartier Latin. Ich kam eben der Sorbonne vorbei, und aus den Pforten derselben stürzte ein Hund, und hinter ihm drein, mit Stöcken, ein Dutzend Studenten, zu denen sich bald zwei Dutzend alte Weiber gesellen, die alle im Chorus schreien: der Hund ist toll! Fast menschlich sah das unglückliche Tier aus in seiner Todesangst, wie Tränen floß das Wasser aus seinen Augen, und als er keuchend an mir vorbei rann und sein feuchter Blick an mich hinstreifte, erkannte ich meinen alten Freund, den gelehrten Hund, den Lobredner von Lord Wellington, der einst das Volk von England mit Bewunderung erfüllt. War er vielleicht wirklich toll? War er vielleicht vor lauter Gelehrsamkeit übergeschnappt, als er im Quartier Latin seine Studien fortsetzte? Oder hatte er vielleicht in der Sorbonne, durch leises Scharren oder Knurren, seine Mißbilligung zu erkennen gegeben, über die pausbäckigen Charlatanerien irgend eines Professors, der sich seines ungünstigen Zuhörers dadurch zu entledigen suchte, daß er ihn für toll erklärte? Und ach! die Jugend untersucht nicht lange, ob es verletzter Gelehrtendünkel oder gar Brotneid war, welcher zuerst ausrief: der Hund ist toll! und sie schlägt zu mit ihren gedankenlosen Stöcken, und auch die alten Weiber sind dann bereit mit ihrem Geheule und sie überschreien die Stimme der Unschuld und der Vernunft. Mein armer Freund mußte unterliegen, vor meinen Augen wurde er erbärmlich totgeschlagen, verhöhnt, und endlich auf einen Misthaufen geworfen! Armer Märtyrer der Gelehrsamkeit!

Nicht viel heiterer war der Zustand des Zwergs, Monsieur Türlütü, als ich ihn auf dem Boulevard du Temple wiederfand. Mademoiselle Laurence hatte mir zwar gesagt, er habe sich dorthin begeben, aber sei es, daß ich nicht daran dachte ihn im

Ernste dort zu suchen, oder daß das Menschengewühl mich
dort daran verhinderte, genug, erst spät bemerkte ich die Buti-
ke, wo die Riesen zu sehen sind. Als ich hineintrat fand ich zwei
lange Schlingel, die müßig auf der Pritsche lagen und rasch auf-
sprangen und sich in Riesenpositur vor mich hinstellten. Sie
waren wahrhaftig nicht so groß, wie sie auf ihrem Aushängezettel prahlten. Es waren zwei lange Schlingel, welche in Rosa-
trikot gekleidet gingen, sehr schwarze, vielleicht falsche Backenbärte trugen und ausgehöhlte Holzkeulen über ihre Köpfe
schwangen. Als ich sie nach dem Zwerg befragte, wovon ihr
Aushängezettel ebenfalls Meldung tue, erwiderten sie, daß er
seit vier Wochen, wegen seiner zunehmenden Unpäßlichkeit,
nicht mehr gezeigt werde, daß ich ihn aber dennoch sehen könne,
wenn ich das doppelte Entree-Geld bezahlen wolle. Wie gern
bezahlt man, um einen Freund wieder zu sehen, das doppelte
Entree-Geld! Und ach! es war ein Freund, den ich auf dem
Sterbebette fand. Dieses Sterbebett war eigentlich eine Kinder-
wiege, und darin lag der arme Zwerg mit seinem gelb ver-
schrumpften Greisengesicht. Ein etwa vierjähriges kleines
Mädchen saß neben ihm und bewegte mit dem Fuße die Wiege
und sang in lachend schäkerndem Tone:

»Schlaf, Türlütüchen, schlafe!«

Als der Kleine mich erblickte, öffnete er so weit als möglich
seine gläsern blassen Augen und ein wehmütiges Lächeln
zuckte um seine weißen Lippen; er schien mich gleich wieder
zu erkennen, reichte mir sein vertrocknetes Händchen und
röchelte leise: alter Freund!

Es war in der Tat ein betrübsamer Zustand worin ich den
Mann fand, der schon im achten Jahre mit Ludwig XVI. eine
lange Unterredung gehalten, den der Zar Alexander mit
Bonbons gefüttert, den die Prinzessin von Kyritz auf dem
Schoße getragen, den der Papst vergöttert und den Napoleon
nie geliebt hatte! Dieser letztere Umstand bekümmerte den
Unglücklichen noch auf seinem Todbette, oder wie gesagt in
seiner Todeswiege, und er weinte über das tragische Schicksal
des großen Kaisers, der ihn nie geliebt, der aber in einem so
kläglichen Zustande auf Sankt Helena geendet – »ganz wie ich
jetzt endige, setzte er hinzu, einsam, verkannt, verlassen von

allen Königen und Fürsten, ein Hohnbild ehemaliger Herrlichkeit!«

Obgleich ich nicht recht begriff, wie ein Zwerg, der unter Riesen stirbt, sich mit dem Riesen, der unter Zwergen gestorben, vergleichen konnte, so rührten mich doch die Worte des armen Türlütü und gar sein verlassener Zustand in der Sterbestunde. Ich konnte nicht umhin meine Verwunderung zu bezeugen, daß Mademoiselle Laurence, die jetzt so vornehm geworden, sich nicht um ihn bekümmere. Kaum hatte ich aber diesen Namen genannt, so bekam der Zwerg in der Wiege die furchtbarsten Krämpfe und mit seinen weißen Lippen wimmerte er: »Undankbares Kind! das ich auferzogen, das ich zu meiner Gattin erheben wollte, dem ich gelehrt, wie man sich unter den Großen dieser Welt bewegen und gebärden muß, wie man lächelt, wie man sich bei Hof verbeugt, wie man repräsentiert... du hast meinen Unterricht gut benutzt, und bist jetzt eine große Dame, und hast jetzt eine Kutsche, und Lakaien, und viel Geld, und viel Stolz, und kein Herz. Du läßt mich hier sterben, einsam und elend sterben, wie Napoleon auf Sankt Helena! O Napoleon, du hast mich nie geliebt...« Was er hinzusetzte konnte ich nicht verstehen. Er hob sein Haupt, machte einige Bewegungen mit der Hand, als ob er gegen jemanden fechte, vielleicht gegen den Tod. Aber der Sense dieses Gegners widersteht kein Mensch, weder ein Napoleon noch ein Türlütü. Hier hilft keine Parade. Matt, wie überwunden, ließ der Zwerg sein Haupt wieder sinken, sah mich lange an mit einem unbeschreibbar geisterhaften Blick, krähte plötzlich wie ein Hahn, und verschied.

Dieser Todesfall betrübte mich um so mehr, da mir der Verstorbene keine nähere Auskunft über Mademoiselle Laurence gegeben hatte. Wo sollte ich sie jetzt wiederfinden? Ich war weder verliebt in sie, noch fühlte ich sonstig große Zuneigung zu ihr, und doch stachelte mich eine geheimnisvolle Begier, sie überall zu suchen; wenn ich in irgend einen Salon getreten, und die Gesellschaft gemustert, und das wohlbekannte Gesicht nicht fand, dann verlor ich bald alle Ruhe und es trieb mich wieder von hinnen. Über dieses Gefühl nachdenkend stand ich einst, um Mitternacht, an einem entlegenen Eingang der

Großen Oper, auf einen Wagen wartend, und sehr verdrießlich wartend, da es eben stark regnete. Aber es kam kein Wagen, oder vielleicht es kamen nur Wagen, welche anderen Leuten gehörten, die sich vergnügt hineinsetzten, und es wurde allmählig sehr einsam um mich her. »So müssen Sie denn mit mir fahren«, sprach endlich eine Dame, die, tief verhüllt in ihrer schwarzen Mantille, ebenfalls harrend einige Zeit neben mir gestanden, und jetzt im Begriffe war, in einen Wagen zu steigen. Die Stimme zuckte mir durchs Herz, der wohlbekannte Seitenblick übte wieder seinen Zauber, und ich war wieder wie im Traume, als ich mich neben Mademoiselle Laurence in einem weichen warmen Wagen befand. Wir sprachen kein Wort, hätten auch einander nicht verstehen können, da der Wagen mit dröhnendem Geräusche durch die Straßen von Paris dahinrasselte, sehr lange, bis er endlich vor einem großen Torweg stille hielt.

Bedienten in brillianter Livree leuchteten uns die Treppe hinauf und durch eine Reihe Gemächer. Eine Kammerfrau, die mit schläfrigem Gesichte uns entgegen kam, stotterte unter vielen Entschuldigungen, daß nur im roten Zimmer eingeheizt sei. Indem sie der Frau einen Wink gab, sich zu entfernen, sprach Laurence mit Lachen: »Der Zufall führt Sie heute weit, nur in meinem Schlafzimmer ist eingeheizt…«

In diesem Schlafzimmer, worin wir uns bald allein befanden, loderte ein sehr gutes Kaminfeuer, welches um so ersprießlicher, da das Zimmer ungeheuer groß und hoch war. Dieses große Schlafzimmer, dem vielmehr der Name Schlafsaal gebührte, hatte auch etwas sonderbar Ödes. Möbel und Dekoration, alles trug dort das Gepräge einer Zeit, deren Glanz uns jetzt so betäubt, und deren Erhabenheit uns jetzt so nüchtern erscheint, daß ihre Reliquien bei uns ein gewisses Unbehagen, wo nicht gar ein geheimes Lächeln erregen. Ich spreche nämlich von der Zeit des Empires, von der Zeit der goldnen Adler, der hochfliegenden Federbüsche, der griechischen Coiffüren, der Gloire, der militärischen Messen, der offiziellen Unsterblichkeit, die der Moniteur dekretierte, des Kontinentalkaffees, welchen man aus Cigorien verfertigte, und des schlechten Zuckers, den man aus Runkelrüben fabrizierte, und der Prinzen und Herzöge, die man aus gar nichts machte. Sie hatte aber immer ihren Reiz, diese Zeit des pathetischen Materialismus… Talma deklamierte, Gros malte, die Bigotini tanzte, Maury predigte, Rovigo hatte die Polizei, der Kaiser las den Ossian, Pauline Borghese ließ sich mulieren als Venus, und zwar ganz nackt, denn das Zimmer war gut geheizt, wie das Schlafzimmer worin ich mich mit Mademoiselle Laurence befand.

Wir saßen am Kamin, vertraulich schwatzend, und seufzend erzählte sie mir, daß sie verheuratet sei, an einen bonapartischen Helden, der sie alle Abende, vor dem Zubettegehn, mit der Schilderung einer seiner Schlachten erquicke; er habe ihr vor einigen Tagen, ehe er abgereist, die Schlacht bei Jena geliefert; er sei sehr kränklich und werde schwerlich den russischen Feldzug überleben. Als ich sie frug, wie lange ihr Vater tot sei? lachte sie und gestand, daß sie nie einen Vater gekannt habe, und daß ihre sogenannte Mutter niemals verheuratet gewesen sei.

Nicht verheuratet, rief ich, ich habe sie ja selber zu London, wegen den Tod ihres Mannes, in tiefster Trauer gesehen?

»O, erwiderte Laurence, sie hat während zwölf Jahren sich immer schwarz gekleidet, um bei den Leuten Mitleid zu erregen, als unglückliche Witwe, nebenbei auch um irgend einen heuratslustigen Gimpel anzulocken, und sie hoffte unter schwarzer Flagge desto schneller in den Hafen der Ehe zu gelangen. Aber nur der Tod erbarmte sich ihrer, und sie starb an einem Blutsturz. Ich habe sie nie geliebt, denn sie hat mir immer viel Schläge und wenig zu essen gegeben. Ich wäre verhungert, wenn mir nicht manchmal Monsieur Türlütü ein Stückchen Brot ins Geheim zusteckte; aber der Zwerg verlangte dafür, daß ich ihn heurate, und als seine Hoffnungen scheiterten, verband er sich mit meiner Mutter, ich sage Mutter aus Gewohnheit, und beide quälten mich gemeinschaftlich. Da sagten sie immer, ich sei ein überflüssiges Geschöpf, der gelehrte Hund sei tausendmal mehr wert als ich mit meinem schlechten Tanzen. Und sie lobten dann den Hund auf meine Kosten, rühmten ihn bis in den Himmel, streichelten ihn, fütterten ihn mit Kuchen, und warfen mir die Krumen zu. Der Hund, sagten sie, sei ihre beste Stütze, er entzücke das Publikum, das sich für mich nicht im mindesten interessiere, der Hund müsse mich ernähren mit seiner Arbeit, ich fräße das Gnadenbrot des Hundes. Der verdammte Hund!«

O, verwünschen Sie ihn nicht mehr, unterbrach ich die Zürnende, er ist jetzt tot, ich habe ihn sterben sehen...

»Ist die Bestie verreckt?« rief Laurence indem sie aufsprang, errötende Freude im ganzen Gesichte.

Und auch der Zwerg ist tot, setzte ich hinzu.

»Monsieur Türlütü?« rief Laurence, ebenfalls mit Freude. Aber diese Freude schwand allmählig aus ihrem Gesichte, und mit einem milderen, fast wehmütigen Tone, sprach sie endlich: »Armer Türlütü!«

Als ich ihr nicht verhehlte, daß sich der Zwerg in seiner Sterbestunde sehr bitter über sie beklagt, geriet sie in die leidenschaftlichste Bewegung, und versicherte mir unter vielen Beteurungen, daß sie die Absicht hatte den Zwerg aufs Beste zu versorgen, daß sie ihm ein Jahrgehalt angeboten, wenn er still und bescheiden irgendwo in der Provinz leben wolle. »Aber ehrgeizig wie er ist, fuhr Laurence fort, verlangte er in Paris zu bleiben und sogar in meinem Hotel zu wohnen; er könne alsdann, meinte er, durch meine Vermittlung, seine ehemaligen Verbindungen im Faubourg Saint-Germain wieder anknüpfen, und seine frühere glänzende Stellung in der Gesellschaft wieder einnehmen. Als ich ihm dieses rund abschlug, ließ er mir sagen, ich sei ein verfluchtes Gespenst, ein Vampir, ein Totenkind...«

Laurence hielt plötzlich inne, schauderte heftig zusammen und seufzte endlich aus tiefster Brust: »Ach, ich wollte, sie hätten mich bei meiner Mutter im Grabe gelassen!« Als ich in sie drang, mir diese geheimnisvollen Worte zu erklären, ergoß sich ein Strom von Tränen aus ihren Augen, und zitternd und schluchzend gestand sie mir, daß die schwarze Trommelfrau, die sich für ihre Mutter ausgegeben, ihr einst selbst erklärt habe, das Gerücht, womit man sich über ihre Geburt herumtrage, sei kein bloßes Märchen. »In der Stadt nämlich wo wir wohnten«, fuhr Laurence fort, »hieß man mich immer: das Totenkind! Die alten Spinnweiber behaupteten, ich sei eigentlich die Tochter eines dortigen Grafen, der seine Frau beständig mißhandelte und als sie starb sehr prachtvoll begraben ließ; sie sei aber hochschwanger und nur scheintot gewesen, und als einige Kirchhofsdiebe, um die reichgeschmückte Leiche zu bestehlen, ihr Grab öffneten, hätten sie die Gräfin ganz lebendig und in Kindesnöten gefunden; und als sie nach der Entbindung gleich verschied, hätten die Diebe sie wieder ruhig ins Grab gelegt und das Kind mitgenommen und ihrer Hehlerin, der Geliebten des großen Bauchredners, zur Erziehung übergeben. Dieses arme Kind, das begraben gewesen noch ehe es geboren worden, nannte man nun überall: das Totenkind... Ach! Sie begreifen nicht, wie viel Kummer ich schon als kleines Mädchen empfand, wenn man mich bei diesem Namen nannte. Als der große Bauchredner noch lebte und nicht selten mit mir unzufrieden war, rief er immer: verwünschtes Totenkind, ich wollt ich hätte dich nie aus dem Grabe geholt! Ein geschickter Bauchredner wie er war, konnte er seine Stimme so modulieren, daß man glauben mußte sie käme aus der Erde hervor, und er machte mir dann weis, das sei die Stimme meiner verstorbenen Mutter, die mir ihre Schicksale erzähle. Er konnte sie wohl kennen, diese furchtbaren Schicksale, denn er war einst Kammerdiener des Grafen. Sein grausames Vergnügen war es, wenn ich armes kleines Mädchen über die Worte die aus der Erde hervorzusteigen schienen, das furchtbarste Entsetzen empfand. Diese Worte, die aus der Erde hervorzusteigen schienen, meldeten gar schreckliche Geschichten, Geschichten, die ich in ihrem Zusammenhang nie begriff, die ich auch späterhin allmählig vergaß, die mir aber wenn ich tanzte recht lebendig wieder in den Sinn kamen. Ja, wenn ich tanzte, ergriff mich immer eine sonderbare Erinnerung, ich vergaß meiner selbst und kam mir vor als sei ich eine ganz andere Person, und als quälten mich alle Qualen und Geheimnisse dieser Person... und sobald ich aufhörte zu tanzen, erlosch wieder alles in meinem Gedächtnis.«

Während Laurence dieses sprach, langsam und wie fragend, stand sie vor mir am Kamine, worin das Feuer immer angenehmer loderte, und ich saß in dem Lehnsessel, welcher wahrscheinlich der Sitz ihres Gatten, wenn er des Abends vor Schlafengehn seine Schlachten erzählte. Laurence sah mich an mit ihren großen Augen, als früge sie mich um Rat; sie wiegte ihren Kopf so wehmütig sinnend; sie flößte mir ein so edles, süßes Mitleid ein; sie war so schlank, so jung, so schön, diese Lilje die aus dem Grabe gewachsen, diese Tochter des Todes, dieses Gespenst mit dem Gesichte eines Engels und dem Leib einer Bajadere! Ich weiß nicht wie es kam, es war vielleicht die Influenz des Sessels worauf ich saß, aber mir ward plötzlich zu Sinne, als sei ich der alte General, der gestern auf dieser Stelle die Schlacht bei Jena geschildert, als müsse ich fortfahren in meiner Erzählung, und ich sprach: Nach der Schlacht bei Jena ergaben sich binnen wenigen Wochen, fast ohne Schwertstreich, alle preußischen Festungen. Zuerst ergab sich Magdeburg; es war die stärkste Festung, und sie hatte dreihundert Kanonen. Ist das nicht schmählig?

Mademoiselle Laurence ließ mich aber nicht weiter reden, alle trübe Stimmung war von ihrem schönen Antlitz verflogen, sie lachte wie ein Kind und rief: »Ja, das ist schmählig, mehr als schmählig! Wenn ich eine Festung wäre und dreihundert Kanonen hätte, würde ich mich nimmermehr ergeben!«

Da nun Mademoiselle Laurence keine Festung war und keine dreihundert Kanonen hatte...

Bei diesen Worten hielt Maximilian plötzlich ein in seiner Erzählung, und nach einer kurzen Pause frug er leise: Schlafen Sie, Maria?

Ich schlafe, antwortete Maria.

Desto besser, sprach Maximilian mit einem feinen Lächeln, ich brauche also nicht zu fürchten, daß ich Sie langweile, wenn ich die Möbel des Zimmers worin ich mich befand, wie heutige Novellisten pflegen, etwas ausführlich beschreibe.

Vergessen Sie nur nicht das Bett, teurer Freund!

Es war in der Tat, erwiderte Maximilian, ein sehr prachtvolles Bett. Die Füße, wie bei allen Betten des Empires, bestanden aus Karyatiden und Sphinxen, und der Himmel strahlte von reichen Vergoldungen, namentlich von goldnen Adlern, die sich wie Turteltauben schnäbelten, vielleicht ein Sinnbild der Liebe unter dem Empire. Die Vorhänge des Bettes waren von roter Seide, und da die Flammen des Kamines sehr stark hindurchschienen, so befand ich mich mit Laurence in einer ganz feuerroten Beleuchtung, und ich kam mir vor wie der

Gott Pluto, der, von Höllengluten umlodert, die schlafende
Proserpine in seinen Armen hält. Sie schlief, und ich betrachtete
in diesem Zustand ihre holdes Gesicht und suchte in ihren
Zügen ein Verständnis jener Sympathie, die meine Seele für sie
empfand. Was bedeutet dieses Weib? Welcher Sinn lauert
unter der Symbolik dieser schönen Formen?

Aber ist es nicht Torheit, den inneren Sinn einer fremden
Erscheinung ergründen zu wollen, während wir nicht einmal
das Rätsel unserer eigenen Seele zu lösen vermögen! Wissen
wir doch nicht einmal genau, ob die fremden Erscheinungen
wirklich existieren! Können wir doch manchmal die Realität
nicht von bloßen Traumgesichten unterscheiden! War es ein
Gebilde meiner Phantasie, oder war es entsetzliche Wirklichkeit, was ich in jener Nacht hörte und sah? Ich weiß es nicht.
Ich erinnere mich nur, daß, während die wildesten Gedanken
durch mein Herz fluteten, ein seltsames Geräusch mir ans Ohr
drang. Es war eine verrückte Melodie, sonderbar leise. Sie kam
mir ganz bekannt vor, und endlich unterschied ich die Töne
eines Triangels und einer Trommel. Die Musik, schwirrend
und summend, schien aus weiter Ferne zu erklingen, und
dennoch, als ich aufblickte, sah ich nahe vor mir, mitten im
Zimmer, ein wohlbekanntes Schauspiel: Es war Monsieur
Türlütü der Zwerg, welcher den Triangel spielte, und Madame
Mutter, welche die große Trommel schlug, während der gelehrte Hund am Boden herumscharrte, als suche er wieder seine
hölzernen Buchstaben zusammen. Der Hund schien nur mühsam sich zu bewegen und sein Fell war von Blut befleckt.
Madame Mutter trug noch immer ihre schwarze Trauerklei-
dung, aber ihr Bauch war nicht mehr so spaßhaft hervor-
tretend, sondern vielmehr widerwärtig herabhängend; auch
ihr Gesicht war nicht mehr rot, sondern blaß. Der Zwerg,
welcher noch immer die brodierte Kleidung eines altfranzö-
sischen Marquis und ein gepudertes Toupet trug, schien etwas gewachsen zu sein, vielleicht weil er so gräßlich abgemagert war.
Er zeigte wieder seine Fechterkünste und schien auch seine alten
Prahlereien wieder abzuhaspeln; er sprach jedoch so leise, daß ich
kein Wort verstand, und nur an seiner Lippenbewegung konnte
ich manchmal merken, daß er wieder wie ein Hahn krähte.

Während diese lächerlich grauenhaften Zerrbilder, wie ein Schattenspiel, mit unheimlicher Hast, sich vor meinen Augen bewegten, fühlte ich, wie Mademoiselle Laurence immer unruhiger atmete. Ein kalter Schauer überfröstelte ihren ganzen Leib, und wie von unerträglichen Schmerzen zuckten ihre holden Glieder. Endlich aber, geschmeidig wie ein Aal, glitt sie aus meinen Armen, stand plötzlich mitten im Zimmer und begann zu tanzen, während die Mutter mit der Trommel und der Zwerg mit dem Triangel ihre gedämpfte leise Musik ertönen ließen. Sie tanzte ganz wie ehemals an der Waterloo-Brücke und auf den Carrefours von London. Es waren dieselben geheimnisvollen Pantomimen, dieselben Ausbrüche der leidenschaftlichsten Sprünge, dasselbe bacchantische Zurückwerfen des Hauptes, manchmal auch dasselbe Hinbeugen nach der Erde, als wolle sie horchen was man unten spräche, dann auch das Zittern, das Erbleichen, das Erstarren, und wieder aufs neue das Horchen mit nach dem Boden gebeugtem Ohr. Auch rieb sie wieder ihre Hände, als ob sie sich wüsche. Endlich schien sie auch wieder ihren tiefen, schmerzlichen, bittenden Blick auf mich zu werfen… aber nur in den Zügen ihres todblassen Antlitzes erkannte ich diesen Blick, nicht in ihren Augen, denn diese waren geschlossen. In immer leiseren Klängen verhallte die Musik; die Trommelmutter und der Zwerg, allmählig verbleichend und wie Nebel zerquirlend, verschwanden endlich ganz; aber Mademoiselle Laurence stand noch immer und tanzte mit verschlossenen Augen. Dieses Tanzen mit verschlossenen Augen im nächtlich stillen Zimmer gab diesem holden Wesen ein so gespenstisches Aussehen, daß mir sehr unheimlich zu Mute wurde, daß ich manchmal schauderte, und ich war herzlich froh als sie ihren Tanz beendigt hatte.

Wahrhaftig, der Anblick dieser Szene hatte für mich nichts Angenehmes. Aber der Mensch gewöhnt sich an alles. Und es ist sogar möglich, daß das Unheimliche diesem Weibe einen noch besonderen Reiz verlieh, daß sich meinen Empfindungen eine schauerliche Zärtlichkeit beimischte… genug, nach einigen Wochen wunderte ich mich nicht mehr im mindesten, wenn des Nachts die leisen Klänge von Trommel und Triangel ertönten, und meine teure Laurence plötzlich aufstand und mit

verschlossenen Augen ein Solo tanzte. Ihr Gemahl, der alte
Bonapartist, kommandierte in der Gegend von Paris und seine
Dienstpflicht erlaubte ihm nicht die Tage in der Stadt zuzu-
bringen. Wie sich von selbst versteht, er wurde mein intimster
Freund, und er weinte helle Tropfen, als er späterhin für lange
Zeit von mir Abschied nahm. Er reiste nämlich mit seiner
Gemahlin nach Sizilien, und beide habe ich seitdem nicht
wiedergesehen.

Als Maximilian diese Erzählung vollendet, erfaßte er rasch
seinen Hut und schlüpfte aus dem Zimmer.